JN145064

太陽有限責任監査法人 編

独立行政法人会計詳解ハンドブック

第4版

INDEPENDENT ADMINISTRATIVE AGENCY

同文舘出版

第４版刊行にあたって

科学技術・イノベーション創出の活性化に関する法律の一部改正に伴い，国立研究開発法人において研究開発成果の活用等を行うため，研究開発成果を活用する事業者等の株式または新株予約権を取得できるものとされたことから，令和２年３月に独立行政法人会計基準の改訂が行われました。これにより，連結の範囲は業務一体性の観点も踏まえたものに見直しされました。また，個別財務諸表における関係会社株式は，出資先持分額の変動に応じて評価する方法に見直し，その計上方法は部分純資産直入法を採用しています。このほか，特定関連会社，関連会社及び関連公益法人等の概要及び財務状況等の開示方法は，連結附属明細書から個別附属明細書での開示に変更され，連結剰余金計算書の廃止及び連結純資産変動計算書の新設など，連結財務諸表の体系が見直しされました。

上記の改訂後，企業会計では国内外の企業間における財務諸表の比較可能性を向上させる観点から，新たに開発された会計基準や改正後の会計基準が順次公表され，適用されています。これらの会計基準を踏まえ，令和３年９月に独立行政法人会計基準の改訂が行われました。これにより，収益認識の考え方は，企業会計基準を参考に基本となる原則（5つのステップ）を導入しています。また，時価算定の考え方は，金融商品の時価の定義を見直し，「市場価格のない株式等」に対応しています。さらに，独立行政法人の財務報告利用者に対して会計上の見積りの情報を提供することに意義があると考えられることから，会計上の見積りについて開示目的を示しています。

本書では上記の独立行政法人会計基準及び同Q&Aの改訂内容を反映し，特に実務における参考となるよう会計処理，仕訳事例等をなるべく記載・解説するよう心掛けました。独立行政法人会計基準の理解の助けや実務における疑問点の解消など１人でも多くの方に，本書がお役立ちできることを切に願っております。

2024年1月

執筆者を代表して　宮　崎　　哲

はじめに

独立行政法人制度は，制度創設から10年以上が経過しました。国際会計基準との整合をはかるための企業会計基準の度重なる改正や独立行政法人通則法改正による不要財産の国庫返納制度の導入などにより，近年，独立行政法人会計基準の改正が続いております。また，制度面では，平成25年2月に設置された行政改革推進会議，独立行政法人改革に関する有識者懇談会において独立行政法人制度の改革に関する検討が行われており，今後の動向が注目されるところです。

本書は，独立行政法人会計基準及び独立行政法人会計基準Q&Aの内容の解説を中心とし，多くの会計処理・仕訳事例を掲載することにより，実務に携わる方々向けにできるだけ丁寧な解説を心掛けて執筆いたしました。また，最新の独立行政法人会計基準改正を網羅的かつ詳細に解説するべく，平成24年3月改訂独立行政法人会計基準Q&A，平成23年6月改訂独立行政法人会計基準及び同注解の内容を掲載するとともに，平成22年の独立行政法人通則法改正により導入された不要財産の国庫返納制度の解説に多くのページを割いております。不要財産の国庫返納制度については制度導入から間もないこともあり，実務における十分な理解が必要に思います。

独立行政法人会計基準は，企業会計基準に従うことを原則としつつ，利益の獲得を主たる目的としない独立行政法人固有の性質に着目して必要な調整を行ったうえで策定されています。必要な調整には，官庁会計や国際公会計基準（IPSAS）の考え方が部分的に取り入れられており，この点が独立行政法人会計基準の内容を難しいものとしている要因の1つであるものと思います。

国立大学法人会計基準や地方独立行政法人会計基準が独立行政法人会計基準をベースとして策定されていることからも，同基準は企業会計の考えを取り入れた公会計分野の会計基準としては最も基本となる基準であるものと筆者は考えます。

同基準は，非常に理論的かつ体系的な検討が加えられたうえで策定されており，その基本となる考え方をご理解頂けるならば，むしろ理論的であるがゆえに納得・理解しやすいものなのではないかと考えます。

理論的であるがゆえに，歯ごたえのある独立行政法人会計基準の理解の助けや実務における疑問点の解消など一人でも多くの方に本書がお役立ちできることを切に願っております。

2013年6月

執筆者を代表して

宮崎　哲

凡　例

本書では，会計基準等を以下の略称にて記載致します。

(略称)	(正式名称)
基準	独立行政法人会計基準
注解	独立行政法人会計基準注解
独法 Q&A	独立行政法人会計基準及び独立行政法人会計基準注解に関する Q&A
減損基準	固定資産の減損に係る独立行政法人会計基準
減損基準注解	固定資産の減損に係る独立行政法人会計基準注解
減損 Q&A	固定資産の減損に係る独立行政法人会計基準及び固定資産の減損に係る独立行政法人会計基準注解に関する Q&A
通則法	独立行政法人通則法
法基通	法人税法基本通達
法令	法人税法施行令

目　次

独立行政法人会計詳解ハンドブック

［第４版］

第1章　独立行政法人制度の概要

第1節　制度の沿革

以下では，独立行政法人制度の創設時からの制度改正の沿革を紹介いたします。

独立行政法人は，国民生活及び社会経済の安定等の公共上の見地から確実に実施されることが必要な事務及び事業であって，国が自ら主体となって直接に実施する必要のないもののうち，民間の主体に委ねた場合には必ずしも実施されないおそれがあるものまたは一の主体に独占して行わせることが必要であるものを効果的かつ効率的に行わせるため，中期目標管理法人，国立研究開発法人又は行政執行法人として独立行政法人通則法及び個別法の定めにより設立される法人（通則法第2条）をいいます。

中央省庁等行政改革の一環として，国の研究所等の機関が始めに独立行政法人化される方向性が決定されました。行政改革会議最終報告（平成9年12月）において，「国民のニーズに即応した効率的な行政サービスの提供等を実現する，という行政改革の基本理念を実現するため，政策の企画立案機能と実施機能とを分離し，事務・事業の内容・性質に応じて最も適切な組織・運営の形態を追求するとともに，実施部門のうち一定の事務・事業について，事務・事業の垂直的減量を推進しつつ，効率性の向上，質の向上及び透明性の確保を図るため，独立の法人格を有する独立行政法人を設立する」との基本方針が報告されています。

独立行政法人制度創設までの経緯とその後の経過をまとめると，以下の通りとなります。

▶平成9年12月　行政改革会議最終報告：中央省庁の行政のスリム化・効率化の一環として政策の企画立案と事務・事業の実施機能とを分離し，後者については独立行政法人として別法人化する制度導入の提言がなされる。

▶平成10年6月　中央省庁等改革基本法（平成10年法律第103号）：独立行政法人制度創設が盛り込まれる。

▶平成11年7月　独立行政法人通則法　成立：独立行政法人の法制化に向けた各独立行政法人に共通する独立行政法人の運営の基本，その他制度の基本となる共通の事項が法律化される。

▶平成12年12月　行政改革大綱（閣議決定）：平成13年4月から独立行政法人化する方針が決定される。

▶平成13年4月　57の独立行政法人が発足

▶平成13年12月「特殊法人等整理合理化計画」（閣議決定）：特殊法人等のうち廃止または民営化できないものを独立行政法人化すると決定される。

▶平成18年6月「簡素で効率的な政府を実現するための行政改革の推進に関する法律」：国の歳出削減を図る観点から平成18年度以降に始めて中期目標期間の終了する独立行政法人に対して，その組織及び業務の在り方並びにこれに影響を及ぼす国の施策の在り方について併せて検討を行い，その結果に基づき，必要な措置を講ずる。

▶平成19年6月「経済財政改革の基本方針2007」（閣議決定）：独立行政法人見直しの3原則が示される。

原則1「官から民へ」原則：民間に委ねた場合には実施されないおそれがある法人及び事務・事業に限定する。それ以外は，民営化・廃止または事務・事業の民間委託・廃止を行う。

原則2 競争原則：法人による業務独占については，民間開放できない法人及び事務・事業に限定する。それ以外は，民営化・廃止または事務・事業の民間委託・廃止を行う。

原則3 整合性原則：他の改革（公務員制度改革，政策金融改革，国の随

意契約の見直し，国の資産債務改革）との整合性を確保する。

▶平成19年12月「独立行政法人整理合理化計画」（閣議決定）：独立行政法人の事務事業の見直し，法人の廃止・民営化，他機関との統合，非公務員化に関する方針が決定される。

▶平成21年12月「独立行政法人の抜本的な見直しについて」（閣議決定）：「独立行政法人整理合理化計画（平成19年12月24日閣議決定）」に定められた事項（既に措置している事項を除く）について当面凍結し，独立行政法人の抜本的な見直しの一環として再検討することが決定される。

▶平成22年12月「独立行政法人の事務・事業見直しの基本方針」（閣議決定）：独立行政法人の統廃合，事務事業の見直しについての方針が決定される。

▶平成24年1月「独立行政法人の制度及び組織の見直しの基本方針」（閣議決定）：独立行政法人の統廃合と独立行政法人制度の見直しに関する基本方針が決定される。

なお，問題点の指摘は以下の通りです。

①　主務大臣や監事による法人の外部・内部のガバナンスが不十分であること

②　運営費交付金の使途が不透明であり，無駄や非効率な業務運営が生じていること

③　目標設定が不明確であり，客観的な評価が困難なこと。また，評価に府省横断的な統一性がないなど，評価の実効性が欠けていること

④　業務運営に対する第三者のチェックが不足しているほか，不要資産の保有，不透明な取引関係の存在など業務運営の透明性が低いこと

上記をうけて，平成24年5月に独立行政法人通則法の改正要綱・改正案が国会提出されましたが，平成24年11月の臨時国会の閉会時に同法案は廃案となりました。

▶平成25年1月「平成25年度予算編成の基本方針」（閣議決定）：同閣議決定において，「特別会計改革の基本方針」（平成24年1月24日閣議決定）及

び「独立行政法人の制度及び組織の見直しの基本方針」（平成24年1月20日閣議決定）は，それ以前より決定していた事項を除いて当面凍結し，平成25年度予算は，現行の制度・組織等を前提に編成するものとする。特別会計及び独立行政法人の見直しについては，引き続き検討し，改革に取り組むとの決定がなされる。

▶平成25年6月「独立行政法人改革に関する中間とりまとめ」（独立行政法人改革に関する有識者懇談会）

▶平成25年12月「独立行政法人改革等に関する基本的な方針」（閣議決定）：上記有識者懇談会での中間とりまとめを受けて，独立行政法人改革等に関する基本的な方針が閣議決定される。

平成25年12月24日付けで，「独立行政法人改革等に関する基本的な方針」が閣議決定されました。当該閣議決定において，「独立行政法人制度を導入した本来の趣旨に則り，大臣から与えられた明確なミッションの下で，法人の長のリーダーシップに基づく自主的・戦略的な運営，適切なガバナンスにより，国民に対する説明責任を果たしつつ，法人の政策実施機能の最大化を図るとともに，官民の役割分担の明確化，民間能力の活用などにより官の肥大化防止・スリム化を図ること」を改革の目的と定めています。

このような改革の視点に立ち，具体的には3つの独立行政法人制度改革に取り組むこととされました。

① 法人の裁量，国の関与度合い等に応じた法人の分類

② PDCAサイクルが機能する目標・評価の仕組みの構築

③ 法人の内外から業務運営を改善する仕組みの導入

上記の閣議決定による基本方針を受けて，平成26年6月13日付けで独立行政法人通則法が改正され，平成27年4月1日より施行となりました。

主な改正点は，次の3点となります。

① 業務特性に応じた法人の分類

法人の業務特性に応じて3つの類型を設けたうえで，各類型ごとに法人の目

標管理の期間等を異なるものとする取扱いへと改正されました。

法人分類	内　　容
中期目標管理法人	公共上の事務等のうち，その特性に照らし，一定の自主性及び自律性を発揮しつつ，中期的な視点に立って執行することが求められるものを国が中期的な期間について定める業務運営に関する目標を達成するための計画に基づき行うことにより，国民の需要に的確に対応した多様で良質なサービスの提供を通じた公共の利益の増進を推進することを目的とする独立行政法人
国立研究開発法人	公共上の事務等のうち，その特性に照らし，一定の自主性及び自律性を発揮しつつ，中長期的な視点に立って執行することが求められる科学技術に関する試験，研究又は開発に係るものを主要な業務として国が中長期的な期間について定める業務運営に関する目標を達成するための計画に基づき行うことにより，我が国における科学技術の水準の向上を通じた国民経済の健全な発展その他の公益に資するため研究開発の最大限の成果を確保することを目的とする独立行政法人
行政執行法人	公共上の事務等のうち，その特性に照らし，国の行政事務と密接に関連して行われる国の指示その他の国の相当な関与の下に確実に執行することが求められるものを国が事業年度ごとに定める業務運営に関する目標を達成するための計画に基づき行うことにより，その公共上の事務等を正確かつ確実に執行することを目的とする独立行政法人

② PDCAサイクルが機能する目標・評価の仕組みの構築

独立行政法人に目標を指示する主務大臣自らが評価を実施する制度へと改めることと改正されました。従来は，独立行政法人に対する目標設定（中期目標等）を主務大臣が設定することとされていたものの，事後の評価は独立行政法人評価委員会が行うこととされ，評価における主務大臣の関与がありませんでした。

このため，今回の通則法改正により，法人に目標を指示する主務大臣が，毎年度，業績評価を実施することと改正するとともに，評価結果を次の中期目標等の設定に反映させ，法人としてのPDCAサイクルを適切に回していくことを求める改正が行われました。

また，各主務大臣の評価に統一性を持たせるため，総務大臣が，目標・評価に関する指針を策定することとされました。

総務省に独立行政法人評価制度委員会を設置し，以下のチェック等を実施することとされました。

中期目標管理法人・国立研究開発法人	行政執行法人
主務大臣による目標案，中期（中長期）目標期間の評価結果，中期（中長期）目標期間終了時の見直し内容をチェックし，意見する。	中期的な期間（3～5年）における業務運営の効率化の評価結果を点検し，意見する。
中期（中長期）目標期間終了時の見直しに際し，法人の主要な事務・事業の改廃について，主務大臣に勧告する。	

③　法人の内外から業務運営を改善する仕組みの導入

法人の内外から業務運営を改善する仕組みの導入として，監事・会計監査人の権限の強化が図られるとともに，主務大臣による改善命令等の権限強化が図られる改正が行われました。また，役員に職務忠実義務を課すとともに任務懈怠の場合，損害賠償責任を課すことと改正されました。

1)　監事の権限強化

監事の調査権限を法律上，明確化するとともに，監事に監査報告の作成義務を課すこと等の改正が行われました。

通則法第19条第4項	監事は，独立行政法人の業務を監査する。この場合において，監事は，主務省令で定めるところにより，監査報告を作成しなければならない。
通則法第19条第5項	監事は，いつでも，役員（監事を除く。）及び職員に対して事務及び事業の報告を求め，又は独立行政法人の業務及び財産の状況の調査をすることができる。
通則法第19条第6項	監事は，独立行政法人が次に掲げる書類を主務大臣に提出しようとするときは，当該書類を調査しなければならない。 一　この法律の規定による認可，承認，認定及び届出に係る書類並びに報告書その他の総務省令で定める書類 二　その他主務省令で定める書類
通則法第19条第7項	監事は，その職務を行うため必要があるときは，独立行政法人の子法人（独立行政法人がその経営を支配している法人として総務省令で定めるものをいう。以下同じ。）に対して事業の報告を求め，又はその子法人の業務及び財産の状況の調査をすることができる。

通則法第 19 条第 9 項	監事は，監査の結果に基づき，必要があると認めるときは，法人の長又は主務大臣に意見を提出することができる。
通則法第 19 条の 2	監事は，役員（監事を除く。）が不正の行為をし，若しくは当該行為をするおそれがあると認めるとき，又はこの法律，個別法若しくは他の法令に違反する事実若しくは著しく不当な事実があると認めるときは，遅滞なく，その旨を法人の長に報告するとともに，主務大臣に報告しなければならない。
通則法第 21 条の 5	独立行政法人の役員（監事を除く。）は，当該独立行政法人に著しい損害を及ぼすおそれのある事実があることを発見したときは，直ちに，当該事実を監事に報告しなければならない。
通則法第 39 条の 2 第 2 項	監事は，その職務を行うため必要があると認めるときは，会計監査人に対し，その監査に関する報告を求めることができる。

2)　役員の職務忠実義務等の明確化

役員に職務忠実義務を課すとともに，任務懈怠による損害賠償責任を課すことと改正が行われました。

通則法第 21 条の 4	独立行政法人の役員は，その業務について，法令，法令に基づいてする主務大臣の処分及び当該独立行政法人が定める業務方法書その他の規則を遵守し，当該独立行政法人のため忠実にその職務を遂行しなければならない。
通則法第 25 条の 2	独立行政法人の役員又は会計監査人（第四項において「役員等」という。）は，その任務を怠ったときは，独立行政法人に対し，これによって生じた損害を賠償する責任を負う。

3)　法人に内部統制の整備の義務付け

法人の業務方法書に法令遵守等内部統制の体制を記載するよう改正が行われました。

通則法第 28 条第 2 項	前項の業務方法書には，役員（監事を除く。）の職務の執行がこの法律，個別法又は他の法令に適合することを確保するための体制その他独立行政法人の業務の適正を確保するための体制の整備に関する事項その他主務省令で定める事項を記載しなければならない。

4)　主務大臣による是正措置の整備

主務大臣が法人及び役職員の違法行為や不正行為，法人の著しく不適正な業務運営に対して違法・不正行為の是正，業務運営の改善の命令を行えるよう改正されました。

通則法第 35 条の 3, 第 35 条の 8	主務大臣は，中期目標管理法人若しくはその役員若しくは職員が，不正の行為若しくはこの法律，個別法若しくは他の法令に違反する行為をし，若しくは当該行為をするおそれがあると認めるとき，又は中期目標管理法人の業務運営が著しく適正を欠き，かつ，それを放置することにより公益を害することが明白である場合において，特に必要があると認めるときは，当該中期目標管理法人に対し，当該行為の是正又は業務運営の改善のため必要な措置をとるべきことを命ずることができる。（第 35 条の 8 で国立研究開発法人に準用）
通則法第 35 条の 12	主務大臣は，年度目標を達成するためその他この法律又は個別法を施行するため特に必要があると認めるときは，行政執行法人に対し，その業務に関し監督上必要な命令をすることができる。

5)　独立行政法人の役職員に再就職規制を導入

独立行政法人の役職員又は役職員であった者を法人の退職後に密接関係法人等（独立行政法人が過半を出資する等により支配している子法人，取引の依存度が 25％以上（一定規模以上の法人においては依存度 10％以上）の法人，許認可又は補助金等の申請中の法人，立入検査の対象となる法人等）に対して再就職等の要求や依頼を行うことが通則法で禁止されました。中期目標管理法人においては，通則法第 50 条の 4 で規定され，国立研究開発法人は同法第 50 条の 11 に定められています。なお，行政執行法人の役職員は国家公務員の身分を有するため，国家公務員法第 106 条の 2 で同様の再就職規制が課されています。

通則法第 50 条の 4, 第 50 条の 11	中期目標管理法人の役員又は職員（非常勤の者を除く。以下「中期目標管理法人役職員」という。）は，密接関係法人等に対し，当該中期目標管理法人の他の中期目標管理法人役職員をその離職後に，若しくは当該中期目標管理法人の中期目標管理法人役職員であった者を，当該密接関係法人等の地位に就かせることを目的として，当該他の中期目標管理法人役職

	員若しくは当該中期目標管理法人役職員であった者に関する情報を提供し，若しくは当該地位に関する情報の提供を依頼し，又は当該他の中期目標管理法人役職員をその離職後に，若しくは当該中期目標管理法人役職員であった者を，当該密接関係法人等の地位に就かせることを要求し，若しくは依頼してはならない。

第２節　制度の特徴

独立行政法人制度の特徴点を以下にて解説します。

1.　業務内容

独立行政法人の行う業務は，国の事務事業のうち一定のものを独立行政法人に切り分けたという創設の経緯から，以下のものがその実施する業務の範囲と

図表 1-1　独立行政法人の業務内容

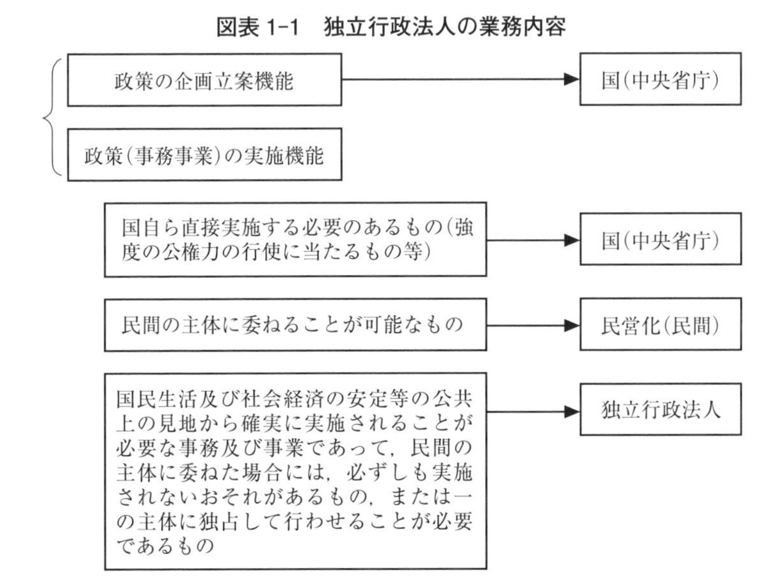

なります（**図表1-1**）。

① 国自ら主体となって直接実施する必要がないものであって，国民生活及び社会経済の安定等の公共上の見地から確実に実施されることが必要な事務及び事業

② 民間の主体に委ねた場合には必ずしも実施されないおそれがあるものまたは一の主体に独占して行わせることが必要であるもの

2. 中期目標等に従った運営

独立行政法人の運営は国による事前の関与を極力排除し，事後評価に重点を置くものとされます。このため，独立行政法人に対する主務大臣の関与事項は法定されたものに限定されます。

独立行政法人の運営に自主性を与えるため，その運営にかかる基本となる枠組みについては，中期目標等として主務大臣が定めます。中期目標等は，3年以上5年以下の期間における独立行政法人が達成すべき業務運営の効率化，国民に対して提供するサービス等の質の向上，財務内容の改善その他の業務運営に関する目標として定められ，独立行政法人は中期目標等を達成するための中期計画等及び中期計画等の期間中の各事業年度の業務運営に関する年度計画を策定・実施します。

なお，平成26年通則法改正により，独立行政法人は下記のように3つの類型に区分され，それぞれの特性に応じた中期目標等期間が設けることとされました。

法人類型	中期目標等期間
中期目標管理法人	中期目標期間（3年以上5年以下）
国立研究開発法人	中長期目標期間（7年以内）
行政執行法人	年度目標（単年度，1年間）

独立行政法人の各事業年度の運営状況については，主務大臣自らが評価を行います。また，中期目標等期間終了時点で主務大臣は，各独立行政法人の業務を継続させる必要性，組織の在り方その他その組織及び業務の全般にわたる検

図表 1-2　独立行政法人における業績評価の PDCA サイクル

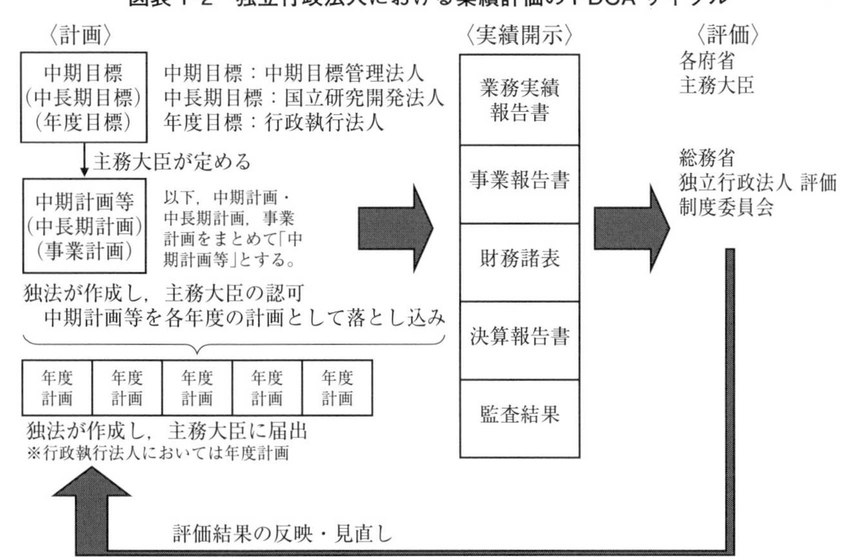

討を行い，その結果に基づき，所要の措置を講ずるものとされており，中期計画期間の終了時点において独立行政法人の存続の可否，業務内容に関する必要な見直しが行われる制度となっています。

上記のほかに，総務省に独立行政法人評価制度委員会を設置し，主務大臣の中期目標案，中期目標期間に係る業績評価結果を点検し，中立公正な立場から各府省の主務大臣による評価の点検を行うとともに，中期目標期間終了時点における独立行政法人の事務事業全般の改廃に関する勧告等を行います。

図表 1-2 のような PDCA サイクルを通じて，独立行政法人の業務運営が国民のニーズからかけ離れたものとなることが無いよう，定期的な見直しを求める制度設計になっています。

3. 財　　源

独立行政法人は，その名称に「独立」と付きますが，国からの独立採算を前提としたものではなく，独立行政法人の業務運営にかかる財源は，必要な場合国が措置するものとされます。

独立行政法人に措置される財源は，主に以下の2つです（なお，特殊法人から移行した独立行政法人においては，基金や補助金等を主な運営財源としている場合もあります）。

① 運営費交付金：毎年の独立行政法人の業務運営にかかる財源，中期目標期間内では繰越使用や費目間流用など弾力的な執行を可能としている。

② 施設整備費補助金：独立行政法人における固定資産等の施設整備に要する財源となる。

なお，上記①と②を区分するのは，財源を措置する国の予算制度の枠組みとして②は公債発行対象経費（建設国債発行対象経費）に区分されるため，当該要請に基づき①と②とを区分する必要があるためです（財政法第4条第3項 参照）。

したがって，施設費で予め申請・認可を受けた施設整備計画以外の内容に支

図表 1-3 独立行政法人の職員の身分

	行政執行法人 （公務員型）	中期目標管理法人 国立研究開発法人 （非公務員型）
国家公務員身分	あり	なし
国家公務員の定員規制	あり	なし （定員管理の対象外）
労働基本権	団結権，協約締結権のない団体交渉権あり，争議権なし。	団結権，団体交渉権（協約締結権を含む）及び争議権あり。
免職等の取扱い	法令に定める事由によらなければ，降任，退職，免職にされない。	免職事由等については，就業規則により各法人が定める。
職員の義務	信用失墜行為の禁止，守秘義務，職務専念義務，兼業の制限，営利企業の役員等との兼業禁止，離職後における営利企業への就職に関する制限等。	独立行政法人の業務の性格に応じ，守秘義務，刑法の適用上の「みなし公務員」規定がある。

出することは認められず，施設整備完了時に精算し，残余があれば返金または未交付となります。

4. 職員の身分

平成26年度の通則法改正により，独立行政法人は，3つの類型（中期目標管理法人，国立研究開発法人，行政執行法人）に区分されました。このうち，行政執行法人*の役職員は，国家公務員の身分を有することとされています。他方，中期目標管理法人，国立研究開発法人の役職員は，国家公務員の身分を有さないこととされています（前ページの**図表1-3**）。

＊「行政執行法人の役員及び職員は，国家公務員とする。」（通則法第51条）

第3節 独立行政法人の会計制度

1. 会計制度の特徴

独立行政法人は，中期目標等に従った運営を行い，国による事前関与を極力排除し，自主性・自律性を重視した運営によって，業務の効率化と実施する業務の質の向上を達成することを目的とした制度として設計されます。このような制度設計を前提とし，国による事前関与を極力排除し，事後評価による関与を中心とする制度として設計していることから，独立行政法人の毎期の運営状況の適正な実績開示（ディスクロージャー）を行い，業績評価が正しく行われる仕組みを制度的に用意することが大変重要となります。

①独立行政法人の実績評価を適切に行うこと，②独立行政法人の運営状況を適切に開示することを適切に充足する観点から，独立行政法人の実績開示は，その運営状況を示すだけでなく，財政状態についても開示を行うことが適切と

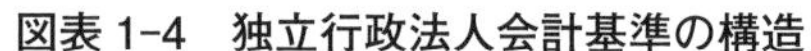

図表 1-4　独立行政法人会計基準の構造

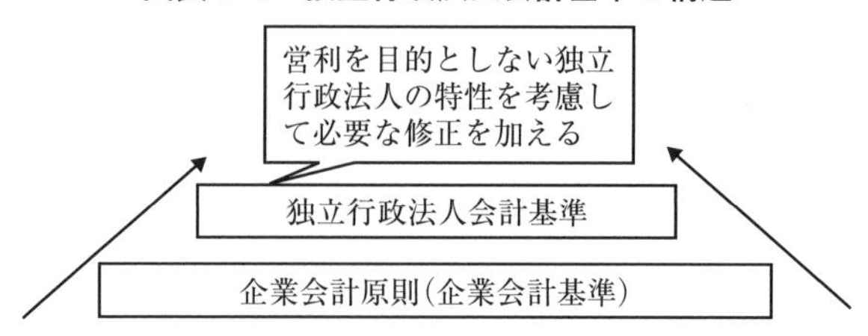

され，以上の観点から，企業会計原則に従った発生主義会計・複式簿記を導入することが必要とされました。

運営状況だけでなく，財政状態も適切に開示するためには貸借対照表の作成が必要であり，そのためには，官庁会計（単式簿記）ではなく，複式簿記を導入することが必要となるためであります。

ただし，独立行政法人は，営利企業と異なり，利益の獲得を目的とした法人ではないことから，営利企業を前提とした企業会計原則に独立行政法人の特性に着目した必要な修正を加えるとされており，ここに独立行政法人会計基準が整備された理由があります（**図表 1-4**）。

＜独立行政法人固有の特性を考慮した必要な修正＞

①　独立行政法人は利益の獲得を目的とした法人ではない

損益計算を主目的とせず，運営状況の開示を目的としています。業務の確実な実施のための費用の発生があり，当該費用の支出のために必要となる財源は国が措置するとの構造から，業務費用が業務収益に優先します。

②　投下資本の配当による回収といった株主資本制度を前提としていない

資本金・資本剰余金という払込資本と毎期の利益からなる獲得資本とを区分し，債権者保護を目的とした配当可能利益の算出を目的とはしていません。

③　政策の企画立案主体となる国と密接不可分の関係により業務運営がなされており，独立行政法人単独では意思決定できない事項が存在する

損益計算書には独立行政法人の運営責任の範囲を示す費用を計上し，独立行政法人の運営責任の範囲外となる純資産の減少については，資本剰余金の減少

項目として取り扱う枠組みを導入しています。例えば，独立行政法人設立時の国からの出資財産にかかる減価償却費を損益計算書に費用計上すると設立時の現物出資額が多額であるために毎期多額の赤字を生じることとなりかねません。出資財産にかかる減価償却費は，独法の財産的基礎をなす出資財産の時の経過による価値の減少を表わすものとして資本剰余金区分の控除項目として「減価償却相当累計額」として整理する仕組みを導入しており，独立行政法人の毎年の運営財源（運営費交付金）の執行状況を示す損益計算の範囲外の純資産の減少とされています。

④　中期目標等・中期計画による管理の仕組みを導入しており，中期目標等期間における業績評価に資する会計情報の提供が必要となる

中期目標等期間の終了時点では国から交付された運営費交付金の未使用分は一旦精算収益化する仕組みを導入することとし，中期目標等期間をまたがって独立行政法人の業績評価がなされることが生じないよう配慮しています。

⑤　独立行政法人に対するインセンティブの付与の要請と財政上の規律を図る

独立行政法人が自己収入により獲得した利益については，独立行政法人が将来の業務運営に自主的に使用できる仕組みを導入しています。経営努力認定によって生じた利益については，中期目標等期間内においては目的積立金として法人内に留保し，目的使用できるように配慮した設計としています。

2.　独立行政法人の財務諸表の体系

独立行政法人の財務諸表の体系は，基準第42において下記の通り定められています。

(1)　貸借対照表
(2)　行政コスト計算書
(3)　損益計算書
(4)　純資産変動計算書
(5)　キャッシュ・フロー計算書
(6)　利益の処分又は損失の処理に関する書類

(7) 附属明細書

独立行政法人の作成すべき財務諸表は，独立行政法人通則法第38条第1項において，貸借対照表，損益計算書，利益の処分又は損失の処理に関する書類その他主務省令で定める書類及びこれらの附属明細書を作成しなければならないと定められています。

各独立行政法人の個別法にかかる主務省令において，「その他主務省令で定める書類」は，行政コスト計算書，純資産変動計算書及びキャッシュ・フロー計算書と定められています。

このほか，財務諸表ではありませんが，通則法第38条第2項において，事業報告書と予算の区分に従い作成した決算報告書を作成することが定められています（**図表1-5**）。

① 貸借対照表

独立行政法人の財政状態を示す財務諸表であり，複式簿記により資産・負債・純資産を記録することにより作成される財務諸表です。

② 損益計算書

独立行政法人の運営状況を示す財務諸表であり，発生主義により収支ではなく当該会計年度に帰属する費用・収益を記録することにより作成される財務諸

図表1-5　通則法で定められた独立行政法人の作成すべき財務諸表等

<table>
<tr><th></th><th>作成すべき財務諸表等</th><th>根拠法令等</th></tr>
<tr><td rowspan="2">財務諸表</td><td>①貸借対照表
②損益計算書
③利益の処分又は損失の処理に関する書類
④附属明細書</td><td>通則法第38条第1項</td></tr>
<tr><td>⑤行政コスト計算書
⑥純資産変動計算書
⑦キャッシュ・フロー計算書</td><td>通則法第38条第1項「その他主務省令で定める書類」（各独立行政法人における主務省令）</td></tr>
<tr><td>財務諸表以外の開示書類</td><td>⑧決算報告書
⑨事業報告書</td><td>通則法第38条第2項</td></tr>
</table>

表です。独立行政法人通則法第44条の利益処分の対象となる利益又は損失を示すよう，その減価に対応すべき収益の獲得が予定されない特定の資産については，独立行政法人の財産的基礎の変動に関連するものとして資本剰余金の部に直接計上するものを定めています。

③　利益の処分又は損失の処理に関する書類

各事業年度の運営で生じた損益計算書上の当期総利益（当期未処分利益）を積立金に整理し，繰越欠損金がある場合には当期総利益（当期未処分利益）をもって繰越欠損金をうめるか，当期総損失（当期未処理損失）を繰越欠損金に加える処理を行います。独立行政法人通則法第44条に基づき利益の処分又は損失の処理の内容を開示します。

④　附属明細書

貸借対照表，損益計算書のうち主要な項目にかかる当該事業年度の増減明細，内訳明細を表わします。

⑤　行政コスト計算書

損益計算書が独立行政法人通則法第44条による利益処分の対象となる利益又は損失を算定するための財務諸表として整理されたことに伴い，独立行政法人の損益の範囲に含まれない会計上の財産的基礎の変動（その他行政コスト）についても最終的には国民の税金負担により賄われていることから，最終的な国民負担となるコストの総額の開示が必要とされ，フルコスト情報を開示するための財務諸表として位置付けられます。

独立行政法人会計基準に定める独立行政法人会計基準固有の処理により，独立行政法人の損益の範囲外とされた項目（減価償却相当額，減損損失相当額，除売却差額相当額など）を計上するものとされています。

⑥　純資産変動計算書

純資産変動計算書は，独立行政法人の財政状態と運営状況との関係を表すため，1会計期間に属する独立行政法人の全ての純資産の変動を表わす財務諸表となります。

独立行政法人の純資産の変動のうち，政府からの出資の変動部分といった行政コスト計算書及び損益計算書の両者に反映されない純資産の変動項目が存在すること等も踏まえ，独立行政法人の財政状態及び運営状況の関係を表すものとして，新たに「純資産変動計算書」を作成することとされました。

なお，純資産変動計算書の様式は，企業会計基準における株主資本等変動計算書の様式を参考としたものが定められております。

⑦　キャッシュ・フロー計算書

独立行政法人の活動を業務活動，投資活動，財務活動に区分し，活動区分ごとのキャッシュ・フローの状況を表わします。

独立行政法人のキャッシュ・フロー計算書と企業会計基準におけるキャッシュ・フロー計算書との相違点をまとめると**図表1-6**の通りとなります。

図表1-6　キャッシュ・フロー計算書の相違点

キャッシュ・フロー計算書の相違点	独立行政法人会計基準	企業会計基準
①作成方法（総額表示・純額表示）	直接法で作成する。	間接法または直接法で作成する。
②区　分	業務活動によるキャッシュ・フロー，投資活動によるキャッシュ・フロー，財務活動によるキャッシュ・フローの3区分	営業活動によるキャッシュ・フロー，投資活動によるキャッシュ・フロー，財務活動によるキャッシュ・フローの3区分
③資金の範囲	現金及び要求払預金（定期預金は1ヵ月もの定期預金であっても資金の範囲に含まれません。）	現金及び現金同等物（満期までの期間が3ヵ月以内で時価変動につき重要なリスクを有さない短期投資を含む）

⑧　決算報告書

独立行政法人の長が定めた予算区分に対する実績としての決算額を示す書類です。予算との対比による予算の執行状況を明らかにするため，官庁会計方式での決算額の記載が行われる報告書です。

このため，決算額には「出納整理期間」における収入額・支出額が含まれるため，前述のキャッシュ・フロー計算書におけるキャッシュ・フロー（資金の収支）とは合致しません（**図表1-7**）。

出納整理：会計年度内に現金の出納が行われていないものの，当該会計年度の予算を執行したことによる決算額として整理するもの。会計年度末から1カ月以内に支払われるものについては，当該会計年度の支出（予算消化）が行われたものとみなして決算額とする方法をいいます。国の決算では，予算決算及び会計令第3条～第6条において，歳入・歳出の出納整理期間を翌年度の4月30日までとしています。

図表 1-7　キャッシュ・フロー計算書と決算報告書との相違点

相違点	キャッシュ・フロー計算書	決算報告書
財務諸表の位置付け	会計年度内の現金及び預金（キャッシュ）の動きを表わす財務諸表	独立行政法人の予算に対する決算（実績）の執行状況を明らかにする報告書。国から交付された予算の執行状況を明らかにするため，交付された予算会計年度分の執行が行われたことを明らかにする観点から，国の決算制度に従った決算報告が行われる。 このため，出納整理期間中の入出金も決算額に反映される。
出納整理期間	なし。	あり。

なお，平成27年の独立行政法人会計基準改正に関連して，決算報告書の様式が改訂されており，法人の長が定めた予算の区分に従って，一定の事業等のまとまりごとに予算決算の状況を記載することが求められるものと改正されました（独法Q&A Q79-4）。

⑨　事業報告書

法人概要（基本情報）及び中期目標に定めた項目ごとの実績情報を記載し，独立行政法人の運営状況等に関する情報開示を行う報告書をいう。

以上の各財務諸表及び決算報告書の関係をまとめると，次ページの**図表 1-8**の通りになります。

図表 1-8　各財務諸表の関係図

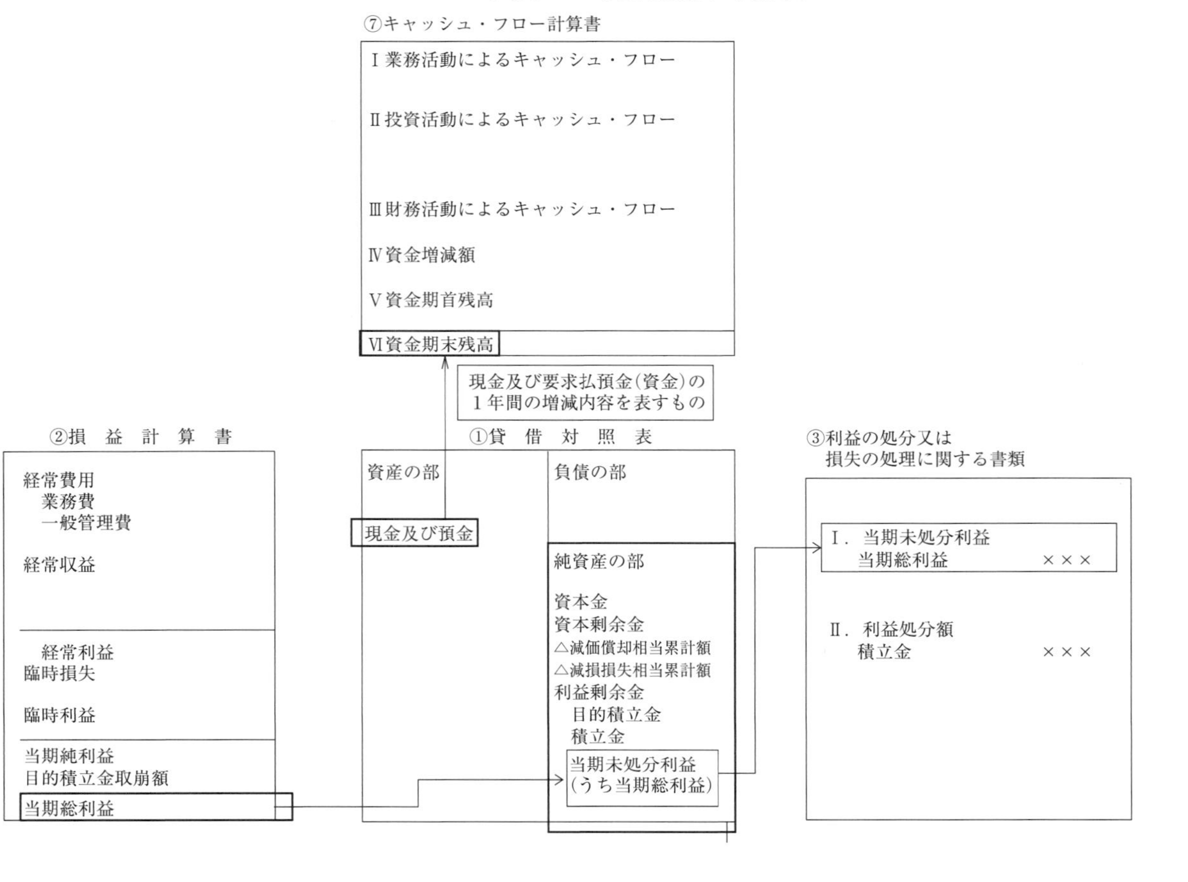

その他行政コスト：会計上の財産的基礎が減少する取引のうち、独立行政法人の拠出者への返還により生じる減少取引を除いたもの

減価償却相当額
減損損失相当額
利息費用相当額
承継資産に係る費用相当額
除売却差額相当額

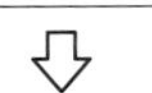

⑤行政コスト計算書

Ⅰ　損益計算書上の費用
　業務費
　一般管理費
　・・・
　臨時損失
　・・・
損益計算書上の費用合計
Ⅱ　その他行政コスト
　減価償却相当額
　減損損失相当額
　利息費用相当額
　承継資産に係る費用相当額
　除売却差額相当額
その他行政コスト合計
Ⅲ　行政コスト

④附属明細書

貸借対照表，損益計算書の増減明細，内訳明細書

⑥純資産変動計算書

	Ⅰ 資本金	Ⅱ 資本剰余金	Ⅲ 利益剰余金	Ⅳ 評価・換算差額等	純資産合計
当期首残高	××	××	××	××	××
当期変動額					
Ⅰ資本金の当期変動額	××				
Ⅱ 資本剰余金の当期変動額		××			
Ⅲ 利益剰余金の当期変動額			××		
Ⅳ 評価・換算差額等の当期変動額(純額)				××	
当期変動額合計	××	××	××	××	××
当期末残高	××	××	××	××	××

⑧決算報告書

区分	A 事業				B 事業				共通				合計			
	予算額	決算額	差額	備考	予算額	決算額	差額	備考	予算額	決算額	差額	備考	予算額	決算額	差額	備考
収入																
運営費交付金																
○○補助金等																
施設整備費補助金																
受託収入																
計																
支出																
業務経費																
○○補助金等事業費																
施設整備費																
受託経費																
一般管理費																
人件費																
計																

第2章　貸借対照表

第1節　貸借対照表の作成目的

貸借対照表の作成の目的について，独立行政法人会計基準では，以下のように規定しています。

「貸借対照表は，独立行政法人の財政状態を明らかにするため，貸借対照表日における全ての資産，負債及び純資産を記載し，国民その他の利害関係者にこれを正しく表示するものでなければならない。」（基準第44）。

独立行政法人の財政状態を明らかにするために，正規の簿記の原則に基づき複式簿記により全ての取引及び事象について体系的に記録することによって貸借対照表を作成することを求めています。

第2節　貸借対照表の様式等

貸借対照表は，資産の部，負債の部及び純資産の部の3区分に分かち，更に資産の部を流動資産及び固定資産に，負債の部を流動負債及び固定負債に区分します（基準第50）。

貸借対照表は複式簿記の原則に基づいて作成するため，貸借の金額を一致させなければなりません。この点，「貸借対照表の資産の合計金額は，負債と純資産の合計金額に一致しなければならない。」（基準第52第1項）と規定されているところです。また，貸借対照表の作成に際しては，総額主義の原則が適用され，「資産，負債及び純資産は，総額によって記載することを原則とし，資産の項目と負債または純資産の項目とを相殺することによって，その全部または一部を貸借対照表から除去してはならない。」（基準第51）と定められています。

独立行政法人の貸借対照表の配列は，流動性配列法による標記が定められており，貸借対照表の一番上の項目により流動性（換金可能性）の高い項目が配列される順序にて記載されます（基準第52第2項）。

貸借対照表の科目の分類基準は，基準第53にて，以下の通りに規定されています。

基準第53　貸借対照表科目の分類

1　資産，負債及び純資産の各科目は，一定の基準に従って明瞭に分類しなければならない。
2　資産は，流動資産に属する資産及び固定資産に属する資産に分類しなければならない。
3　負債は，流動負債に属する負債及び固定負債に属する負債に分類しなければならない。
4　純資産は，資本金に属するもの，資本剰余金に属するもの及び利益剰余金に属するものに分類しなければならない。

独立行政法人の貸借対照表の様式を示すと次の通りとなります。

資産の部			
Ⅰ　流動資産			
現金及び預金		×××	
有価証券			×××
受取手形	×××		
貸倒引当金	×××	×××	

売掛金	×××		
貸倒引当金	×××	×××	
契約資産	×××		
貸倒引当金	×××	×××	
棚卸資産		×××	
前渡金		×××	
前払費用		×××	
未収収益		×××	
賞与引当金見返		×××	
・・・		×××	
流動資産合計			×××
Ⅱ　固定資産			
1　有形固定資産			
建物	×××		
減価償却累計額	×××		
減損損失累計額	×××	×××	
構築物	×××		
減価償却累計額	×××		
減損損失累計額	×××	×××	
機械装置	×××		
減価償却累計額	×××		
減損損失累計額	×××	×××	
船舶	×××		
減価償却累計額	×××		
減損損失累計額	×××	×××	
車両運搬具	×××		
減価償却累計額	×××		
減損損失累計額	×××	×××	
工具器具備品	×××		

減価償却累計額	×××			
減損損失累計額	×××	×××		
土地	×××			
減損損失累計額	×××	×××		
建設仮勘定		×××		
・・・		×××		
有形固定資産合計		×××		
2　無形固定資産		×××		
特許権		×××		
借地権		×××		
・・・		×××		
無形固定資産合計				
3　投資その他の資産				
投資有価証券		×××		
関係会社株式		×××		
長期貸付金		×××		
関係法人長期貸付金		×××		
長期前払費用		×××		
繰延税金資産		×××		
未収財源措置予定額		×××		
退職給付引当金見返		×××		
・・・		×××		
投資その他の資産合計		×××		
固定資産合計			×××	
資産合計				×××
負債の部				
I　流動負債				
運営費交付金債務		×××		
預り施設費		×××		

預り補助金等		×××	
預り寄附金		×××	
短期借入金		×××	
買掛金		×××	
未払金		×××	
未払費用		×××	
未払法人税等		×××	
契約負債		×××	
前受金		×××	
預り金		×××	
前受収益		×××	
引当金			
賞与引当金	×××		
（何）引当金	×××		
・・・	×××	×××	
資産除去債務		×××	
・・・		×××	
流動負債合計			×××
Ⅱ　固定負債			
資産見返負債			
資産見返運営費交付金	×××		
資産見返補助金等	×××		
資産見返寄附金	×××		
建設仮勘定見返運営費交付金	×××		
建設仮勘定見返施設費	×××		
建設仮勘定見返補助金等	×××	×××	
長期預り補助金等		×××	
長期預り寄附金		×××	
（何）債券		×××	

債券発行差額（－）		－×××		
長期借入金		×××		
繰延税金負債		×××		
引当金				
退職給付引当金	×××			
（何）引当金	×××			
・・・	×××	×××		
資産除去債務		×××		
・・・		×××		
固定負債合計			×××	
負債合計				×××
純資産の部				
Ⅰ　資本金				
政府出資金		×××		
地方公共団体出資金		×××		
（何）出資金		×××		
資本金合計			×××	
Ⅱ　資本剰余金				
資本剰余金		×××		
その他行政コスト累計額		－×××		
減価償却相当累計額（－）		－×××		
減損損失相当累計額（－）		－×××		
利息費用相当累計額（－）		－×××		
承継資産に係る費用相当累計額（－）		－×××		
除売却差額相当累計額（－）		－×××		
民間出えん金		×××		
資本剰余金合計			×××	
Ⅲ　利益剰余金（又は繰越欠損金）				
前中期目標期間繰越積立金		×××		

（何）積立金	×××		
積立金	×××		
当期未処分利益	×××		
（又は当期未処理損失）			
（うち当期総利益（又は当期総損失）×××）			
利益剰余金（又は繰越欠損金）合計		×××	
Ⅳ　評価・換算差額等			
関係会社株式評価差額金	×××		
その他有価証券評価差額金	×××		
・・・	×××		
評価・換算差額等合計		×××	
純資産合計		×××	
負債純資産合計			×××

第3節　資産・負債及び純資産

独立行政法人会計基準において，資産は，「過去の事象の結果として独立行政法人が支配している現在の資源であり，独立行政法人のサービス提供能力または経済的便益を生み出す能力を伴うものをいう」（基準第8第1項）と定義され，負債は「独立行政法人の負債とは，過去の事象の結果として独立行政法人に生じている現在の義務であり，その履行により独立行政法人のサービス提供能力の低下または経済的便益を減少させるものをいう」（基準第14第1項）と定義されています。

その結果，純資産は「独立行政法人の純資産とは，資産から負債を控除した額に相当するものであり，独立行政法人の会計上の財産的基礎及び業務に関連し発生した剰余金から構成されるものをいう」（基準第18第1項）と定義され，純資産は資産と負債の差額とされています。

資産，負債は，国際公会計基準における定義を参考とし，さらに独立行政法人の特性により整理され，サービス提供能力または経済的便益を生み出す能力を伴うものを資産，サービス提供能力の低下または経済的便益を減少させるものを負債と定義し，資産から負債を控除した差額を純資産と定義しています。行政サービスの提供を目的とし，利益の獲得を主たる目的とはしない独立行政法人においては経済的便益を生み出す能力を伴うものだけでなく，サービス提供能力を有するものを資産として定義している点が企業会計と異なる特徴点といえます。

1．資　　産

（1） 流動資産

資産は流動資産と固定資産に区分されます。

① 現金及び預金

1） 現　　金

現金の範囲に含まれるものとして，次のものがあげられます。

▶日本国通貨及び外国通貨

▶手許にある当座小切手，送金小切手，送金為替手形，預金手形，郵便為替証書，振替貯金払出証書

▶期日到来済みの公社債利札

なお，未渡小切手（小切手を発行したものの，相手先に未だ渡していない小切手）は，相手先に渡しておらず手許に残っていることから当座預金の減少として処理せず，引き続き預金として処理します。

2） 預　　金

金融機関（銀行，協同組織金融機関の優先出資に関する法律第２条第１項に規定する協同組織金融機関及び金融商品取引法施行令第１条の９各号に掲げる金融機関）に対する預金，貯金，掛金及び郵便貯金並びに郵便振替貯金をいいます。

預金の種類として，普通預金，当座預金，通知預金，定期預金，別段預金があげられます。

なお，預入期間が１年を超える預金は，「長期性預金」などの名称をもって投資その他の資産区分に計上し，流動資産の区分に計上することはできません。また，譲渡性預金は，金融商品取引法に基づき預金ではなく，有価証券に該当します。

このほか，財政投融資特別会計における財政融資資金は，上記の定義の「金融機関」に該当しないため，「現金及び預金」に計上できず，「預託金」などの科目で計上することになるものと考えられます。

＜銀行勘定調整表と銀行残高との相違理由＞

預金の会計処理と銀行側の認識時点の相違により，預金の帳簿残高と銀行側の認識する残高とに相違が生じる場合があります。このような場合には「銀行勘定調整表」を作成し，預金の帳簿残高と銀行残高との差異理由を明確に整理しておく必要があります。なお，銀行残高との差異理由によっては必ずしも預金の帳簿残高を銀行残高に合致させる必要はありません。

預金残高と銀行側の認識する残高とが相違する主な理由は，以下の通りとなります。

①　未取付小切手

小切手を振り出して相手方に交付した（この時点で預金の帳簿残高は減少している）が，相手方が未だ銀行に提示していないことにより銀行残高が減少していない場合を意味する。時間的なタイムラグによる差異であり，相手方が銀行に小切手を提示することにより銀行残高も減少して差異は解消するため，会計帳簿上の預金残高を修正する必要はない。

②　未取立小切手

他人が振り出した小切手を銀行に預け入れて取り立てを依頼した（この時点で預金の帳簿残高は増加している）にもかかわらず，銀行がまだ取り立てていないことにより銀行残高は増加していない場合を意味する。時間的なタイムラグによる差異であり，銀行が小切手の振出人の銀行口座からの取り立てを依頼することにより銀行残高が増加し，差異は解消するため，会計帳簿上の預金残高を修正する必要はない。

③　時間外預入れ

銀行の営業時間終了後に夜間金庫などで預金預入れを行った（この時点で預金の帳簿残高は増加している）が，銀行が預金の入金を認識するのが翌営業日となることにより銀行残高が未だ増加していない場合を意味する。同様にタイムラグによるものであるため，会計上の預金残高を修正する必要はない。

（銀行勘定調整表の作成例）

以下に，一般的な銀行勘定調整表の記入例を示します。

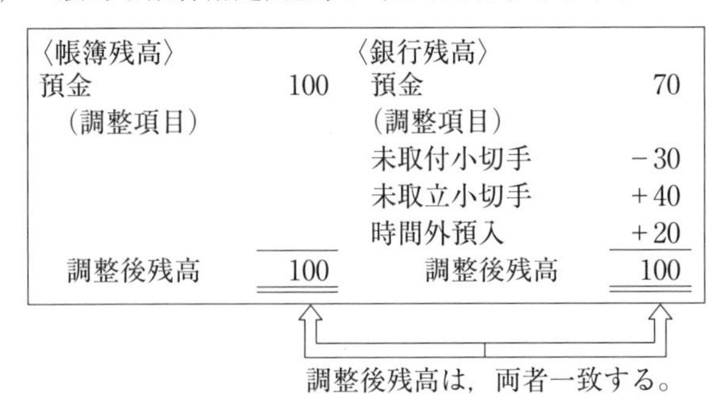

〈帳簿残高〉		〈銀行残高〉	
預金	100	預金	70
（調整項目）		（調整項目）	
		未取付小切手	−30
		未取立小切手	+40
		時間外預入	+20
調整後残高	100	調整後残高	100

＜キャッシュ・フロー計算書における「資金」の範囲との関係＞

キャッシュ・フロー計算書における「資金」の定義は，現金及び要求払預金とされており，貸借対照表における「現金及び預金」の範囲と必ずしも一致しません。

要求払預金は，要求した場合に即座に引き出しが可能な預金であるため，定期預金は要求払預金には含まれません。よって，定期預金についてはキャッシュ・フロー計算書の資金の範囲から除外されることとなります。企業会計基準では，キャッシュ・フロー計算書における「資金」の範囲には現金のほかに現金同等物（価値変動につき僅少なリスクしか負わない短期投資をいう）が含まれるため，3ヵ月以内の満期の定期預金などが資金の範囲に含まれることになります。

独立行政法人会計基準においては，企業会計基準とこの点が相違するため，留意が必要といえます。なお，貸借対照表の「現金及び預金」とキャッシュ・フロー計算書における「資金」の範囲との関係は，キャッシュ・フロー計算書において注記開示する事項となります。

（注記例）

キャッシュ・フロー計算書における資金の期末残高と貸借対照表との関係

現金及び預金	350
定期預金	△20
資金期末残高	330

②　有価証券

有価証券の取得原価は，購入代価に手数料等の付随費用を加算し，これに平均原価法等の方法を適用して算定した金額とします（基準第27第1項）。

独立行政法人の保有目的に応じて以下の4つに区分のうえ，それぞれの区分ごとの評価額をもって貸借対照表価額とします。

1）　売買目的有価証券

時価の変動により利益を得ることを目的として保有する有価証券をいう。時価をもって貸借対照表価額とし，評価差額は当期の損益として処理する。

2）　満期保有目的債券

満期まで所有する意図をもって保有する国債，地方債，政府保証債，その他の債券をいう。取得原価をもって貸借対照表価額とする。ただし，債券を債券券面額より低い価額または高い価額で取得した場合において，取得価額と債券券面額との差額が金利の調整と認められるときは，償却原価法に基づいて算定された価額をもって貸借対照表価額としなければならない。

なお，注解22において，余裕資金等の運用として，利息収入を得ることを主たる目的として保有する国債，地方債，政府保証債，その他の債券であって，長期保有の意思をもって取得した債券は，資金繰り等から長期的には売却の可能性が見込まれる債券であっても，満期保有目的の債券に区分するものとされており，満期保有目的債券の範囲が企業会計基準における定義より広範なものとなっている。

3)　関係会社株式

一定以上の出資比率を有し，当該会社に対して株主総会における議決権の過半数を占めるなどの支配力または出資，人事，資金，技術，取引等の関係を通じて重要な影響力を有する関係会社に対する出資をいう。当該会社の財務諸表を基礎とした純資産額に持分割合を乗じて算定した額（以下，「出資先持分額」）をもって貸借対照表価額とする。出資先持分額が取得原価よりも下落した場合の評価差額は当期の費用として処理し，出資先持分額が取得原価よりも増加した場合の評価差額は純資産の部における評価・換算差額等の区分に関係会社株式評価差額金として計上するとともに，それぞれの評価差額は翌期首に取得原価に洗い替えなければならない。

なお，関係会社とは，基準「第109連結の範囲」及び「第120関連会社等に対する持分法の適用」において定める特定関連会社及び関連会社をいう（基準第13第2項(2))。特定関連会社・関連会社の定義については，「第13章　連結財務諸表　第2節　1. 連結対象会社の範囲及び第3節　連結財務諸表の作成方法　9. 関連会社等に対する持分法の適用」を参照。

4)　その他有価証券

売買目的有価証券，満期保有目的債券，関係会社株式以外の有価証券をいう。時価をもって貸借対照表価額として，評価差額はその全額を純資産の部に計上する。評価差額は，翌期首に取得原価に洗い替えなければならない。

＜償却原価法の適用方法＞

償却原価法とは，債券を債券金額より低い価額または高い価額で取得した場合において，当該差額に相当する金額を償還期に至るまで毎期一定の方法で貸借対照表価額に加減し，当該加減額を受取利息に含めて処理する方法（注解21）とされています。

償却原価法の利息配分方法には，以下に示すように「利息法」と「定額法」があります。

原則として利息法を採用することとしていますが，継続適用を条件として，簡便法である定額法を採用することができます。

1)　利息法

債券のクーポン受取総額と金利調整差額（債券取得価額と券面額の差額）の合計額を債券の帳簿価額に対し一定率となるように，複利をもって各期の損益に配分します。そして当該配分額とクーポン計上額（クーポンの現金受取額及びその既経過分の未収計上額の増減額の合計額）との差額を帳簿価額に加減します。

2)　定額法

債券の金利調整差額を取得日（または受渡日）から償還日までの期間で除して各期の損益に配分し，当該配分額を帳簿価額に加減します。

利息法及び定額法の計算例は **事例 2-1** のようになります。

事例 2-1

2012年4月1日に以下の条件の既発債券を9,400千円で取得した。この債券は，満期まで所有する意図をもって保有するものである。なお，取得価額と債券金額（券面額）との差額は，全て金利の調整部分（金利調整差額）である。

額面（券面額）	10,000千円
満期年月日	2015年3月31日
クーポン利子率	年利6%
利払日	毎年3月末日及び9月末日　年2回

1)　利息法（原則法）

利息法においては，まず以下の算式で実効利子率を求める。

利払い日が半年ごとであるため，rを実効利子率とし，r×1/2を半年間の金利として複利計算で利率を求める。

〔計算式〕

$$\frac{300}{1+r\times\frac{1}{2}}+\frac{300}{\left(1+r\times\frac{1}{2}\right)^{2}}+\frac{300}{\left(1+r\times\frac{1}{2}\right)^{3}}+\frac{300}{\left(1+r\times\frac{1}{2}\right)^{4}}$$

$$+\frac{300}{\left(1+r\times\frac{1}{2}\right)^{5}}+\frac{10{,}300}{\left(1+r\times\frac{1}{2}\right)^{6}}=9{,}400$$

上記の計算式から実効利子率を求めると，実効利子率は年率8.3%となり，その結果，各利払日における利息及び償却原価の計算表は次の通りとなる。

年月日	クーポン 受取額	利息 配分額	金利調整差額 償却額	償却原価 (帳簿価額)
2012年4月1日				9,400
2012年9月30日	300	390	90	9,490
2013年3年31日	300	394	94	9,584
2013年9月30日	300	398	98	9,682
2014年3月31日	300	402	102	9,784
2014年9月30日	300	406	106	9,890
2015年3月31日	300	410	110	10,000
計	1,800	2,400	600	

各利払日及び決算日における会計処理は次の通りとなる。

① 2012年4月1日（取得日）

㈲	投資有価証券	9,400	㈹ 現金預金	9,400

② 2012年9月30日（第1回利払日）

㈲	現金預金	300	㈹ 受取利息	300
	投資有価証券	90	受取利息	90

③ 2013年3月31日（第2回利払日，決算日）

㈲	現金預金	300	㈹ 受取利息	300
	投資有価証券	94	受取利息	94

④ 2013年9月30日（第3回利払日）

㈲	現金預金	300	㈹ 受取利息	300
	投資有価証券	98	受取利息	98

⑤ 2014年3月31日（第4回利払日，決算日）

㈲	現金預金	300	㈹ 受取利息	300
	投資有価証券	102	受取利息	102

⑥ 2014年3月31日（第5回利払日，決算日）

㈲	現金預金	300	㈹ 受取利息	300
	投資有価証券	106	受取利息	106

⑦ 2015年3月31日（第6回利払日，満期日）

㈲	現金預金	300	受取利息	300
	投資有価証券	110	受取利息	110
	現金預金	10,000	投資有価証券	10,000

2) 定額法（簡便法）

債券の帳簿価額への半期ごとの加算額は以下の通り。

$$(10{,}000-9{,}400)\times\frac{6\text{ヵ月}}{36\text{ヵ月}}=100$$

その結果，各利払日における利息及び償却原価の計算表は次の通りとなる。

年月日	クーポン受取額	利息配分額	金利調整差額償却額	償却原価（帳簿価額）
2012年4月1日				9,400
2012年9月30日	300	400	100	9,500
2013年3年31日	300	400	100	9,600
2013年9月30日	300	400	100	9,700
2014年3月31日	300	400	100	9,800
2014年9月30日	300	400	100	9,900
2015年3月31日	300	400	100	10,000
計	1,800	2,400	600	

① 2012年4月1日（取得日）

㈶	投資有価証券	9,400	㈹	現金預金	9,400

② 2012年9月30日（第1回利払日）

㈶	現金預金	300	㈹	受取利息	300
	投資有価証券	100		受取利息	100

③ 2012年3月31日（第2回利払日，決算日）

㈶	現金預金	300	㈹	受取利息	300
	投資有価証券	100		受取利息	100

④ 2013年9月30日（第3回利払日）

㈶	現金預金	300	㈹	受取利息	300
	投資有価証券	100		受取利息	100

⑤ 2013年3月31日（第4回利払日，決算日）

㈶	現金預金	300	㈹	受取利息	300
	投資有価証券	100		受取利息	100

⑥ 2013年9月30日（第5回利払日）

㈶	現金預金	300	㈹	受取利息	300
	投資有価証券	100		受取利息	100

⑦ 2015年3月31日（第6回利払日，満期日）

㈶	現金預金	300	㈹	受取利息	300
	投資有価証券	100		受取利息	100
	現金預金	10,000		投資有価証券	10,000

<満期保有目的債券の期限前売却の取扱い>

満期保有目的の債券を償還期限前に売却した場合には，当該売却した債券と同じ事業年度に購入した残りの満期保有目的の債券の全てについて，保有目的の変更があったものとして売買目的有価証券に振り替えなければなりません。（注解23）

ただし，満期保有目的債券の売却が以下に該当する場合には，当該売却が止むを得ない理由等により行われたものとして取扱い，例外的に当該売却した債券と同じ事業年度に購入した残りの満期保有目的の債券の全てを売買目的有価証券に振り替える処理は求められません。

⑴ 満期保有目的の債券を購入した中期目標等期間後の中期目標等期間において，中期計画等上の資金計画において，満期保有目的の債券の売却収入を財源とした事業計画が策定されている場合であって，当該事業計画に従って売却した場合
⑵ 満期保有目的の債券を購入した中期目標等期間後の中期目標等期間において，金利情勢の変化に対応して，より運用利回りの高い債券に切り替えるため，または独立行政法人が定める信用上の運用基準に該当しなくなったことに伴い，運用基準に該当する他の債券に切り替えるために売却した場合
⑶ 通則法第46条の2の規定に基づく不要財産に係る国庫納付または同法第46条の3の規定に基づく不要財産に係る民間等出資の払戻しをするために売却した場合*   ＊政府からの資金返還の要請等に基づく場合（不要財産として国庫返納する場合など）には，次年度において償還期限前に売却することとされた当該売却予定の満期保有目的債券については，保有目的の変更を行い，その他有価証券に振り替えたうえで流動資産区分の有価証券に計上する必要があるが，このような場合には期限前売却の実施に関する独立行政法人の主観や恣意性が介在しないことから，期限前売却対象とされていない他に保有する満期保有目的債券については売買目的有価証券に振替計上することが求められないものと整理されている。

企業会計における金融商品会計基準では，満期保有目的債券の保有目的の変更が認められる場合を限定しています。すなわち，一部の債券について，以下のような状況が生じた場合または生じると合理的に見込まれる場合には，当該

債券を保有し続けることによる損失または不利益を回避するため，一部の満期保有目的の債券を他の保有目的区分に振り替えたり，償還期限前に売却しても，残りの満期保有目的債券について，満期まで保有する意思を変更したものとは取り扱わないこととしています。

①　債券の発行者の信用状態の著しい悪化

②　税法上の優遇措置の廃止

③　重要な合併又は営業譲渡に伴うポートフォリオの変更

④　法令の改正または規制の廃止

⑤　監督官庁の規制・指導

⑥　自己資本比率等を算定する上で使用するリスクウェイトの変更

⑦　その他予期できなかった売却または保有目的の変更をせざるを得ない，保有者に起因しない事象の発生

他方，独立行政法人会計基準においては，満期保有目的債券の取得後に「中期目標等期間」を経過し，翌中期目標等期間において債券の売却が予定されている場合やより高い金利の債券への組み換えのための売却についても，残りの全ての満期保有目的債券を売買目的有価証券への振り替えを要さない場合として定めています。中期計画等期間内での継続保有を行い，ある程度長期での継続保有を前提としている債券であって，中期計画等期間経過後の事業計画・資金計画の変更による売却については，中期計画等が独立行政法人の出資者たる国の意思を反映して定められるものであり，独立行政法人単独での恣意性が介在しないことから，これを容認しても差し支えないものと判断していることによるものと考えられます。

＜その他有価証券について＞

注解22で利息収入を得る目的で長期保有の意思をもって取得した債券は長期的には売却の可能性が見込まれる場合であっても，満期保有目的の債券に区分することとなっており，独立行政法人においてその他有価証券を保有することは極めて限定的になるものと考えられます。

独立行政法人会計基準が，その他有価証券の範囲を限定的なものと位置付けているのは，資金の運用は法令が定める運用範囲の枠内では独立行政法人の裁量に委ねられていることから，運用の目的で保有する有価証券については，その評価差額を損益計算書に適切に反映する必要があるとの考えによるものであります。したがって，独立行政法人の会計実務においても，会計基準設定の趣旨を踏まえ，その他有価証券への区分は限定的なものとして取り扱われる必要があります。

その他有価証券に該当する有価証券としては，例えば，法令の規定により独立行政法人に帰属し，特定の債務の償還財源に充てるため計画的に売却することが明らかな有価証券や政府等からの資金返還の要請等に応じるため，次年度において売却することとした有価証券（独法 Q&A Q27-8 参照）があげられます。

独立行政法人会計基準及び注解に規定されていない事項については，一般に公正妥当と認められた企業会計の基準によることとされており，この考え方は有価証券の評価についても該当します（**図表 2-1**）。

図表 2-1　有価証券の減損

区分	有価証券の種別	減損を行う場合
市場価格のない株式等以外のもの	・満期保有目的債券 ・その他有価証券	時価が著しく下落したときは，回復する見込があると認められる場合を除き，時価をもって貸借対照表価額とし，評価差額は当期の費用として処理しなければならない。
市場価格のない株式等	・その他有価証券（株式）	発行会社の財政状態の悪化により実質価額が著しく低下したときは，相当の減額をなし，評価差額は当期の費用として処理しなければならない。
	・関係会社株式	出資先持分額が取得原価よりも下落した場合，評価差額は当期の費用として処理しなければならない。

＊　市場において取引されていない株式及び出資金等株式と同様に持分の請求権を生じさせるものを合わせて，市場価格のない株式等といいます。

有価証券の減損については，「金融商品会計に関する実務指針」（最終改正令和元年7月4日　日本公認会計士協会）の 91 及び 92 に定めるところによることとなり，具体的には次の取扱いとなります。

1)　時価の著しい下落があると認められる場合

時価が取得原価に比べ50％程度以上下落した場合は「著しく下落した」ときに該当する。

時価とは，公正な評価額をいいます。通常，それは観察可能な市場価格をいい，市場価格が観察できない場合には，合理的に算定された価額をいいます。ただし，金融商品の時価とは，算定日において市場参加者間で秩序ある取引が行われると想定した場合の，当該取引における資産の売却によって受け取る価格又は負債の移転のために支払う価格をいいます（注解20）。

2)　回復する見込があると認められる場合

時価が取得原価まで回復すると見込まれる場合で，期末日後おおむね1年以内に時価が取得原価にほぼ近い水準まで回復する見込みのあることを，合理的な根拠をもって予測できる場合をいう。

なお，有価証券の保有責任を独立行政法人が負っていることから有価証券の評価損について運営費交付金の収益化は認められません（平成27年3月改正前独法Q&A Q34-2参照）。

＜関係会社株式の減損・評価減＞

関係会社株式については，出資先持分額が取得原価よりも下落した場合には，出資先持分額をもって貸借対照表価額とし，評価差額は当期の費用として処理します。したがって，独立行政法人の投資先となる関係会社の純資産の下落が，関係会社株式評価損として，独立行政法人の決算に反映されます。

関係会社株式の評価損については，固定資産の減損に係る独立行政法人会計基準の適用対象外の固定資産として指定されていることから，独立行政法人が政策目的に従って当該関係会社株式を保有しているかどうかにかかわらず，関係会社株式から生じる評価損は，損益計算書に費用計上されます。

なお，出資先持分額が取得原価よりも下落した場合に出資先持分額までの評価損計上が求められ，出資先持分額が取得原価に比して「著しく下落した場合」に限定されていません。著しい下落とは言えない下落であっても評価損計上が求められている点に留意する必要があります。

関係会社株式について財政状態の悪化により純資産額が下落した場合の会計処理を [事例 2-2] で示します。

事例 2-2

2012 年 4 月 1 日に政策投資目的で関係会社への出資 60,000 千円を行った。当該関係会社への出資比率は 60% であり，関係会社の資本金は 100,000 千円である。

関係会社の 2013 年 3 月末現在の決算状況は，以下の通りであった。

貸 借 対 照 表

資産の部		負債の部	
現金預金	50,000	未払金	40,000
未収金	20,000	短期借入金	230,000
有形固定資産	280,000	負債合計	270,000
		純資産の部	
		資本金	100,000
		欠損金	
		当期未処理損失	20,000
		（うち当期純損失）	(20,000)
		純資産合計	80,000
資産合計	350,000	負債・純資産合計	350,000

1）関係会社株式の取得時の会計処理

(借) 関係会社株式	60,000	(貸) 現金預金	60,000

2）決算日における会計処理

(借) 関係会社株式評価損	12,000	(貸) 関係会社株式	12,000*

＊関係会社株式の出資先持分額：関係会社の直近決算日における純資産額 80,000×出資比率 60%＝48,000，関係会社株式評価損：関係会社株式の取得価額 60,000－関係会社株式の出資先持分額 48,000＝12,000

独立行政法人会計基準に規定する関係会社株式の評価基準は，関係会社の財務諸表を基礎とした純資産額に持分割合を乗じて算定した額（出資先持分額）をもって評価するものであり，下落割合は考慮する必要がない（独法 Q&A Q27-3）

とされている（基準第27第2項(3)）。

3）翌期首における会計処理

(借)	関係会社株式	12,000	(貸) 関係会社株式評価損戻入益	12,000*

＊独立行政法人会計基準第27第2項(3)参考。

関係会社における赤字額が更に拡大し，2014年3月末現在の決算状況は，以下の通りとなった。

貸借対照表

資産の部		負債の部	
現金預金	10,000	未払金	50,000
未収金	20,000	短期借入金	220,000
有形固定資産	280,000	負債合計	270,000
		純資産の部	
		資本金	100,000
		欠損金	
		繰越欠損金	20,000
		当期未処理損失	40,000
		（うち当期純損失）	(40,000)
		純資産合計	40,000
資産合計	310,000	負債・純資産合計	310,000

4）決算日における会計処理

(借)	関係会社株式評価損	24,000	(貸) 関係会社株式	36,000*
	関係会社株式評価損戻入益	12,000		

＊関係会社株式の出資先持分額：関係会社の直近決算日における純資産額40,000×出資比率60％＝24,000，関係会社株式評価損：関係会社株式の取得価額60,000－関係会社株式の出資先持分額24,000＝36,000

③　売掛金（未収金）

顧客との契約から生じた債権その他の独立行政法人の通常の業務活動に基づいて発生した未収金を売掛金とよび，独立行政法人の業務目的の範囲内となる通常の業務の範囲内で生じた債権を表わします。ここでいう，顧客とは，対価と交換に独立行政法人の通常の業務活動により生じたアウトプットであるサービス等を得るために当該独立行政法人と契約した当事者をいい，独立行政法人に対して対価を支払い，サービス等を直接的に受益する者が該当します（基準第86）。また，契約とは，法的な強制力のある権利及び義務を生じさせる複数の当事者間における取決めをいいます（基準第86）。なお，通常の業務活動には，独立行政法人の経常的な業務活動は全て含まれ，経常的な業務活動である限り，当該法人の業務目的に直接関連する活動のみならず，間接的な活動も含まれるとされます（独法Q&A Q9-1）。

ただし，破産更生債権などのように通常の営業循環活動の範囲内で回収が見込まれない債権については，流動資産の区分に計上することはできません。

独立行政法人の財務諸表の開示事例では，「○○業務未収金」の科目をもって掲記している場合が多く見受けられます。この点，独法Q&A Q9-1において，「顧客との契約から生じた債権その他の独立行政法人の通常の業務活動に基づいて発生した未収金をすべからく売掛金という勘定科目に整理しなければならないとするものではない。」としたうえで，「売掛金ないしは買掛金という勘定科目では表現があまり適切ではないと判断される場合には，企業会計と同様に弾力的な取り扱いも認められると考える。」とされており，具体的な業務名等を付して「○○未収金」と標記する方法も認められています。

＜独立行政法人における売掛金の科目開示例＞

独立行政法人においては上述の通り，顧客との契約から生じた債権その他の独立行政法人の通常の業務活動に基づいて発生した未収金を必ずしも「売掛金」の名称をもって開示しているわけではありません。

実際の開示例をみると，業務未収金，事業未収金，医業未収金，研究業務未収入金，道路資産貸付料等未収入金，未収保険料のような科目の名称をもって顧客との契約から生じた債権その他の独立行政法人の通常の業務活動に基づいて発生した未収金を表示している事例が見受けられます。実際の業務活動の内容に応じた財務諸表の利用者に理解の容易な科目名称とすることが，適切であるものと考えます。

④　契約資産

顧客との契約に基づくサービスの提供等の対価として当該顧客から支払を受ける権利のうち，受取手形及び売掛金以外のものを契約資産と呼びます。ただし，破産更生債権などのように通常の営業循環活動の範囲内で回収が見込まれない権利については，流動資産の区分に計上することはできません。詳細は，「第６章　第７節　サービスの提供等による収益の会計処理」にて説明します。

⑤　棚卸資産

棚卸資産に分類される資産は，以下の通りとされています（基準第９⑸〜⑽）。

▶製品，副産物及び作業屑
▶半製品
▶原料及び材料（購入部分品を含む）
▶仕掛品及び半成工事
▶商品（販売の目的をもって所有する土地，建物その他の不動産（販売用不動産）を含む）
▶消耗品，消耗工具，器具備品その他の貯蔵品で相当価額以上のもの

棚卸資産は，原則として購入代価または製造原価に引取費用等の付随費用を加算した取得価額をもって計上します。棚卸資産の払い出し原価の算定は，個別法・先入先出法・平均原価法等のあらかじめ定めた方法を適用して算出した取得原価をもって計算します。払い出し原価の計算方法は，会計方針として選択し，一旦採用した方法は継続適用し，みだりに変更してはならないものとされます。

＜棚卸資産の取得付随費用の範囲＞（法人税法施行令32条１項１号）

棚卸資産の取得価額には，棚卸資産の購入代価に買入手数料，運送保険料，荷役費，購入手数料，関税等の購入付随費用を加算し，当該棚卸資産を消費しまたは販売の用に供するために直接要した費用の額を加算した額を棚卸資産の

取得価額にするものとしています。そのうえで，法人税法基本通達5-1-1*において，内部付随費用の購入対価に占める割合が少額（概ね3%以内）の場合には，棚卸資産の取得価額に算入しないことも容認されるとしています。法人税法上の取扱いは企業会計において広く取り入れられているものであることから，これらの規定は参考にすべきものと言えます。

＊法人税法基本通達5-1-1

購入した棚卸資産の取得価額には，その購入の代価のほか，これを消費しまたは販売の用に供するために直接要した全ての費用の額が含まれるのであるが，次に掲げる費用については，これらの費用の額の合計額が少額（当該棚卸資産の購入の代価のおおむね3%以内の金額）である場合には，その取得価額に算入しないことができるものとする。

(1) 買入事務，検収，整理，選別，手入れ等に要した費用の額
(2) 販売所等から販売所等へ移管するために要した運賃，荷造費等の費用の額
(3) 特別の時期に販売するなどのため，長期にわたって保管するために要した費用の額

＜棚卸資産の評価方法＞

事例2-3

棚卸資産（出版物）の制作・販売取引が以下の通りに行われた。棚卸資産の払出し原価の評価方法として，1）先入先出法，2）移動平均法を採用している場合の会計処理

平成24年7月1日　棚卸資産（出版物）数量40を単価100で制作した。
平成24年11月1日　棚卸資産（出版物）数量60を単価110で制作した。
平成25年1月31日　棚卸資産（出版物）数量60を販売単価120にて売却した。

1）先入先出法の場合

先入先出法の場合，棚卸資産の払出し単価を先に制作したものから順番に払出し処理するものと取引を擬制したうえで払出し原価を算定する。

① 平成24年7月1日における会計処理

(借)	棚卸資産（出版物）	4,000	(貸)	現金預金	4,000

② 平成24年11月1日における会計処理

(借)	棚卸資産（出版物）	6,600	(貸)	現金預金	6,600

③ 平成25年1月31日における会計処理

(借)	未収入金	7,200	(貸)	出版物販売収入	7,200
	出版物販売原価	6,200		棚卸資産（出版物）	6,200*

＊先入先出法のため，先に制作した出版物から順に販売されたものと擬制して払出し原価を算出します。このため，棚卸資産の払い出し原価は，@100×40＋@110×20＝6,200となる。

［先入先出法］

		購入			販売			在庫		
		数量	購入単価	金額	数量	払出し単価	金額	数量	単価	金額
H24. 7. 1	制作	40	100	4,000				40	100	4,000
H24. 11. 1	制作	60	110	6,600				{40 60	100 110	{4,000 6,600
H25. 1. 31	販売				{40 20	100 110	4,000 2,200	{0 40	100 110	{0 4,400

2)　移動平均法の場合

移動平均法の場合，棚卸資産の払出し単価は，平均原価にて払出しが行われるものと取引を擬制したうえで払出し原価を算定する。

①　平成24年7月1日における会計処理

㈫　棚卸資産（出版物）　4,000　㈭　現　金　預　金　4,000

②　平成24年11月1日における会計処理

㈫　棚卸資産（出版物）　6,600　㈭　現　金　預　金　6,600

③　平成25年1月31日における会計処理

㈫　未　収　入　金　7,200　㈭　出版物販売収入　7,200

出版物販売原価　6,360　棚卸資産（出版物）　6,360＊

＊移動平均法のため，平均原価にて棚卸資産が払い出されたものと擬制される。このため，棚卸資産の払い出し原価は，@106（＝10,600÷100）×60＝6,360となる。

［移動平均法］

		購入			販売			在庫		
		数量	購入単価	金額	数量	払出し単価	金額	数量	単価	金額
H24. 7. 1	制作	40	100	4,000				40	100	4,000
H24. 11. 1	制作	60	110	6,600				100	106	10,600
H25. 1. 31	販売				60	106	6,360	40	106	4,240

＜棚卸資産の評価基準＞

棚卸資産の期末評価額は，時価が取得原価よりも下落した場合には時価をもって貸借対照表価額としなければなりません（基準第28第2項）。

時価には以下に示すように「再調達価額」と「正味実現可能価額」の２種類

の時価があります。

1)　再調達価額 棚卸資産を再購入するために通常要する価額で，新たに取得するのにはどれぐらいかかるかという観点からの評価額。原材料や貯蔵品など販売を目的とせず，費消することを目的とする棚卸資産を評価する場合の時価として採用される。
2)　正味実現可能価額 事業年度末の売価からアフターコスト（製造加工費，一般管理費，販売費の合計額）を差し引いた価額。一般に，販売を目的とする棚卸資産を評価する場合の時価として採用される。

棚卸資産の低価法の適用方法には，切り放し低価法と洗い替え低価法の２種類があります。

1)　切り放し低価法

棚卸資産の時価が取得価額よりも低下している場合に，時価までの評価減を行ったのちに翌事業年度以降，時価の回復があった場合であっても棚卸評価損の戻入を行わない評価方法。

2)　洗い替え低価法

期末において，棚卸資産の時価が取得価額よりも低下している場合において時価までの評価減を一旦行うものの，翌事業年度の期首に当該評価減の戻入を行い，翌事業年度の期末にはあらためて取得価額と翌事業年度末時点における時価とを対比して評価減の要否を毎期検討する評価方法。

事例 2-4

棚卸資産（販売用不動産）を×1年度に取得価額200百万円で取得した。棚卸資産の期末時価は170百万円であった。×2年度に当該販売用不動産を190百万円で売却した。切り放し低価法・洗い替え低価法のそれぞれを採用した場合の会計処理

1)　切り放し低価法の場合

①　×1年度　販売用不動産の取得時の会計処理

(借)	棚卸資産（販売用不動産）	200	(貸) 現　金　預　金	200

②　×１年度　期末決算時の会計処理

(借)	棚卸資産評価損 (販売用不動産評価損)	30	(貸)	棚卸資産（販売用不動産）	30

③　×２年度　期首の会計処理

(借)	仕　訳　な　し		(貸)	仕　訳　な　し	

④　×２年度　棚卸資産販売時の会計処理

(借)	未　収　入　金	190	(貸)	事業収入（不動産販売収入）	190
	不動産販売原価（業務費）	170	(貸)	棚卸資産（販売用不動産）	170

2)　洗い替え低価法の場合

①　×１年度　販売用不動産の取得時の会計処理

(借)	棚卸資産（販売用不動産）	200	(貸)	現　金　預　金	200

②　×１年度　期末決算時の会計処理

(借)	棚卸資産評価損 (販売用不動産評価損)	30	(貸)	棚卸資産（販売用不動産）	30

③　×２年度　期首の会計処理

(借)	棚卸資産（販売用不動産）	30	(貸)	棚卸資産評価損戻入 (販売用不動産評価損戻入)	30

④　×２年度　棚卸資産販売時の会計処理

(借)	未　収　入　金	190	(貸)	事業収入（不動産販売収入）	190
	不動産販売原価（業務費）	200		棚卸資産（販売用不動産）	200

なお，独立行政法人の損益計算の考え方からは，切り放し法が望ましいとされています（独法 Q&A Q28-1）。

＜資産見返負債が計上される場合の棚卸資産について＞

運営費交付金を財源として棚卸資産を購入する場合においては，重要性が認められる棚卸資産（販売するために保有する棚卸資産を除く）を購入した場合には，運営費交付金債務を資産見返運営費交付金に振り替える処理が容認されます（基準第 81 第６項(1)イ）。ただし，当該棚卸資産は，「通常の業務活動の過程において販売するために保有するものを除く」とされ，販売するために保有する棚卸資産については運営費交付金を財源として購入した場合であっても，資産見返負債の計上が認められません。

販売を目的とする棚卸資産について資産見返負債を計上すると，売却時に資産見返負債戻入を計上することとなり，資産見返負債戻入の計上額は，棚卸資産の購入原価と一致することから，運営費交付金財源によって投下資本（原価）の回収が措置され，棚卸資産の売却収入の全額が「自己収入」となってしまいます。

資産見返負債を計上できる棚卸資産に「通常の業務活動の過程において販売するために保有するものを除く」という規定が設けられたのは，販売収入を得るために必要となる棚卸資産の購入原価は，販売収入から回収することを原則的に求めており，棚卸資産の販売収入の全額が「自己収入」として独立行政法人内に留保されることのないよう配慮したことによるものと思われます。棚卸資産の購入原価を上回る利益をあげた場合の当該利益（販売収入－棚卸資産購入原価）だけが，「自己収入」による利益であるとの評価を行う観点から整理されたものと考えられます。

⑥　その他の流動資産

図表 2-2 の流動資産と固定資産とを区分する基準をワンイヤールールといいます。これは，流動資産と固定資産とを区分する基準を貸借対照表日から起算して１年以内に費消，回収または換金化されるか否かを基に判断することからこのように呼ばれます。

図表 2-2　流動資産と固定資産の区分基準

流動資産	貸借対照表日の翌日から起算して１年以内に費消，回収または換金化されることが合理的に見込まれる資産は，流動資産に区分する。
固定資産	貸借対照表日の翌日から起算して１年超経過後に費消，回収または換金化されることが合理的に見込まれる資産は，固定資産に区分する。

売掛金，（顧客との契約から生じた債権その他の独立行政法人の通常の業務活動に基づいて発生した）未収金，棚卸資産については，ワンイヤールールの適用はなく，当該債権，棚卸資産が通常の業務運営における営業循環過程で生じるものであるか否かという基準によって流動資産に属するものか否かを決定します。

したがって，独立行政法人の通常の業務運営の過程で生じた未収金であっても，通常の業務運営のサイクルを外れて当該未収金の回収が滞っているような債権については，「破産債権，再生債権，更生債権その他これらに準ずる債権」として固定資産の区分に計上することが求められます。

その他の流動資産に帰属する勘定科目として，以下のものがあげられます。

▶前渡金（原材料，商品等の購入のための前渡金をいう。ただし，破産債権，再生債権，更生債権その他これらに準ずる債権で一年以内に回収されないことが明らかなものを除く。以下同じ。）

▶前払費用で一年以内に費用となるべきもの

▶未収収益で一年以内に対価の支払を受けるべきもの

▶その他の資産で一年以内に現金化できると認められるもの

なお，前払費用と未収収益の定義を示すと次のようになります。

1)　前払費用

一定の契約に従い，継続して役務の提供を受ける場合，いまだ提供されていない役務に対し支払われた対価を意味する。

前払費用として対価を支払った独立行政法人では，いまだ提供されていない役務の提供を受けるという経済的便益を生み出す能力を伴うものであるため，前払費用は資産に属するものとする。

（例）一定の期間を保険期間とする前払保険料，前払賃借料，公用車にかかる自賠責保険料など。

2)　未収収益

一定の契約に従い，継続して役務の提供を行う場合，既に提供した役務に対していまだその対価の支払を受けていないものを意味する。

既に提供した役務に対していまだ対価の支払を受けていない独立行政法人においては，その対価の支払を受けるという経済的便益を生み出す能力を伴うものであるため，資産に属するものとする。

（例）貸付金にかかる未収利息，一定の賃貸期間を対象とした施設利用料収入等で後払い請求となるもの。

（2） 固定資産

① 有形固定資産

1-1 定義，分類

固定資産は，独立行政法人がその業務目的を達成するために所有し，かつ，加工若しくは売却を予定しない財貨で，耐用年数が1年以上の財貨（独法Q&A Q10-1）と定義されています（**図表2-2**参照）。

このうち，有形固定資産は次の通りに分類されます。ただし，(1)から(7)までに掲げる資産については，独立行政法人の通常の業務活動の用に供するものに限ります（基準第11）。

(1) 建物及び附属設備

(2) 構築物（土地に定着する土木設備または工作物をいう。以下同じ。）

(3) 機械及び装置並びにその他の附属設備

(4) 船舶及び水上運搬具

(5) 車両その他の陸上運搬具

(6) 工具，器具及び備品。ただし，耐用年数一年以上のものに限る。

(7) 土地

(8) 建設仮勘定*

＊建設仮勘定とは，建設または製作途中における当該建設または製作のために支出した金額及び充当した材料とされ，完成するまでの間に既に支払った金額を集計する科目をいいます。建設仮勘定は，建設途上の中途支出金額を個別に費用として処理することは適切ではなく，完成後に一体として利用する資産を取得するまでの間の仮勘定という位置付けとなります。よって，その性質からも建設仮勘定は減価償却を実施しない非償却資産といえます。

また，以上の性質から完成時に建物・構築物などの固定資産に振替計上される資産の支出額が計上されることが原則であり，完成時に全額費用として処理される項目は，建設仮勘定には計上せず，前渡金・前払費用などの科目で処理することが本来の会計処理となります。

この点について，独法Q&A Q81-17において，「各事業年度において建設仮勘定を計上するに際しては，契約内容から，資産に計上すべき部分と費用処理すべき部分とを適切に管理し，当初から費用認識できるような経費については，その発生した事業年度において費用認識を行う必要があり，費用処理すべきことが明らかな経費を建設仮勘定に計上することは認められない」とされています。

事例 2-5

建物の建設のために，工事業者に対して工事中間金として200百万円を支出した。完成引渡し時に残金100百万円の支払いを行った。当該工事代金が施設整備費補助金財源で賄われた場合の会計処理

なお，当該建物は，その減価に対応する将来の収益獲得が予定されない特定の償却資産として主務大臣指定を受けている償却資産（独立行政法人会計基準第87）に該当するものとする。

1）工事中間金支払い時の会計処理

(借)	建設仮勘定	200	(貸)	現金預金	200
	預り施設費	200		建設仮勘定見返施設費	200

2）完成残金支払い時の会計処理

(借)	建設仮勘定	100	(貸)	現金預金	100
	預り施設費	100		建設仮勘定見返施設費	100

3）完成により建物への振替計上時の会計処理

(借)	建物*	300	(貸)	建設仮勘定	300
	建設仮勘定見返施設費	300		資本剰余金*	300

＊独立行政法人会計基準 第87特定の資産に係る費用相当額の会計処理に該当するため，完成時に施設費を資本剰余金に振り替える処理を行います。

事例 2-6

船舶の建造のために，製造業者に対して中間金として200百万円を支出した。完成引渡し時に残金100百万円の支払いを行った。当該建造代金は運営費交付金財源で賄われた場合の会計処理

1）中間金支払い時の会計処理

(借)	建設仮勘定	200	(貸)	現金預金	200
	運営費交付金債務	200		建設仮勘定見返運営費交付金	200

2）完成残金支払い時の会計処理

(借)	建設仮勘定	100	(貸)	現金預金	100
	運営費交付金債務	100		建設仮勘定見返運営費交付金	100

3）完成により船舶の完成・引き渡し時の会計処理

(借)	船舶	300	(貸)	建設仮勘定	300
	建設仮勘定見返運営費交付金	300		資産見返運営費交付金	300

1-2　計上基準

耐用年数が1年以上となる資産の購入の全てを原則として固定資産に計上することになります。

貸借対照表上の固定資産に計上するか損益計算書において適切な費用科目で処理するかの判断は，本来は，独立行政法人の業務の性格や当該資産の利用状況及び管理状況等により法人ごとに判断するべきですが，事務の簡便性や重要性を勘案し，1個または1組の金額について，法人が取得したときの価額が50万円未満の償却資産については固定資産計上せず消耗品費等で費用処理することも認められるものとされています。取得価額が50万円以上の償却資産については，取得時に固定資産に計上するという資産計上の区分基準は，国における基準（物品管理法上の重要物品の定義）に合わせた方法といえます。

なお，国の会計においては，国有財産法上の土地・無形固定資産などの非償却資産については上記の50万円基準はなく，金額が50万円未満であっても国有財産台帳に登載され，固定資産として記録されることになります。このため，独立行政法人会計基準においても非償却資産の固定資産の計上基準に50万円基準は適用されず，国の会計との整合性をはかる形で整理されています（独法Q&A Q10-1）。なお，購入による取得ではなく，政府出資や独立行政法人間の統合に伴って償却資産が増加する場合は，政府出資金の増加額に見合う資産を計上する必要性から，出資対象財産の中に50万円未満の償却資産がある場合には当該資産は，貸借対照表に計上しなければならない（独法Q&A Q10-1A3）とされており，購入による取得と相違する点に留意が必要です。

＜研究開発用に取得した有形固定資産の会計処理＞

独立行政法人会計基準に定められていない事項については，企業会計原則に従う（通則法第37条）こととされているほか，注解7において「研究開発費等に係る会計基準」（平成10年3月13日企業会計審議会）を引用していることから，研究開発用に取得した有形固定資産については研究開発費等に係る会計基準に準拠した会計処理が求められます。

研究開発費等に係る会計基準では，研究開発費は，全て発生時に費用として処理することを原則とし，特定の研究開発目的のみに使用され，他の目的に使用できない機械装置等は研究期間が複数年にわたる場合でも，取得時に費用処理することとなります。

なお，受託研究は受託収入を獲得することが確実な活動であり，受託収入で購入した償却資産については，このような即時償却の会計処理は適用されません（独法 Q&A Q87-3）。

また，ある特定の研究開発目的に使用された後，他の目的に使用できる場合には，機械装置等として資産に計上することとなります。他の目的に使用できる場合とは，独立行政法人の他の業務に使用できる場合のほか，他の研究開発目的に使用できる場合を含み，必ずしも判定の時点において他の目的への使用予定・計画が明確になっている場合に限ることなく，使用予定が明らかでなくても，汎用性があり他の目的に使用することが容易な場合には，当該機械装置等を資産に計上することが認められる（「研究開発費及びソフトウェアの会計処理に関する Q&A」（最終改正平成 26 年 11 月 28 日日本公認会計士協会会計制度委員会）参照）ものとされています。

以上の取り扱いをまとめると，**図表 2-3** のようになります。

図表 2-3　研究開発用に取得した固定資産の会計処理

<table>
<tr><th colspan="2">ケース</th><th>会計処理</th></tr>
<tr><td rowspan="2">特定の研究目的での使用を予定し，他に転用できる見込みのない有形固定資産</td><td>受託研究以外で購入した有形固定資産</td><td>取得時に費用処理する。</td></tr>
<tr><td>受託研究で購入した有形固定資産*</td><td>受託研究収入の獲得が確実であるため，取得時に即時償却はせず，資産計上するとともに受託研究期間で減価償却（費用処理）する。</td></tr>
<tr><td colspan="2">特定の研究目的での使用を予定するも，他に転用できる見込みのある有形固定資産</td><td>取得時に固定資産計上し，利用可能期間で減価償却する。</td></tr>
</table>

＊　なお，受託研究契約によっては，受託研究資金によって購入した設備の所有権が受託研究契約上，委託者に帰属する場合や受託研究資金で購入した設備について受託者に所有権が帰属する場合など様々なケースが存在するため，単に受託研究契約によって取得した設備が固定資産計上になるとは限らない場合も存在する。以上の事情により，実際の契約条項に応じて実態に即した会計処理が必要となる点に留意下さい。

事例 2-7

以下の取引について，それぞれの購入時の会計処理

1) 耐用年数が1年内の機材を実験用に700千円で購入した。

2) 特定の受託研究業務での利用を目的として試験研究用の機械を1,500千円で購入した。当該機械は他の研究でも利用可能な汎用性のある機械である。

3) 業務に利用する物品を500千円で購入した。当該物品の利用可能期間は3年を見込んでいる。

4) 特定の研究業務プロジェクトでの利用を目的として試験研究用の機械を1,200千円で購入した。当該機械は他の研究での転用可能性はないものと見込まれる。

1) 耐用年数が1年内の機材購入時の会計処理

(借)	消耗品費	700	(貸)	現金預金	700

2) 汎用性ある研究用機械の購入時の会計処理

(借)	機械装置	1,500	(貸)	現金預金	1,500

3) 複数年使用見込みある物品購入時の会計処理

(借)	器具備品	500	(貸)	現金預金	500

4) 汎用性のない特定研究プロジェクトで利用する機械の購入時の会計処理

(借)	機材費（研究業務費）	1,200	(貸)	現金預金	1,200

1-3 減価償却

減価償却とは，固定資産の取得価額を耐用年数期間にわたって費用配分する方法をいいます（**図表 2-4**）。

減価償却の方法は会計方針として選択します。減価償却費の計算方法には，定額法，定率法，級数法，生産高比例法などがあります。しかしながら，独立行政法人においては，会計方針の選択可能性の裁量を各独立行政法人に認めると独立行政法人間の財務諸表の比較可能性が低下するため，民間企業と同様に自己収入の獲得を主たる目的とする事業独法のような一部の例外を除いて原則として固定資産の減価償却方法は定額法を採用することが求められています。

図表 2-4　減価償却費の考え方

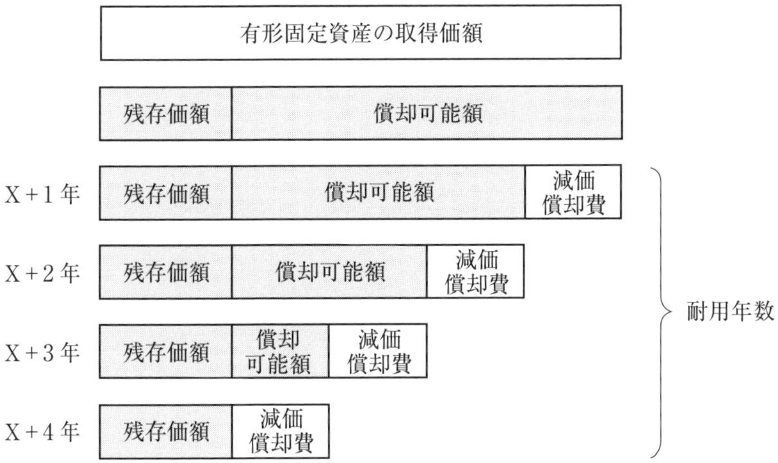

有形固定資産の取得価額

残存価額 | 償却可能額

X＋1年　残存価額 | 償却可能額 | 減価償却費

X＋2年　残存価額 | 償却可能額 | 減価償却費

X＋3年　残存価額 | 償却可能額 | 減価償却費

X＋4年　残存価額 | 減価償却費

耐用年数

1)　定額法

毎期の固定資産の減価を一定額と仮定して減価償却費を計算する方法で，長期安定的に利用する固定資産に定額法を適用するとその経済実態を会計処理に適切に反映するものとされています。

$$\frac{(\text{有形固定資産の取得価額})-(\text{残存価額})}{(\text{耐用年数})}=\text{毎年の減価償却費}$$

定額法では毎年均等額の減価が生じるものと仮定し，減価償却費を計算します。このため，定額法では耐用年数期間にわたり，毎期均等額の減価償却費が計上されます。

2)　定率法

毎期の固定資産の減価が一定率で生じるものと仮定して，減価償却費を計算する方法をいいます。この方法によれば，固定資産取得時の当初により多くの減価償却費が計上され，耐用年数の到来が近づく後年度に減価償却費が相対的に少なく計上されることになります。技術革新や陳腐化の進展が著しい設備や導入当初に稼働率が高い生産設備などに適用すると，その経済実態を会計処理により適切に反映するものとされています。

民間企業と同様に，国からの財源措置が予定されない独立採算の業務運営が行われる独法においては，法人税法上の課税関係を考慮し，定率法の適用が例外的に容認されています。なお，定率法を適用できる固定資産の範囲は，「機械装置等」とされ，使用による摩耗や経済的陳腐化の進展が一般に早い機械装置を原則としつつ，製造業務と密接に関連し，機械装置と同程度の経済的陳腐化が見込まれるような機械装置に準ずる固定資産についても定率法を適用できる余地を残す趣旨から「機械装置等」とされています（独法 Q&A Q40-3）。

＜定率法の減価償却方法＞

（有形固定資産の期首帳簿価額）×減価償却率*＝毎年の減価償却費

*減価償却率＝耐用年数期間にわたり残存簿価率が 10% となる償却率を算出したもの。
減価償却率＝1－ $\sqrt[\text{（耐用年数）}]{0.1}$
すなわち 1 から「耐用年数回数分の平方根（ルート）が 0.1 となる値」を控除した額が，定率法の償却率となります。

なお，法人税法改正により 200% 定率法や 250% 定率法などの償却方法が税制改正により定められており，固定資産の取得時期によって適用される定率法の償却率が相違しますが，独立行政法人においては定率法を採用する場合が限定的であることから，ここでの詳細な説明は割愛いたします。

1-4　耐用年数，残存価額

耐用年数とは，減価償却資産の取得価額から残存価額を控除した金額を規則的，合理的に費用として配分すべき期間をいいます。

固定資産の耐用年数は，当該固定資産の経済的利用可能期間を勘案して決定する経済耐用年数が原則となります。なお，企業会計でも採用されている法人税法上の耐用年数（耐用年数省令で定める耐用年数）を採用することについて，経済実態との重要な乖離がなく，税法耐用年数を使用することに弊害がない限り，利用できるものとされます。

耐用年数の決定には，物理的減価と機能的減価の双方を考慮して決定する必要があります。耐用年数には，一般的耐用年数と個別的耐用年数があります。一般的耐用年数は，固定資産の種類が同じ場合には個々の資産の置かれた条件に関わりなく，画一的に定められた耐用年数です。また，個別的耐用年数は，独立行政法人が，自己の固定資産につき操業度の大小や技術革新の程度などの条件を勘案し自主的に決定するものとなります。本来，独立行政法人は，自主的に個別的耐用年数を採用するべきですが，企業会計において採用されている税法上の耐用年数を一般的耐用年数として採用することも，個別的な耐用年数の決定の困難性を考えた場合，一般的耐用年数が実態とかけ離れたものでない限り認められるものとされます。

なお，耐用年数を変更した場合の取扱いは以下の通りとなります（独法Q&A Q80-9）。

1)　過去に定めた耐用年数が，これを定めた時点での合理的な見積りに基づくものであり，それ以降の変更も合理的な見積りによるものである場合は，会計上の見積りの変更に該当し，当該変更の影響は，変更を行った事業年度及びその資産の残存耐用年数にわたる将来の期間の損益として認識する。

2)　過去に定めた耐用年数が，これを定めた時点での合理的な見積りに基づくものではなく，これを事後的に合理的な見積りに基づいたものに変更する場合は，過年度の誤謬修正に該当し，当該変更に伴う過年度の損益修正額は，原則として臨時損益として処理する。

残存価額とは，固定資産の耐用年数が到来した時点において予想される当該固定資産の売却価格または利用価格から解体，撤去，処分等の費用を控除した金額をいいます。

残存価額は，耐用年数と同様に本来は，各独立行政法人が耐用年数到来時の処分可能額を考慮して自主的に決定すべきものとされますが，耐用年数と同様に当該見積りを行うことの困難性等を勘案して，法人税法の取扱いに合わせて取得価額の10%，備忘価額1円などと設定することも認められます（独法Q&A Q31-7）。

なお残存価額の見積りを変更した場合の取扱いは，以下の通りとなります（独法Q&A Q31-7）。

1)　過去に定めた残存価額が，これを定めた時点での合理的な見積りに基づくも

のであり，それ以降の変更も合理的な見積りによるものである場合は，会計上の見積りの変更に該当し，変更を行った当該事業年度及びその資産の残存耐用年数にわたる将来の期間の損益で認識する。
2) 過去に定めた残存価額がその時点での合理的な見積りに基づくものではなく，これを事後的に合理的な見積りに基づいたものに変更する場合は，過年度の誤謬修正に該当し，当該変更に伴う過年度の損益修正額は，原則として臨時損益として処理する。

1-5　資本的支出と修繕費

固定資産を取得したのちに，当該固定資産に対して何らかの機能維持または改良等の目的で当該固定資産に対して，追加支出を行う場合があります。

当該固定資産に対する追加支出は，機能の改良や耐用年数の延長など当該固定資産の価値の増加を伴う「資本的支出」と固定資産の現状の機能維持にとどまる「修繕費」とに区分されます（**図表 2-5**）。

1) 資本的支出 当該支出が固定資産の耐用年数の増加，機能の付加（価値の増加）を伴う支出を意味する。固定資産として資産計上する。
2) 修繕費 当該支出が固定資産の現在の機能を維持するにとどまる支出，または毀損した固定資産につきその原状を回復するために要する支出を意味する。修繕費として費用処理する。

上記の資本的支出と修繕費との区分には両者を明確に区分し切れない場合も存在し，実務的には法人税法上の通達による区分（60 万円基準）を参考として区分される場合もあります。

法人税基本通達では，法人がその有する固定資産の修理，改良等のために支出した金額のうち当該固定資産の価値を高め，またはその耐久性を増すこととなると認められる部分に対応する金額を「資本的支出」とし，固定資産計上することを求めており，反対に通常の維持管理のため，または毀損した固定資産につきその原状を回復するために要したと認められる部分の金額を「修繕費」とする処理を求めています（法基通 7-8-1，7-8-2）。

資本的支出と修繕費の区分を例示すると以下のようになります。

1）　資本的支出

▶建物の避難階段の取付等物理的に付加した部分に係る費用の額

▶用途変更のための模様替え等改造または改装に直接要した費用の額

▶機械の部分品を特に品質または性能の高いものに取り替えた場合のその取替えに要した費用の額のうち通常の取替えの場合にその取替えに要すると認められる費用の額を超える部分の金額

▶建物の増築，構築物の拡張，延長等

2）　修 繕 費

▶建物の移えいまたは解体移築をした場合（移えいまたは解体移築を予定して取得した建物についてした場合を除く）におけるその移えいまたは移築に要した費用の額。ただし，解体移築にあっては，旧資材の 70% 以上がその性質上再使用できる場合であって，当該旧資材をそのまま利用して従前の建物と同一の規模及び構造の建物を再建築するものに限る。

▶機械装置の移設（法基通 7-3-12《集中生産を行う等のための機械装置の移設費》の本文の適用のある移設を除く）に要した費用（解体費を含む）の額

▶地盤沈下した土地を沈下前の状態に回復するために行う地盛りに要した費用の額。ただし，次に掲げる場合のその地盛りに要した費用の額を除く。

イ）土地の取得後直ちに地盛りを行った場合

ロ）土地の利用目的の変更その他土地の効用を著しく増加するための地盛りを行った場合

ハ）地盤沈下により評価損を計上した土地について地盛りを行った場合

▶建物，機械装置等が地盤沈下により海水等の浸害を受けることとなったために行う床上げ，地上げまたは移設に要した費用の額。ただし，その床上

図表 2-5　法人税法基本通達に基づく「資本的支出」と「修繕費」との区分基準

修繕費	←YES	固定資産の計上基準(50万円)に満たない支出である。	
		↓NO	
		災害により被害を受けた固定資産について支出した次に掲げる費用である。	
修繕費	←YES	被災資産につき，その原状を回復するために支出した費用である。	
修繕費	←YES	被災資産の被災前の効用を維持するために行う補強工事，排水または土砂崩れの防止等のために支出した費用について，修繕費とする経理処理をしている。	
修繕費	←支出額の30%	被災資産について支出した費用の額のうちに資本的支出であるか修繕費であるかが明らかでないものがある場合において，法人が，その金額の30%相当額を修繕費とし，残額を資本的支出とする経理をしている場合	支出額の70%→ 資本的支出(固定資産計上)
		↓NO	
修繕費	←YES	その一の修理，改良等のために要した費用の額が20万円に満たない額である。	
		↓NO	
修繕費	←YES	その修理，改良等がおおむね3年以内の期間を周期として行われることが既往の実績その他の事情からみて明らかである。	
		↓NO	
		固定資産の修理，改良等のために支出した金額のうち当該固定資産の価値を高め，またはその耐久性を増すこととなると認められる部分に対応する支出である。	YES→ 資本的支出(固定資産計上)
		↓NO	
修繕費	←YES	固定資産の修理，改良等のために支出した金額のうち当該固定資産の通常の維持管理のため，またはき損した固定資産につきその原状を回復するために要したと認められる部分の支出である。	
		↓NO	
		一の修理，改良等のために要した費用の額のうちに資本的支出であるか修繕費であるかが明らかでない金額がある場合において，その金額が次のいずれかに該当するとき	
修繕費	←YES	その金額が60万円に満たない場合	
修繕費	←YES	その金額がその修理，改良等に係る固定資産の前期末における取得価額のおおむね10%相当額以下である。	
		↓NO	
修繕費	←支出額の30%または取得価額の10%	一の修理，改良等のために要した費用の額のうちに資本的支出であるか修繕費であるかが明らかでない金額(法基通7−8−3または7−8−4の適用を受けるものを除く)がある場合において，法人が，継続してその金額の30%相当額とその修理，改良等をした固定資産の前期末における取得価額の10%相当額とのいずれか少ない金額を修繕費とし，残額を資本的支出とする経理をしているとき	残額→ 資本的支出(固定資産計上)

工事等が従来の床面の構造，材質等を改良するものである等明らかに改良工事であると認められる場合のその改良部分に対応する金額を除く。

▶現に使用している土地の水はけを良くする等のために行う砂利，砕石等の敷設に要した費用の額及び砂利道または砂利路面に砂利，砕石等を補充するために要した費用の額

そのうえで，1回の修理または改良に要する支出額が20万円に満たない場合や概ね3年以内の周期で行われる修理・改良については修繕費として処理することを容認しています（法基通7-8-3）。

また，資本的支出に該当するか，修繕費に該当するかが明らかでない支出については，支出額が60万円未満の場合または当該支出額が固定資産の前期末における取得価額の概ね10%以下である場合には，修繕費として処理することを容認するとともに（法基通7-8-4），法人が継続して支出額の30%相当額とその修理，改良等をした固定資産の前期末における取得価額の10%相当額とのいずれか少ない金額を修繕費とし，残額を資本的支出とする経理をしているときは，当該処理による資本的支出と修繕費の区分を認めるものとしています（法基通7-8-5）。

このほか，以上の取扱いに係わらず，災害により被害を受けた固定資産については次の別段の取扱いを設け，以下の費用を修繕費として処理することを容認しています（法基通7-8-6）。

(1)　被災資産につきその原状を回復するために支出した費用

(2)　被災資産の被災前の効用を維持するために行う補強工事，排水または土砂崩れの防止等のために支出した費用

(3)　被災資産について支出した費用（上記（1）または（2）に該当する費用を除く）の額のうちに資本的支出であるか修繕費であるかが明らかでないものがある場合において，法人が，その金額の30%相当額を修繕費とし，残額を資本的支出とする経理をしているとき

1-6　会計上の変更及び誤謬の訂正に関する会計基準について

平成23年4月1日以後開始事業年度から企業会計においては，企業会計基準第24号「会計上の変更及び誤謬の訂正に関する会計基準」（以下，「過年度遡及修正会計基準」とする）が適用されています。独立行政法人の会計は，原則として企業会計原則による（独立行政法人通則法第37条）ものとされ，そのうえで各独立行政法人の個別法・主務省令において独立行政法人会計基準に定めのある事項は，企業会計基準に優先してこれを適用するとされています。

このため，独立行政法人会計基準に別段の定めを置かない場合には，企業会計基準第24号「会計上の変更及び誤謬の訂正に関する会計基準」が原則として適用されます。

この点，独立行政法人の財務諸表は2期比較財務諸表形式で開示されるものではなく，中期計画期間終了時点で利益積立金の国庫返納額を確定させる分配計算と結びついており，遡及修正して利益の額を計算することの制度的な問題点等を検討した結果，平成23年6月28日改訂の独立行政法人会計基準の前文において過年度遡及修正会計基準は適用しないとされました。

ただし，会計方針の変更，見積りの変更などの定義については企業会計基準との整合性を図る必要があることから，これらの定義については所要の見直し・適用を行うものとされます。このため，過年度遡及修正会計基準において定められる定義と同様に，独立行政法人会計基準においても「会計方針」，「表示方法」，「会計上の見積り」に関して，注解55において次の定義がされています。

1)　会計方針 独立行政法人が財務諸表の作成に当たって，その会計情報を正しく示すために採用した会計処理の原則及び手続
2)　表示方法 独立行政法人が財務諸表の作成に当たって，その会計情報を正しく示すために採用した表示の方法（注記による開示も含む）財務諸表の科目分類，科目配列及び報告様式が含まれる。

3)　会計上の見積り 資産及び負債や収益及び費用等の額に不確実性がある場合において，財務諸表作成時に入手可能な情報に基づいて，その合理的な金額を算出すること

そのうえで，これら「会計方針」，「表示方法」，「会計上の見積り」の変更を行った場合の取扱い（注記開示事項）を以下のように定めています。

1)　会計方針の変更：その旨，変更の理由及び当該変更が財務諸表に与えている影響の内容
2)　表示方法の変更：その内容
3)　会計上の見積りの変更：その旨，変更の内容及び当該変更が財務諸表に与えている影響の内容

また，独法 Q&A Q80-9 において，「会計方針の変更」，「表示方法の変更」，「会計上の見積りの変更」を行った場合におけるそれぞれの具体的な取扱いを，次のように定めています。

1)　会計方針の変更

新たな会計方針を過去の期間の全てに遡及適用する処理は行わず，その変更の影響は，当事業年度以降の財務諸表において認識する。なお，会計方針の変更の具体的な範囲は，以下の通りとなります。

①　有形固定資産の減価償却方法 会計方針の変更に該当し，その変更に当たっては，注解 56 第 1 項(1)の注記を行う。
②　会計処理の変更に伴う表示方法の変更 会計方針の変更に該当する。
③　会計処理の対象となる会計事象等の重要性が増したことに伴う本来の会計処理の原則及び手続への変更 従来，会計処理の対象となる会計事象等の重要性が乏しかったため，本来の会計処理によらずに簡便な会計処理を採用していたが，当該会計事象等の重要性が増したことにより，本来の会計処理に変更する場合，当該変更は，会計方針の変更に該当しない。

④　会計処理の対象となる新たな事実の発生に伴う新たな会計処理の原則及び手続の採用 会計方針の変更に該当せず，追加情報として取り扱う。
⑤　連結または持分法の適用の範囲に関する変動 財務諸表の作成に当たって採用した会計処理の原則及び手続に該当しないため，会計方針の変更に該当しない。

2)　表示方法の変更

過去の財務諸表について，新たな表示方法に従い組替えする処理は行わず，当事業年度以降の財務諸表において，新たな表示方法での開示を行います。

なお，流動資産から固定資産への区分変更や，経常損益から臨時損益への区分変更等，財務諸表の表示区分を越える変更は，表示方法の変更として取り扱います。また，キャッシュ・フローの表示の内訳の変更については，表示方法の変更として取り扱います。例えば，ある特定のキャッシュ・フロー項目について，キャッシュ・フロー計算書における表示区分を変更した場合や，連結キャッシュ・フロー計算書について，業務活動によるキャッシュ・フローに関する表示方法（直接法または間接法）を変更した場合が，表示方法の変更に該当します。

3)　会計上の見積りの変更

会計上の見積りの変更は，当該変更が変更期間のみに影響する場合には，当該変更期間に会計処理を行い，当該変更が将来の期間にも影響する場合には，将来にわたり会計処理を行います。

なお，過去の財務諸表作成時において入手可能な情報に基づき最善の見積りを行った場合には，当事業年度中における状況の変化により会計上の見積りの変更を行ったときの差額または実績が確定したときの見積り額との差額は，その変更のあった事業年度または実績が確定した事業年度に，その性質により，経常費用または経常収益として認識します。

4)　過去の誤謬

過去の財務諸表における誤謬が発見された場合には，過去の財務諸表の遡及修正は行わず，過年度の損益修正額を原則として臨時損益の区分に表示します（独法 Q&A Q66-2 参照）。

1-7　臨時償却

従来，独立行政法人においても企業会計と同様に，固定資産において当初予見できなかった機能的原因（例えば，新技術の発明）等による陳腐化が生じることとなった場合，減価償却計算を修正すべく臨時償却を行うことが認められていましたが，企業会計基準第 24 号「会計上の変更及び誤謬の訂正に関する会計基準」の適用により，国際的な会計基準とのコンバージェンスの観点も踏まえ，臨時償却は廃止し，固定資産の耐用年数の変更等については，当期以降の費用配分に影響させる方法（プロスペクティブ方式）のみを認める取扱いとされました。企業会計において臨時償却が廃止となったことに伴い，独立行政法人においても臨時償却は廃止されました。

企業会計基準第 24 号「会計上の変更及び誤謬の訂正に関する会計基準」により，固定資産の耐用年数の変更は，会計上の見積りの変更として取扱い，当期を含む当期以降の会計期間における償却年数の短縮を通じて当期を含む将来の期間の損益に影響させることによって陳腐化等の影響を反映させることになります。

なお，臨時償却の実施要因の発生は，固定資産の減損の兆候（資産の利用環境に関する著しい変化）に該当する可能性があり，減損損失の認識を適切に行えば臨時償却はいずれにせよ不要になるものと考えられます。

事例 2-8　会計上の見積りの変更

E 社が当会計年度（X4 年 3 月期）において，保有する備品 X の耐用年数について，新たに得られた情報に基づき，従来の耐用年数 8 年を 6 年に見直す会計上の見積りの変更を行った場合の会計処理

1）備品 X は X1 年 4 月 1 日に 6,000 千円で取得したものであり，E 社は，残存価額をゼロとして定額法で減価償却している。備品 X の減価償却費は全て業務費として処理している。

2)　備品Xに関する耐用年数の変更の影響は，次の通りである。

	耐用年数が8年である場合	耐用年数を6年に見直した場合
当会計年度の期首における残存耐用年数（年）	6	4
当会計年度の期首における帳簿価額	4,500	4,500
当会計年度以降の毎期の減価償却費	750	1,125

①　耐用年数8年の備品Xを6,000千円で購入した。

(借)	器具備品	6,000	(貸) 現金預金	6,000

②　減価償却費の計上（X2年3月期）

(借)	減価償却費	750*	(貸) 減価償却累計額	750

＊備品取得価額 6,000÷8＝750

③　減価償却費の計上（X3年3月期）

(借)	減価償却費	750	(貸) 減価償却累計額	750

④　耐用年数の見積りの変更後の減価償却費の計上（X4年3月期）

(借)	減価償却費	1,125*	(貸) 減価償却累計額	1,125

＊残存簿価 4,500（＝6,000−750−750）÷残存耐用年数4年（＝見直し後耐用年数6年−既経過年数2年）＝1,125

会計上の見積りの変更に関する注記

（会計上の見積りの変更）

当法人が保有する備品Xは，従来，耐用年数を8年として減価償却を行ってきたが，当会計年度において，○○○（変更を行うこととした理由などの変更の内容を記載する）により，耐用年数を6年に見直し，将来にわたり変更している。

この変更により，従来の方法と比べて，当会計年度の減価償却費が375千円増加し，経常利益及び当期純利益が同額減少している。

会計上の見積りの変更の要因が当期を含む会計年度における経済環境の変化などの新たな事象によって生じたものである場合には，過年度の減価償却計算の遡及修正は行わず，当期を含めた将来の会計期間にわたっての見積りの変更として会計処理を行います。

他方，過年度の見積り誤りに基づく減価償却計算の修正については，過年度の減価償却計算の累積修正額を当期における臨時損益区分に計上することで修正を行うことになります。

事例 2-9　過年度の見積り誤りの会計処理

E社は当会計年度（X4年3月期）において，保有する備品Xの耐用年数について，従来の耐用年数8年を6年に見直す会計上の見積りの変更を行った。当該耐用年数の見直しは過去における耐用年数の適用誤りに起因するものであった場合の会計処理

1）備品XはX1年4月1日に6,000千円で取得したものであり，E社は，残存価額をゼロとして定額法で減価償却している。備品Xの減価償却費は全て業務費として処理している。

2）備品Xに関する耐用年数の変更の影響は，次の通りである。

	耐用年数が 8年である場合	耐用年数が 6年である場合
当会計年度の期首帳簿価額①	4,500	
当初取得価額	6,000	6,000
既経過年数における累計減価償却累計額	1,500	2,000
当会計年度の期首におけるあるべき帳簿価額②	4,500	4,000
過年度減価償却不足額①－②	—	500
当会計年度以降の毎期の減価償却費	750	1,000

①　耐用年数8年の備品Xを6,000千円で購入した。

(借)	器具備品	6,000	(貸) 現金預金	6,000

②　減価償却費の計上（X2年3月期）

(借)	減価償却費	750*	(貸) 減価償却累計額	750

＊備品取得価額 6,000÷8＝750

③　減価償却費の計上（X3年3月期）

(借)	減価償却費	750	(貸) 減価償却累計額	750

④-1　耐用年数の見積りの変更後の減価償却費の計上（X4年3月期）

(借)	前期損益修正損 （臨時損失）	500*	(貸) 減価償却累計額	500

＊当初から耐用年数6年で減価償却していたと仮定した場合の減価償却費
X2年3月期減価償却費　取得価額 6,000÷6年＝1,000
X3年3月期減価償却費　取得価額 6,000÷6年＝1,000
過年度減価償却費 1,000×2−750×2＝500

④-2　耐用年数の見積りの変更後の減価償却費の計上（X4年3月期）

(借) 減価償却費	1,000*	(貸) 減価償却累計額	1,000

＊当初から耐用年数6年で減価償却していたと仮定した場合の減価償却費
取得価額6,000÷6年＝1,000

1-8　その他の論点

1)　備蓄資産

独立行政法人の中には，備蓄資産という固定資産が計上される法人もあります。

備蓄資産とは，政策目的により，独立行政法人が供給途絶や価格高騰などの事態に備えて国内における安定供給を確保する目的で保有する資産をいいます。独立行政法人会計基準の注解10において，以下のように規定されています。

> 注解10　備蓄資産について
>
> 供給途絶や価格高騰等の事態が生じた場合の安定供給を確保する目的で備蓄している資産は，将来売却されることが見込まれる場合であっても有形固定資産に属するものとする。

なお，備蓄資産は減価償却するのか否かという論点がありますが，非償却資産として取り扱うことが原則的な取扱いになるものと考えられます。元々は棚卸資産であり，必要な際に供給するために政策保有することが目的であって，業務の用に供して独法自らが使用することを目的としたものではないため，減価償却を行うことは適切でないと判断されるためであります。

事例2-10

備蓄資産を×1年度に150百万円で取得した。×2年度に当該備蓄資産のうち半分を市場供給不足解消のため，市場放出し，時価100百万円で売却した場合の会計処理

1)　×1年度　備蓄資産の取得時の会計処理

(借) 備蓄資産（固定資産）	150	(貸) 現金預金	150

2)　×1 年度　期末決算時の会計処理

[借] 仕　訳　な　し		[貸] 仕　訳　な　し	

＊備蓄資産は，減価償却計算を行わない。

3)　×2 年度　備蓄資産市場放出時の会計処理

[借] 現　金　預　金	100	[貸] 備　蓄　資　産	＊ 75
		備蓄資産売却益（臨時利益）	25

＊備蓄資産取得価額 150÷2＝75（保有量の半分を市場放出のため）

2)　国有財産法上の科目と独立行政法人における科目との相違点

国有財産の台帳に登載する科目名や区分は国有財産法，国有財産法施行細則で区分や種目が定められています。他方，独立行政法人における固定資産の科目区分は，独立行政法人会計基準で科目区分が定められています。両者の区分は必ずしも一致しないため，**図表 2-6** に主な相違の生じる点をまとめます。

3)　その他

譲与，贈与その他無償で取得した固定資産の評価については，公正な評価額

図表 2-6　国有財産法上の科目と独立行政法人における固定資産科目

国有財産台帳 （国有財産法施行細則 別表 1）		独立行政法人における固定資産計上科目 耐用年数省令 （法人税法上の減価償却資産区分）
区分	種目	
工作物	照明装置，冷暖房装置，消火装置，諸作業装置など	建物附属設備（建物と一体となっている工作物）
	上記以外の種目（門，囲障，下水，煙突，貯槽，橋梁，土留，岸壁，トンネルなど）	構築物（土地，地面と単独で一体となっている工作物）
機械器具	通信機械，土木機械，産業機械，船舶用機械など	機械装置
	車両	車両運搬具
	雑機械及び器具	機械装置または工具器具備品
立木竹	樹木	構築物
	立木	
	竹	

をもって取得原価とします（基準第26）。

また，有形固定資産の除却処理を行う時点については，固定資産に現に期待されるサービス提供能力が当該資産の取得時に想定されたサービス提供能力に比べ著しく減少し将来にわたりその回復が見込めない状態となった場合または固定資産の将来の経済的便益が著しく減少した場合には，その時点で減損会計基準に基づく減損処理を行い，その後当該資産が物理的に滅失した時点で，除却処理を行います。なお，減損Q&A Q2-1に従い，減損会計を適用しない重要性の乏しい固定資産については，基準第8で定める資産の定義に該当しなくなった時点で，仮に物理的には存在する場合であっても，除却処理を行います（独法Q&A Q31-4）。

②　無形固定資産

特許権，借地権，地上権，商標権，実用新案権，意匠権，鉱業権，漁業権，ソフトウェアその他これらに準ずる資産は，無形固定資産に属するものとされています。主な無形固定資産とその耐用年数（税法耐用年数）は，**図表2-7**の通りとなります。

なお，特許権などの工業所有権の取得価額の範囲は，特許印紙代や弁理士費用等の特許取得のために外部の第三者への支払いに充てられた費用に限定されます（独法Q&A Q32-1）。また，特許等の取得時に登録免許税等が免除され，さらに弁理士等への委託費用の発生もない場合には，取得原価が存在しないこととなり，無形固定資産として計上する金額がないことになります。

独立行政法人においては，独立行政法人会計基準に定めのない事項については，企業会計の基準である「研究開発費等に係る会計基準」（平成10年3月13日企業会計審議会）に従うこととなり，研究開発費は全て発生時に費用処理することが求められます。そのため自己創設の工業所有権（特に特許権）について，独立行政法人内部の研究開発活動にかかる費用を工業所有権の取得価額として資産計上することは認められません。

ただし，平成27年改訂の独法Q&A Q32-4において，ソフトウェアの資産

図表 2-7　無形固定資産の種類と耐用年数

資産種類		耐用年数（耐用年数省令）
特許権		8年
借地権		非償却資産
地上権		非償却資産
商標権		10年
実用新案権		5年
意匠権		7年
鉱業権		生産高比例法により算定された年数（当該採掘権に係る鉱区の採掘予定数量を，当該鉱区の最近における年間採掘数量その他当該鉱区に属する設備の採掘能力，当該鉱区において採掘に従事する人員の数等に照らし適正に推計される年間採掘数量で除して計算した数を基礎として納税地の所轄税務署長の認定した年数）
漁業権		10年
ソフトウェア	販売用	3年
	その他	5年
ソフトウェア仮勘定		非償却資産（完成後にソフトウェアとなる資産の製作途中，開発途中における支出額）
電話加入権		非償却資産

計上要件に関する改訂が行われており，この点に留意する必要があります。

従来，ソフトウェアの資産計上要件については，基準注解24において，「将来の収益獲得又は費用削減が確実であると認められる場合」に無形固定資産計上するものと定めておりましたが，独立行政法人の資産を定義する基準第8において，「サービス提供能力を伴う資源は独立行政法人の資産を構成する」ものとされており，ソフトウェアの資産性の有無は基準第8の規定に基づいて判断するべきであることをあらためて明記する改訂が行われました。

したがって，広く国民一般に無償で行政サービスを提供するために開発したソフトウェアや研究開発目的で開発したものの，その後一般に無償で提供することとしたソフトウェアなど行政サービス提供能力を有するソフトウェアについては，「将来の収益獲得又は費用削減が確実とは認められない場合」であっても，ソフトウェアとして資産計上することが求められることとなります

(Q&A Q32-4)。

③　投資その他の資産

3-1　全般的事項

独立行政法人会計基準における投資その他の資産に関する規定は，次の通りとなります。

> 基準第13
>
> 2　次に掲げる資産は，投資その他の資産に属するものとする。
> ⑴　投資有価証券。ただし，関係会社（特定関連会社及び関連会社をいう。以下同じ。）有価証券を除く。
> ⑵　関係会社株式
> ⑶　その他の関係会社有価証券
> ⑷　長期貸付金。ただし，役員，職員または関係会社に対する長期貸付金を除く。
> ⑸　役員または職員に対する長期貸付金
> ⑹　関係会社長期貸付金
> ⑺　破産債権，再生債権，更生債権その他これらに準ずる債権
> ⑻　長期前払費用
> ⑼　繰延税金資産
> ⑽　未収財源措置予定額（「第84 事後に財源措置が行われる特定の費用に係る会計処理」により計上される未収財源措置予定額をいう。以下同じ。）
> ⑾　その他

投資その他の資産は，文字通り長期の投資項目であることから，政策的な観点から投資や融資を行うことを業務目的とする独立行政法人を除いてそれほど多く発生することが予定されていないものと考えられます。

ただし，余裕資金の運用目的で満期までの期間が1年を超える定期預金への預け入れを行う場合や長期国債を取得する場合などで発生する場合があります。また，出先機関・事業所として民間のオフィスビル等に入居する場合，敷金・保証金の差入れが生じる場合もあります。

余資運用投資を行った場合の会計処理を以下の **事例 2-11**，**事例 2-12** で確認します。

事例 2-11

前期以前の運営費交付金債務の未執行残高として残存した資金の一部を資金の有効利用の観点から，満期までの期間が2年の定期預金に200,000千円の預け入れを行った場合の会計処理

満期までの期間が1年を超える定期預金については，流動資産の区分ではなく，固定資産の区分の投資その他の資産区分に「長期性預金」として計上することになる。

定期預金への預入にかかる会計処理

(借) 長期性預金	200,000	(貸) 現金預金	200,000

なお，事例から当該定期預金の原資は，前期以前の運営費交付金の未執行残額であるが，現金預金から定期預金への資金保有形態の変更は，運営費交付金による予算の執行とは異なるものであるため，財源側の仕訳は生じない。

事例 2-12

前期以前の運営費交付金債務の未執行残高として残存した資金の一部を資金の有効利用の観点から，満期までの償還期間が3年の新発国債100,000千円の購入を行った場合の会計処理

なお，当該国債は，満期まで保有する目的で取得したものである。

国債の購入にかかる会計処理

(借) 投資有価証券	100,000	(貸) 現金預金	100,000

なお，事例から国債の購入原資は，前期以前の運営費交付金の未執行残額であるが，現金預金から国債への資金保有形態の変更は，運営費交付金による予算の執行とは異なるものであるため，財源側の仕訳は生じない。

以下，具体的な事例に基づき敷金の会計処理を確認します。

事例 2-13　**敷金支出時の会計処理**

被災地域における機動的な行政サービスの提供が可能となるよう，被災地域に出張所を開設することとした。当該出張所の開設に際し，賃貸借契約に基づき敷金30,000千円を運営費交付金財源により支出した場合の会計処理

上記の敷金の支出は，運営費交付金財源により支出がなされたものであるため，財源側の処理が問題となる。

独立行政法人会計基準第87「運営費交付金の会計処理」によれば，当該支出が中期計画等で想定された範囲内である場合には，「資本剰余金」に計上するものとされ，当該支出が中期計画等で想定された範囲内とは言えない場合には，「資産見返負債」を計上するものとされている（詳細は，「第6章　第1節　運営費交付金の会計処理」を参照）。

1）敷金の差入れが中期計画等の想定範囲内である場合

㈱	敷　　金	30,000	㈶ 現金預金	30,000
	運営費交付金債務	30,000	㈶ 資本剰余金	30,000

2）敷金の差入れが中期計画等の想定範囲内ではない場合

㈱	敷　　金	30,000	㈶ 現金預金	30,000
	運営費交付金債務	30,000	資産見返運営費交付金	30,000

事例2-14　敷金返還時の会計処理

業務運営の目的を達成したため，被災地域における出張所を閉鎖し，賃貸借契約の解除を行い，退去した。退去により敷金30,000千円の全額の返還を受けた場合の会計処理

1）敷金の差入れが中期計画等の想定範囲内である場合

㈱	現金預金	30,000	㈶ 敷　　金	30,000

2）敷金の差入れが中期計画等の想定範囲内ではない場合

㈱	現金預金	30,000	㈶ 敷　　金	30,000
	資産見返運営費交付金	30,000	資産見返運営費交付金戻入	30,000

上記の通り，敷金の差入れが中期計画等で想定した範囲内ではないとした場合においては，敷金の返戻時に「資産見返運営費交付金戻入」が利益計上され，利益積立金に繰り入れられることとなる結果，中期計画期間の満了時には，利益積立金として，国庫返納の対象となることになる。

他方，「1）敷金の差入れが中期計画等の想定範囲内である場合」においては，返戻された敷金は独立行政法人内に現金預金として残存している一方，財源側は「資本剰余金」として残ったままとなる。このような場合には，当該返戻された敷金に見合う現金預金を独立行政法法人通則法第8条で定める不要財産として認定し，自主的に申請・認可を取得したうえで国庫返納する手続によって返納することが必要となる。

3)　返戻された敷金に見合う現金預金を不要財産として国庫納付する場合
　㈹　資本剰余金（運営費交付金）30,000　㈾　現　金　預　金　　30,000

上記までの事例でみてきたように，運営費交付金を財源として投資その他の資産（非償却資産）を取得した場合には，当該資産の取得を「中期計画等で想定した業務の範囲内」とするか否かによって，その後の会計処理に留意する必要が生じます（**図表 2-8**）。

3-2　未収財源措置予定額

独立行政法人によっては，その主たる業務目的に，政策目的での資金貸付けが含まれている法人も存在します。このような法人においては，貸付金の資金原資を政府出資による場合や国が独立行政法人内に基金を造成して実行する場合など様々な場合が考えられますが，当該貸付金が回収不能となることにより

図表 2-8　運営費交付金を財源として投資その他の資産（非償却資産）を取得した場合の会計処理

投資その他の資産（非償却資産）にかかる会計処理	①当該資産の取得が中期計画等で想定される業務の範囲内である場合	②当該資産の取得が中期計画等で想定される業務の範囲内であるとはいえない場合
投資その他の資産（非償却資産）の取得時の会計処理	「運営費交付金債務」を「資本剰余金」に振替計上する。	「運営費交付金債務」を「資産見返運営費交付金」に振替計上する。
投資その他資産（非償却資産）が解約・返金により現金化された場合の会計処理	会計処理なし。	「資産見返運営費交付金」を取り崩し，「資産見返負債戻入」に振り替える。
メリット	投資その他の資産の解約・返金時に損益が認識されず，損益均衡が実現する。	投資その他の資産の解約・返金時に利益計上されるため，中期計画期間の満了時に利益積立金として国庫返納の対象に自動的に繰り入れられる。
デメリット	投資その他の資産の解約・返金時に別途，当該返戻に見合う現金預金を通則法8条の不要財産認定し，返還の申請をしなければ，資金返還できず，手続が煩雑である。	投資その他の資産の解約・返金時に「資産見返負債戻入」が計上され，利益が発生するため，損益均衡が実現しない。

生じる損失については，あらかじめ貸倒額を予測して財源措置することが困難であることから，個別法・主務省令または中期計画等において，国が独立行政法人に対して事後に財源措置することを定めている場合があります。

このような場合には，「未収財源措置予定額」を計上することとされます。以下に独立行政法人会計基準第84「事後に財源措置が行われる特定の費用にかかる会計処理」に関する規定を記載します。

基準第84　事後に財源措置が行われる特定の費用に係る会計処理

1　独立行政法人の業務運営に要する費用のうち，その発生額を後年度において財源措置することとされている特定の費用が発生したときは，財源措置が予定される金額を財源措置予定額収益の科目により収益に計上するとともに，未収財源措置予定額の科目により資産として計上する。

2　後年度において財源措置することとされている特定の費用は，独立行政法人が負担した特定の費用について，事後に財源措置を行うこと及び財源措置を行う費用の範囲，時期，方法等が，例えば中期計画等で明らかにされていなければならない。なお，当該特定の費用が，貸倒引当金繰入額の場合は，独立行政法人が保有する貸付金等の金銭債権に係る貸倒損失について，国と独立行政法人の責任範囲が，例えば中期計画等で明らかにされていなければならない（注64)。

＜注64＞財源措置予定額収益の計上が認められる場合について

1　財源措置予定額収益の計上が認められるのは，例えば，事後に財源措置が行われることが法令の規定により定められている場合や，独立行政法人が行う資金の貸付けに係る貸倒損失のうち独立行政法人の責任の範囲外の部分の補填等，運営費交付金等による事前の財源措置を困難とする合理的な理由がある場合に限られる。

2　なお，当該特定の費用が，貸倒引当金繰入額の場合における国と独立行政法人の責任範囲は，例えば，債権の種類ごとに債権額の一定割合までは国がその貸倒損失を負担し，これを上回る部分は独立行政法人が負担する等，具体的に定められる必要がある。

事後に財源措置が行われる特定の費用として貸倒損失が発生した場合には，

損失計上額と同額の「財源措置予定額収益」を計上するとともに「未収財源措置予定額」として未収計上します。これにより，独立行政法人に貸倒損失相当額の損失負担は生じず，損益は均衡し，貸倒損失相当額は国に対して未収請求する形となります。

当該未収計上できることの根拠はあらかじめ中期計画等，個別法，主務省令等において国の負担の範囲が明確となっていることが条件となります。

なお，財源措置予定額収益は「独立行政法人の業務運営に関して国民の負担に帰せられるコスト」の計算上，控除する自己収入等には含まれません（注解43）。

事例 2-15　未収財源措置予定額の会計処理

民間金融機関からの資金借入が困難な一定の要件に該当する事業者に対して政策目的で低利での資金貸付を行っている。当期に上記の要件に該当する事業者に対して合計で200,000千円の資金貸付を行った。当期末において，上記貸付金200,000千円のうち18,000千円について，事業者が破産し回収不能が確定となった。なお，当該貸付金の回収不能額については，個別法において国が事後に財源措置することが定められている。

1）　貸付時の会計処理

㈶	長期貸付金	200,000	㈹ 現金預金	200,000

2）　貸付金の一部が回収不能となった場合の会計処理

㈶	破産更生債権等	18,000	㈹ 長期貸付金	18,000
	貸倒損失（経常費用）	18,000	破産更生債権等	18,000
	未収財源措置予定額	18,000	財源措置予定額収益（臨時利益）	18,000

3）　翌年度に貸倒損失相当額の財源の交付を受けた場合

㈶	現金預金	18,000	㈹ 未収財源措置予定額	18,000

3-3　貸倒引当金

貸倒引当金は，債務者の財政状態等に応じて債権を①一般債権，②貸倒懸念債権，③破産更生債権等に区分し，区分毎の貸倒見積高により計上することとされています。その定義を示すと以下の通りとなります。

①　一般債権：経営状態に重大な問題が生じていない債務者に対する債権
②　貸倒懸念債権：経営破綻の状態には至っていないが，債務の弁済に重大な問題が生じているかまたは可能性の高い債務者に対する債権
③　破産更生債権等：経営破綻または実質的に経営破綻に陥っている債務者に対する債権

債務者をこれらに区分する基準は独立行政法人会計基準第29第2項において規定されていますが，より具体的な判断基準については，「金融商品会計に関する実務指針」(最終改正令和元年7月4日　日本公認会計士協会）の106以下の定めによります。

債権区分ごとの貸倒引当金の計上方法は，独立行政法人会計基準第29第2項において，次のように定められています。

①　一般債権

債権全体または同種・同類の債権ごとに債権の状況に応じて求めた過去の貸倒実績率等合理的な基準により貸倒見積高を算定する。

②　貸倒懸念債権

次のいずれかの方法により貸倒見積高を算定する。

1)　担保または保証が付されている債権について債権額から担保の処分見込額及び保証による回収見込額を減額し，その残額について債務者の財政状態及び経営成績を考慮して貸倒見積高を算定する方法（「財務内容評価法」）

2)　債権の元本の回収及び利息の受取に係るキャッシュ・フローを合理的に見積もることができる債権について，債権の元本及び利息について元本の回収及び利息の受取が見込まれるときから当期末までの期間にわたり，当初の約定利子率で割り引いた金額の総額と債権の帳簿価額との差額を貸倒見積高とする方法（「キャッシュ・フロー見積法」）

なお，1)，2）のいずれの方法でも良いが同一の債権については，債務者の財政状態及び経営成績の状況等が変化しない限り，同一の方法を継続適用すべきものと規定されている。

③　破産更生債権等

債権額から担保の処分見込額及び保証による回収見込額を減額し，その残額を貸倒見積高とする。

＜簡便的な方法による債権区分＞

「金融商品会計に関する実務指針」（最終改正令和元年7月4日　日本公認会計士協会）の107において，金融業を主たる事業としない一般事業会社における債権区分の簡便法に関する規定があり，金融を主たる業務としていない独立行政法人においては，当該実務指針に基づいて，債権の計上月または弁済期限からの経過期間に応じて一般債権・貸倒懸念債権・破産更生債権等の債権区分を行う方法も認められるものと解されます。

事例 2-16

▶未収金の過去3年間の貸倒実績は別表1の通りであった。

▶未収金の平均回収期間は1年未満である。

▶当該未収金は，一般債権に区分され，過去3年間における貸倒実績率によって貸倒引当金を計上する方法を採用している。

▶ X-1期の期末における未収金に対する貸倒引当金計上額は45千円であった。

上記の前提条件におけるX期，X＋1期における会計処理

（別表1）

	X－3期	X－2期	X－1期	X期	X＋1期	未収金当初残高 貸倒損失累計
未収金期末残高 当期貸倒損失*	10,000	0 40				10,000 40
未収金期末残高 当期貸倒損失*		9,000	0 27			9,000 27
未収金期末残高 当期貸倒損失*			12,000	0 42		12,000 42
未収金期末残高 当期貸倒損失*				10,000	0 37	10,000 37
未収金期末残高 当期貸倒損失*					10,000	10,000
未収金期末残高計 当期貸倒損失計	10,000	9,000 40	12,000 27	10,000 42	10,000 37	

＊「当期貸倒損失」は，法的に貸倒損失の確定したものだけでなく，事実上の回収不能と判断される場合における貸倒引当金の個別引当計上額を含めることが発生主義による貸倒引当金の計算としてはその趣旨からより合理的なものと判断されます。

未収金の債権回収平均期間が１年未満であることから，未収金が発生してから回収が終わるまでの期間における貸倒れの発生率によって実績貸倒率を算出することになる。前提条件により，一般債権の貸倒実績率は過去３年間の平均実績率を用いることとされているため，X期における貸倒引当金計上額の計算においては，X-3期，X-2期，X-1期の３期間におけるそれぞれの実績貸倒率の平均値として計算することになる。

1） 各期における貸倒実績率の算定

①X-3期の未収金残高に対する貸倒実績率：

X-2期における貸倒額40÷X-3期未収金期末残高10,000＝0.004

②X-2期の未収金残高に対する貸倒実績率：

X-1期における貸倒額27÷X-2期未収金期末残高9,000＝0.003

③X-1期の未収金残高に対する貸倒実績率：

X期における貸倒額42÷X-1期未収金期末残高12,000＝0.0035

2） 過去３期間の平均貸倒実績率の算定

①～③の平均値＝（0.004＋0.003＋0.0035）÷3＝0.0035（＝0.35%）

3） X期における貸倒引当金計上額：

期末未収金残高10,000×0.35%＝35

＜X期における会計処理＞

1） 貸倒発生時の処理

(借)	貸倒引当金	42	(貸)	未収金	42

2） 期末における貸倒引当金計上の会計処理

(借)	貸倒引当金繰入額	*32	(貸)	貸倒引当金	32

＊前提条件よりX-1期末における貸倒引当金残高　45

X期中における貸倒発生による目的取崩額　△42

（差引）貸倒引当金残高　3b）

X期末における貸倒引当金要計上額　35a）

X期末における貸倒引当金繰入額＝a）－b）＝32

＜X＋1期における会計処理＞

1） 貸倒発生時の処理

(借)	貸倒引当金	35	(貸)	未収金	37
	貸倒損失	2			

2） X＋1期における貸倒実績率の算定

イ）各期における貸倒実績率の算定

①X-2期の未収金残高に対する貸倒実績率：

X-1期における貸倒額27÷X-2期未収金期末残高9,000＝0.003

②X-1期の未収金残高に対する貸倒実績率：

X期における貸倒額42÷X-1期未収金期末残高12,000＝0.0035

③X期の未収金残高に対する貸倒実績率：

X＋1期における貸倒額37÷X期未収金期末残高10,000＝0.0037

ロ）過去3期間の平均貸倒実績率の算定

①〜③の平均値＝(0.003＋0.0035＋0.0037)÷3＝0.0034（＝0.34%）

ハ）X期における貸倒引当金計上額：

期末未収金残高10,000×0.34%＝34

3）　期末における貸倒引当金計上の会計処理

(借)　貸倒引当金繰入額	34*	(貸)　貸倒引当金	34

*X期末における貸倒引当金残高	35
X期中における貸倒発生による目的取崩額	△35
（差引）貸倒引当金残高	0b)
X期末における貸倒引当金要計上額	34a)

X期末における貸倒引当金繰入額＝a)－b)＝34

なお，上記事例では債権の平均回収期間が1年未満である場合を前提としたものであるが，長期貸付金などの債権回収期間が長期にわたる債権の貸倒実績率を算出する場合には，当該長期貸付金の債権回収期間（約定弁済期限までの平均年数など）を考慮して実績率を算出する必要があり，例えば平均回収期間3年の長期貸付金であれば，債権発生年度から翌期以降3期間における貸倒実績額を集計して貸倒実績率を算出することになるため，この点に留意が必要である。

それでは，次に財務内容評価法による貸倒引当金計算例を**事例2-17**に示すことにします。

事例2-17

▶独立行政法人甲は，A社に対する貸付金50,000千円を有し，当該貸付金は約定期限を6ヵ月程度超過している。

▶A社に対する債権を破産更生債権等として評価するものとする。

▶A社の直近決算における財務内容は別表1の通りであった。

▶A社に対する貸付金は当期に発生したものであり，期首以前におけるA社への債権はない。

▶A社の保有資産に個別に担保設定を行っている債権者はいないものとする。

上記の前提条件におけＡ社に対する財務内容評価法による貸倒引当金の個別引当額の計算

（別表１）Ａ社の直近財務諸表

貸 借 対 照 表

資産の部		負債の部	
現金預金	20,000	買掛金	20,000
売掛金	30,000	短期借入金	100,000
棚卸資産	20,000	負債合計	120,000
敷　金	40,000	純資産の部	
		資本金	50,000
		欠損金	
		繰越欠損金	40,000
		当期未処理損失	20,000
		純資産合計	△10,000
資産合計	110,000	負債・純資産合計	110,000

財務内容評価法による評価（例）

▶Ａ社の資産の簡易時価評価：資産合計（110,000）－敷金の解約による原状回復義務との相殺による回収不能見込額（20,000）＝90,000（注）

▶独立行政法人甲のＡ社に対する貸付金の回収可能見込額

資産の簡易時価評価額 90,000÷債務合計額 120,000×甲の有する債権額 50,000＝37,500

▶貸倒引当金計上の会計処理

(借) 貸倒引当金繰入額	12,500*	(貸) 貸倒引当金	12,500

＊貸付金 50,000－回収見込額 37,500＝12,500

（注） 財務内容評価法では債務者の財政状態・経営成績の状況を勘案し，回収不能見込み額を合理的に算定するものとされているが，金融業を主たる業務としていない独立行政法人などにおいては，入手できる資料や情報に一定の限界があることが想定されます。そのような場合には，可能な限り合理的な見積りを行うこととしつつも一定の簡便的な見積り方法によることも容認されるものと考えられます。

＜延滞債権にかかる未収利息の取扱い＞

「金融商品会計に関する実務指針」（最終改正令和元年７月４日　日本公認会計士協会）の119では，長期間回収の滞っている延滞債権について，未収利息を計上しないものとする以下の取扱いを定めています。

金融商品会計実務指針 119

金融商品会計基準注解9では，債務者から契約上の利払日を相当期間超過しても利息の支払いを受けていない債権及び破産更生債権等については，既に計上されている未収利息を当期の損失として処理するとともに，それ以後の期間に係る利息を計上してはならないとしている。

未収利息を不計上とする延滞期間は，延滞の継続により未収利息の回収可能性が損なわれたと判断される程度の期間であり，一般には，債務者の状況等に応じて6カ月から1年程度が妥当と考えられる。

また，利息の支払いを約定どおりに受けられないため利払い日を延長したり，利息を元本に加算することとした場合にも，未収利息の回収可能性が高いと認められない限り，未収利息を不計上とする。

このような会計処理を定めているのは，実質的に回収可能性が乏しい債権について，受取利息を計上し続けると同額の未収利息が残存し続ける結果となり，当該未収利息に対して貸倒引当金を全額計上した場合，損益計算書上，受取利息と貸倒引当金繰入額とが両建て表示となり，損益計算書上の受取利息があたかも通常の回収される収益であるとの誤った情報を財務諸表の利用者に与えかねない危険性が想定されることから，このような弊害を防止するために未収利息を不計上とする取扱いを定めたものと考えられます。なお，未収利息不計上の取扱いは法人税法上も同様の定めが置かれています。

事例 2-18

▶独立行政法人甲は，A社に対してX1年1月末に50,000千円の貸付を行った。約定金利は1.8%であり，当該貸付金の約定返済スケジュールは，当初1年間は元本据え置き，その後6ヵ月ごとに元金10,000千円の返済並びに経過期間の利息支払いという内容であった（別表1）。

▶当該貸付金はX年3月末時点では正常債権として，実績繰入率により一般債権として貸倒引当金が計上されていた。

▶当期においてA社からの元利金の支払いが滞り，約定期限を超過して一切の入金がないまま，X+1年3月末を迎えた。

（別表1）貸付金の約定返済スケジュール

	返済合計	利払い	元金返済	貸付金残高
X年1月末				50,000
X年7月末	450	450	0	50,000
X+1年1月末	10,450	450	10,000	40,000

1）X年3月末における未収利息の計上

㈱ 未 収 利 息 150* ㈹ 受 取 利 息 150

＊貸付金発生時からX期3月末までの経過利息：貸付金50,000千円×約定金利1.8%×2ヵ月÷12ヵ月＝150

2）X年4月1日（期首）における未収利息の洗替計上*

㈱ 受 取 利 息 150 ㈹ 未 収 利 息 150

＊1）で計上した仕訳の取り消し処理

3）X年7月末における未収利息の計上

㈱ 未 収 利 息 450* ㈹ 受 取 利 息 450

＊貸付金発生日から利払い日までの期間が6ヵ月のため，7月末に計上する未収利息は，貸付金50,000千円×約定金利1.8%×6ヵ月÷12ヵ月＝450

4）X+1年3月末における会計処理

㈱ 貸 倒 引 当 金 150*1 ㈹ 未 収 利 息 450
受 取 利 息 300*2

期末まで元利金の支払いが一切なく，延滞債権となっているため，期中の約定利払い日時点で計上した未収利息の取り消し処理を行います。

＊1）X年3月末時点で計上した前期末計上の未収利息については，当期に受取利息が計上されていないことから，貸倒引当金または貸倒損失を計上します（ここでは当該貸付金について前提条件により貸倒引当金が計上されていました）。

＊2）当期中に計上した未収利息については，受取利息が損益計算書に計上されていることから，受取利息の取り消しとして未収利息を消去します。

<金融検査マニュアルに従った債権分類・貸倒引当金の計上について>

独立行政法人によっては，主たる業務内容が資金の貸付，債務の保証等であり，預金等受入金融機関と同様の業務を実施していると認められる法人も存在します。従前，このような独立行政法人においては，金融庁が作成し預金等受入金融機関の検査に適用する「金融検査マニュアル」に従った債権分類を行い，貸倒引当金を計上することは適切とされていました（旧 独法Q&A Q29-2）。しかし，平成30年6月の「金融検査・監督の考え方と進め方（検査・監督基本方針)」において,「金融検査マニュアル」は,別表も含め,平成30年度終了後（平成31年4月1日以降）を目途に廃止されることになり,それに伴い,独法Q&A Q29-2についても削除されることになりました。ただし,「金融検査マニュアル」の廃止は,別表の廃止も含め,これまでに定着した金融機関の実務を否定するものではないとされているため,以下に参考記載します。

「金融検査マニュアル」に基づく貸倒引当金計算の方法は,債務者の区分,債権の分類の2つの評価手順を通じて,よりきめ細やかな貸倒引当金計算を行う形となっています。そこで,まず債務者の区分,およびその定義を示すと以下のようになります。

①　正常先 業績が良好であり,かつ,財務内容に特段の問題がないと認められる債務者を意味する。
②　要注意先（要管理先以外） 金利減免・棚上げを行っているなど貸出条件に問題のある債務者,元本返済若しくは利息支払いが事実上延滞しているなど履行状況に問題がある債務者のほか,業況が低調ないしは不安定な債務者または財務内容に問題がある債務者など今後の管理に注意を要する債務者を意味する。 要注意先となる債務者は,要管理先とそれ以外の債務者とに区分される。
③　要管理先 要注意先に対する債権のうち3ヵ月以上延滞債権（元金または利息の支払が,約定支払日の翌日を起算日として3ヵ月以上延滞している貸出債権）または貸出条件緩和の発生している債務者を意味する。
④　破綻懸念先 現状,経営破綻の状況にはないが,経営難の状態にあり,経営改善計画等の進捗状況が芳しくなく,今後,経営破綻に陥る可能性が大きいと認められる債務者（金融機関等の支援継続中の債務者を含む）を意味する。
⑤　実質破綻先 深刻な経営難の状態にあり,再建の見通しがない状況にあると認められるなど実質的に経営破綻に陥っている債務者を意味する。

⑥　破綻先
法的・形式的な経営破綻に陥っている債務者を意味する。

図表 2-9　貸倒引当金計算のためのマトリックス表

債務者区分	正常な運転資金等	優良担保・優良保証分	一般担保・保証分		保全なし	
			一般担保の処分可能見込額及び一般保証による回収が可能と認められる部分（清算配当含む）	優良担保及び一般担保の担保評価額と処分可能見込額との差額（いわゆる掛け目部分）		
正常先	非分類	非分類	非分類	非分類	非分類	(A)
要注意先	非分類	非分類	Ⅱ分類		Ⅱ分類	(B)
要管理先	非分類	非分類	Ⅱ分類		Ⅱ分類	(C)
破綻懸念先	—	非分類	Ⅱ分類	Ⅲ分類	Ⅲ分類	(D)
実質破綻先	—	非分類	Ⅱ分類	Ⅲ分類	Ⅳ分類	(E)
破綻先	—	非分類	Ⅱ分類	Ⅲ分類	Ⅳ分類	(F)

図表 2-10　債務者区分ごとの貸倒引当金計算方法

債務者区分	貸倒引当金計算方法	計算式
正常先	正常先の債権額全体に過去の貸倒実績率を基に今後１年間の予想損失額を見積り，当該額を貸倒引当金として計上する。	(A)×予想損失率（貸倒実績率）
要注意先（要管理先以外）	要注意先債権（要管理先以外）に対する過去の貸倒実績率を基に今後１年間の予想損失額を見積り，当該額を貸倒引当金として計上する。	(B)×予想損失率（貸倒実績率）
要管理先	要管理先債権全体に対する過去の貸倒実績率を基に今後３年間の予想損失額を見積り，当該額を貸倒引当金として計上する。	(C)×予想損失率（貸倒実績率）
破綻懸念先	個別債務者ごとに，Ⅲ分類額に今後３年間における予想損失率（予想損失率は破綻懸念先区分における過去の貸倒実績率をもとに計算）を乗じた額を引当金計上する。	(D)×予想損失率（貸倒実績率）
実質破綻先	個別債務者ごとに，Ⅲ分類額及びⅣ分類額の合計額全額を予想損失額として引当金計上する。	(E）の全額
破綻先	個別債務者ごとに，Ⅲ分類額及びⅣ分類額の合計額全額を予想損失額として引当金計上する。	(F）の全額

次に，金融検査マニュアルにおける債権分類とその定義を示すと，以下のようになります。

1) 非分類 回収の危険性または価値を損なう危険性について問題のない債権を意味する（例：優良担保・優良保証による保全額）。
2) Ⅱ分類 債権確保上の諸条件が満足に充たされないため，あるいは，信用状疑義が存するなどの理由により，その回収について通常の度合いを超える危険性を含むと認められる債権を意味する（例：一般担保による処分可能見込額・一般保証による回収可能額（清算配当を含む）など）。
3) Ⅲ分類 最終の回収または価値について重大な懸念が存し，したがって損失の発生の可能性が高いが，その損失額について合理的な推計が困難な債権を意味する（例：優良担保及び一般担保の担保評価額と処分可能見込額との差額部分）。
4) Ⅳ分類 回収不能または無価値と判定される債権を意味する（例：実質破たん先・破たん先に区分される債権の無保全部分）。

したがって，金融検査マニュアルに基づく貸倒引当金の計算を行う場合には，債務者の区分，債権の分類の双方を考慮して貸倒引当金を計算することになります（**図表 2-9，2-10**）。

④ 固定資産の減損会計

4-1 固定資産の減損会計導入の背景

企業会計において平成17年度から固定資産の減損会計が導入されたことから，独立行政法人においても平成18年度から減損会計が導入されています。企業会計における「固定資産の減損に係る会計基準」では，収益性の低下等により投資額の回収が見込めなくなった固定資産について，その帳簿価額を回収可能価額まで減額し，損失を将来に繰り延べないために行われる会計処理であるとされます。企業会計における固定資産の減損会計基準では，将来キャッシュ・フローによる回収可能額と対比して減損を判定するという考え方が導入されているものの，独立行政法人は公共的な性格を有し，利益の獲得を本来の目的としておらず，固定資産への投下資本（投資額）の回収を予定しているとは限らないという側面を勘案すると，固定資産の将来キャッシュ・フローによる回収可能性によって減損を認識する企業会計の目的をそのまま適用することは適当ではないとされます。

このため，独立行政法人の特性を勘案して企業会計における減損会計基準に一定の修正を加えることにより「固定資産の減損に係る独立行政法人会計基準及び固定資産の減損に係る独立行政法人会計基準注解」が作成されています。独立行政法人の特性を勘案した基準の特徴点として，投下資本の将来キャッシュ・フローの獲得による回収を予定しているとは限らない独立行政法人の固定資産について，現に独立行政法人が有している固定資産のサービス提供能力に着目して減損の判定等の基準を設けているという点があげられます。この点について，減損会計が業務に着目したものではなく，資産に着目したものであることから，固定資産のサービス提供能力とは，固定資産を使ってどのような業務が行えるかではなく，固定資産についてどの程度の使用が想定されているか，すなわち，固定資産をどの程度使用する予定であるか，と考えることが適当とされています。そのうえで固定資産の使用の程度が固定資産の取得時に想定された使用の程度に著しく満たなくなった場合には，当該資産の帳簿価額は過大であると認められることから，減損を認識することとしています。

また，固定資産の市場価格が著しく下落し，その回復が見込めない場合には，これを早期に帳簿価額に反映させることが，独立行政法人の財政状態を明らかにするという減損会計の目的や資産の含み損の先送り防止という要請に合致することから，固定資産の市場価格が著しく下落し，その回復が見込めない場合には，固定資産の正味売却価額まで帳簿価額を減損するものとしています。

独立行政法人において，固定資産にかかる減損会計が導入された目的は，以下の３点です。

① 貸借対照表に計上される固定資産の過大な帳簿価額を適正な金額まで減額し，もって独立行政法人の財政状態に関する適正な情報を提供すること。

② 減損会計を導入することにより，独立行政法人が当初取得した固定資産の政策目的・利用目的と照らして，利用状況が低下している固定資産にかかる減損を認識することにより，独立行政法人の業務運営状況を明らかにすること。

③ 減損会計により，利用状況が低下している固定資産や遊休資産にかかる情報が開示されることから，これらの情報開示を通じて，独立行政法人に固定資産の有効利用を促すこと。

4-2 定　　義

固定資産の減損とは，「固定資産のサービス提供能力が当該資産の取得時に想定されたサービス提供能力に比べ著しく減少し将来にわたりその回復が見込めない状態または固定資産の経済的便益を生み出す能力が著しく減少した状態をいう」とされています。

企業会計では，固定資産の使用から見込まれる将来のキャッシュ・フローによる投下資本の回収可能価額と正味売却価額との対比により減損額を計算しますが，独立行政法人は利益の獲得を目的として固定資産を保有するものではないことから，当該固定資産の将来の現金生成能力（回収可能価額）を基準とせず，固定資産が取得当初の政策目的と対比して，そのサービス提供能力に著しい減少が生じていないか，すなわち固定資産の簿価が取得当初の目的と対比してどの程度利用可能な状態にあるかを計算する「使用価値相当額[*1]」と「正味売却価額[*2]」との対比により減損額を計算するものとされています。

なお，両者のうちいずれか高い方の価額を「回収可能サービス価額」といいます。

＊1） 使用価値相当額：減価償却後再調達価額または減価償却後再調達価額を算出することが困難である場合には，当該資産の帳簿価額に当該資産につき使用が想定されていない部分以外の部分の割合を乗じて算出した価額。

＊2） 正味売却価額：固定資産の時価から処分費用見込額を控除した正味の売却価額。

4-3　減損の測定方法

このため，上記の趣旨から固定資産の減損損失額を計算する際に帳簿価額と対比すべき額は，国際公会計基準における減損にかかる会計基準を参考として，固定資産の将来のキャッシュ・フロー生成能力ではなく，固定資産のサービス提供能力に着目し，固定資産のサービス提供能力が当該固定資産の当初取得時に何らかの政策目的を達成するために取得された取得時点におけるサービス提供能力に対して，どの程度残存しているかによって対比を行うものとされました。

ケース１：正味売却価額＜使用価値相当額の場合
回収可能サービス価額＝使用価値相当額

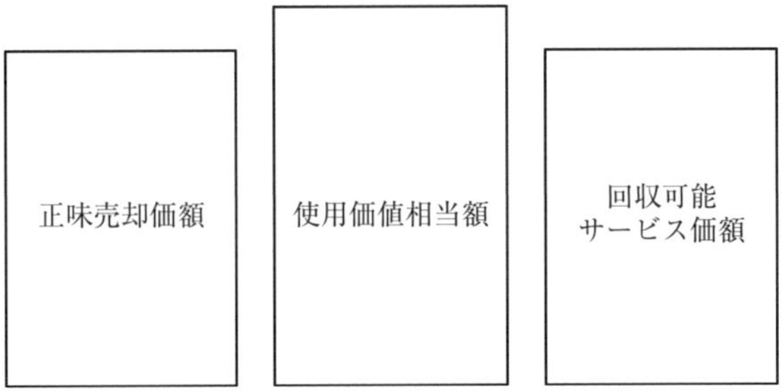

正味売却価額

使用価値相当額

回収可能
サービス価額

ケース２：正味売却価額＞使用価値相当額の場合
回収可能サービス価額＝正味売却可能価額

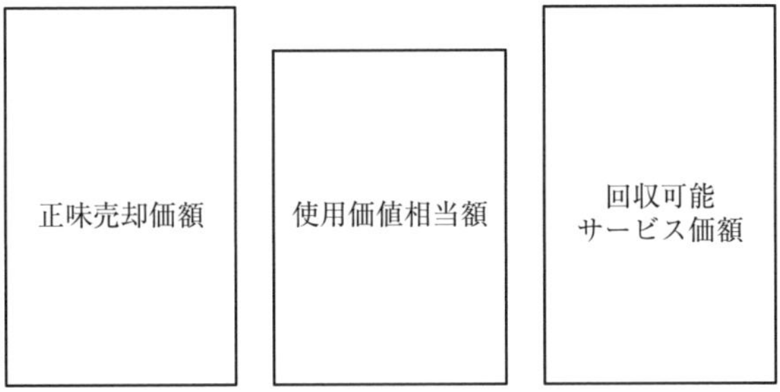

正味売却価額

使用価値相当額

回収可能
サービス価額

4-4　減損の適用対象とならない資産の範囲

固定資産の中には，固定資産の減損にかかる独立行政法人会計基準が適用されないものがあります。それらを整理すると以下の３つに要約できます（これら以外の固定資産が減損会計の適用対象になります)。

①　企業会計における減損会計基準が適用される固定資産*

国からの財源措置によらず，主として自己収入によって業務運営を行っている独立採算型の独立行政法人においては，企業会計における減損会計基準を適用する旨が個別法・主務省令において定められていて，「固定資産の減損に係る独立行政法人会計基準」が適用されない独立行政法人が一部に存在する。

＊なお，「固定資産の減損に係る独立行政法人会計基準」が適用されず，企業会計における減損会計基準が適用される場合については，個別法や主務省令で別途その旨を定めることになる。

②　独立行政法人会計基準において別途減損に関する定めのある固定資産

具体的には，投資有価証券（関係会社株式または関係会社有価証券を除く），関係会社株式，その他の関係会社有価証券，長期貸付金（役員，職員または関係会社に対する長期貸付金を除く），役員または職員に対する長期貸付金，関係会社長期貸付金，破産債権，再生債権，更生債権その他これらに準ずる債権，長期前払費用，繰延税金資産，未収財源措置予定額があげられる。

③　供給途絶や価格高騰等の事態が生じた場合の安定供給を確保する目的で備蓄している固定資産

「備蓄資産」が該当する。

このほかに，「固定資産の減損に係る独立行政法人会計基準」注解1において，固定資産の金額的側面及び質的側面を勘案して重要性の乏しい固定資産については減損の適用対象外とすることが容認されています。

減損Q&A Q2-1において，以下の全ての要件に該当する固定資産については，重要性が乏しいものとして減損会計基準を適用しないことができるものとされています。

(1)　「機械及び装置並びにその他の附属設備」,「船舶及び水上運搬具」,「車両その他の陸上運搬具」,「工具，器具及び備品」または「無形固定資産」(償却資産に限る。）であること。
(2)　取得価額が5,000万円未満であること。
(3)　耐用年数が10年未満であること。

なお，独立行政法人通則法第８条第３項で定める「重要な財産であって主務省令で定めるもの」に該当する固定資産（多くの主務省令は土地，建物を重要財産としている）については，主務省令で「重要財産」と定義していることとの整合性を勘案した場合，通常はその（金額的・）質的重要性から減損の適用対象外の固定資産になることは想定されないものと考えられます。

4-5　減損の兆候

固定資産の減損にかかる会計基準においては，減損損失額の計算を行う前に，一旦「減損の兆候」に該当する固定資産の有無を検討することとし，「減損兆候の有無」，「減損の認識及び測定」という２段階ステップを踏んで減損損失額を計算します。

これは，固定資産の全てについて仮に，減損損失を計上するならばいくらとなるかを計算する方法とした場合，全ての固定資産について帳簿価額と対比すべき回収可能サービス価額を算出することが求められ，結果，事務的負担が大きくなることから，減損の兆候のある固定資産を一旦絞り込んで抽出するという方法を採用していることによります。

減損の兆候を判定する基準は，以下の５項目のいずれかへの該当の有無によって判定されます（減損基準第３）。

減損基準第３

⑴　固定資産が使用されている業務の実績が，中期計画，中長期計画及び事業計画の想定に照らし，著しく低下しているか，あるいは，低下する見込みであること。[*1,4]

⑵　固定資産が使用されている範囲または方法について，当該資産の使用可能性を著しく低下させる変化が生じたか，あるいは，生ずる見込みであること（注３）。[*2,4]

⑶　固定資産が使用されている業務に関連して，業務運営の環境が著しく悪化したか，あるいは，悪化する見込みであること。[*3,4]

⑷　固定資産の市場価格が著しく下落したこと（注４）。[*4]

⑸　独立行政法人自らが，固定資産の全部または一部につき，使用しないとい

う決定を行ったこと（注5）。

＜注3＞当該資産の使用可能性を著しく低下させる変化について

当該資産の使用可能性の著しい低下については，当該資産の取得時に想定した使用可能性を基準として判断する。なお，当該資産が政府からの現物出資または特殊法人等からの承継により取得されたものである場合には，現物出資時または承継時に想定した使用可能性を基準として判断する。

＜注4＞市場価格が著しく下落したことについて

固定資産の市場価格について，帳簿価額からの下落割合が50％未満であるときは，著しく下落していないものとすることができる。

＜注5＞使用しないという決定について

使用しないという決定には，固定資産を全く使用しないという決定のみならず，固定資産の取得時に想定した使用目的に従って使用しないという決定，すなわち，用途変更の決定も含む。なお，固定資産が政府からの現物出資または特殊法人等からの承継により取得されたものである場合には，現物出資時または承継時に想定した使用目的を基準に判断する。

なお，使用しないという決定については閣議決定や主務大臣による決定によって，使用しないという方針が決定された場合も含まれるものとされている（減損Q&A Q3-7）。

*1 「業務実績が以前に比べ低下した場合だけでなく，中期計画等に照らして当初から低い場合も該当するものとする。また，資産から入場料や使用料等の収入が生み出される場合には，その業務活動から生ずる損益または収入が中期計画等における想定に比し著しく悪化している場合も該当するとされている（減損Q&A Q3-1）。

*2　例えば，以下のような場合が考えられる（減損Q&A Q3-2）。

(1)　固定資産が使用されている業務を廃止または再編成すること。業務の再編成には，業務規模の大幅な縮小などが含まれる。

(2)　固定資産が遊休状態になっていること。

(3)　固定資産の稼働率が著しく低下した状態が続いていること。

(4)　固定資産に著しい機能的減価が観察できること。

(5)　建設仮勘定に計上している建設途中の固定資産について，建設の大幅な延期が決定されたことや当初の計画に比べ著しく滞っていること。

*3　例えば，以下のような場合が考えられる（減損Q&A Q3-3）。

(1)　技術革新による著しい陳腐化や特許期間の終了による重要な関連技術の拡散などの技術的環境が著しく悪化していること。

(2)　業務に関連する重要な法律改正，規制緩和や規制強化，重大な法令違反の発生などの法律的環境が著しく悪化していること。

*4　減損会計基準「第3　減損の兆候」第2項の(1)～(3)でいう「著しく低下」及び

「著しい悪化」の「著しい」とは，「著しい」とは，固定資産が使用されている業務の実績，固定資産の使用可能性及び業務運営の環境について数量化できる場合には，50%を基準として判断することになる（減損Q&A Q3-4）。

実務上は，固定資産台帳に減損の兆候判定項目をチェックリスト化した判定表を作成したうえで，各資産管理責任部署・部門ごとに回付し，期末日現在における減損の兆候に該当する資産の有無を調査することが便宜と考えられます。このような方法で減損兆候の検討を行うと，固定資産について網羅的に減損兆候の調査を行ったことの記録を残すことができるものと考えられます。例示として減損兆候の判定チェック表（**図表2-11**）を示します。

なお，例示した書式によらなければならないということではないため，各法人の任意で使用しやすい書式を定めて運用下さい。

4-6　減損の認識

減損基準第3「減損の兆候」に該当する固定資産について，減損を認識するか否かを減損基準第4「減損の認識」に定める基準に従って判定を行うことになります。具体的には，減損の兆候に該当した項目ごとに以下の判定を行い，更なる該当があるものについて「減損の認識」を行うこととなります。

⑴　固定資産が使用されている業務の実績が，中期計画，中長期計画及び事業計画の想定に照らし，著しく低下しているか，あるいは，低下する見込みであること。
⑵　固定資産が使用されている範囲または方法について，当該資産の使用可能性を著しく低下させる変化が生じたか，あるいは，生ずる見込みであること。
⑶　固定資産が使用されている業務に関連して，業務運営の環境が著しく悪化したか，あるいは，悪化する見込みであること。
　上記⑴～⑶に該当する場合で，当該資産の全部または一部の使用が想定されていないときは，減損を認識する。

上記における「使用が想定される」ためには，以下の2つの要件を満たす必要があります。

1)　当該資産の全部または一部について，将来の使用の見込みが客観的に

図表 2-11　減損の兆候判定表（例示）

減損会計基準で求められる適用対象資産の基準，判定項目をチェック項目として設けておく

分類	取得価格	取得年	取得月	耐用年数	取得価額5000万円以上である	耐用年数10年以上である	「機械及び装置」・「船舶等」・「車両運搬具」・「工具，器具備品」・「無形固定資産(償却資産)」以外の科目である	(1) 固定資産の使用実績が中期計画等の想定に照らし，著しい低下又は低下見込みである	(2) 固定資産の使用可能性を著しく低下させる変化の発生又は発生見込みがある	(3) 固定資産を使用する業務運営環境の著しく悪化又は悪化見込みの発生	(4) 固定資産の市場価格の著しい下落	(5) 固定資産の全部又は一部につき使用しない決定を行っている	減損兆候あり
建物	52,000,000	平成 13 年	4	15	○	○	○	—	—	—	—	—	—
建物付属設備	82,742,000	平成 13 年	4	15	○	○	○	—	—	—	—	—	—
建物付属設備	16,825,000	平成 13 年	4	15	—	○	○	—	—	—	—	—	—
建物付属設備	160,000,000	平成 13 年	4	15	○	○	○	—	—	—	—	○	○
建物付属設備	18,400,000	平成 18 年	4	15	—	○	○	—	—	—	—	—	—
構築物	21,000,000	平成 13 年	4	8	—	—	○	—	—	—	—	—	—
構築物	37,000,000	平成 13 年	4	8	—	—	○	—	—	—	—	—	—
土地	1,625,000,000	平成 13 年	4		○	○	○	—	—	—	○	—	○

存在すること。

固定資産の全部または一部について，将来の使用の見込みが客観的に存在することとは，例えば，保守管理が経常的に行われており，かつ，独立行政法人の年度計画等においても将来の使用稼動が確実に見込まれている場合をいいます。

2)　当該資産がその使用目的に従った機能を現に有していること。

(4)　固定資産の市場価格が著しく下落したことに該当する場合で，当該資産の市場価格の回復の見込みがあると認められないときは，減損を認識する。

なお，市場価格の回復可能性については，経済全体の状況や固定資産の性質に照らし，相当の期間内に固定資産の市場価格が帳簿価額の相当程度まで回復する可能性があるかどうかを判断することとされています。

(5)　独立行政法人自らが，固定資産の全部または一部につき，使用しないという決定を行った場合で，使用しないという決定が当該決定を行った日の属する事業年度内における一定の日以後使用しないという決定であるときは，減損を認識する。

なお，固定資産について，翌事業年度以降の特定の日以後使用しないという決定を行った場合には，使用しなくなる日において減損を認識することとし，その決定が将来の財務諸表に重要な影響を及ぼすと認められる場合には，それまでの間，当該資産の概要等について注記することとされています。

4-7　減損額の測定

減損が認識された固定資産について，回収可能サービス価額が帳簿価額を下回るときは，帳簿価額を回収可能サービス価額まで減額します。

ところで，「減損の認識」と「減損の測定」は，両者を区別してその意義を理解することが難しいように思われます。あえて，両者の違いを定義づけるとすれば，以下のようになるものと考えます。

1)　減損の認識

当該固定資産について，減損の会計処理を行う対象資産であると特定し，識別

することと。
2)　減損の測定 実際の減損損失額を計算すること。

したがって，上記の定義の違いから明らかなように，「減損の認識」を行う対象固定資産として特定された場合であっても，減損損失額を実際に計算したところ，回収可能サービス価額が帳簿価額よりも高かったため，結果として減損損失が計上されない場合も生じるということになります(むろん,そのような場合は例外的と考えますが,発生しえないとも言い切れない点にご留意下さい)。

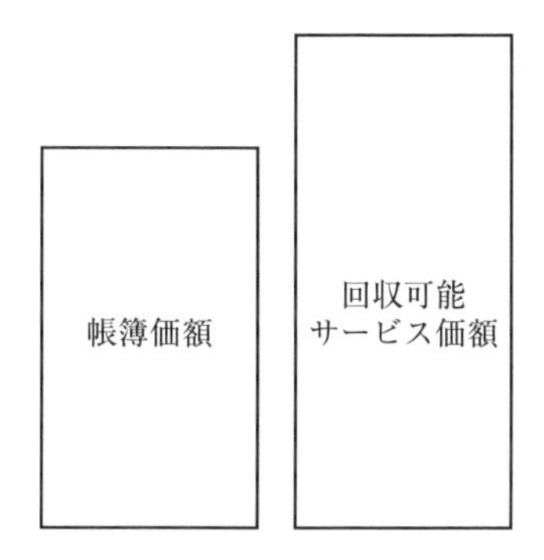

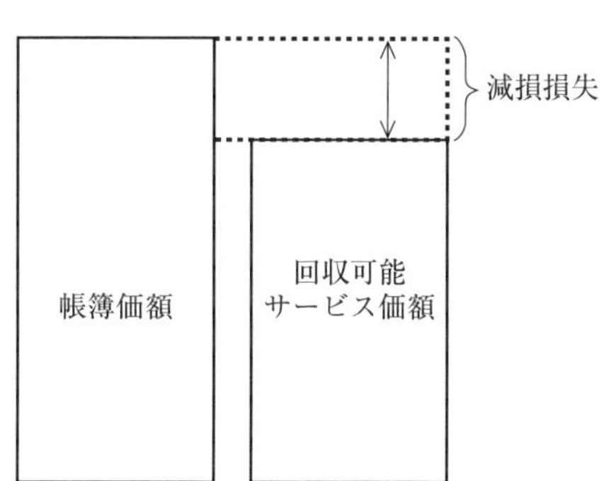

4-8　減損額の会計処理

減損会計基準「第6 減損額の会計処理」及び「第7 資産見返負債を計上している固定資産に係る減損額の会計処理」に定めのある減損の会計処理について，解説します。

固定資産の帳簿価額と回収可能サービス価額との差額（以下「減損額」という）については，以下のように処理します。なお，減損処理を行った固定資産は，減損後の帳簿価額に基づき減価償却を行うものとし，減損の戻入は行ってはならないものとされています（減損基準第10)。

1)　独立行政法人会計基準「第87特定の資産に係る費用相当額の会計処理」を

行うこととされた償却資産及び非償却資産

中期計画等で想定した業務運営を行ったにもかかわらず生じた減損は，損益計算書上の費用には計上せず，減損損失相当累計額の科目により資本剰余金の控除項目として計上する。

中期計画等で想定した業務運営を行わなかったことにより生じた減損は，減損損失（臨時損失）として計上する。

2）　独立行政法人会計基準「第 87 特定の資産に係る費用相当額の会計処理」を行うこととされた償却資産以外の償却資産（例えば，自己収入財源で取得した固定資産）

中期計画等で想定した業務運営を行ったか否かにかかわらず，「減損損失」（臨時損失）に計上する。

3）　資産見返負債が計上されている固定資産（例：運営費交付金・補助金・寄附金などの財源で取得した固定資産）

中期計画等で想定した業務運営を行ったにもかかわらず生じた減損は，当該減損額を減損損失の科目により当期の臨時損失として計上するとともに，資産見返負債を臨時利益に振り替える。

中期計画等で想定した業務運営を行わなかったことにより生じた減損は，臨時損失区分に減損損失計上し，資産見返負債を利益剰余金（通則法第 44 条第 1 項の積立金）に振替計上する。

「中期計画等で想定した業務運営を行わなかったか否か」の判断については，固定資産に減損が生じた原因が，独立行政法人が中期計画等の想定の範囲内の業務運営を行わなかったことまたは中期計画等の想定の範囲外の業務運営を行ったことにより生じたものであることが明確である場合とし，それ以外の場合は，中期計画等で想定した業務運営が行われたものと判断することとされています。

反対に，中期計画等で想定した業務運営を行わなかったこと及び想定の範囲外の業務運営を行ったこととは，例えば，中期計画等で定めた施設の利用促進方策を講じなかったこと等経営上必要な措置を採らなかった場合などが該当するとされています。

なお，独立行政法人は，その経営資源を最大限活用して，業務運営の効率化やサービスその他の業務の質の向上に具体的にどのように取り組むか，できる限り定量的な中期計画を設定すべきであり，中期目標で掲げられた目標の水準を更に具体化することも積極的に検討する必要があるとされています（独立行政法人の中期目標等の策定指針<平成15年4月18日 特殊法人等改革推進本部事務局>参照）。

4-9　減損にかかる注記事項

減損にかかる注記事項は，減損会計基準第11で規定されています。減損の兆候または減損損失の認識に至った固定資産の内容に関して，国民等の利害関係者に対する十分な説明責任を充足する観点から，注記による詳細な内容の開示が求められています。

1）　減損の兆候にかかる注記事項

減損基準第3に定める「減損の兆候」に該当した場合における注記事項をまとめると，**図表2-12**の通りとなります。

「固定資産の減損にかかる独立行政法人会計基準」では，**図表2-12**の通り減損の兆候に該当するだけで当該状況に関する注記開示を行うことが求められており，企業会計基準では減損の兆候が存在するだけの資産についての注記開示は求められないことから，この点に関しては企業会計における減損会計基準よりも一層厳格な基準が導入されているといえます。

独立行政法人において減損会計基準を導入する目的の1つに，利用状況が低下している固定資産や遊休資産にかかる情報を開示することを通じて，独立行政法人に固定資産の有効利用を促す目的が含まれていることから，このような開示制度が導入されています。

2）　減損損失の認識にかかる注記事項

「4-6　減損の認識」の項で解説したように減損を認識した場合には，次に掲げる事項を注記します。

(1)　減損を認識した固定資産の用途，種類，場所，帳簿価額等の概要

(2)　減損の認識に至った経緯

(3)　減損額のうち損益計算書に計上した金額と計上していない金額の主要

図表 2-12　減損の兆候にかかる注記事項

減損兆候の区分	注記事項
(1) 固定資産が使用されている業務の実績が，中期計画等の想定に照らし，著しく低下しているか，あるいは，低下する見込みであること。 (2) 固定資産が使用されている範囲または方法について，当該資産の使用可能性を著しく低下させる変化が生じたか，あるいは，生ずる見込みであること。 (3) 固定資産が使用されている業務に関連して，業務運営の環境が著しく悪化したか，あるいは，悪化する見込みであること。 (4) 固定資産の市場価格が著しく下落したこと。	(1) 減損の兆候が認められた固定資産の用途，種類，場所，帳簿価額等の概要 (2) 認められた減損の兆候の概要 (3) 減損の兆候の有無について，「第3 減損の兆候」第3項に基づき，複数の固定資産を一体として判定した場合には，当該資産の概要及び当該資産が一体としてそのサービスを提供するものと認めた理由 (4)「第4 減損の認識」第2項に掲げる要件を満たしている根拠または固定資産の市場価格の回復の見込みがあると認められる根拠
(5) 独立行政法人自らが，固定資産の全部または一部につき，使用しないという決定を行った場合であって，その決定が翌事業年度以降の特定の日以後使用しないという決定である場合	(1) 使用しないという決定を行った固定資産の用途，種類，場所等の概要 (2) 使用しなくなる日 (3) 使用しないという決定を行った経緯及び理由 (4) 将来の使用しなくなる日における帳簿価額，回収可能サービス価額及び減損額の見込額

な固定資産ごとの内訳

(4) 減損の兆候の有無について，「第3 減損の兆候」3に基づき，複数の固定資産を一体として判定した場合には，当該資産の概要及び当該資産が一体としてそのサービスを提供するものと認めた理由

(5) 回収可能サービス価額が，正味売却価額である場合には，その旨及び算定方法の概要。回収可能サービス価額が，使用価値相当額である場合には，その旨，採用した理由及び算定方法の概要

参考までに，減損会計基準第11に定める注記事項に関する規定を，以下に記載します。

基準第11　注記

1　減損を認識した場合には，次に掲げる事項について注記するものとする。
⑴　減損を認識した固定資産の用途，種類，場所，帳簿価額等の概要
⑵　減損の認識に至った経緯
⑶　減損額のうち損益計算書に計上した金額と計上していない金額の主要な固定資産ごとの内訳
⑷　減損の兆候の有無について，「第3　減損の兆候」第3項に基づき，複数の固定資産を一体として判定した場合には，当該資産の概要及び当該資産が一体としてそのサービスを提供するものと認めた理由
⑸　回収可能サービス価額が，
ア）　正味売却価額である場合には，その旨及び算定方法の概要
イ）　使用価値相当額である場合には，その旨，採用した理由及び算定方法の概要

2　「第3　減損の兆候」第2項⑴から⑷までに掲げる減損の兆候が認められた場合（減損を認識した場合を除く。）には，次に掲げる事項について注記するものとする。
⑴　減損の兆候が認められた固定資産の用途，種類，場所，帳簿価額等の概要
⑵　認められた減損の兆候の概要
⑶　減損の兆候の有無について，「第3　減損の兆候」第3項に基づき，複数の固定資産を一体として判定した場合には，当該資産の概要及び当該資産が一体としてそのサービスを提供するものと認めた理由
⑷　「第4　減損の認識」第2項に掲げる要件を満たしている根拠または固定資産の市場価格の回復の見込みがあると認められる根拠

3　「第3　減損の兆候」第2項⑸に規定する使用しないという決定を行った場合であって，その決定が翌事業年度以降の特定の日以後使用しないという決定である場合には，次に掲げる事項について注記するものとする。
⑴　使用しないという決定を行った固定資産の用途，種類，場所等の概要
⑵　使用しなくなる日
⑶　使用しないという決定を行った経緯及び理由
⑷　将来の使用しなくなる日における帳簿価額，回収可能サービス価額及び減損額の見込額

図表 2-13　減損会計基準の適用体系図

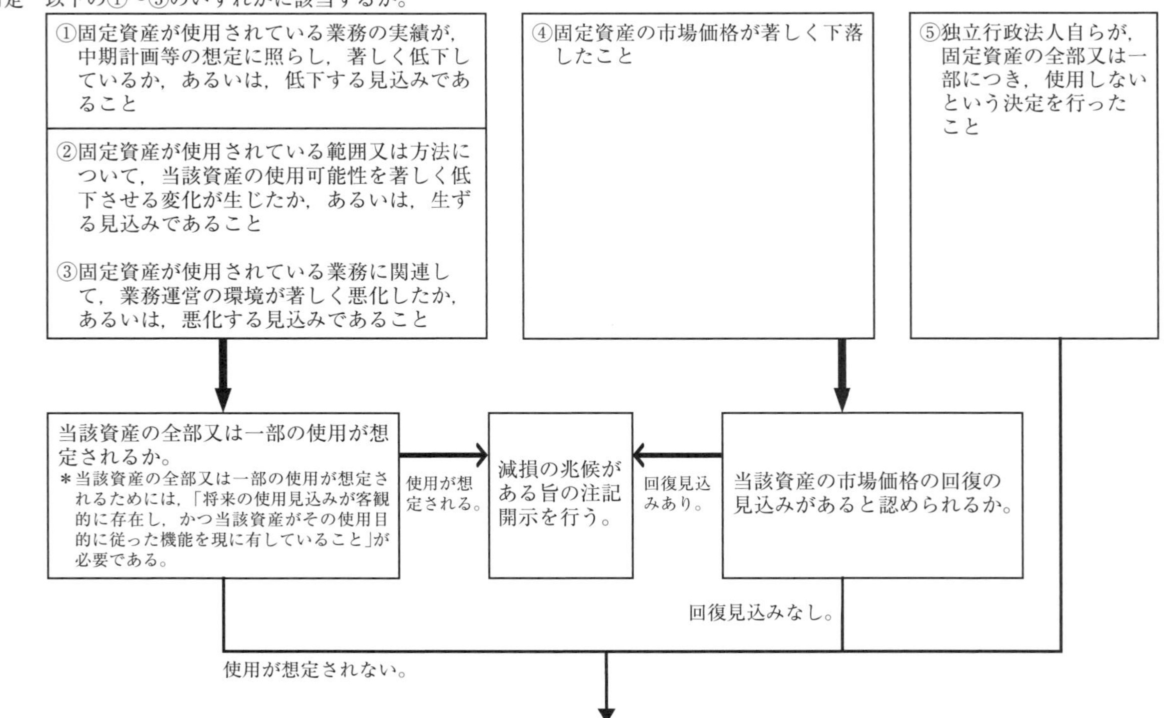

減損の認識

減損の認識

減損損失の測定

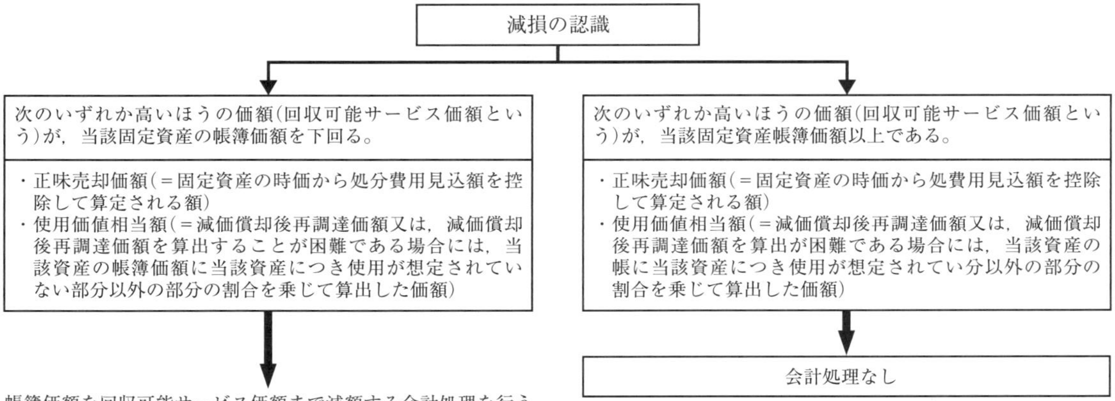

次のいずれか高いほうの価額(回収可能サービス価額という)が，当該固定資産の帳簿価額を下回る。

- 正味売却価額(＝固定資産の時価から処分費用見込額を控除して算定される額)
- 使用価値相当額(＝減価償却後再調達価額又は，減価償却後再調達価額を算出することが困難である場合には，当該資産の帳簿価額に当該資産につき使用が想定されていない部分以外の部分の割合を乗じて算出した価額)

次のいずれか高いほうの価額(回収可能サービス価額という)が，当該固定資産帳簿価額以上である。

- 正味売却価額(＝固定資産の時価から処費用見込額を控除して算定される額)
- 使用価値相当額(＝減価償却後再調達価額又は，減価償却後再調達価額を算出が困難である場合には，当該資産の帳に当該資産につき使用が想定されてい分以外の部分の割合を乗じて算出した価額)

会計処理・表示

会計処理なし

帳簿価額を回収可能サービス価額まで減額する会計処理を行う。

1)基準第87を行うこととされた償却資産及び非償却資産の場合	2)基準第87を行うこととされた償却資産以外の償却資産の場合(資産見返負債が計上されている場合を除く)	3)資産見返負債が計上されている固定資産
①中期計画等で想定した業務運営を行わなかったことにより減損が生じた場合 ：損益計算書の臨時損失区分に「減損損失」を計上する。	中期計画等で想定した業務運営を行ったか否かにかかわらず，損益計算書の臨時損失区分に「減損損失」を計上する。	①中期計画等で想定した業務運営を行わなかったことにより減損が生じた場合 ：臨時損失区分に「減損損失」を計上し，資産見返負債を通則法第44条第1項の積立金(利益積立金)に振り替え計上する。
②中期計画等で想定した業務運営を行ったにもかかわらず減損が生じた場合 ：損益計算書上の費用には計上せず，「減損損失相当累計額」として資本剰余金の控除項目として計上する。		②中期計画等で想定した業務運営を行ったにもかかわらず減損が生じた場合 ：臨時損失区分に「減損損失」を計上するとともに資産見返負債を臨時利益に振り替える。

ここまで，固定資産の減損にかかる会計処理について解説してきましたが，以下では実際の事例に基づいて，どのように減損の兆候の判定並びに減損損失額の測定を行うかを説明します。

事例 2-19　固定資産の使用実績の著しい低下

独立行政法人Xは，職員宿舎を保有している。当該職員宿舎は合計で300名を収容できる設備である。上記の職員宿舎は，過去に増築を行っており，増築部分については入居率が高いものの，増築部分以外の職員宿舎については老朽化の影響もあり，近年入居率が低迷している。この結果，収容定員300名に対して，入居者数は以下の状況となっている。

	職員宿舎（増築部分以外）	職員宿舎（増築分）
収容定員	150名	150名
入居者数	0名	135名

なお，職員宿舎の入居率の低迷は，中期計画等に従って業務運営を行わなかったことにより生じたものではない。

職員宿舎の取得価額，期末簿価等は以下の通りである。当該職員宿舎は政府出資財産であり，基準第87「特定の資産に係る費用相当額の会計処理」に該当するものとする。

（単位：千円）

物件	取得価額	減価償却累計額	期末簿価	正味売却価額
建物（職員宿舎）	38,000	29,000	9,000	0
建物（職員宿舎―増築分）	69,000	21,000	48,000	39,000
合　計	107,000	50,000	57,000	39,000

増築部分以外の職員宿舎の入居率の向上のためには，職員宿舎の補修等の追加投資が必要と考えられるが，近年の財政状況等を勘案し，増築部分以外の職員宿舎については，追加投資を断念し，今後使用しないことを決定している。

1)　減損兆候の判定

想定された職員宿舎の収容定員300名に比べ，入居者数が135名（定員比45%）と低下していることから，減損会計基準「第3　減損の兆候」第2項(1)に定める「固定資産の使用実績の著しい低下」に該当し，減損の兆候が認められる。

2)　減損損失の認識要否に関する判定

前提条件から，職員宿舎のうち増築部分以外については，使用が想定されていないことから，職員宿舎のうち増築部分以外について減損損失の認識が必要と判断される。

3)　減損額の測定

職員宿舎（増築部分以外）の正味売却価額＝0円

職員宿舎（増築部分以外）の使用価値相当額は，老朽化のため今後，使用が想定されないことから0円と計算される。

このため，職員宿舎（増築部分以外）の減損損失額は，期末帳簿価額－0円＝9,000千円となる。

4)　減損額にかかる会計処理

前提条件から，職員宿舎の減損は，中期計画に定めた業務運営を行わなかったことにより生じたものではないため，資本剰余金の控除項目として減損損失相当累計額を計上する。

㈹　減損損失相当累計額　9,000　㈸　減損損失累計額　9,000

5)　減損損失にかかる注記開示

減損基準第11第1項に基づき，減損損失を認識した場合に記載すべき注記事項は以下の通りとなる。

①　減損を認識した固定資産

用　途	種　類	場　所	帳簿価額（減損前）
職員宿舎	建物	○○県○○市	9,000

②　減損の認識に至った経緯

職員宿舎の一部について老朽化が著しく，職員宿舎に関する今後の補修費用等の状況を勘案し，利用状況の低い建屋部分については今後使用しない決定を行ったことから，減損を認識するに至りました。

③　減損額のうち損益計算書に計上した金額と計上していない金額の主要な固定資産ごとの内訳

種類	損益計算書に計上した金額	損益計算書に計上していない金額
建物	―	9,000

④　回収可能サービス価額

正味売却価額によっており，不動産鑑定評価の結果，評価額は0となっている。

6)　行政コスト計算書に計上する減損損失相当額

減損損失相当累計額と同額の9,000千円を計上する。

事例2-20　固定資産の使用可能性を著しく低下させる変化の発生

独立行政法人Yは，○○県に研修施設を保有している。当該研修施設は，震災により損壊しており，その使用目的にそった機能を喪失している。

研修施設の取得価額，期末簿価等は以下の通りである。

（単位：千円）

物件	財源種別	取得価額	減価償却累計額	期末簿価
研修施設（建物）	政府出資財産	342,000	268,000	74,000
研修施設（内部造作）	運営費交付金	20,000	17,000	3,000
合　計		362,000	285,000	77,000

上記の研修施設は，基準第87「特定の資産に係る費用相当額の会計処理」に該当するものとし，正味売却価額は0とする。

運営費交付金財源で取得した研修施設（内部造作）については，期末簿価と同額の資産見返負債が計上されている。

現時点で上記研修施設は，将来の使用再開が見込まれる状況にない。

1)　減損兆候の判定

研修施設が損壊していることから，減損会計基準「第3　減損の兆候」第2項(2)に定める「固定資産が使用されている範囲または方法について，当該資産の使用可能性を著しく低下させる変化」に該当し，減損の兆候が認められる。

2)　減損損失の認識要否に関する判定

前提条件から，研修施設は，現時点で将来の使用再開が見込まれる状況にないことから，減損損失の認識が必要と判断される。

3)　減損額の測定

研修施設の正味売却価額＝0円

研修施設の使用価値相当額は，現時点で損壊していることから0円と計算される。

このため，研修施設の減損損失額は，期末帳簿価額74,000－正味売却価額0＝74,000千円となる。

4)　減損額にかかる会計処理

研修施設の減損は，中期計画に定めた業務運営を行わなかったことにより生じたものではないため，研修施設（建物）については，資本剰余金の控除項目として減損損失相当累計額を計上し，資産見返負債の計上されている研修施設（内部造作）については，減損基準第7「資産見返負債を計上している固定資産に係る減損額の会計処理」に基づき減損損失の科目により当期の臨時損失として計上するとともに，資産見返負債を臨時利益に振り替える。

①　研修施設（建物）にかかる減損

㈼　減損損失相当累計額　74,000　　㈾　減損損失累計額　74,000

②　研修施設（内部造作）にかかる減損

㈼　資産見返負債　3,000　　㈾　資産見返負債戻入　3,000

㈼　減損損失　3,000　　㈾　減損損失累計額　3,000

5)　減損損失にかかる注記開示

減損基準第11第1項に基づき，減損損失を認識した場合に記載すべき注記事項は以下の通りとなる。

①　減損を認識した固定資産

用途	種類	場所	帳簿価額（減損前）
研修施設	建物等	○○県○○市	77,000

②　減損の認識に至った経緯

研修施設は，震災により損壊しており，その使用目的にそった機能を喪失しており，現時点で将来の使用再開が見込まれる状況にないであることから，減損を認識するに至りました。

③　減損額のうち損益計算書に計上した金額と計上していない金額の主要な固定資産ごとの内訳

種　類	損益計算書に計上した金額	損益計算書に計上していない金額
建物等	3,000	74,000

④　回収可能サービス価額

正味売却価額によっており，不動産鑑定評価の結果，評価額は0となっております。

6） 行政コスト計算書に計上する減損損失相当額

研修施設（建物）減損損失相当額 74,000 千円

事例 2-21 固定資産の市場価格の著しい下落

独立行政法人Ｚは，○○県△市に支所を有している。当該支所の土地の市場価格が下落している状況にある。

支所の取得価額，期末簿価，市場価額等は以下の通りである。

（単位：千円）

物件	財源種別	帳簿価額	市場価額
支所（土地）	政府出資財産	460,000	200,000

なお，市場価額は路線価及び公示地価の推移から取得価額までの回復が見込まれない。上記土地の再調達価額（使用価値相当額）と正味売却価額は，ともに市場価額と同額であるものとする。

1） 減損兆候の判定

固定資産の使用状況等からの減損の兆候は見られないが，市場価格が帳簿価額の 50% 以上下落しており，減損会計基準「第 3 減損の兆候」第 2 項(4)に該当し，減損の兆候が認められる。

2） 減損損失の認識要否に関する判定

前提条件から，市場価格の回復が見込まれないため，減損会計基準「第 4 減損の認識」第 1 項(2)に該当し，減損を認識することになる。

3） 減損額の測定

回収可能サービス価額は，前提条件から土地の市場価額 200,000 千円であり，減損額は帳簿価額 460,000 千円－200,000 千円＝260,000 千円となる。

4） 減損額にかかる会計処理

研修施設の減損は，中期計画に定めた業務運営を行わなかったことにより生じたものではないため，資本剰余金の控除項目として減損損失相当累計額を計上する。

㈱　減損損失相当累計額　260,000　　　㈹　減損損失累計額　　260,000

5)　減損損失にかかる注記開示

減損基準第11第1項に基づき，減損損失を認識した場合に記載すべき注記事項は以下の通りとなる。

①　減損を認識した固定資産

用途	種類	場所	帳簿価額（減損前）
支所	土地	○○県○○市	460,000

②　減損の認識に至った経緯

支所の土地の市場価額が著しく下落しており，回復の可能性が合理的に見込まれないことから，減損を認識するに至りました。

③　減損額のうち損益計算書に計上した金額と計上していない金額の主要な固定資産ごとの内訳

種類	損益計算書に計上した金額	損益計算書に計上していない金額
土地	—	260,000

④　回収可能サービス価額

正味売却価額によっており，不動産鑑定評価の結果，評価額は260,000となっております。

4-10　独法会計基準改訂（平成23年6月28日改正）における減損会計基準の改正経緯について

平成23年6月28日付けの独立行政法人会計基準の改正において，固定資産の減損に係る独立行政法人会計基準が一部改正されました。

独立行政法人が保有する固定資産の減損については，従来，独立行政法人が中期計画等で想定した業務運営を行ったか否かによって損益計算上で減損損失を計上するか，損益計算書外で損益外減損損失（減損損失相当累計額）を計上するかが区分されていました。

しかしながら，改訂前の会計基準では，通常の減価償却資産（独立行政法人会計基準 第87で定める特定の償却資産以外の固定資産）についても，法人が中期計画等で想定した業務運営を行ったにもかかわらず生じた減損の場合には，損益計算書外で損益外減損損失（減損損失相当累計額）を計上する基準となっており，次のような弊害が生じる結果となっていました。例えば，将来の施設賃貸収入などの自己収入によって投下資本を回収することを予定している固定資産について，中期計画等で想定した業務運営を行ったにもかかわらず減損が生じた場合には，その後の自己収入によって投下資本回収（施設の修繕等）を予定しているにもかかわらず，時価下落等により損益外減損損失（減損損失相当累計額）を計上すると，損益外減損損失（減損損失相当累計額）の計上額分だけ減価償却費の計上がなされない結果，施設賃貸収入のほとんどが利益積立金に計上され，中期計画期間終了時に当該利益積立金が国庫返納となる可能性が生じてしまいます。これでは，法人が当初意図した施設賃貸収入によって今後の施設の修繕等に充てるとの計画が実行できない結果となりかねません。

このような弊害を解消すべく，施設賃貸収入などの自己収入で固定資産の投下資本回収を予定している通常の固定資産（すなわち，将来の収益獲得によって固定資産の原価回収が予定されない特定償却資産以外の償却資産）については，独立行政法人が中期計画等で想定した業務運営を行ったか否かにかかわらず，減損損失は当期の損益計算書上の臨時損失の区分に計上することに改訂が行われました。

平成 23 年 6 月改訂の独法会計基準で特定の償却資産以外の資産について，中期計画等で想定した業務運営が行われたか否かにかかわらず，損益内減損処理を行うものと改訂がなされたのは，基準第 87 の会計処理を行うこととされた償却資産以外の「償却資産」に限定されています。

したがって，非償却資産については，平成 23 年 6 月改訂後の独法会計基準においても，その取扱いは従来通りとなり，「中期計画等で想定した業務運営を行ったにもかかわらず生じた減損」については損益外減損損失累計額（減損損失相当累計額）として計上し，「中期計画等で想定した業務運営を行わなかったことにより生じた減損」については損益計算書上の減損損失（臨時損失）に計上することになります。

非償却資産については，非償却資産であるがゆえに，その後の減価償却費の計上が予定されないものであり，損益内での減価償却費などの費用計上が元々予定されない科目であったことから，当時の減損会計基準の改正において，減損損失を損益計算書に計上できるように改正する取扱いの対象に入らなかったものと考えられます。

4-11　独法会計基準改訂（平成30年9月3日改正）に伴う減損会計基準の一部改正について

平成30年9月3日付けの独立行政法人会計基準の改正において，固定資産の減損に係る独立行政法人会計基準が一部改正されました。

従来は，中期計画に従った業務運営を行ったにもかかわらず生じた減損について，資本剰余金からマイナス項目として「損益外減損損失累計額」を計上していました。平成30年9月の改訂では，資本剰余金からのマイナス項目として「減損損失相当累計額」を計上することとしました。

また，資産見返負債を計上している固定資産に係る減損額の会計処理のうち，独立行政法人が中期計画等又は年度計画で想定した業務運営を行ったにもかかわらず生じた減損額であるときの取扱いについては，行政コスト計算書がフルコスト情報の提供源となること等を踏まえ，減損が生じたときに資産見返負債と直接相殺するのではなく，当該減損額を臨時損失として計上するとともに，資産見返負債を臨時利益に振り替えることとしました。

（平成30年改訂前）

①特定の償却資産及び非償却資産	
中期計画に従った業務運営を行ったにもかかわらず生じた減損	資本剰余金からのマイナス項目として「損益外減損損失累計額」を計上する。
②資産見返負債が計上されている固定資産（運営費交付金財源の固定資産）	
中期計画に従った業務運営を行ったにもかかわらず生じた減損	独法の責任者として固定資産と資産見返負債を直接相殺

（平成 30 年改訂後）

①特定の償却資産及び非償却資産	
中期計画に従った業務運営を行ったにもかかわらず生じた減損	資本剰余金からのマイナス項目として「減損損失相当累計額」を計上する。
②資産見返負債が計上されている固定資産（運営費交付金財源の固定資産）	
中期計画に従った業務運営を行ったにもかかわらず生じた減損	減損が生じたときに当該減損額を減損損失の科目により当期の臨時損失として計上するとともに，資産見返負債を臨時利益に振り替える。

〈「固定資産の減損に係る独立行政法人会計基準」平成 30 年 9 月改訂―新旧対照表〉

（改訂前）	（改訂後）
第７　資産見返負債を計上している固定資産に係る減損額の会計処理 （中略） (2) 減損が，独立行政法人が中期計画等又は年度計画で想定した業務運営を行ったにもかかわらず生じたものであるときは，当該減損額は損益計算書上の費用には計上せず，資産見返負債を減額する。	第７　資産見返負債を計上している固定資産に係る減損額の会計処理 （中略） (2) 減損が，独立行政法人が中期計画等又は年度計画で想定した業務運営を行ったにもかかわらず生じたものであるときは，当該減損額を減損損失の科目により当期の臨時損失として計上するとともに，資産見返負債を臨時利益に振り替える。

2. 負　　債

(1) 流動負債

①　流動負債の内容

流動負債に計上される項目は，独立行政法人会計基準第 15 で以下の通り規定されています。

基準第 15 流動負債

次に掲げる負債は，流動負債に属するものとする。

(1)　運営費交付金債務

(2)　預り施設費

(3)　預り補助金等。ただし，一年以内に使用されないと認められるものを除く。
(4)　預り寄附金。ただし，一年以内に使用されないと認められるものを除く。
(5)　短期借入金
(6)　買掛金（独立行政法人の通常の業務活動に基づいて発生した未払金をいう。以下同じ。）
(7)　契約負債（顧客との契約に基づくサービスの提供等の義務に対して，当該顧客から支払を受けた対価又は当該対価を受領する期限が到来しているものであつて，かつ，いまだ顧客との契約から生じる収益を認識していないものをいう。以下同じ。）
(8)　独立行政法人の通常の業務活動に関連して発生する未払金または預り金で一般の取引慣行として発生後短期間に支払われるもの
(9)　未払費用で一年以内に対価の支払をすべきもの
(10)　未払法人税等
(11)　前受金
(12)　前受収益で一年以内に収益となるべきもの
(13)　賞与に係る引当金及びその他の引当金（資産に係る引当金及び固定負債に属する引当金を除く。）
(14)　資産除去債務で一年以内に履行が見込まれるもの
(15)　その他

運営費交付金債務や預り施設費は，流動負債区分での計上となっています。

この点，運営費交付金債務の未執行残額については，中期計画期間満了時の精算収益化が行われる時点まで負債として残存し続けるケースも発生しうることから，必ずしも１年間で全額収益化されずに，１年超負債として残存する場合も生じうるわけですが，運営費交付金と施設整備費補助金（施設費）については，毎年の年度予算で単年度ごとに財源措置される性質に着目して流動負債に整理したものと考えられます。

反対に単年度ごとの予算措置を必ずしも前提としていない補助金や寄附金については，無条件に全額を流動負債に計上することを要求しておらず，流動負債区分に計上すべきものには「一年以内に使用されないと認められる額」を除くものとされています。

買掛金（または○○業務未払金）については，流動資産の項で解説した売掛金と同様に，正常営業循環基準（通常の業務運営の過程で生じたものであるか否かによって判断する基準）で流動負債とするか否かを判断するため，独立行政法人の通常の業務活動に関連して発生する未払金であれば，「流動負債」に計上するという整理になります（通常の業務活動の範囲から逸脱して長期間支払いが行われない場合は通常それほど想定されるものではないが，例えば納入業者とのトラブルや係争があり，長期分割弁済することで合意した未払金などが1年を超える場合には「長期未払金」に計上することが想定されます)。

このほか，買掛金（または○○業務未払金）以外の項目については，流動資産と同様にワンイヤールールによって，流動負債か固定負債かを区分します。すなわち，決算日から起算して1年以内に支払いがなされるか否かによって流動負債に区分するか，固定負債に区分するかを判定することになります。例えば，リース債務などリース期間にわたって複数年かけて支払いを行う債務については1年を超えて支払期限の到来する債務部分については固定負債に計上されます。

その他の流動負債に帰属する勘定科目のうち，契約負債，前受金，前受収益及び未払費用の定義を示すと以下のようになります。

1)　契約負債

契約負債は，顧客との契約に基づくサービスの提供等の義務に対して，当該顧客から支払を受けた対価又は当該対価を受領する期限が到来しているものであって，かつ，いまだ顧客との契約から生じる収益を認識していないものをいいます。例えば，受託研究契約において履行義務を充足する前に顧客から研究費の概算払を受けたとき等に，契約負債を計上します。

顧客との契約以外の取引（例：賃料等のリース取引）に係るものは，前受金や前受収益にて計上します。

2)　前受金

前受金は，上記のように顧客との契約以外の取引に係る対価の前払いを受けたものであり，そのうち継続的な役務の場合には「前受収益」として計上します。ただし，上記の「契約負債」に該当する場合であっても，「前受金」として計上することができます。詳細は，第6章第7節3で説明します。

3)　前受収益

前受収益は，一定の契約に従い，継続して役務の提供を行う場合，いまだ提供していない役務に対し支払を受けた対価です。上記のように顧客との契約以外の取引に係る対価の前払いを受けたものとなります。

前受収益として対価の支払を受けた独立行政法人においては，いまだ提供していない役務の提供をしなければならず，経済的便益の減少を生じさせるものであるため，前受収益は負債に属するものとします（例　前受賃貸料など）。

4)　未払費用

未払費用は，一定の契約に従い，継続して役務の提供を受ける場合，既に提供された役務に対していまだその対価の支払が終らないものです。

既に提供された役務に対していまだ対価の支払を終えていない独立行政法人においては，その対価の支払を行わなければならず，経済的便益の減少を生じさせるものであるため，未払費用は負債に属するものとなります。（例　借地にかかる支払賃借料，光熱水料，借入金にかかる利払日までの経過期間の支払利息など）。

このほか，流動負債に計上される科目として引当金があげられますが，引当金の詳細は③賞与引当金，⑵固定負債②引当金の項にて詳細を説明致します。

②　短期借入金

独立行政法人は，独立行政法人通則法第45条第1項の定めにより，主務大臣の認可を受けた中期計画等に記載した短期借入金の上限額の範囲内で短期借入れを行うことができます。この場合，短期借入金は，借入れを行った当該事業年度内に償還しなければなりません（通則法第45条第2項）。ただし，資金の不足のため償還することができないときは，主務大臣の認可を受けることを条件として，その償還することができない金額に限り年度を越えて借り換えることができるものとされています（通則法第45条第2項）。

なお，独立行政法人はその業務の財源に充てるために必要な金額の全部または一部に相当する金額を国が予算の範囲内で交付することができるものと定められており（通則法第46条），自己収入財源での運営を行う一部の法人を除いて，業務運営に必要な資金は運営費交付金で財源措置されるため，短期借入れを行うことは例外的な場合に限られるものと考えます。

事例 2-22　短期借入金の会計処理

▶独立行政法人Aは，中期計画に運営費交付金の交付遅れなどの不測の事態に備えて短期借入金を上限1,000,000千円の範囲内で行うことができる旨を記載し，主務大臣の認可を得ている。

▶不測の事態により運営費交付金の交付が遅れることとなり，一時借入れに備えて当座貸越限度額を1,000,000千円，金利1.095%とする当座貸越契約を銀行と締結した。

▶X2年12月9日現在における独立行政法人Aの貸借対照表は（別表1）の通りであった。

▶簡略化のため，独立行政法人Aの銀行預金口座は当座貸越契約を締結した銀行預金口座1つであるものとする。

▶X2年12月10日に職員への人件費1,200,000千円の支払いを行った。

▶その後，12月15日に運営費交付金1,000,000千円の入金を受けたため，短期借入金を元利金ともに返済した。

▶運営費交付金債務の収益化の基準として費用進行基準を採用しているものとする。

（別表1）

貸借対照表（X2年12月9日現在）　　（単位：千円）

資産の部		負債の部	
現金預金	700,000	運営費交付金債務	700,000
有形固定資産	50,000,000	負債合計	700,000
減価償却累計額	△9,850,000	純資産の部	
		政府出資金	45,000,000
		資本剰余金	5,000,000
		減価償却相当累計額	△9,850,000
		利益積立金	0
		純資産合計	40,150,000
資産合計	40,850,000	負債・純資産合計	40,850,000

1)　X2年12月10日における会計処理

①　給与手当の未払金計上

㈶	給与手当	1,200,000	㈻ 未払金	1,200,000

② 未払金の支払い

㈶	未払金	1,200,000	㈻ 現金預金	1,200,000

③ 現金預金のマイナス残高を短期借入金に振り替え

㈶	現金預金	500,000	㈻ 短期借入金	500,000

2) X2 年 12 月 15 日における会計処理

① 運営費交付金の入金時の処理

㈶	現金預金	1,000,000	㈻ 運営費交付金債務	1,000,000

② 短期借入金の返済時の処理

㈶	短期借入金	500,000	㈻ 現金預金	500,075
	支払利息*	75		

＊短期借入金残高 500,000 × 年利 1.095% × 5 日 ÷ 365 日 = 75

③ 運営費交付金債務の収益化処理

㈶	運営費交付金債務	1,200,075	㈻ 運営費交付金収益	1,200,075*

＊費用合計額：給与手当 1,200,000 + 支払利息 75 = 1,200,075
（ここでは短期借入金にかかる利息の支払いについても運営費交付金財源を充当できるものとしていますが，実務において実際に充当できるかについては別途個別の確認が必要と考えられます。）

貸借対照表（X2 年 12 月 15 日現在）　（単位：千円）

資産の部		負債の部	
現金預金	499,925	運営費交付金債務	499,925
有形固定資産	50,000,000	負債合計	499,925
減価償却累計額	△9,850,000	純資産の部	
		政府出資金	45,000,000
		資本剰余金	5,000,000
		減価償却相当累計額	△9,850,000
		利益積立金	0
		純資産合計	40,150,000
資産合計	40,649,925	負債・純資産合計	40,649,925

③ 賞与引当金

賞与引当金は，独立行政法人会計基準で以下のように規定されています。

> 基準第88　賞与引当金に係る会計処理
>
> 賞与に充てるべき財源措置が翌期以降の運営費交付金により行われることが，中期計画等又は年度計画で明らかにされている場合には「第17引当金」第2項に基づき賞与引当金見返を計上するとともに，賞与引当金見返に係る収益を計上するものとする。

平成30年9月改訂前は，自己収入などの他の財源での賞与支払いが予定されている場合には賞与引当金を計上しますが，国からの運営費交付金で賞与の支払いが財源措置されている場合には，賞与引当金を計上しませんでした。

そして賞与の支払いが運営費交付金により財源措置されることが明らかであるとして賞与引当金を計上しない場合には，独立行政法人の財政状態に関する情報開示を適切に行うために，引当外とした賞与見積額を貸借対照表の注記情報として開示するとともに，引当外賞与見積額の当期における増減額を行政サービス実施コスト計算書に計上し，独立行政法人の負担ではないものの（国が負担するという意味で）最終的に国民負担となる行政コストとして認識していました。

平成30年9月の独法会計基準改訂により，基準第17第1項の要件に該当する場合，財源措置の有無にかかわらず引当金を計上することとされました。

その上で基準第17第2項により，賞与に充てるべき財源措置が運営費交付金によって行われることが，中期計画等又は年度計画で明らかにされている場合には，賞与引当金を負債に計上するとともに，当該引当金に対応する賞与引当金見返を資産に計上することになります。

その際には，当該引当金に計上に伴う引当金繰入を損益計算書上の費用に計上するとともに，引当金見返に係る収益を損益計算書上の収益に計上するため，当該事業年度において損益の均衡が実現されることになります。

なお，平成30年9月の独法会計基準改訂によって国と独立行政法人との間における財源措置に係る従前の取扱いに変更を生じさせるものではありません。

独立行政法人における職員に対する賞与制度は，行政執行法人（通則法第2条第4項）であれば，その役職員には国家公務員の身分が与えられるため，国における賞与制度と同一となり，行政執行法人ではない独立行政法人においては各法人の就業規則・給与規程等に従うものとなります。国家公務員の賞与は，期末手当と勤勉手当とに区分され，支給対象期間はいずれも6月支給分が前年12月1日から当年5月31日までの期間，12月支給分が6月1日から11月30日までの期間となっています。このため，3月末決算で賞与支給見込額のうち当期の負担に帰属する賞与の見積り額は，6月支給の賞与のうちの12月1日から3月31日までの期間に帰属する額，すなわち6月支給賞与見積り額×4ヵ月÷6ヵ月という計算となります。

図表 2-14　賞与引当金の会計処理

	運営費交付金に基づく収益以外の収益によってその支払財源が手当されることが予定されている場合	法令等，中期計画等又は年度計画に照らして客観的に財源措置されることが明らかに見込まれる場合
会計処理	賞与引当金を計上する。	賞与引当金を計上する。
引当金見返の計上	引当金見返の計上は不要。	引当金見返の計上は必要。
貸借対照表注記	注記しない（貸借対照表に既計上済みのため）。	注記しない（貸借対照表に既計上済みのため）。
行政コスト計算書における取扱い	引当金繰入額が損益計算書上の経常費用（業務費・一般管理費）の内数として計上済みであるため，特段の記載は必要ない。	引当金繰入額が損益計算書上の経常費用（業務費・一般管理費）の内数として計上済みであるため，特段の記載は必要ない。
該当するケース（例示）	国からの財源措置によらず，主として自己収入財源での運営を行っている法人（独立採算型の事業独法，独立行政法人内に造成された基金等の運用益により運営費がまかなわれている法人など）	運営費交付金により将来の賞与支給額が財源措置されている法人

期末手当：基本給を基準に支給額が計算される手当（賞与のベース部分ともいえる）。	
勤勉手当：勤務成績をもとに業績評価率を乗じて計算されるため，個人差の生じる手当（賞与の業績給部分ともいえる）。	

図表 2-15　国家公務員の期末手当・勤勉手当の在職期間の基準

手当	支給日	基準日	在職期間の基準
期末手当	6月30日	6月1日	基準日以前6ヵ月
	12月10日	12月1日	基準日以前6ヵ月
勤勉手当	6月30日	6月1日	基準日以前6ヵ月
	12月10日	12月1日	基準日以前6ヵ月

以下の事例をとおして，平成30年9月の独法会計基準改訂における賞与引当金の計上に係る会計処理への影響について考えてみたいと思います。

事例 2-23

法人の全職員の賞与に充てるべき財源措置が，運営費交付金によってなされることが中期計画で明らかにされている。

・X1年3月31日における賞与引当金残高及び賞与引当金見返残高は180百万円である。
・X1年5月1日に運営費交付金が1,000百万円入金された。
・X1年6月30日に賞与320百万円を支給した。
・X1年12月10日に賞与290百万円を支給した。
・X2年3月31日において，X2年6月30日に支給すると見込まれる賞与は300百万円であった。

〈独立行政法人AにおけるX2年3月期決算における会計処理〉（単位：百万円）

▶ X1年5月1日における会計処理

(借) 現　金	1,000*	(貸) 運営費交付金債務	1,000

＊運営費交付金の入金

▶ X1年6月30日における会計処理

㈱	賞与引当金	180	㈹	現金	320
㈱	賞与	*140			

*賞与の支給

㈱	運営費交付金債務	*180	㈹	賞与引当金見返	180

*引当金の取崩し（賞与の支給）に伴う，引当金見返と運営費交付金債務の相殺

▶ X1年12月10日における会計処理

㈱	賞与	*290	㈹	現金	290

*賞与の支給

▶ X2年3月31日における会計処理

㈱	賞与引当金繰入	*200	㈹	賞与引当金	注1) 200

*賞与引当金の計上：X2年6月30日に支給すると見込まれる賞与300百万円のうち，X2事業年度発生分を引当金に計上する。

注1） X2年6月30日支給予定賞与300百万円×4ヵ月（X2年6月賞与の支給対象期間のうちX2年3月末までの期間に属する期間：X1年12月1日～X2年3月31日）÷6ヵ月（X1年12月1日～X2年5月31日）＝200百万円

㈱	賞与引当金見返	*200	㈹	賞与引当金見返に係る収益	200

*賞与引当金と同額の，賞与引当金見返の計上

㈱	運営費交付金債務	*430	㈹	運営費交付金収益	注2) 430

*運営費交付金債務の収益化（賞与に係る部分のみ）

注2） X1年6月の賞与の支給（140）＋X1年12月の賞与の支給（290）＝430

平成30年9月3日の会計基準の改訂は平成31事業年度から適用されるため，当改訂に基づく，運営費交付金により財源措置がなされていることが明らかな賞与及び退職一時金等に係る引当金の計上は，平成31事業年度の期首に行う必要があります。当該金額に係る引当金の繰入れは臨時損失に，引当金見返に係る収益は臨時利益に計上し，この金額に重要性がある場合には，行政コスト計算書及び損益計算書にその内容を注記することになります。

事例 2-24

平成31事業年度の6月に支給される賞与720百万円の支給対象期間は，平成30年12月から翌年5月であり，当該賞与については財源措置が交付金によって措置されることが明らかにされている。

〈独立行政法人Aにおける適用初年度の期首時点における会計処理〉（単位：百万円）

▶期首時点におけるにおける会計処理

㈹	会計基準改定に伴う賞与引当金繰入額（臨時損失）	480	㈾	賞与引当金	480
㈹	賞与引当金見返	480*	㈾	賞与引当金見返に係る収益（臨時利益）	480

＊令和元年6月支給賞与総額720百万円×4ヵ月（令和元年6月賞与の支給対象期間のうち平成31年3月末までの期間に属する期間：平成30年12月1日～平成31年3月31日）÷6ヵ月（令和元年6月賞与の支給対象期間：平成30年12月1日～令和元年5月31日）＝480百万円

注記

（行政コスト計算書関係）

臨時損失のうち，480百万円は会計基準改訂に伴う賞与引当金繰入であり，平成30事業年度以前の発生分であります。

（損益計算書関係）

臨時損失に計上した会計基準改訂に伴う賞与引当金繰入480百万円は，平成30事業年度以前の発生分であります。

臨時利益に計上した賞与引当金見返に係る収益480百万円は，会計基準改訂に伴い期首に計上した賞与引当金見返に係る収益であります。

（2） 固定負債

① 固定負債の内容

固定負債に計上される項目は，基準第16で以下の通り規定されています。

基準第16　固定負債

次に掲げる負債は，固定負債に属するものとする。

(1)　資産見返負債（中期計画等の想定の範囲内で，運営費交付金により，または国若しくは地方公共団体からの補助金等（補助金，負担金，交付金及び補給金等の名称をもって交付されるものであって，相当の反対給付を求められないもの（運営費交付金及び施設費を除く。）をいう。以下同じ。）により補助金等の交付の目的に従い，若しくは寄附金により寄附者の意図に従い若しくは独立行政法人があらかじめ特定した使途に従い償却資産を取得した場合（これらに関し，長期の契約により固定資産を取得する場合であって，当該契約に基づき前払金または部分払金を支払った場合を含む。）に計上される負債をいう。）

⑵　長期預り補助金等

⑶　長期預り寄附金

⑷　（何）債券（事業資金等の調達のため独立行政法人が発行する債券をいう。）

⑸　長期借入金

⑹　繰延税金負債

⑺　退職給付（独立行政法人の役員及び職員の退職を事由として支払われる退職一時金，確定給付企業年金等，退職共済年金等に係る整理資源及び恩給負担金をいう。以下同じ。）に係る引当金

⑻　退職給付に係る引当金及び資産に係る引当金以外の引当金であって，一年以内に使用されないと認められるもの

⑼　資産除去債務。ただし，流動負債として計上されるものを除く。

⑽　その他の負債で流動負債に属しないもの

固定負債の区分に計上される科目のうち，特徴的な科目について解説します。

資産見返負債は，固定負債区分での計上となっています。資産見返負債は，運営費交付金・国または地方公共団体からの補助金等・使途が特定された寄附金により償却資産を取得した場合に計上される負債としており，施設費（施設整備費補助金）を除く財源で資産を購入した場合の負債とされています。資産見返負債は，固定資産の購入に見合って購入に充てた財源を振り替えて計上する科目となります。財源の種類による区分ではなく，ここでは購入に充てた資産が固定資産であることに着目して「固定負債」区分での計上と整理されたものと考えられます。

資産見返負債は，固定資産の減価償却費計上に伴い同額を「資産見返負債戻入」として収益化していく会計処理が採用される（詳細は，第6章 独立行政法人固有の会計処理 参照）ものであることから，固定資産の耐用年数が1年超であることとの整合性をとって固定負債区分としたものと考えれば整合的であると言えます。

なお，施設費（施設整備費補助金）で固定資産を取得した場合には，当該施設整備によって独立行政法人の財産的基礎が形成され，その財源は「資本剰余金」に振替計上されることから，資産見返負債に計上される財源の種類から施設費が除外されています。

これは，施設費（施設整備費補助金）については当該財源を措置する国側の予算において公債発行対象経費（建設国債発行対象経費）として整理されており，施設費による固定資産の取得は，独立行政法人の財産的基礎をなすものとして，他の補助金とはその性格が異なることによるためであります。

このほかに，独立行政法人固有の勘定科目として，次の科目があげられます。

1)　長期預り補助金等

補助金等（補助，助成金など）の交付を受け未だ補助等の目的に従った事業に使用していない額を預り補助金等に計上します。このうち1年以内に使用しないと認められる額を「長期預り補助金等」に計上します。

2)　長期預り寄附金

民間からの寄附金の受領額のうち未だ使用していない額を預り寄附金に計上します（ただし，使途の特定がある場合に限る。詳細は第6章 第4節「寄附金の会計処理」を参照下さい）。このうち1年以内に使用しないと認められる額を「長期預り寄附金」に計上します。

3)　（何）債券

個別法に別段の定めがある法人は債券を発行することができます。個別法で債券発行が認められている独立行政法人が発行した債券を当該債券の名称を付して「○○債券」として固定負債に計上します。

②　引当金

引当金については，基準第17で以下の通りに規定されています。

基準第17　引当金

1　将来の支出の増加又は将来の収入の減少であって，その発生が当期以前の事象に起因し，発生の可能性が高く，かつ，その金額を合理的に見積もることができる場合には，当該金額を引当金として流動負債又は固定負債に計上するとともに，当期の負担に帰すべき金額を費用に計上する。ただし，引当金のうち資産に係る引当金の場合は，資産の控除項目として計上する。
2　法令等，中期計画等又は年度計画に照らして客観的に財源が措置されていると明らかに見込まれる前項の引当金に見合う将来の収入については，引当金見返を計上する。
3　発生の可能性の低い偶発事象に係る費用または損失については，引当金は計上することができない。

平成30年9月改訂前は，法令等，中期計画等又は年度計画に照らして客観的に財源が措置されていると明らかに見込まれる将来の支出については，引当金を計上しないこととされていました。

平成30年9月の独法会計基準改訂により，基準第17第1項の要件に該当する場合には，財源措置の有無にかかわらず引当金を計上します。

その上で，基準第17第2項により，法令等，中期計画等又は年度計画に照らして客観的に財源が措置されていると明らかに見込まれる将来の収入については，引当金見返を計上します。

この場合，中期計画等において「運営費交付金で措置する」という記述のみで判断するのではなく，「客観的に財源が措置されていると明らかに見込まれる」かどうかを，具体的な財源措置の手法に即して総合的に判断する必要があります。例えば，中期計画等に記載される「予算」や「収支計画」において将来の支出に対する財源措置が明示されている場合や，当該法人に対する過去の財源措置の実績から将来の財源措置が行われる蓋然性が高いと推定することが可能である場合などは，「客観的に財源が措置されていると明らかに見込まれる」場合の1つと考えられます（独法Q&A Q17-1）。

なお，予定していた財源措置が実際に行われないなどの事実が生じた場合には，計上していた引当金見返を取り崩すなどの会計処理が必要になる点に留意が必要です。

例えば，退職手当の支給基準の改訂等により引当金が減額された場合など，引当時に想定した当初の目的外での引当金の取崩しや減額が行われた場合，当該引当金に見合う将来の収入である引当金見返についても減額を行う必要があります。当該引当金見返の減額は，引当金見返に係る収益をマイナス金額で処理することになります（独法 Q&AQ 17-4）。

会計基準第 88 の賞与引当金見返及び第 89 の退職給付引当金見返の計上が想定されますが，それに限られるものではなく，会計基準第 17 第 2 項の要件に合致する限り，計上することになります。

財源措置の客観性・確実性を念頭に具体的な財源措置の手法に即して総合的に判断した結果，補助金など，運営費交付金以外の財源についても引当金見返を計上することは想定されます。

＜企業会計基準における引当金の計上要件＞

① 当期以前の事象に起因する
② 将来の特定の費用または損失であって，
③ 発生可能性が高く，
④ 金額を合理的に見積もることができること。

計上が必要となる引当金の主な種類・内容を例示すると，次の通りになります。

1） 賞与引当金

役職員の当期の勤務期間に対応する賞与であって期末決算日以降に支給される費用を計上するものを意味する。

2） 退職給付引当金

①期末決算日現在における役職員の退職金の支給見込額（簡便法による計算），または②将来の支給見込額から年金資産等の退職金支給のために積み立てられた資産を控除した純負担額の割引現在価値（原則法による計算）を計上するものを意味する。

3)　保証債務損失引当金

独立行政法人が第三者に対して行う債務保証を行っている場合であって，債務保証先の財政状態等の悪化等により債務保証の履行を求められる可能性が高く当該保証債務の履行により発生する損失の見込額を意味する。

4)　製品保証引当金

製品の性能保証などを行っている場合に，不具合や瑕疵の発生に対する是正対応のために将来要する費用の見込額（アフターコスト）を計上するものを意味する。

5)　環境安全対策引当金

ポリ塩化ビフェニルの除去対策費用などの環境法規制によって対応が義務付けられている費用の見積り額を計上するものを意味する。

6)　災害損失引当金

災害によって生じた損失に対する復旧費用や修繕費用などの災害対応に要する費用の見込み額を計上するものを意味する。

7)　損害賠償損失引当金

第三者からの訴訟等により損害賠償金の支払いを行うことが見込まれる負担額を計上するものを意味する。

8)　貸倒引当金

保有する債権のうち将来の回収が不能となることによって発生する損失の見積り額を計上するものを意味します。負債というより保有する債権等の資産額を減額する性質を有することから，貸倒引当金の計上対象となった債権等から間接控除する形式で資産の部のマイナス項目として計上される。

（注）上記以外の項目であっても，引当金計上の要件に該当するものがあれば計上が求められます。

退職給付引当金に係る以下の事例を考えてみると，国が財源措置する引当金に対して，引当金見返を計上することの会計的な意味合いが，より理解しやすいものと思います。

事例 2-25

▶簡素化のため，独立行政法人Aには職員甲1名が在籍しているものと仮定する。

▶X1年3月31日（決算日）現在の職員甲の退職金要支給額は，250であった。

▶職員甲はX2年3月31日に定年を迎え退職し，退職金280の支給を受けた。

X2年3月期の予算として，定年を迎える職員に対する退職金については，運営費交付金により財源措置を受け，X2年3月期の運営費交付金として国から財源の交付を受けた。

▶理解のため，運営費交付金の収益化処理の会計方針として，費用進行基準を採用しているものとする。

1)　退職給付引当金見返を計上しないと仮定した場合の各事業年度の損益

	X1年 3月期	X2年 3月期	合計
経常費用			
退職給付金引当金繰入	250	30	280
退職金	—	—	—
経常収益			
運営費交付金収益	—	280	280
経常損益	△250	250	0

実際に退職金を支給する予定年度の前段階で引当金を計上することを根拠に運営費交付金の予算措置がなされることはないため，引当金を計上するX1年3月期に引当金計上の費用に見合う財源がなく，費用だけが計上されてしまい，X1年3月期，X2年3月期ともに損益均衡は実現しません。

国から独立行政法人に退職給付引当金相当額の財源をあたかも掛け金を拠出するかのように，職員の勤務期間の増加に伴って毎期勤務期間分だけ運営費交付金が支給されるのであれば，引当金を計上することにも意義が認められますが，退職時に必要額を措置するという財源措置がなされるため，引当金計上時には当該引当金計上の費用に見合う収益化すべき財源が存在しないこととなってしまいます。

2)　退職給付引当金見返を計上する場合の各事業年度の損益

	X1年 3月期	X2年 3月期	合計
経常費用			
退職給付金引当金繰入	250	30	280
退職金	—	—	—
経常収益			
運営費交付金収益	—	30	30
退職給付金引当金見返収益	250		250
経常損益	0	0	0

1）のケースに比べて，2）の場合では，退職給付引当金繰入時に，同額の退職

給付引当金見返収益が計上されるため，損益の均衡が図られます。また退職金支給年度には運営費交付金が措置されますが，引当金の取崩し時には基準第81第7項に基づき，すでに前期に計上した退職給付引当金見返と運営費交付金債務とを相殺するため，退職金支給年度においても，損益の均衡が実現します。

平成30年9月の独法会計基準改訂における引当金見返の会計的な意味合いとしては，法令等，中期計画等又は年度計画に照らして客観的に財源が措置されていると明らかに見込まれる将来の収入について引当金見返を引当金と同額計上することで，損益の均衡が実現されることにあるといえます。

なお，引当金見返と運営費交付金の未収計上を認めない独法Q&A Q81-2や未収財源予定額との関係については，独法Q&Aにおいて，以下のように説明されています。

Q17-2A2

国から交付される運営費交付金について未収計上が認められないのはQ81-2のとおりである。しかしながら，事後に財源措置が行われることが法令の規定により定められている場合など，ごく限られた場合のみ，未収財源措置予定額の計上が認められている（基準第84参照)。その意味では，未収財源措置予定額は，未収金に類似した性質を有するものの，確定債権ではない。

一方で，基準第17第2項に基づいて計上される引当金見返は，法令等，中期計画等又は年度計画に照らして客観的に財源が措置されていると明らかに見込まれる，引当金に見合う将来の収入について計上されるものであり，基準第84に該当しないものは，未収財源措置予定額として計上することはできない。引当金見返は，基本的な指針に明示されているとおり，独立行政法人の特性から生じる固有の取引に基づいて計上される資産にすぎない。

③　退職給付引当金

退職給付引当金に関する独立行政法人会計基準の定めは，基準第38と基準第89に分かれて規定されています。

基準第38　退職給付引当金の計上方法

1　退職給付引当金は，退職給付債務に未認識過去勤務債務及び未認識数理計算上の差異を加減した額から年金資産の額を控除した額を計上しなければならない。なお，連結貸借対照表においても同様である。

2　退職給付債務は，独立行政法人の役員及び職員の退職により見込まれる退職給付の総額のうち，期末までに発生していると認められる額を割り引いて計算する。（注32）（注33）

3　退職給付債務には，退職一時金のほか，確定給付企業年金等，退職共済年金等に係る整理資源負担及び恩給負担金に係る債務が含まれる。（注34）

4　未認識過去勤務費用とは，退職給付水準の改訂等に起因して発生した退職給付債務の増加又は減少部分のうち，費用処理（費用の減額処理または費用を超過して減額した場合の利益処理を含む。次において同じ。）されていないものをいう。未認識過去勤務費用は，平均残存勤務期間内の一定年数で均等償却することができる。

5　未認識数理計算上の差異とは，年金資産の期待運用収益と実際の運用収益との差異，退職給付債務の数理計算に用いた見積数値と実績との差異及び見積数値の変更等により発生した差異のうち，費用処理されていないものをいう。未認識数理計算上の差異は，平均残存勤務期間内の一定年数で均等償却することができる。

6　年金資産の額は，確定給付企業年金等に係る年金資産を期末における時価（公正な評価額をいう。ただし，金融商品については，算定日において市場参加者間で秩序ある取引が行われると想定した場合の，当該取引における資産の売却によって受け取る価格とする。）により計算する。

7　複数の事業主により設立された確定給付企業年金等に加入している場合においては，退職給付債務の比率その他合理的な基準により，独立行政法人の負担に属する年金資産等の計算を行うものとする。

8　職員数300人未満の独立行政法人については，退職給付債務のうち，退職一時金に係る債務については，期末要支給額によることができる。（注35）

＜注32＞退職給付の総額のうち期末までに発生していると認められる額

退職給付の総額のうち期末までに発生していると認められる額は，次のいずれかの方法を選択適用して計算する。この場合，一旦採用した方法は，原則として，継続して適用しなければならない。

(1)　退職給付見込額について全勤務期間で除した額を各期の発生額とする方法（以下「期間定額基準」という。）

(2)　退職給付制度の給付算定式に従って各勤務期間に帰属させた給付に基づき見積もった額を，退職給付見込額の各期の発生額とする方法（以下「給付算定式基準」という。）

なお，この方法による場合，勤務期間の後期における給付算定式に従った給付が，初期よりも著しく高い水準となるときには，当該期間の給付が均等に生じるものとみなして補正した給付算定式に従わなければならない。

<注 33>割引率について

退職給付債務の計算における割引率は，安全性の高い長期の債券の利回りを基礎として決定する。

<注 34>整理資源について

整理資源に係る退職給付債務の額については，退職共済年金の給付等の事務を行っている国家公務員共済組合連合会において，厚生年金の財政検証の際に見積もられた額を基礎として計算する。

<注 35>簡便法による退職給付債務の見積について

職員数 300 人未満の独立行政法人については，退職一時金に係る債務については，期末要支給額によることができるが，年金債務については，簡便法によることは認められない。

第 38 は，一般的な退職給付引当金の計算方法を規定しています。企業会計と異なる点として独立行政法人の場合，その役員に対する退職金と職員に対する退職金とを区分せずに役職員に対するものとして合計して「退職給付引当金」として計上する点があげられます。

独立行政法人における退職給付引当金の計上範囲と計上方法を示すと次のようになります。

1)　退職一時金部分

イ．原則

在籍する役職員の将来の退職見込時点における退職金見込額のうち期末までに発生していると認められる額（退職金支給見込時点までの総勤務期間に対する当期末までの既経過勤務期間等で配分計算することにより算定した当期末までの期間に帰属すると認められる額）の割引現在価値を計上する。

ロ．簡便法

職員数 300 人未満の独立行政法人については，将来の退職見込時点における退職金支給見込額ではなく，期末決算日現在において全役職員が退職したと仮定した場合における退職金要支給額（これを期末要支給額という）によることができる。

2)　確定給付企業年金等から支給される退職年金

在籍する役職員に対する退職年金の支給見込額のうち期末までに発生していると認められる額の割引現在価値を計上する。

3)　退職共済年金等にかかる整理資源負担（共済年金制度に移行する前の期間における年金等）

退職共済年金の給付等の事務を行っている国家公務員共済組合連合会において，厚生年金の財政検証の際に見積もられた額を基礎として計算した額を計上する。

4)　恩給負担金（旧軍人及びその遺族に対する恩給年金の負担額）

恩給負担金の計算事務を行う総務省政策統括官（恩給担当）の見積り額を基礎として計算した額を計上する。

図表 2-16　退職給付引当金の計算概念図

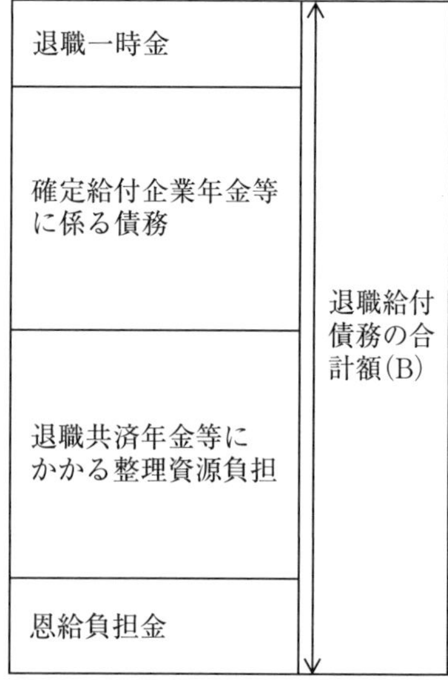

(B) − (A) = 退職給付引当金

なお，退職等年金給付及び退職共済年金等に係る共済組合への負担金（整理資源を除く）は，拠出時に費用処理し，特別の引当金は計上しません（基準第94）。

事例 2-26　退職給付引当金の計算例（原則法と簡便法）

▶簡便化のため，独立行政法人Aに在籍する職員は甲1名とする。
▶独立行政法人Aは退職一時金制度のみを採用している。
▶職員甲のX1年3月末（当期末）現在における勤務年数は国在籍時代の期間を通算して勤続20年である。
▶職員甲の退職見込時期は定年となる15年後のX16年3月末であり，X16年3月末における職員甲の退職金支給見込額は，退職金規程に基づいて計算すると，35百万円と試算される。
▶退職金見込額のうち期末までに発生していると認められる額の計算は，勤務年数の比で按分計算するものとし（期間定額基準を前提とする），簡便化のために死亡率・離職率は考慮せず定年退職の発生確率が100%であるものとする。当期末における退職給付債務の計算における安全性の高い長期の債券の利回りは，1.5%である。
▶ X1年3月末時点で職員甲が退職すると仮定した場合の職員甲に対する退職金要支給額は，11百万円である。

上記事例におけるX1年3月期決算における原則法によった場合の退職給付引当金計上額及び簡便法によった場合の退職給付引当金計上額を示す。

1）原則法による退職給付引当金計上額

当期末における勤務年数　20年

X1年3月末

退職見込時期における退職金支給見込額　35百万円

X16年3月末

定年時の勤務年数　35年

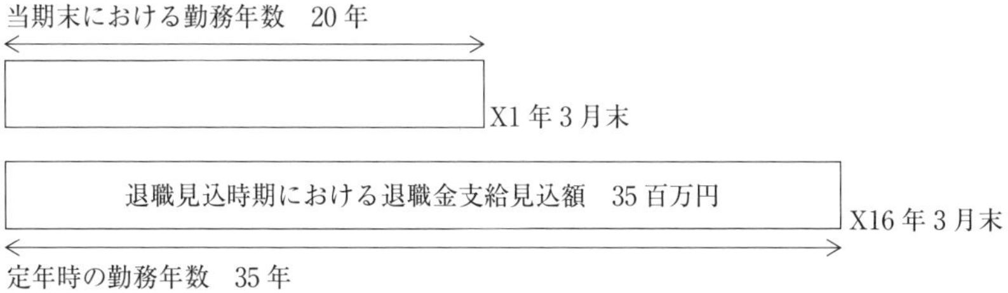

①　当期末までに発生していると認められる退職給付債務額

前提条件より，期末までに発生している額は勤務年数で按分計算する。

35百万円÷35年×20年＝20百万円

②　割引現在価値計算

当期末からみた場合，退職金の支給時点は15年後のため，15年後に支給される退職金の当期末までの勤務期間に帰属する額20百万円を割引率

1.5%（安全性の高い長期の債券の利回り）で計算する。
：20 百万円÷（1＋1.5%）^{15}＝15,997 千円
2）簡便法による退職給付引当金計上額
前提条件より，当期末における退職金要支給額＝11,000 千円

基準第 89 は，退職給付にかかる独立行政法人固有の会計処理を定めています。

基準第 89　退職給付に係る会計処理

1　退職給付債務について，次の要件に該当する場合には「第 17 引当金」第 2 項に基づき退職給付引当金見返を計上するとともに，退職給付引当金見返に係る収益を計上するものとする。
(1)　退職一時金（役員及び職員の退職時に支払われる退職手当をいう。）については，退職一時金に充てるべき財源措置が運営費交付金により行われることが，例えば中期計画等及び年度計画で明らかにされている場合
(2)　年金債務のうち確定給付企業年金等に係る債務については，確定給付企業年金等に係る掛金に充てるべき財源措置が運営費交付金によって行われること，及び確定給付企業年金等に係る積立金に積立不足がある場合には，当該積立不足額の解消のために必要となる財源措置が運営費交付金によって行われることが，例えば中期計画等及び年度計画で明らかにされている場合
(3)　年金債務のうち退職共済年金等に係る整理資源及び恩給負担金については，整理資源及び恩給負担金に充てるべき財源措置が運営費交付金により行われることが，例えば中期計画等及び年度計画で明らかにされている場合
2　前項(1)の計算に当たっては，「第 38 退職給付引当金の計上方法」第 8 項にかかわらず退職一時金の期末要支給額を用いた計算によることができる。

平成 30 年 9 月の独法会計基準改訂により，基準第 17 第 1 項の要件に該当する場合には，財源措置の有無にかかわらず退職給付引当金を計上することと改正されました。

また基準第 89 第 1 項は，退職給付債務について，次の要件に該当する場合には「第 17 引当金」2 に基づき退職給付引当金見返を計上するとともに，退職給付引当金見返に係る収益を計上するものと規定しています。

(1)　退職一時金（役員及び職員の退職時に支払われる退職手当をいう。）に

ついては，退職一時金に充てるべき財源措置が運営費交付金により行われることが，例えば中期計画等及び年度計画で明らかにされている場合

(2)　年金債務のうち確定給付企業年金等に係る債務については，確定給付企業年金等に係る掛金に充てるべき財源措置が運営費交付金によって行われること，及び確定給付企業年金等に係る積立金に積立不足がある場合には，当該積立不足額の解消のために必要となる財源措置が運営費交付金によって行われることが，例えば中期計画等及び年度計画で明らかにされている場合

(3)　年金債務のうち退職共済年金等に係る整理資源及び恩給負担金については，整理資源及び恩給負担金に充てるべき財源措置が運営費交付金により行われることが，例えば中期計画等及び年度計画で明らかにされている場合

なお，退職給付引当金の計算に際しては，上記のうち（1）退職一時金に係る退職給付債務の見積額の計算については，基準第89第2項において，「第38 退職給付引当金の計上方法」8にかかわらず退職一時金の期末要支給額を用いた計算によることができる，とされています。

このため，例えば，平成30年9月改訂前の独法会計基準に基づき自己収入を財源として退職金を支給する職員に対してだけ退職給付引当金を計上し，運営費交付金により財源措置が行われて退職金が支給される職員については，引当外退職手当見込額として財務諸表に注記開示を行っていた法人において，前者の職員数だけでは300名を超えていなかったものの，後者の職員数を合算すると職員数が300名を超えるという法人においても，上記の基準第89第2項の定めにより，財源措置が運営費交付金によることが明らかな退職一時金の見積もりについては期末自己都合要支給額（簡便法）によって退職給付債務を計算することが認められることとなります。

このほか，国又は地方公共団体との人事交流による出向職員の退職給付債務の扱いについては，独法Q&Aにより，以下のように説明されています。

Q62-5

国又は地方公共団体との人事交流による出向職員であり国又は地方公共団体に復帰することが予定される職員であって，独立行政法人での勤務に係る退職給与は支給しない条件で採用している場合は，退職給付に係る将来の費用は発生しないことから，退職給付引当金の計上は要しません。

このような出向職員退職給与は，当該職員が復帰後退職する際に独立行政法人での勤務期間分を含め，国又は地方公共団体において支払われることとなるため，国又は地方公共団体の資源を利用することから生ずる機会費用に該当します。なお，他の独立行政法人や国立大学法人との人事交流による出向職員に係る退職給与は，出向元において国からの財源で負担される場合には，「国又は地方公共団体との人事交流による出向職員から生ずる機会費用」に含めるべきとも考えられますが，独立行政法人間の比較可能性の観点などから，会計基準において機会費用の範囲を限定している趣旨（独法 Q&A Q62-8 参照）を踏まえ，含めないことになります。

国又は地方公共団体との人事交流により出向職員から生ずる機会費用は，以下のように算定します。

- ▶期末に在職する出向者については，当期末の退職給付見積額から前期末の退職給付見積額（前期末に当該出向者が在籍していない場合には，着任時の退職給付見積額）を控除して計算することを原則とする。
- ▶期中に国又は地方公共団体に帰任した出向者については，帰任時の退職給付見積額から前期末の退職給付見積額を控除して計算することを原則とする。

なお，期中に着任した出向者については，着任時の前後いずれか近い方の期末日に着任したものとみなして，機会費用を算定することも認められ，期中に帰任した出向者については，帰任時の前後いずれか近い方の期末日に帰任したものとみなして，機会費用を算定することも認められます。ただし，9月末に帰任した出向者の交替要員として10月以降に別の出向者が着任した場合には，9月末に帰任した出向者は期首（前期末）に帰任し，10月以降に着任した出向者も期首（前期末）に着任したものとみなして機会費用を算定する必要があります。

国の機関の一部を分離して設立された独立行政法人については，国からの出向職員なのか，独立行政法人本来の職員かの判断が困難な場合も想定されるが，独立行政法人を設立する個別法の附則の規定，設立時の経緯等を総合的に勘案して判断する必要があります。

改定後の退職給付引当金の計上について，まとめると**図表 2-17** のとおりとなります。

基準第 38 第 8 項によると，職員数 300 人未満の独立行政法人については，退職給付債務のうち，退職一時金に係る債務については，期末要支給額によることができます。

また財源措置が運営費交付金により行われることが，例えば中期計画等及び年度計画で明らかにされている退職一時金に係る退職給付債務の見積額の計算に当たっては，上記基準第 38 第 8 項にかかわらず，退職一時金の期末要支給額を用いた計算によることができます（基準第 89 第 2 項）。

「期末要支給額を用いた計算」とは，当該独立行政法人の職員が，期末において，全員自己都合により退職した場合に支払われるべき退職一時金の総額を計算する方法をいいます。なお，上記の基準の趣旨は，会計基準「第 38 退職給付引当金の計上方法」に規定する原則法によって計算することを妨げるものではありませんので，職員数三百人未満の独立行政法人においても自らの判断で原則法を採用することはできると考えられます。

独法 Q&A では，簡便法によることが認められるケースとして，以下のように説明されています。

Q89-5

自己収入を財源とする退職一時金に係る退職給付債務の計算対象となる職員数が 300 人未満であるため，従来，会計基準第 38 第 8 項に基づき，期末要支給額による退職給付債務の見積額の計算（簡便法）を行っていた。平成 31 事業年度より，財源措置が運営費交付金により行われることが明らかな退職一時金に係る債務を退職給付引当金として計上する結果，退職給付債務の計算対象

図表 2-17　独立行政法人における退職給付に係る会計処理

	国からの財源措置以外の収益によってその支払財源が手当されることが予定されている場合	法令等，中期計画等又は年度計画に照らして客観的に財源措置されることが明らかに見込まれる場合	国又は地方公共団体との人事交流による出向職員に係る退職給与の場合
会計処理	退職給付引当金を計上する。	退職給付引当金を計上する。	退職給付引当金を計上しない。
引当金見返の計上	計上は不要。	計上は必要。	計上は不要。
貸借対照表注記	注記しない（貸借対照表に既計上済みのため）。	注記しない（貸借対照表に既計上済みのため）。	基準上の根拠はないものの，各会計年度末における国等出向職員の退職給付見積額は，国等出向職員の退職給付に係る機会費用算定の基礎数値となることから注記開示することが有益と考えられる。
行政コスト計算書における取扱い	引当金繰入額が損益計算書上の経常費用（業務費・一般管理費）の内数として計上済みであるため，特段の記載は必要ない。	引当金繰入額が損益計算書上の経常費用（業務費・一般管理費）の内数として計上済みであるため，特段の記載は必要ない。	国又は地方公共団体の資源を利用することから生ずる機会費用の記載が必要となる。
該当するケース（例示）	国からの財源措置に依存せず，主として自己収入財源での運営を行っている法人（独立採算型の事業独法，独立行政法人内に造成された基金等の運用益により運営費がまかなわれている法人など）	運営費交付金により将来の退職金支給額が措置されている法人	国又は地方公共団体との人事交流による出向職員であり国又は地方公共団体に復帰することが予定される職員であって，独立行政法人での勤務に係る退職給与は支給しない条件で採用している場合（Q62-5）

となる職員数が300人以上となるが，この場合も簡便法によることは認められるか。

A

財源措置が運営費交付金により行われることが明らかな退職一時金に係る退職給付債務の見積額の計算については，当該計算の対象となる職員数が300人以上の場合でも，退職一時金の期末要支給額を用いた計算によることができる（会計基準第89第2項参照）。

また，自己収入を財源とする退職一時金に係る退職給付債務の計算対象となる職員数が300人未満である場合には，財源措置が運営費交付金によることが明らかな退職一時金に係る退職給付債務の計算対象となる職員数と合算した職員数が300人以上となっても，簡便法によることが認められる。

財源措置が運営費交付金により行われることが明らかな場合の退職給付の会計処理について，具体的な事例をとおして考えてみたいと思います。

事例 2-27

独立行政法人Aは退職一時金制度を採用しており，全職員の退職一時金に充てるべき財源措置が運営費交付金によってなされることが中期計画で明らかにされている。

▶ X1年3月31日における退職給付引当金残高及び退職給付引当金見返残高は500百万円である。

▶ X1年5月1日に運営費交付金が1,000百万円入金された。

▶ X1年9月30日付で職員Aが退職したため，同日に退職金200百万円を支給した。

▶ X2年3月31日における退職一時金の期末要支給額は700百万円であった。

〈独立行政法人AにおけるX2年3月期決算における会計処理〉（単位：百万円）

▶ X1年5月1日における会計処理

(借) 現　　金	1,000*	(貸) 運営費交付金債務	1,000

＊運営費交付金の入金

▶ X1年9月30日における会計処理

(借) 退職給付引当金	200*	(貸) 現　　金	200

＊職員Aへの退職金の支払

(借) 運営費交付金債務	200*	(貸) 退職給付引当金見返	200

＊引当金の取崩し（退職金の支払）に伴う，引当金見返と運営費交付金債務の相殺

▶ X2年3月31日における会計処理

(借)	退職給付費用	400*	(貸) 退職給付引当金	400 注1)

＊退職給付引当金の計上
法人は退職一時金制度を採用しているため，会計基準第89第2項に基づき，退職給付債務の見積額の計算に当たって，退職一時金の期末要支給額を用いた計算によることができる。
注1) 期末要支給額700－(X1年3月31日残高500－X1年9月30日取崩200)＝400

(借)	退職給付引当金見返	400*	(貸) 退職給付引当金見返に係る収益	400

＊退職給付引当金と同額の，退職給付引当金見返の計上

なお，確定給付企業年金等に係る掛金に充てるべき財源措置が運営費交付金によって行われること等が明らかな場合の会計処理は，**事例2-28** のとおりとなります。

事例2-28

法人は確定給付企業年金制度を採用しており，掛金に充てるべき財源措置及び，積立不足の場合の積立不足額の解消のために必要となる財源措置が運営費交付金によって行われることが中期計画で明らかにされている。また，過去勤務費用及び数理計算上の差異について遅延認識していない。

- X1年3月31日における退職給付債務，年金資産及び引当金見返の額は，それぞれ900百万円，400百万円，500百万円である。
- X1年5月1日に運営費交付金が1,000百万円入金された。
- X1年9月30日に年金給付が200百万円行われた。
- X1年10月1日に年金資産への掛金500百万円が拠出された。
- X2年3月31日における退職給付債務の額は1,100百万円，年金資産の額は700百万円であった。

〈独立行政法人AにおけるX2年3月期決算における会計処理〉（単位：百万円）

- X1年5月1日における会計処理

(借)	現　　　金	1,000*	(貸) 運営費交付金債務	1,000

＊運営費交付金の入金

- X1年9月30日における会計処理

仕訳なし*

＊年金資産と退職給付債務が同額減少するだけのため。

- X1年10月1日における会計処理

(借)	退職給付引当金	500*	(貸) 現　　　金	500

＊年金資産への掛金の拠出

㈳	運営費交付金債務	500*	㈶	退職給付引当金見返	500

＊引当金の取崩し（掛金の拠出）に伴う，引当金見返と運営費交付金債務の相殺

▶ X2年3月31日における会計処理

㈳	退職給付費用	400*	㈶	退職給付引当金	400 注1)

＊退職給付引当金の計上

法人は退職一時金制度を採用しているため，会計基準第89第2項に基づき，退職給付債務の見積額の計算に当たって，退職一時金の期末要支給額を用いた計算によることができる。

注1)　期末要支給額700－(X1年3月31日残高500－X1年9月30日取崩200)＝400

㈳	退職給付引当金見返	400*	㈶	退職給付引当金見返に係る収益	400

＊退職給付引当金と同額の，退職給付引当金見返の計上

事例 2-27 においても，**事例 2-28** においても，退職給付引当金見返を計上することで，退職給付費用400百万円に対し，同額の退職給付引当金見返に係る収益400百万円が計上されるため，当該事業年度において損益の均衡が実現することになります。

平成30年9月3日の会計基準の改訂は平成31事業年度から適用されるため，当改訂に基づく，運営費交付金により財源措置がなされていることが明らかな退職一時金等に係る引当金の計上は，平成31事業年度の期首に行う必要があります。当該金額に係る引当金の繰入れは臨時損失に，引当金見返に係る収益は臨時利益に計上し，この金額に重要性がある場合には，行政コスト計算書及び損益計算書にその内容を注記することになります。

事例 2-29

平成30事業年度以前に発生した，財源措置が運営費交付金により行われることが中期計画で明らかにされている退職一時金に係る退職給付債務は300百万円である。

〈独立行政法人Ａにおける適用初年度の期首時点における会計処理〉

▶期首時点におけるにおける会計処理（単位：百万円）

㈳	会計基準改定に伴う退職給付費用（臨時損失）	300	㈶	退職給付引当金	300
㈳	退職給付引当金見返	300	㈶	退職給付引当金見返に係る収益（臨時利益）	300

〈注記〉

（行政コスト計算書関係）

臨時損失のうち，300 百万円は会計基準改訂に伴う退職給付引当金繰入であり，平成 30 事業年度以前の発生分であります。

（損益計算書関係）

臨時損失に計上した会計基準改訂に伴う退職給付引当金繰入 300 百万円は，平成 30 事業年度以前の発生分であります。

臨時利益に計上した退職給付引当金見返に係る収益 300 百万円は，会計基準改訂に伴い期首に計上した退職給付引当金見返に係る収益であります。

なお，適用初年度における過去勤務費用及び数理計算上の差異の取扱いについては，独法 Q&A において，以下のように説明されている。

Q89-4

運営費交付金により掛金及び年金積立不足額に対して財源措置がなされる確定給付企業年金等について，平成 30 事業年度までの「行政サービス実施コスト計算書」上，過去勤務費用及び数理計算上の差異を考慮した遅延認識を行わず，「引当外退職給付増加見積額」を計上していた場合（平成 28 年 2 月改訂 Q&A Q89-5A ②参照）において，平成 31 事業年度からの退職給付引当金の計上に当たり，過去勤務費用及び数理計算上の差異を認識すべきか。

A

平成 30 事業年度までの貸借対照表上，運営費交付金により掛金及び年金積立不足額に対して財源措置がなされない確定給付企業年金等について，過去勤務費用及び数理計算上の差異を認識した上で，退職給付引当金の計上を行っていた場合には，当該方針に合わせ，過去勤務費用及び数理計算上の差異を加減算した上で，平成 31 事業年度期首における退職給付引当金を計上する必要がある。

なお，平成 31 事業年度の行政コスト計算書上，平成 31 事業年度期首における過去勤務費用及び数理計算上の差異相当額について加減算を行う必要はない。

④　長期借入金・債券

独立行政法人は，個別法に別段の定めがある場合を除くほか，長期借入金及び債券発行をすることはできません（通則法第45条第5項）。

長期借入金及び債券のうち，1年以内に返済する約定返済額部分については，固定負債ではなく，流動負債の区分にそれぞれ，「一年内返済予定長期借入金」，「一年内償還予定債券」として計上します。

個別法で債券の発行が認められている独立行政法人においては，事業資金等の調達のため債券を発行する場合があります。この場合，発行価額が償還期日に償還される額面金額と異なる場合があります。この場合の発行価額と額面金額との差額を「債券発行差額」といいます。債券発行差額の会計処理については，基準第90で定められ，貸借対照表の負債の部で債券から間接控除する形式で計上されます。

> 基準第90　債券発行差額の会計処理
>
> 1　独立行政法人が事業資金等の調達のために債券を発行する場合においては，債券の額面金額をもって貸借対照表価額とする。
> 2　債券の額面金額と異なる金額で発行したときは，当該額面額と異なる金額は，収入金額と額面金額との差額を債券発行差額として貸借対照表に表示するものとする。
> 3　債券発行差額は，毎事業年度，債券の償還期間にわたり合理的な基準で計算した額を償却しなければならない。期限前に債券を償還した場合には，債券発行差額の未償却残高のうち，償還した債券に対応する部分を当該事業年度に償却するものとする。

債券発行差額の会計処理については，独法Q&A Q90-1において，債券発行差額の償却額は複利計算により発行日から償還日までの期間に配分する方法（利息法）のほかに，期間定額法よることも継続適用を条件に認められるものとしており，債券発行差額の償却額は支払利息に含めて処理するものと定められています。

これは，債券の市場金利相場等の状況によって額面金額よりも低い発行価額となる場合や，反対に需要が多い場合には額面金額よりも高い発行価額となる場合が生じるものであり，その差額の性質は主として債券の約定利率と市場金利相場との格差によるものと考えられているためです。

事例 2-30　債券発行差額の会計処理

独立行政法人 A 債券 5,000,000 千円を償還期間 5 年（満期一括償還の条件），金利 1.5%，額面金額 100 円につき 98 円で X1 年 4 月 1 日に発行した。

▶債券の利払い日は毎年 9 月末と 3 月末の年 2 回とする。

▶債券発行差額の償却方法として定額法を継続適用している。

上記事例における会計処理は以下のようになる。

1）　債券発行時の会計処理

㈹	現金預金	4,900,000 *1	㈹	債券	5,000,000
	債券発行差額	100,000 *2			

＊1）　債券額面金額 5,000,000 × 98 円/100 円 = 4,900,000 円

＊2）　差額

2）　第 1 回利払い時の会計処理（X1 年 9 月末）

㈹	支払利息	37,500	㈹	現金預金	37,500 *1
	支払利息	10,000 *2		債券発行差額	10,000

＊1）　債券額面金額 5,000,000 × 1.5% × 6ヵ月 ÷ 12ヵ月 = 37,500

＊2）　債券発行差額 100,000 ÷ 60ヵ月 × 6ヵ月 = 10,000，債券発行差額の償却額は独法 Q&A Q90-1 により支払利息に含めて処理する。

3）　第 2 回利払い時の会計処理（X2 年 3 月末）

㈹	支払利息	37,500	㈹	現金預金	37,500
	支払利息	10,000 *		債券発行差額	10,000

＊債券発行差額 100,000 ÷ 60ヵ月 × 6ヵ月 = 10,000

＜X2 年 3 月末における貸借対照表の表示＞

固定負債	
・・・	
独立行政法人 A 債券	5,000,000
債券発行差額	△ 80,000
・・・	

⑤　資産除去債務

資産除去債務とは，有形固定資産の取得，建設，開発または通常の使用によって生じ，当該有形固定資産の除去に関して法令または契約で要求される法律上の義務及びそれに準ずるものをいいます。この場合の法律上の義務及びそれに準ずるものには，有形固定資産を除去する義務のほか，有形固定資産の除去そのものは義務でなくとも，有形固定資産を除去する際に当該有形固定資産に使用されている有害物質等を法律等の要求による特別の方法で除去するという義務も含まれます。資産除去債務の主な内容を示すと**図表 2-18** の通りになります。

資産除去債務にかかる会計処理は，独立行政法人会計基準第 39 及び第 91 にて規定されています。基準第 39 では資産除去債務について，企業会計と同様に通常の会計処理を行う場合の取扱いを定め，基準第 91 は資産除去債務にか

図表 2-18　主な資産除去債務の内容

関連法令	除去債務
（法令による義務） ・石綿障害予防規則等	 ・アスベスト
・ポリ塩化ビフェニル廃棄物の適正な処理の推進に関する特別措置法	・PCB（ポリ塩化ビフェニル）
・土壌汚染対策法	・土壌汚染
・ダイオキシン類対策特別措置法	・ダイオキシン
・放射性同位元素等による放射線障害の防止に関する法律	・放射性同位元素
・核原料物質，核燃料物質及び原子炉の規制に関する法律	・原子力発電施設の解体に伴う債務
・鉱山保安法，鉱業法	・鉱山等の採掘施設の鉱害防止等の義務
（契約による除去債務） ・賃貸借契約等による原状回復義務	 ・借地上の建物，構築物，建物の賃貸借契約による内部造作の退去時撤去義務 ・リース契約によるリース資産の撤去返納義務

かわる費用を損益計算書外で計上する独立行政法人固有の会計処理を定めています。

基準第39　資産除去債務に係る会計処理

1　資産除去債務は，有形固定資産の取得，建設，開発または通常の使用によって発生したときに負債として計上する。なお，資産除去債務の発生時に，当該債務の金額を合理的に見積もることができない場合には，これを計上せず，当該債務額を合理的に見積もることができるようになった時点で負債として計上するものとする。（注36）（注37）（注38）

2　資産除去債務はそれが発生したときに，有形固定資産の除去に要する割引前の将来キャッシュ・フローを見積り，割引後の金額（割引価値）で算定する。

3　資産除去債務に対応する除去費用は，資産除去債務を負債として計上したときに，当該負債の計上額と同額を，関連する有形固定資産の帳簿価額に加える。資産計上された資産除去債務に対応する除去費用は，減価償却を通じて，当該有形固定資産の残存耐用年数にわたり，各期に費用配分するものとする。

4　時の経過による資産除去債務の調整額は，その発生時の費用として処理する。当該調整額は，期首の負債の帳簿価額に当初負債計上時の割引率を乗じて算定するものとする。

＜注36＞資産除去債務について

1　資産除去債務とは，有形固定資産の取得，建設，開発または通常の使用によって生じ，当該有形固定資産の除去に関して法令または契約で要求される法律上の義務及びそれに準ずるものをいう。この場合の法律上の義務及びそれに準ずるものには，有形固定資産を除去する義務のほか，有形固定資産の除去そのものは義務でなくとも，有形固定資産を除去する際に当該有形固定資産に使用されている有害物質等を法律等の要求による特別の方法で除去するという義務も含まれる。

2　有形固定資産の除去とは，有形固定資産を用役提供から除外することをいう（一時的に除外する場合を除く。）。除去の具体的な態様としては，売却，廃棄，リサイクルその他の方法による処分等が含まれるが，転用や用途変更は含まれない。

＜注37＞除去費用等の損益計算書上の表示について

1　資産計上された資産除去債務に対応する除去費用に係る費用配分額及び

時の経過による資産除去債務の調整額は，当該資産除去債務に関連する有形固定資産の減価償却費と同じ区分に含めて計上する。

2　資産除去債務の履行時に認識される資産除去債務残高と資産除去債務の決済のために実際に支払われた額との差額は，原則として，当該資産除去債務に対応する除去費用に係る費用配分額と同じ区分に含めて計上する。

<注38>資産除去債務に係る注記について

資産除去債務の会計処理に関連して，次の事項を注記する。

(1)　資産除去債務の内容についての簡潔な説明

(2)　支出発生までの見込期間，適用した割引率等の前提条件

(3)　資産除去債務の総額の期中における増減内容

(4)　資産除去債務の見積りを変更したときは，その変更の概要及び影響額

(5)　資産除去債務は発生しているが，その債務を合理的に見積もることができないため，貸借対照表に資産除去債務を計上していない場合には，当該資産除去債務の概要，合理的に見積もることができない旨及びその理由

基準第39では，企業会計と同様に，有形固定資産の取得時に資産除去債務に関する将来の支出をあらかじめ見積り，その割引現在価値（将来の支出額を金利調整して現在価値に計算した額）を負債として計上するとともに有形固定資産の取得原価に加算し，資産の耐用年数にわたって費用計上することを求めています。

将来の資産除去債務の見積り額を有形固定資産の取得原価に加算するのは，当該債務が有形固定資産の取得等に付随して不可避的に生じるものであることから，耐用年数期間にわたって減価償却計算を通じて費用配分することが期間損益計算を適正化するする観点から，適切と判断されるためであります。

なお，資産除去債務の合理的な見積りができない場合には，資産除去債務の概要，合理的な見積りができない旨とその理由を財務諸表に注記します。

資産除去債務にかかる会計処理の体系をまとめると，**図表2-19**のようになります。

基準第91は，資産除去債務にかかる費用を損益計算上の費用には計上せず，資本剰余金を減額する独立行政法人固有の会計処理を定めています。

図表 2-19　資産除去債務にかかる会計処理の体系図

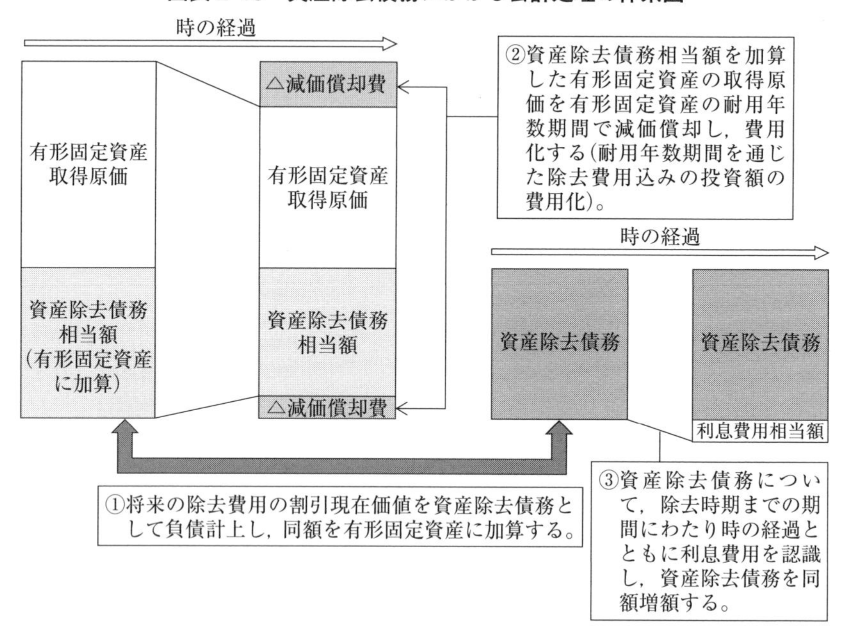

基準第 91　資産除去債務に係る特定の除去費用等の会計処理

独立行政法人が保有する有形固定資産に係る資産除去債務に対応する除去費用等（「第 39 資産除去債務に係る会計処理」において定める資産除去債務に対応する除去費用に係る費用配分額及び時の経過による資産除去債務の調整額をいう。以下同じ。）のうち，当該費用に対応すべき収益の獲得が予定されていないものとして特定された除去費用等については，損益計算上の費用には計上せず，資本剰余金を減額するものとする。（注 69）

＜注 69＞特定の除去費用等の会計処理について

1　業務の財源を運営費交付金等に依存する独立行政法人においては，除去費用等の発生期間における当該費用については，通常は運営費交付金等の算定対象とはならず，また，運営費交付金等に基づく収益以外の収益によって充当することも必ずしも予定されていない。このような除去費用等については，各期間に対応させるべき収益が存在するものではなく，また，独立行政法人の運営責任という観点からも，その範囲外にあると考えることもできる。このため，このような除去費用等は損益計算上の費用には計上せず，独立行政法人の資本剰余金を直接減額することによって処理するものとする。この取扱いは，資産除去債務の負債計上時までに別途特定された除去費用等に限り行うものとする。

2　貸借対照表の資本剰余金の区分においては，「第91 資産除去債務に係る特定の除去費用等の会計処理」に基づく除去費用に係る減価償却の費用配分額は減価償却相当額の累計額を，時の経過による資産除去債務の調整額は利息費用相当額の累計額をそれぞれ表示しなければならない。

3　当該特定された除去費用等については，資産除去の実行時において，その実際の発生額を損益計算上の費用に計上するものとする。この場合には当該資産除去の実行時までに計上した減価償却相当累計額及び利息費用相当累計額を独立行政法人の会計上の財産的基礎が減少する取引に関連して，その他行政コストが減少する取引として認識することとなる。

独立行政法人の有形固定資産の除去費用等の中には，当該除去費用に対応する将来の収益獲得が予定されないものが存在することから，このような費用として主務大臣により特定された除去費用等については，損益計算上の費用に計上せず，減価償却相当累計額及び利息費用相当累計額として資本剰余金から減額する会計処理を定めています。

資産除去債務の除去費用等は，実際に除去する際にはじめて財源措置されることが通常であり，有形固定資産の耐用年数期間にわたって毎期，除去費用等を費用計上した場合であっても実際の支出を伴わない費用については，運営費交付金等の算定対象となりません。また，これらの除去費用等に対応する収益の獲得が予定されない場合には，このような除去費用等については独立行政法人の運営責任の範囲外の費用と整理することが，損益計算において独立行政法人の運営責任の範囲を適切に開示するとの開示目的に適合するものとされたためです。

このような損益計算書に計上しない除去費用については，独立行政法人の財産的基礎を成す固定資産に生じた費用等として資本剰余金から減額する会計処

図表 2-20　資産除去債務にかかる特定の除却費用等の会計処理の体系図

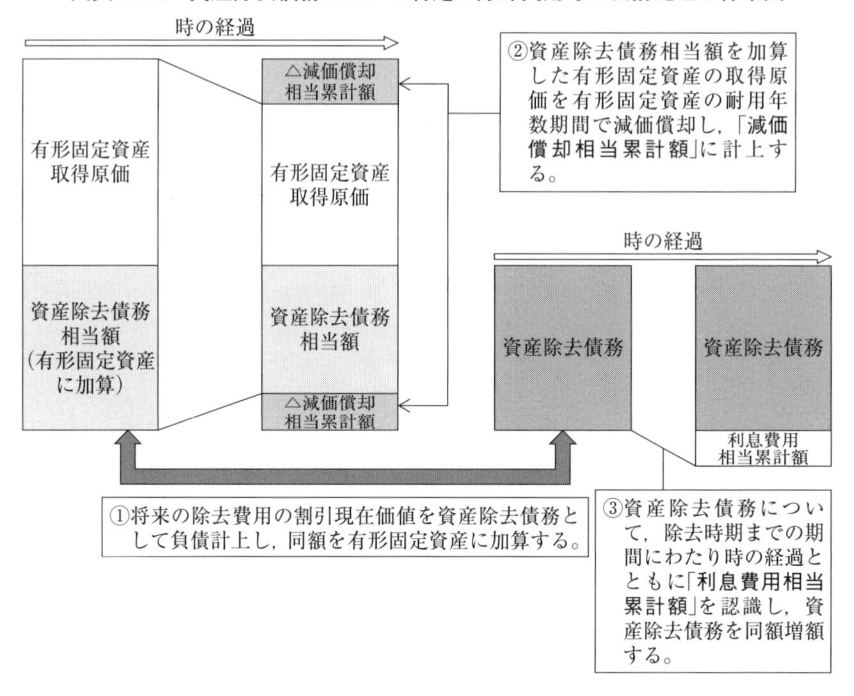

理を採用します。この場合，資産除去債務相当額だけ有形固定資産の取得原価を増額させたことに伴う減価償却費の増加部分については，「減価償却相当累計額」の科目で計上し，資産除去債務の割引現在価値相当額を時の経過とともに増額する部分については，「利息費用相当累計額」の科目で計上するものと定めています。

以上をまとめると**図表 2-20** の通りになります。

以下，具体的な事例で資産除去債務にかかる会計処理を確認します。

事例 2-31

X1 年 4 月 1 日に借地上に構築物 A を建造し，使用を開始した。当該構築物の取得原価は 3,000 百万円，耐用年数は 5 年であり，法人は当該構築物を賃貸借契約期間の満了時に除去する賃貸借契約上の原状回復義務を負っている。当該構築物の除去時の支出見積額は 330 百万円。

X6年3月31日に当該構築物を除去したが，実際の除去に係る支出額は360百万円であった（財源は施設費とする）。資産除去債務は取得時にのみ発生するものとし，法人は当該設備について残存価額ゼロで定額法により減価償却を行っている。割引率は2.0%とする。

上記事例における以下のそれぞれの場合における会計処理及び注記開示

1)　上記資産除去債務に対応する除去費用等は，当該費用に対応すべき収益の獲得が予定されていないものとして特定されており，除去時に財源として施設費が交付される場合（構築物は基準第87特定の償却資産に該当するものとする。）

2)　上記資産除去債務に対応する除去費用等は，自己収入財源で賄うことを予定している場合（構築物は特定償却資産ではない。）

1)　除去費用の特定を受けている場合

①　X1年4月1日

構築物の建造と関連する資産除去債務の計上

(借)	有形固定資産（構築物）	3,300	(貸) 現金預金	3,000
			資産除去債務	*300

$$* \frac{(\text{将来キャッシュ・フロー見積額})330}{(1.02)^5} \fallingdotseq 300$$

預り施設費の資本剰余金への振替

(借)	預り施設費	3,000	(貸) 資本剰余金	3,000

②　X2年3月31日

時の経過による資産除去債務の増加

(借)	利息費用相当累計額	6	(貸) 資産除去債務*	6

＊ X1年4月1日における資産除去債務 300×2.0%＝6

構築物及び資産計上した除去費用の減価償却

(借)	減価償却相当累計額	*660	(貸) 減価償却累計額	660

$$* \frac{\text{施設Aの取得原価 }3{,}000}{5\text{年}} + \frac{\text{除去費用資産計上額 }300}{5\text{年}} = 660$$

③　X3年3月31日

時の経過による資産除去債務の増加

(借)	利息費用相当累計額	6	(貸) 資産除去債務	*6

＊ X2年3月31日における資産除去債務（300＋6）×2.0%≒6

構築物及び資産計上した除去費用の減価償却

(借) 減価償却相当累計額	660*	(貸) 減価償却累計額	660

$$* \frac{\text{施設Aの取得原価 }3,000}{5\text{年}} + \frac{\text{除去費用資産計上額 }300}{5\text{年}} = 660$$

④ X4年3月31日

時の経過による資産除去債務の増加

(借) 利息費用相当累計額	6	(貸) 資産除去債務	6*

＊X3年3月31日における資産除去債務（300＋6＋6）×2.0%≒6

構築物及び資産計上した除去費用の減価償却

(借) 減価償却相当累計額	660*	(貸) 減価償却累計額	660

$$* \frac{\text{施設Aの取得原価 }3,000}{5\text{年}} + \frac{\text{除去費用資産計上額 }300}{5\text{年}} = 660$$

⑤ X5年3月31日

時の経過による資産除去債務の増加

(借) 利息費用相当累計額	6	(貸) 資産除去債務	6*

＊X4年3月31日における資産除去債務（300＋6＋6＋6）×2.0%＝6

構築物及び資産計上した除去費用の減価償却

(借) 減価償却相当累計額	660*	(貸) 減価償却累計額	660

$$* \frac{\text{施設Aの取得原価 }3,000}{5\text{年}} + \frac{\text{除去費用資産計上額 }300}{5\text{年}} = 660$$

⑥ X6年3月31日

時の経過による資産除去債務の増加

(借) 利息費用相当累計額	6	(貸) 資産除去債務	6*

＊X5年3月31日における資産除去債務（300＋6＋6＋6＋6）×2.0%≒6

構築物及び資産計上した除去費用の減価償却

(借) 損益外減価償却累計額	660*	(貸) 減価償却累計額	660

$$* \frac{\text{施設Aの取得原価 }3,000}{5\text{年}} + \frac{\text{除去費用資産計上額 }300}{5\text{年}} = 660$$

構築物の除去及び資産除去債務の履行

構築物を設置した借地契約の終了に伴い除去することとする。特定された除去費用等については，資産除去の実行時において，その実際の発生額を損益計算上の費用に計上する。

(借) 減価償却累計額	3,300	(貸) 減価償却相当累計額	3,300
資産除去債務	330*1	有形固定資産（構築物）	3,300
資本剰余金（除売却差額相当累計額）	3,000*2	利息費用相当累計額	30
除去費用	360	現金預金	360

＊1)　X6年3月31日における資産除去債務 300＋6＋6＋6＋6＋6＝330
＊2)　有形固定資産（構築物）3,300－減価償却累計額 3,300－資産除去債務 330＋損益外減価償却累計額 3,300＋損益外利息費用累計額 30＝3,000

財源として措置された預り施設費の振替（収益化）

(借) 預り施設費	360	(貸) 施設費収益	360

（注記記載事例）X2年3月期における記載例

> （注記事項－資産除去債務関係）
> (1)　資産除去債務の概要
> 当法人が所有する施設Aについて，不動産賃貸借契約上の原状回復義務を有しており，当該義務について資産除去債務を計上しております。
> (2)　資産除去債務の金額の算定方法
> 使用見込期間は5年としております。資産除去債務の算定にあたり，割引率は2%を適用しております。
> (3)　当事業年度における当該資産除去債務の総額の増減
>
> | | |
> |---|---|
> | 有形固定資産の取得に伴う増加額 | 300 |
> | 時の経過による調整額 | 6 |
> | 当事業年度末残高 | 306 |

2)　除去費用の特定がない場合

①　X1年4月1日

構築物の建造と関連する資産除去債務の計上

(借) 有形固定資産（構築物）	3,300	(貸) 現金預金	3,000
		資産除去債務	＊300

$$＊\ \frac{\text{将来キャッシュ・フロー見積額 }300}{(1.02)^2} \fallingdotseq 300$$

②　X2年3月31日

時の経過による資産除去債務の増加

(借) 利息費用	6	(貸) 資産除去債務	＊6

＊ X1年4月1日における資産除去債務 300×2.0%＝6

構築物及び資産計上した除去費用の減価償却

(借) 減価償却費	660	(貸) 減価償却累計額	660

$$＊\ \frac{\text{施設Aの取得原価 }3{,}000}{5\text{年}} + \frac{\text{除去費用資産計上額 }300}{5\text{年}} = 660$$

③ X3年3月31日

時の経過による資産除去債務の増加

(借) 利 息 費 用 6 (貸) 資産除去債務 *6

＊ X2年3月31日における資産除去債務 (300＋6)×2.0%≒6

構築物及び資産計上した除去費用の減価償却

(借) 減 価 償 却 費 660 (貸) 減価償却累計額 660

$* \frac{施設Aの取得原価3{,}000}{5年} + \frac{除去費用資産計上額300}{5年} = 660$

④ X4年3月31日

時の経過による資産除去債務の増加

(借) 利 息 費 用 6 (貸) 資産除去債務 *6

＊ X3年3月31日における資産除去債務 (300＋6＋6)×2.0%≒6

構築物及び資産計上した除去費用の減価償却

(借) 減 価 償 却 費 660 (貸) 減価償却累計額 660

$* \frac{施設Aの取得原価3{,}000}{5年} + \frac{除去費用資産計上額300}{5年} = 660$

⑤ X5年3月31日

時の経過による資産除去債務の増加

(借) 利 息 費 用 6 (貸) 資産除去債務 *6

＊ X4年3月31日における資産除去債務 (300＋6＋6＋6)×2.0%≒6

構築物及び資産計上した除去費用の減価償却

(借) 減 価 償 却 費 660 (貸) 減価償却累計額 660

$* \frac{施設Aの取得原価3{,}000}{5年} + \frac{除去費用資産計上額300}{5年} = 600$

⑥ X6年3月31日

時の経過による資産除去債務の増加

(借) 利 息 費 用 6 (貸) 資産除去債務 *6

＊ X5年3月31日における資産除去債務 (300＋6＋6＋6＋6)×2.0%≒6

構築物及び資産計上した除去費用の減価償却

(借) 減 価 償 却 費 660 (貸) 減価償却累計額 660

$* \frac{施設Aの取得原価3{,}000}{5年} + \frac{除去費用資産計上額300}{5年} = 660$

構築物の除去及び資産除去債務の履行

構築物を使用終了に伴い除去することとする。特定された除去費用等については，資産除去の実行時において，その実際の発生額を損益計算上の費用に計上する。

(借)	減価償却累計額	3,300	(貸)	有形固定資産（構築物）	3,300
	資産除去債務	＊1 330			
	除去費用	＊2 30		現金預金	360

＊1）X6年3月31日における資産除去債務 300＋6＋6＋6＋6＋6＝330
＊2）除去費用支払額 360－資産除去債務 330＝30

（注記記載事例）X2年3月期における記載例

（注記事項—資産除去債務関係）
(1) 資産除去債務の概要
当法人が所有する施設Aについて，不動産賃借契約における賃借期間終了時の原状回復義務を有しており，当該義務について資産除去債務を計上しております。
(2) 資産除去債務の金額の算定方法
使用見込期間は5年としております。資産除去債務の算定にあたり，割引率は2%を適用しております。
(3) 当事業年度における当該資産除去債務の総額の増減

有形固定資産の取得に伴う増加額	300
時の経過による調整額	6
当事業年度末残高	306

なお，資産除去債務にかかるその他の論点を独法会計基準及び注解に関するQ&Aの規定からみていくと，以下のようになります。

1）基準第87に定める特定の償却資産や運営費交付金により取得した償却資産に係る資産除去債務に対応する除去費用等は全て，基準第91に定める資産除去債務に係る特定の除去費用等に該当することになるか。

☞ 基準第91（資産除去債務に係る特定の除去費用等の会計処理）が適用される資産除去債務に係る除去費用等は，主務大臣が当該独立行政法人の財務構造等を勘案して，当該除去費用等の発生期間において当該費用に対応すべき収益の獲得が予定されないものとして，個別に除去費用等を特定していることが必要である。したがって，基準第87に定める特定の資産及び運営費交付金により取得した償却資産に係る資産除去債務に対応する除去費用等が直ちに基準第91に定める特定の除去費用等に該当するということにはならない（独法Q&A Q91-1）。

2) 運営費交付金や施設費で取得した資産に係る資産除去債務について，基準第91による特定の除去費用等とせずに，毎年度発生する除去費用等を費用計上した場合，これに対応して毎年度の運営費交付金債務の収益化を行う会計処理は認められるか。

☞ 運営費交付金は，通常，独立行政法人に負託された業務に係る支出額に対応する形で措置されることから，費用は発生するが支出を伴わない除去費用等については運営費交付金の算定対象に含まれておらず，収益化の対象とはできない。また，支出を伴わない除去費用等について運営費交付金債務を収益化した場合には，将来の資産除去債務の履行時まで，当該収益化相当額が独立行政法人に留保されることとなるため，予算の効率的な執行の観点からも適当ではない（独法 Q&A Q91-2）。

3) 資産除去債務に係る会計基準の適用初年度において，既に保有している有形固定資産に係る資産除去債務の計上を行う場合の会計処理はどのようになるのか。

☞ 適用初年度の期首に新たに負債として計上される資産除去債務の額は，その同額を固定資産に加算するが，当該除去債務を上乗せした固定資産は当初取得時点から既経過年数分だけ減価償却費が追加計上されるため，適用初年度においては資産の額が負債の額より少なくなる。当該差額は，適用初年度において原則として臨時損失に計上するものとする。なお，当該既存資産に係る除去費用等が基準第91に基づき主務大臣により特定されたものである場合には，当該差額は損益計算上の費用に計上せず，資本剰余金を減額するものとする（独法 Q&A Q39-2）。

⑥ 法令上の引当金・準備金

会計上の引当金の要件を満たさないものであっても，特定の法令により引当金・準備金として計上することが要求されている項目があります。これらの法令上の引当金・準備金に関する独法会計基準上の規定は，次の通りとなっています。

基準第92　法令に基づく引当金等

独立行政法人の業務のうち，特定の業務について法令により計上が要請されている引当金又は準備金については，法令に基づく引当金等として貸借対照表の負債の部に計上するものとする。(注70)

<注70>法令に基づく引当金等について

1　法令に基づく引当金等の計上が認められるのは，法令の規定により強制的に徴収される納付金等を財源として，法令の規定による特定の事業を実施する場合等であって，当該強制徴収された資金を他の事業に使用することが認められないことが法令の規定により明らかな場合等の合理的な理由があり，独立行政法人の独自判断では意思決定が完結し得ない場合に限られる。

2　また，法令に基づく引当金等の引当て及び取崩しは客観的な基準によって行われる必要があり，恣意的な引当て及び取崩しは認められないことに留意する必要がある。

3　独立行政法人が行う業務の特殊性に起因するものであっても，独立行政法人の責任に帰すべき損益を調整すること等を目的とする引当金等の計上は認められない。

4　法令に基づく引当金等は，法令の規定に従って使用した額を収益に計上することとし，当該引当金等を直接減額する会計処理は行わないものとする。また，法令に基づく引当金等への繰入及び戻入収益は，臨時損益の区分に表示するものとする。

独立行政法人が利益調整的に無制限に引当金を計上することを防止するため，基準第17に定める引当金の計上要件を満たすもののほかに引当金を計上する場合を法令によって法的裏付けがある場合だけに限定しています（注解70第1項）。

また，このような法令に基づく引当金等については，その計上額及び取崩額の計算方法についても法令等で定められ，客観的な基準によって計算されることが求められます（注解70第2項）。

法令に基づく引当金等の「等」には，法令に基づき計上する準備金（例えば，共済事業等を行う独立行政法人における責任準備金など）が含まれます。これらの法令に基づく引当金等は，独立行政法人第56により，貸借対照表上の負債の区分に固定負債の次に「法令に基づく引当金等」の区分を設けて当該区分に記載するものとされています。

なお，法令に基づく引当金等の繰入及び戻入益はいずれも臨時損益区分に表示するものとされています（注解70第4項）。

⑦ 保証債務

独立行政法人の中には，政策目的から政策金融や信用供与などの金融業務を主たる業務とする法人が存在します。このような法人においては，民間金融機関において通常採用される会計処理と同様の会計処理を行うことが民間金融機関との財務諸表の比較可能性の面で要請されることから，独法会計基準において，次のように規定されています。

基準第93　信用の供与を主たる業務としている独立行政法人における債務保証の会計処理

民間企業等に対して信用の供与を行うことを主たる業務としている独立行政法人においては，「第30債務保証の会計処理」に定める会計処理に代え，次の会計処理を行うものとする。（注71）（注72）

⑴　債務保証の額を保証債務の科目により負債に，保証債務見返の科目により資産に，それぞれ計上するとともに，債務保証の履行によって損失が生じると見込まれる額を保証債務損失引当金として計上しなければならない。

⑵　保証債務損失引当金は，「第29貸付金等の貸借対照表価額」に定める貸倒引当金の計上方法と同様の方法により見積もらなければならない。

⑶　保証債務については，その明細，増減，保証料収益との関係並びに保証債務損失引当金の増減を附属明細書において明らかにしなければならない。

＜注71＞債務保証の取扱いについて

民間企業等に対して信用の供与を行うことを主たる業務としている独立行政法人においては，債務保証は資金の貸付け等と同様に信用の供与の方法であることから，その受託責任の遂行状況を明らかにするため，債務保証の額を貸借対照表に計上するものとする。

＜注72＞信用の供与を行うことを主たる業務としている独立行政法人につい

て

1　民間企業等に対して信用の供与を行うことを主たる業務としている独立行政法人とは，法人の全ての業務に対する信用供与の業務の割合が民間金融機関のそれと同程度であると認められる法人をいう。

2　上記の判断は，法律の規定により区分して経理することが要請されている独立行政法人についても法人全体として行い，区分した経理単位ごとには判断しない。

3　なお，信用供与の業務とは，資金の貸付並びに債務の保証及び保険の業務をいい，出資及び無利子貸付による資金の供給は含まない。

信用の供与を主たる業務としている独立行政法人においては，業務の遂行状況を明らかにするために，債務保証の総額を貸借対照表に計上するとされ，基準第56により貸借対照表の固定負債の次に「保証債務」の区分を設けて当該区分に記載するとされています。

信用の供与を主たる業務としている独立行政法人における債務保証は主たる業務として発生するため，その質的・金額的重要性は一般に高く，民間金融機関においても保証債務の総額を貸借対照表に記載して開示することとの比較可能性を勘案し，債務保証の総額については，これを貸借対照表に記載することを求めています。

なお，保証債務の総額を貸借対照表に計上するためには，同額の項目を何かしら資産の部に計上して貸借を一致させる必要があり，この要請に応えるべく「保証債務見返」を資産の部に計上することとしています。

＜貸借対照表における記載＞

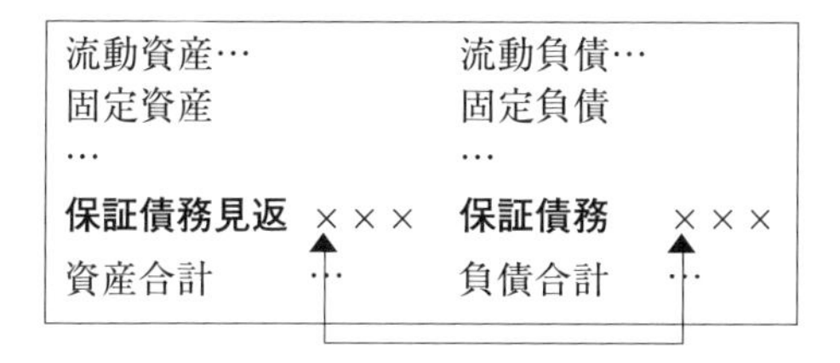

同額が資産の部と負債の部に計上される。

3. 純 資 産

（1） 純資産の定義

純資産は，資産から負債を控除した差額として定義され（基準第18），純資産の内訳は，資本金，資本剰余金，利益剰余金，評価・換算差額等に区分して表示されます（基準第58）。

（2） 純資産の内容

独立行政法人会計基準では，純資産に関する規定を以下のように定めています。

基準第19　資本金等

1　資本金とは，独立行政法人の会計上の財産的基礎であって独立行政法人に対する出資を財源とする払込資本に相当する。
2　資本剰余金とは，独立行政法人の会計上の財産的基礎であって，贈与資本及び評価替資本が含まれる。（注11）（注12）（注13）
3　利益剰余金とは，独立行政法人の業務に関連し発生した剰余金であって，稼得資本に相当する。

＜注12＞資本剰余金を計上する場合について

1　独立行政法人が固定資産を取得した場合において，拠出者の意図や取得資産の内容等を勘案し，独立行政法人の会計上の財産的基礎を構成すると認められる場合には，相当額を資本剰余金として計上する。
2　具体的には，以下のような場合が想定される。
⑴　国からの施設費により非償却資産または「第87特定の資産に係る費用相当額の会計処理」を行うこととされた償却資産を取得した場合
⑵　国または地方公共団体からの補助金等により非償却資産を取得した場合
⑶　中期計画及び中長期計画に定める「剰余金の使途」として固定資産を取得した場合

(4)　中期計画等の想定の範囲内で，運営費交付金により非償却資産を取得した場合

(5)　中期計画等の想定の範囲内で，寄附金により，寄附者の意図に従い又は独立行政法人があらかじめ特定した使途に従い，非償却資産を取得した場合

3　なお，前項(2)，(4)及び(5)の場合において償却資産を取得した場合には，相当額を資産見返負債として計上する。

それぞれの区分に計上される内訳項目は，次の通りです。

1）　資本金の区分に計上されるもの

①　政府出資金

独立行政法人設立時に国からの現物出資を受けたもの，金銭出資を受けたもの，特殊法人から承継した財産の時価と承継負債の差額が出資金となったものなどがあげられる。

②　地方公共団体出資金

地方公共団体からの出資金を意味する。

③　民間出資金

独立行政法人によっては民間団体，企業等からの出資を受け入れている法人も存在する。

2）　資本剰余金の区分に計上されるもの

①　資本剰余金

(1)　国からの施設費により非償却資産または「第87特定の資産に係る費用相当額の会計処理」を行うこととされた償却資産を取得した場合

(2)　国または地方公共団体からの補助金等により非償却資産を取得した場合

(3)　中期計画及び中長期計画に定める「剰余金の使途」として固定資産を取得した場合

(4)　中期計画等の想定の範囲内で，運営費交付金により非償却資産を取得した場合

(5)　中期計画等の想定の範囲内で，寄附金により，寄附者の意図に従い又は独立行政法人があらかじめ特定した使途に従い非償却資産を取得した場合

(6) 減資差益：独立行政法人通則法第８条第３項に定める不要財産として，政府出資財産を現物返納または売り払い後に金銭返納した額が政府出資金の減少額を下回る場合の当該差額

② 減価償却相当累計額

基準「第87特定の資産に係る費用相当額の会計処理」及び「第91資産除去債務に係る特定の除去費用等の会計処理」によって生じた減価償却相当累計額を意味する。

③ 減損損失相当累計額

「固定資産の減損に係る独立行政法人会計基準」に従って生じた減損損失相当累計額を意味する。

④ 利息費用相当累計額

基準「第91資産除去債務に係る特定の除去費用等の会計処理」によって生じた利息費用相当累計額を意味する。

⑤ 承継資産に係る費用相当累計額

「第87特定の資産に係る費用相当額の会計処理」を行うこととされた有形固定資産及び無形固定資産を除く承継資産（個別法の権利義務承継の根拠規定に基づく資産をいう。以下同じ。）に係る費用相当累計額を意味する。

⑥ 除売却差額相当累計額：出資財産及び上記(1)～(5)にかかげる資産を除却または売却した際に資本剰余金のマイナス項目として計上されるもの

⑦ 民間出えん金

中期計画等において，独立行政法人の財産的基礎に充てる目的で民間からの出えんを募ることを明らかにしている場合であって，当該計画に従って，出えんを募った場合（基準第19の注13）に計上されるものを意味する。

3) 利益剰余金（または繰越欠損金）の区分に計上されるもの

① 前中期目標等期間繰越積立金

通則法第44条第４項及び個別法の規定に基づき，中期目標等期間末に積立金のうち主務大臣の認可を得た額について，次の中期目標等の期間における業務の財源に充てるために国庫返納せずに繰越した積立金の額を意味する。

② 目的積立金

積立金のうち経営努力認定を受けた額で，中期計画及び中長期計画に記載した剰余金の使途に充てる目的で保有する積立金を意味する。同一中期目標期間及び

同一中長期間目標期間内である限り翌事業年度以降に目的積立金として当該認可を受けた中期計画及び中長期計画に記載の目的の財源として使うことができる。

③　積立金

毎事業年度，損益計算において利益を生じたとき，または前事業年度からの繰越損失をうめ，なお残余があるときは，その残余の額は積立金として計上される（通則法第44条第1項）。

④　当期未処分利益（または当期未処理損失）

当期未処分利益が計上されるのは，以下の場合となる。

▶毎事業年度，損益計算書において生じた利益の額が，利益の処分に関する主務大臣認可の取得が完了していないことにより，未処分となっている結果，当期総利益が生じている場合

当期未処理損失が計上されるのは，以下の場合となる。

▶毎事業年度，損益計算書において生じた損失の額が，損失の処理に関する主務大臣認可の取得が完了していないことにより，未処理となっている結果，当期総損失が生じている場合

コラム①　自動車リサイクル預託金

公用車（自動車）を購入すると必ず自動車リサイクル預託金を支払うという制度になっている。自動車リサイクル預託金を運営費交付金財源で支出すると，当該支出は運営費交付金による非償却資産の取得となるため，独法会計基準第81に従った会計処理を行うと，当該自動車リサイクル預託金の支出が，中期計画で想定された業務の範囲内であれば，財源側の処理は，運営費交付金債務を資本剰余金に振り替えるものとなり，中期計画で想定された業務の範囲内ではないとした場合には，財源側の処理は，運営費交付金債務を資産見返運営費交付金に振り替える処理となる。

自動車リサイクル預託金は，当該車輛をそのまま廃車（スクラップ）とした場合には，スクラップ費用に充当されるものの，車輛買い替えを行い下取りに出した場合にはそのままリサイクル預託金は返還され，下取り車輛の購入者が新たにリサイクル預託金を負担することになる。

このため，自動車リサイクル預託金は支払った時点で返還されるのか，費用

化されるのかが判明しないという独立行政法人にとっては厄介な性質の内容と思われる。

運営費交付金財源側の会計処理	中期計画で想定された業務の範囲内	中期計画で想定された業務の範囲外
運営費交付金財源で支出した自動車リサイクル預託金	資本剰余金で計上	資産見返運営費交付金で計上
下取り売却時	会計処理なし	資産見返運営費交付金戻入を計上
廃車時	資本剰余金（損益外除売却差額相当額）で不返還額を処理	資産見返運営費交付金戻入を計上

ところで，自動車リサイクル預託金については，資産見返負債を計上した場合には返納時に資産見返負債戻入が計上され，利益積立金に算入されることから中期計画期間満了時に国庫返納の対象となり，返還されたリサイクル預託金は利益積立金の国庫返納として返納される形となる一方で資本剰余金に計上した場合には，リサイクル預託金については利益積立金に含めて国庫返納ができなくなってしまう。政府出資財産及び資本剰余金に計上された財産を返納するためには平成 22 年の通則法改正で導入された不要財産（通則法 8 条）として国庫返納する手続に乗せて返納を行う必要がある。

自動車リサイクル預託金は自動車 1 台当たり数万円であるが，複数台の公用車をまとめて入れ替えると不要財産に該当する可能性は否定できない。しかしながら，このくらいの金額を返納するのに主務大臣の認可を得て返納するのはいかにも手続が煩雑のように思われる。

実務的な対応として，自動車リサイクル預託金の支出部分だけ自己収入財源で支出しているという整理にしておくと，いずれにせよこのような煩雑な手続は回避できるのかもしれない。

第3章　損益計算書

第1節　損益計算書の作成目的

独立行政法人（以下，「独法」とする）は公共上の見地から確実に実施されることが必要な事務及び事業の実施主体であって，その業務の実施に関して負託された経済資源に関する情報を負託主体である国民に開示する責任を負っており，説明責任の観点から，その財政状態及び運営状況を明らかにし，適切に情報開示を行うことが要請されます。

この観点から，主に運営状況を明らかにするため，一会計期間に属する法人の全ての費用とこれに対応する全ての収益とを記載し，当期純利益及び当期総利益を表示するために導入された書類が損益計算書となります。

ただし，独法は，営利企業と異なり，利益の獲得を主たる目的とした法人ではないことから，営利企業を前提とした企業会計基準に独立行政法人の特性に着目した必要な修正が加えられることとされています。

＜独法固有の特性を考慮した必要な修正＞

①　独法は利益の獲得を目的とした法人ではないこと

損益計算を主目的とせず，運営状況の開示を目的とする。業務の確実な実施のための費用の発生があり，当該費用の支出のために必要となる財源は国が措置するとの構造から，業務費用が業務収益に優先するものとして，損益計算書においても業務費用を業務収益よりも先に開示する様式となっています。

②　政策の企画立案主体となる国と密接不可分の関係により業務運営がなさ

れており，独法単独では意思決定できない事項が存在すること

損益計算書には独法の運営責任の範囲を示す費用を計上し，独法の運営責任の範囲外となる純資産の減少については資本剰余金の減少項目として取り扱う枠組みを導入しています。例えば，独法設立時の国からの出資財産にかかる減価償却費を損益計算書に費用計上すると設立時の現物出資額が多額であるために毎期多額の赤字を生じることとなりかねません。出資財産にかかる減価償却費は，独法の財産的基礎をなす出資財産の時の経過による価値の減少を表わすものとして損益計算書を通さずに，資本剰余金区分から直接減額する「減価償却相当累計額」として整理する仕組みを導入しており，独立行政法人の毎年の運営財源（運営費交付金）の執行状況を示す損益計算の範囲外の純資産の減少とされています。

③ 業務の特性を踏まえ新設された法人分類に応じた目標・計画（具体的には下記の表をご確認ください）による管理の仕組みを導入しており，中期目標及び中長期目標（行政執行法人は毎事業年度）の期間における業績評価に資する会計情報の提供が必要となること

中期目標及び中長期目標の期間（行政執行法人は毎事業年度）の終了時点では国から交付された運営費交付金の未使用分は一旦精算収益化する仕組みを導入することとし，中期目標及び中長期目標の期間（行政執行法人は毎事業年度）をまたがって独法の業績評価がなされることが生じないよう，配慮しています。

従来の表現 法人分類	中期目標	中期計画	年度計画
中期目標管理法人	中期目標	中期計画	年度計画
国立研究開発法人	中長期目標	中長期計画	年度計画
行政執行法人	年度目標	事業計画	事業計画

④ 独法に対するインセンティブの付与の要請と財政上の規律を図ること

独法が自己収入により獲得した利益については，独法が将来の業務運営に自主的に使用できる仕組みを導入しています。

経営努力認定によって生じた利益については，中期目標及び中長期目標期間

内においては目的積立金として法人内に留保し，目的使用できるように配慮した設計としています。

以上の内容をふまえて，独法会計基準では，損益計算の目的を次の通りに定め，損益状況の開示目的と国への国庫納付金の算定の基礎となる利益または損失額の計算目的の双方が規定されています。

基準第46　損益計算書の目的

1　損益計算書は，独立行政法人の運営状況を明らかにするため，一会計期間に属する独立行政法人の全ての費用とこれに対応する収益とを記載して当期純利益を表示しなければならない。
2　損益計算書は，通則法第44条にいう利益または損失を確定するため，当期純利益に必要な項目を加減して，当期総利益を表示しなければならない。

第2節　損益計算書の様式

国から措置された財源等を用いて行政サービスを実施することが独立行政法人の本来の業務目的であり，収益獲得のために費用が付随的に発生するものではないことから，独立行政法人における損益計算書では，法人の業務活動から生じた業務費用及び一般管理費を先に開示し，当該費用の発生に付随して生じた業務収益を業務費用から控除する形式で経常損益計算区分を開示します（基準第66）。

次に，固定資産売却損益，減損損失，災害損失等の臨時損益を記載し，当期純損益の計算区分（純損益計算区分）を開示し，最後に目的積立金取崩額等を記載し，当期総損益の計算区分を開示します。

以上の点が独法会計基準第63及び第66において，次の通りに規定されています。

基準第 63　表示区分

損益計算書には，経常損益計算及び純損益計算の区分を設けなければならない。

基準第 66　損益計算書科目の分類及び表示科目

1　経常損益計算の区分は，独立行政法人の業務活動から生じた費用及び収益を記載して，経常利益を計算する。
2　純損益計算の区分は，経常損益計算の結果を受けて，固定資産売却損益，減損損失，災害損失等の臨時損益を記載し，当期純利益を計算する。（注 44）（注 45）
3　純損益計算の結果を受けて，目的積立金取崩額等を記載し，当期総利益を計算する。
4　業務費及び一般管理費については，これらを構成する費用の内容に応じて区分し，それぞれにその内容を表す適切な名称を付して表示するものとする。
5　運営費交付金収益は，「第 81 運営費交付金の会計処理」による会計処理を行った結果，当期の収益として認識された額を表示する。
6　補助金等収益は，「第 83 補助金等の会計処理」による会計処理を行った結果，当期の収益として認識された額を表示する。
7　寄附金収益は，「第 85 寄附金の会計処理」による会計処理を行った結果，当期の収益として認識された額を表示する。

損益計算書の様式を示すと，次の通りになります。

基準第 67　損益計算書の様式

損益計算書
（○○年 4 月 1 日～○○年 3 月 31 日）

経常費用

（何）業務費

・・・	×××

科目			
減価償却費	×××		
貸倒引当金繰入	×××		
(何) 引当金繰入	×××		
・・・	×××	×××	
一般管理費			
・・・	×××		
減価償却費	×××		
・・・	×××	×××	
財務費用			
支払利息	×××		
債券発行費	×××		
・・・	×××	×××	
雑損		×××	
経常費用合計			×××
経常収益			
運営費交付金収益		×××	
(何) 手数料収入		×××	
(何) 入場料収入		×××	
受託収入		×××	
補助金等収益		×××	
財源措置予定額収益		×××	
寄附金収益		×××	
賞与引当金見返に係る収益		×××	
退職給付引当金見返に係る収益		×××	
財務収益			
受取利息	×××		
・・・	×××	×××	
雑益		×××	

経常収益合計		×××
経常利益		×××
臨時損失		
固定資産除却損	×××	
減損損失	×××	
・・・	×××	×××
臨時利益		
運営費交付金精算収益化額（*）	×××	
固定資産売却益	×××	
(何) 引当金戻入益	×××	
・・・	×××	×××
税引前当期純利益		×××
法人税，住民税及び事業税	×××	
法人税等調整額	×××	×××
当期純利益		×××
目的積立金取崩額		×××
当期総利益		×××

（*） 前回の基準改正により，中期目標及び中長期目標の期間の最後の事業年度（行政執行法人は毎事業年度）の期末処理において精算のために収益に振り替えられた運営費交付金の金額については臨時利益として計上することとされています（基準第81 5)。

第3節　費用及び収益

1．独立行政法人における費用及び収益

独立行政法人会計基準において，費用とは，「サービスの提供，財貨の引渡または生産その他の独立行政法人の業務に関連し，その資産の減少または負債

の増加（または両者の組合せ）をもたらす経済的便益の減少であって，独立行政法人の財産的基礎を減少させる資本取引によってもたらされるものを除くものをいう。」（基準第21）と定義され，収益は「サービスの提供，財貨の引渡または生産その他の独立行政法人の業務に関連し，その資産の増加または負債の減少（または両者の組合せ）をもたらす経済的便益の増加であって，独立行政法人の財産的基礎を増加させる資本取引によってもたらされるものを除くものをいう。」（基準第22）と定義されています。

したがって，費用は資産の減少または負債の増加をもたらす資本取引以外のもの，収益は資産の増加または負債の減少をもたらす資本取引以外のものと定義されているわけですが，資産は「過去の事象の結果として独立行政法人が支配している現在の資源であり，独立行政法人のサービス提供能力又は経済的便益を生み出す能力を伴うもの」（基準第8），負債は「過去の事象の結果として独立行政法人に生じている現在の義務であり，その履行により独立行政法人のサービス提供能力の低下又は経済的便益を減少させるもの」（基準第14）と定義されていますので，結果として独立行政法人における費用・収益にはサービス提供能力の増加または減少が含まれることになります。サービス提供能力に関連した経済的便益の減少または増加を費用・収益とする点は国際公会計基準（IPSAS）と整合的であり，利益の獲得を目的としない非営利法人，公共法人としての特性をふまえたものと言えます。

より具体的には，公共財産や行政財産（例えば道路・橋・防波堤など）といった資産は一定の政策目的（例えば遠隔地生活者の支援，災害の防止など）のために保有しており，必ずしも将来の経済的便益（キャッシュ・フロー）を獲得する目的で保有している訳ではないため，これらの資産の減価償却費を費用として認識するためにはサービス提供能力の減少を費用の範囲に含めて定義する必要があるということになります。

以上をまとめると，次の通りになります。

① 独立行政法人における費用

資産の減少または負債の増加（または両者の組合せ）をもたらす経済的便益の減少であって，資本取引以外のもの

② 独立行政法人における収益
資産の増加または負債の減少（または両者の組合せ）をもたらす経済的便益の増加であって，資本取引以外のもの

これらの費用は発生主義の原則によって，収益は実現主義の原則によって認識することが求められ，「独立行政法人に発生した全ての費用及び収益は，その支出及び収入に基づいて計上し，その発生した期間に正しく割り当てられるように処理しなければならない。なお，未実現利益は，原則として，当期の損益計算に計上してはならない。」（基準第22）とされています。

この点，独立行政法人の会計は，企業会計に従うことを原則としており，正規の簿記の原則（基準第2）により複式簿記で行うこととされていますので，取引の原因（債権・債務などの資産・負債の発生）と結果（費用・収益の発生）の双方を記録することとなり，発生主義の原則により取引を記録することは，複式簿記を採用することと事実上同意義であり，当然の要請であるものと考えます。

また，これらの費用及び収益は，総額主義の原則に従って，「費用及び収益は，総額によって記載することを原則とし，費用の項目と収益の項目とを直接に相殺することによってその全部または一部を損益計算書から除去してはならない。」（基準第64）とされ，それぞれ発生した総額の記載することが求められ，相殺して純額で表示することは禁止されています。

この点，法人の取引の相殺開示を容認すると独立行政法人の業務運営の実態が開示されず，活動の規模も開示されないこととなるため，当然の要請であるものと考えます。

ただし，注解15において，独立行政法人の費用及び収益の定義から除かれる特定の項目が定められています。これらの項目が生じるのは，独立行政法人は政策の実施主体であり，政策の企画立案の主体としての国と密接不可分の関係にあることから独立行政法人単独の判断では意思決定が完結し得ない場合が存在することから，損益計算において独立行政法人の損益責任の範囲を明確に

するために設けられた技術的な調整となっています。独立行政法人単独の意思決定だけでは完結し得ない法人の活動については，これらに起因する収入や支出を独立行政法人の業績を評価する手段としての収益や費用，すなわち損益計算に含めることが妥当でない場合が存在することから，これらの項目が設けられています。

独立行政法人の費用及び収益から除かれる項目として，以下の規定が設けられています。

注解15　その他行政コストについて

1　その他行政コストとは，行政コストに含まれるものであって，独立行政法人の会計上の財産的基礎が減少する取引に相当するものであるが，独立行政法人の拠出者への返還により生じる会計上の財産的基礎が減少する取引には相当しないものをいう。

2　その他行政コストに含まれる取引は，以下のとおり。

(1)「第87 特定の資産に係る費用相当額の会計処理」を行うこととされた償却資産の減価償却相当額

(2)「第87 特定の資産に係る費用相当額の会計処理」を行うこととされた償却資産及び非償却資産について，固定資産の減損に係る独立行政法人会計基準の規定により，独立行政法人が中期計画等又は年度計画で想定した業務運営を行ったにもかかわらず生じた減損額

(3)「第91 資産除去債務に係る特定の除去費用等の会計処理」を行うこととされた除去費用等に係る減価償却相当額及び利息費用相当額

(4)「第87 特定の資産に係る費用相当額の会計処理」を行うこととされた有形固定資産及び無形固定資産を除く承継資産（個別法（各独立行政法人の名称，目的，業務の範囲等に関する事項を定める法律をいう。「第28　棚卸資産の評価基準及び評価方法」を除き，以下同じ。）に係る費用相当額

(5) 独立行政法人の会計上の財産的基礎が減少する取引に関連する，「第87 特定の資産に係る費用相当額の会計処理」を行うこととされた償却資産及び非償却資産の売却，交換又は除却等に直接起因する資産又は負債の増減額（又は両者の組合せ）

(6)「第99 不要財産に係る国庫納付等に伴う譲渡取引に係る会計処理」を行うことによる資本剰余金の減額又は増額

独立行政法人は，国からの財源措置がなされ，原則として独立採算を前提としていないことから，営業損益を計算する必要性が小さいと考えられるため，損益計算書は，①経常損益計算区分，②純損益計算区分，③当期総利益計算区分という3つの区分により構成されます。

このような区分を設けることによって，独立行政法人本来の業務活動にかかわる損益情報と，臨時的な事象によって発生した損益情報並びに前事業年度以前の目的積立金の取崩し等に起因する損益情報のそれぞれが区分されるため，独立行政法人の運営状況を明らかにする上で有用な情報を提供することができることになります。

なお，臨時損益は，限定的に使用されるべきものとされ，企業会計における特別損益よりも狭い範囲の概念とされています（独法Q&A Q66-1）。

2. 前期損益修正の取扱い

過去における会計処理の誤り等が当期において発見された場合には，過年度の損益修正額を当期の損益と区分する必要から，前期修正損益は，原則として臨時損益の区分に表示します（金額の僅少なものは，経常損益計算に含めることができます（注解44））。

しかし，独立行政法人の財務諸表は，当該事業年度の業務運営の状況等を示すものであることから，過年度の損益修正額を含む財務諸表は当該年度の業務運営状況を正しく示していないことが問題となります。この点，過年度の損益の修正が生じた場合の取扱いについては，独法Q&A Q66-2で以下の規定がなされています。

主務大臣及び評価委員会等への説明目的で前事業年度比較財務諸表等を作成する場合には，過年度の損益修正額については当該会計事象が生じた事業年度に正しい処理がされたものと仮定して比較財務諸表等を作成することとし，合わせて前期損益修正額の金額，内容，当該会計事象が生じた事業年度に正しい処理がされたものと仮定したことにより生じた影響の状況等を注記することにより，当該事業年度の業務運営の状況等を正しく表示した財務諸表も参考情報として提出します。このような参考資料の添付によって，当該事業年度の業務運営の状況等を正しく示すことができます。ただし，主務大臣の承認を受ける正規の財務諸表（通則法第38条の財務諸表）は，過年度の損益修正額を含む財務諸表であり，前事業年度比較財務諸表等はあくまでも参考情報として作成するものとなります（独法Q&A Q66-2）。

以上をまとめると，以下の通りになります。

①　損益計算書（正規の財務諸表） 当事業年度の過年度損益修正損益として取扱い，原則として臨時損益区分に計上する（重要性が乏しい場合には経常損益区分に含めて表示することも容認される）。 主務大臣の承認を受ける正規の財務諸表は過年度損益を遡及修正表示しない損益計算書となる。
②　比較財務諸表（参考情報） 評価委員会，主務大臣等への業績評価のための参考資料として比較財務諸表を添付する場合には，仮に過年度に遡及して修正再表示したならばどのような経常損益となるかを参考情報として比較財務諸表に記載して提出する。 合わせて前期損益修正額の金額，内容，当該会計事象が生じた事業年度に正しい処理がされたものと仮定したことにより生じた影響の状況等を注記する。

3.　その他の論点

独立行政法人Q&Aに規定される損益計算書の記載に関するその他の主な論点を，以下に記載します。

①　損益計算書における費目分類の基準について

独立行政法人の損益計算書における業務費，一般管理費の内訳は形態別分類（費目別分類）によって記載するものとされ，目的別分類による記載はしないものとされています（独法Q&A Q66-4）。

これは，独立行政法人の費用を目的別分類による記載とした場合，○○事業費という科目名となり，当該科目の中に人件費，減価償却費が含まれて計上されると，他の独立行政法人の財務諸表との比較可能性が著しく損なわれるため，比較可能性を配慮し，形態別分類（費目別分類）としたものです。

したがって，目的別（機能別）に区分する必要があると合理的に認められる場合は，目的別（機能別）科目の区分のもとに，その細区分として形態別（性質別）科目による表示を行うことが考えられ，目的別（機能別）科目のみによる表示は認められません（独法 Q&A Q66-4）。

② 損益計算書における経常費用，経常収益の記載順について

独立行政法人会計基準は，全ての独立行政法人に共通に適用される会計処理の基準であり，損益計算書の様式についても，原則として基準に準拠した様式とすることが必要です。

しかしながら，業務運営の財源を運営費交付金や補助金等に依存しない独立採算の業務運営を行う独立行政法人であって，企業会計における損益計算書のように，経常収益，経常費用の順に記載することが適切と認められる法人については，主務省令においてその旨を定めることによって，経常収益，経常費用の順に損益計算書に記載することも可能とされています（独法 Q&A Q67-1）。

コラム②　資産見返負債戻入の計上区分？

運営費交付金財源や物品の寄附によって償却資産を取得した場合には，資産見返負債が計上されます。当該償却資産の減価償却費を計上する場合，同額の資産見返負債戻入を計上する会計処理を行います。

当該償却資産を耐用年数到来前に除却した場合には，固定資産除却損が計上されるとともに，当該償却資産の残存簿価に見合う資産見返負債は全額戻入されます。独立行政法人会計基準においては，固定資産除却損は臨時損失区分に計上するものとされています。では，対応する資産見返負債戻入は損益計算書上のどの区分に計上される（あるいは計上すべき）でしょうか。

実は，独立行政法人会計基準上は，固定資産除却損を計上した場合の資産見返負債戻入の計上区分については明確な規定を置いていません。このため，実務的な取扱いとしては，対応が２つに分かれているように見受けられます。一つは，臨時損失区分に対応させて資産見返負債戻入も同額を臨時利益区分に計上する対応，もう１つは，経常収益区分に資産見返負債戻入の科目を設け，資産見返負債戻入は一律に全て経常収益区分に計上する対応のいずれもが見受けられるように思います。

独立行政法人会計基準上の明文規定がない訳ですから，どちらが正しいという問題ではないと考えますが，より理論的には臨時損失区分に固定資産除却損が計上されるのであれば，同額を臨時利益区分に計上するという会計処理のほうがより理論的なように思われます。

ところが，当該固定資産を除却ではなく，売却した場合においても資産見返負債戻入を全額臨時利益区分に計上しているかという観点から事例をみるとこの点が今一つ明確には分かりません。資産見返負債が計上されない自己収入財源で取得した固定資産を売却していることにより臨時利益区分に計上される資産見返負債戻入が計上されていないのか，あるいは売却の場合には経常収益区分で資産見返負債戻入が計上されていることにより臨時利益区分に資産見返負債戻入が計上されていないのか，この点は対外的な公表財務諸表を見ただけでは判別できません。

同一の固定資産につき，除却した場合には資産見返負債戻入は臨時利益区分に計上され，売却した場合には経常収益区分に計上されるというのはいかにも整合性がないように思われます。

第4章　リース会計

第1節　リース取引とは

固定資産の調達方法の1つとして，固定資産の購入対価の全額を納入検査時に現金支出せず，当該固定資産を一定の期間にわたって賃借し，賃借料を支払う契約形態によって調達する方法があります。このような契約形態を「リース取引」と呼びます。

定義：リース取引とは，特定の物件の所有者たる貸手が，当該物件の借手に対し，合意された期間（以下「リース期間」という）にわたりこれを使用収益する権利を与え，借手は，合意された使用料（以下「リース料」という）を貸手に支払う取引とされています。

リース契約は，その性質からいくつかに分類されます。その内容をまとめると次の通りになります。

①　所有権移転リース取引

リース契約の内容からリース物件の借主に所有権が移転することとなるリース取引を意味します。以下の3つのいずれかに該当するリース取引は，所有権移転リース取引に該当するものとされます。

(1)　リース契約上，リース期間終了後またはリース期間の中途で，リース物件の所有権が借手に移転するリース取引
(2)　リース契約上，借手に対して，リース期間終了後またはリース期間の中途

で，名目的価額またはその行使時点のリース物件の価額に比して著しく有利な価額で買い取る権利（以下合わせて「割安購入選択権」という）が与えられていて，その行使が確実に予想されるリース取引
(3)　リース物件が，借手の用途等に合わせて特別の仕様により製作または建設されたものであって，当該リース物件の返還後，貸手が第三者に再びリースまたは売却することが困難であるため，その使用可能期間を通じて借手によってのみ使用されることが明らかなリース取引

②　所有権移転外リース取引

リース契約の性質からリース物件の所有権は借主に移転しないものの，当該リース物件にかかる実質的なコストと便益のほとんど全てを借主が負担することとなる「ファイナンス・リース取引」と「ファイナンス・リース以外のリース取引（オペレーティング・リース取引）」とに区分されます。

③　ファイナンス・リース取引

借主がリース物件にかかるコストと経済便益の全てを実質的に負担することとなるリース取引を意味します。以下のいずれかに該当するリース取引は，「ファイナンス・リース取引」に該当するものとされます。

(1)　現在価値基準：解約不能のリース期間中のリース料支払総額の現在価値が現金で購入したと仮定した場合の合理的見積額の概ね 90% 以上を負担することとなるリース契約であること。
(2)　経済的耐用年数基準：リース契約により賃借するリース期間のうち解約不能のリース期間が，当該リース物件の経済的耐用年数の概ね 75% 以上の期間となること。

④　オペレーティング・リース取引（ファイナンス・リース取引以外のリース取引）

上記のファイナンス・リース取引の要件に該当しないリース取引を意味します。

<ファイナンス・リース取引の判定方法①>

経済的耐用年数基準：
- ▶リース契約期間4年でコピー機のリースを行うこととした。
- ▶コピー機の経済耐用年数は，耐用年数省令（税法耐用年数）に基づくと5年である。

リース契約期間4年÷経済耐用年数5年×100＝80%＞75%

当該リース契約は，リース物件（コピー機）の経済的耐用年数のほとんど全ての期間を賃借することとなるため，リース期間にわたり当該リース物件の経済的便益のほとんど全てを享受することになるリース契約に該当し，ファイナンス・リース取引と判定される。

<ファイナンス・リース取引の判定方法②>

現在価値基準：
- ▶リース契約により，リース期間5年，毎月元利均等額払いの契約条件にてリース料総額6,000,000円でコピー機のリースを行うこととした。
- ▶コピー機を現金で購入した場合の対価はメーカーカタログ等に基づいて算出した結果，5,600,000円と判明した。
- ▶リース料に上乗せされている金利相当額のリース会社における設定利率は，金利年3.6%であることが判明した。

リース料総額6,000,000円の現在価値相当額＝5,483,490円，現金購入対価：5,600,000円
5,483,490円÷5,600,000円×100＝97.9%＞90%

当該リース契約は，リース物件（コピー機）の使用に伴って生じるほとんど全てのコストを実質的に負担することとなるため，ファイナンス・リース取引と判定される。

$$※リース料の現在価値 =\sum_{i=1}^{60}\frac{100,000}{(1+0.003)^{i}}=5,483,490円$$

リース契約は60回の元利均等払いのため，年利3.6%を月利0.3%に換算して現在価値計算を行っている。

第2節　リース取引にかかる会計処理

リース取引については，基準第33において，以下の通り規定されています。

基準第33　リース取引の会計処理

リース取引については，ファイナンス・リース取引とオペレーティング・リース取引の二種類に分け，ファイナンス・リース取引については，通常の売買取引に係る方法に準じて会計処理を行い，かつ，当該ファイナンス・リース取引が損益に与える影響額等を財務諸表に注記する。オペレーティング・リース取引については，通常の賃貸借取引に係る方法に準じて会計処理を行い，かつ，リース期間の中途において当該契約を解除することができるオペレーティング・リース取引を除き，次に掲げる事項を財務諸表に注記する。（注25）

⑴　貸借対照表日後一年以内のリース期間に係る未経過リース料

⑵　貸借対照表日後一年を超えるリース期間に係る未経過リース料

＜注25＞リース取引について

ファイナンス・リース取引とは，リース契約に基づくリース期間の中途において当該契約を解除することができないリース取引又はこれに準ずるリース取引で，借り手が，当該契約に基づき使用する物件（以下「リース物件」という。）からもたらされる経済的便益を実質的に享受することができ，かつ，当該リース物件の使用に伴って生じるコストを実質的に負担することとなるリース取引をいう。オペレーティング・リース取引とは，ファイナンス・リース取引以外のリース取引をいう。

独立行政法人会計基準に定めのない事項については，一般に公正妥当とされる企業会計の基準に従うこととされていることから，上記に定めのない事項については，企業会計基準委員会の公表する「リース取引に関する会計基準」（平成19年3月30日　企業会計基準委員会）及び企業会計基準適用指針第16号「リース取引に関する会計基準の適用指針」（平成23年3月25日　企業会計基準委員会）（以下，リース会計基準等とする）に従うことになります。

なお，企業会計基準適用指針第16号「リース取引に関する会計基準の適用指針」（以下，リース適用指針とする）（平成23年3月25日　企業会計基準委員会）第3項に記載の通り，リース会計基準の適用対象には，動産・物件にかかるリース契約だけでなく，不動産にかかるリース契約（土地・建物に係る賃貸借契約）も会計基準の適用対象とされているため，この点にご留意下さい。

以上のリース取引にかかる会計処理をまとめると，以下の通りになります。

①　所有権移転ファイナンス・リース取引 リース契約の内容からリース物件の借主に所有権が移転することから，会計処理は「通常の売買取引」と同様の会計処理を行う。
②　所有権移転外ファイナンス・リース取引 所有権移転外ファイナンス・リース取引については，経済実態を適切に反映するよう，「通常の売買取引に係る方法に準じた会計処理」が適用される。
③　オペレーティング・リース取引（ファイナンス・リース取引以外のリース取引） オペレーティング・リース取引については，当該リース物件をリース期間にわたり，賃借しているものとして，「通常の賃貸借取引にかかる方法に準じた会計処理」を行う。

所有権移転外ファイナンス・リース取引の事例を以下に示します。

事例 4-1

前提条件

(1)　所有権移転条項なし

(2)　割安購入選択権なし

(3)　リース物件は特別仕様ではない。

(4)　解約不能のリース期間3年

(5)　借手の見積現金購入価額35,000,000円（貸手のリース物件の購入価額はこれと等しいが，借手において当該価額は明らかではない。）

(6)　リース料

月額1,000,000円支払は毎月末

リース料総額36,000,000円

⑺　リース物件（サーバー）の経済的耐用年数4年

⑻　借手の減価償却方法定額法（減価償却費は，年度末に1年分計上するものとする。）

⑼　借手の追加借入利子率年3.6%（ただし，借手は貸手の計算利子率を知り得ない。）

⑽　貸手の見積残存価額はゼロである。

⑾　リース取引開始日X1年4月1日，決算日3月31日

上記におけるリース物件の借り手の会計処理

1)　ファイナンス・リース取引の判定

①　現在価値基準による判定

貸手の計算利子率を知り得ないため，借手の追加借入利子率である年3.6%（月利0.3%）を用いてリース料総額を現在価値に割り引くと

$$※リース料の現在価値 = \sum_{i=1}^{36} \frac{1,000,000}{(1+0.003)^i} = 34,075,755 円$$

$$\frac{現在価値 34,075 千円}{見積現金購入価額 35,000 千円} \times 100 = 97.4\% > 90\%$$

②　経済的耐用年数基準による判定

$$\frac{リース期間 3 年}{経済的耐用年数 4 年} = 75\% \geqq 75\%$$

したがって，①・②により，このリース取引はファイナンス・リース取引に該当する。

③　所有権移転条項または割安購入選択権がなく，またリース物件は特別仕様ではないため，所有権移転ファイナンス・リース取引には該当しない。

以上より，このリース取引は所有権移転外ファイナンス・リース取引に該当する。

2)　会計処理

▶利息相当額を利息法で会計処理する場合

リース料総額の現在価値34,075,755円がリース資産及びリース債務の計上価額となる。この場合に，利息相当額の算定に必要な利子率の計算は，次の通りである。

$$\left(\frac{1{,}000}{1+r\times\frac{1}{12}}\right)+\left(\frac{1{,}000}{1+r\times\frac{1}{12}}\right)^{2}+\cdots\cdots+\left(\frac{1{,}000}{1+r\times\frac{1}{12}}\right)^{36}=34{,}075{,}755\text{円}$$

$r=3.6\%$

リース債務の返済スケジュールは，［表1］に示す通りである。

① X1年4月1日（リース取引開始日）における会計処理

(借) リース資産	34,075,755	(貸) リース債務	34,075,755

② X1年4月30日（第1回支払日）

(借) リース債務	*2 897,773	(貸) 現金預金	1,000,000
支払利息	*1 102,227		

（注）リース債務の元本返済額及び支払利息は，［表1］の通り。利率年3.6%。利息の計算は，月数割りによっている。

X1年4月30日返済合計の内訳と月末元本の計算は，次の通りである。

*1）利息分 $34{,}075{,}755\text{円}\times3.6\%\times\dfrac{1\text{ヵ月}}{12\text{ヵ月}}=102{,}227\text{円}$

*2）元本分 1,000,000円－102,227円＝897,773円
月末元本 34,075,755円－897,773円＝33,177,982円

③ X1年6月30日（第3回支払日）

(借) リース債務	* 903,167	(貸) 現金預金	1,000,000
支払利息	* 96,833		

*リース債務の元本返済額及び支払利息は，［表1］より。

④ X2年3月31日（第12回支払日・決算日）

(借) リース債務	*1 927,848	(貸) 現金預金	1,000,000
支払利息	*1 72,152		
減価償却費	*2 11,358,585	減価償却累計額	11,358,585

*1）リース債務の元本返済額及び支払利息は，［表1］より。

*2）減価償却費は，リース期間を耐用年数とし，残存価額をゼロとして計算する。

$\dfrac{34{,}075{,}755\text{円}\times1\text{年}}{3\text{年}}=11{,}358{,}585\text{円}$

（以下，中略）

⑤ X4年3月31日（第36回支払日・決算日）

(借) リース債務	*1 997,009	(貸) 現金預金	1,000,000
支払利息	*1 2,991		
減価償却費	*2 11,358,585	減価償却累計額	11,358,585

*1）リース債務の元本返済額及び支払利息は，［表1］より。

*2）減価償却費は，リース期間を耐用年数とし，残存価額をゼロとして計算する。

$\dfrac{34{,}075{,}755\text{円}\times1\text{年}}{3\text{年}}=11{,}358{,}585\text{円}$

［表 1］

回数	支払日	元本残高	元利支払額	利息相当額	元本相当額
1	X1. 4. 30	34,075,755	1,000,000	102,227	897,773
2	X1. 5. 31	33,177,982	1,000,000	99,534	900,466
3	X1. 6. 30	32,277,516	1,000,000	96,833	903,167
4	X1. 7. 31	31,374,349	1,000,000	94,123	905,877
5	X1. 8. 31	30,468,472	1,000,000	91,405	908,595
6	X1. 9. 30	29,559,877	1,000,000	88,680	911,320
7	X1. 10. 31	28,648,557	1,000,000	85,946	914,054
8	X1. 11. 30	27,734,503	1,000,000	83,204	916,796
9	X1. 12. 31	26,817,707	1,000,000	80,453	919,547
10	X2. 1. 31	25,898,160	1,000,000	77,695	922,305
11	X2. 2. 28	24,975,855	1,000,000	74,928	925,072
12	X2. 3. 31	24,050,783	1,000,000	72,152	927,848
13	X2. 4. 30	23,122,935	1,000,000	69,369	930,631
14	X2. 5. 31	22,192,304	1,000,000	66,577	933,423
15	X2. 6. 30	21,258,881	1,000,000	63,777	936,223
16	X2. 7. 31	20,322,658	1,000,000	60,968	939,032
17	X2. 8. 31	19,383,626	1,000,000	58,151	941,849
18	X2. 9. 30	18,441,777	1,000,000	55,325	944,675
19	X2. 10. 31	17,497,102	1,000,000	52,491	947,509
20	X2. 11. 30	16,549,593	1,000,000	49,649	950,351
21	X2. 12. 31	15,599,242	1,000,000	46,798	953,202
22	X3. 1. 31	14,646,040	1,000,000	43,938	956,062
23	X3. 2. 28	13,689,978	1,000,000	41,070	958,930
24	X3. 3. 31	12,731,048	1,000,000	38,193	961,807
25	X3. 4. 30	11,769,241	1,000,000	35,308	964,692
26	X3. 5. 31	10,804,549	1,000,000	32,414	967,586
27	X3. 6. 30	9,836,963	1,000,000	29,511	970,489
28	X3. 7. 31	8,866,474	1,000,000	26,599	973,401
29	X3. 8. 31	7,893,073	1,000,000	23,679	976,321
30	X3. 9. 30	6,916,752	1,000,000	20,750	979,250
31	X3. 10. 31	5,937,502	1,000,000	17,812	982,188
32	X3. 11. 30	4,955,314	1,000,000	14,866	985,134
33	X3. 12. 31	3,970,180	1,000,000	11,910	988,090

34	X4. 1. 31	2,982,090	1,000,000	8,946	991,054
35	X4. 2. 28	1,991,036	1,000,000	5,973	994,027
36	X4. 3. 31	997,009	1,000,000	2,991	997,009
		合計	36,000,000	1,924,245	34,075,755

事例 4-2

▶前提条件は，全て **事例 4-1** と同一とする。

▶リース料の全てを運営費交付金財源で支出したものとする。

▶独法 Q&A Q81-11 に基づき，運営費交付金債務の収益化額はリース料支払額とする。

＜上記におけるリース物件の借り手の会計処理＞

1)　X1年4月1日（リース取引開始日）における会計処理

㈹ リース資産 34,075,755　　㈾ リース債務 34,075,755

2)　X1年4月30日（第1回支払日）

㈹ リース債務 897,773 ＊2　　㈾ 現金預金 1,000,000

支払利息 102,227 ＊1

X1年4月30日返済合計の内訳と月末元本の計算は次の通りである。

＊1)　利息分 34,075,755円×3.6%×$\frac{1ヵ月}{12ヵ月}$＝102,227円

＊2)　元本分 1,000,000円－102,227円＝897,773円
　月末元本 34,075,755円－897,773円＝33,177,982円

㈹ 運営費交付金債務 1,000,000 ＊　　㈾ 運営費交付金収益 1,000,000

＊運営費交付金債務はリース料支払額と同額を収益化することになるため，1,000,000円が収益化対象となる（独法Q & AQ81-11参照）。

3)　X1年6月30日（第3回支払日）

㈹ リース債務 903,167 ＊　　㈾ 現金預金 1,000,000

支払利息 96,833 ＊

＊リース債務の元本返済額及び支払利息は，［表1］より。

㈹ 運営費交付金債務 1,000,000 ＊　　㈾ 運営費交付金収益 1,000,000

＊運営費交付金債務はリース料支払額と同額を収益化することになるため，1,000,000円が収益化対象となる（独法Q&A Q81-11参照）。

4)　X2年3月31日（第12回支払日・決算日）

㈹ リース債務 927,848 ＊1　　㈾ 現金預金 1,000,000

支払利息 72,152 ＊1

減価償却費 11,358,585 ＊2　　減価償却累計額 11,358,585

＊1） リース債務の元本返済額及び支払利息は，［表1］より。
＊2） 減価償却費は，リース期間を耐用年数とし，残存価額をゼロとして計算する。

$$34{,}075{,}755\text{円} \times \frac{1\text{年}}{3\text{年}} = 11{,}358{,}585\text{円}$$

㈶ 運営費交付金債務 1,000,000 ㈹ 運営費交付金収益 1,000,000

X2年3月期における上記リース物件にかかる費用計上額と運営費交付金債務収益化額との関係

回数	支払日	利息相当額	減価償却費	費用合計	交付金債務収益化額	損益に与える影響額
1	X1. 4. 30	102,227	946,549	1,048,776	1,000,000	－48,776
2	X1. 5. 31	99,534	946,549	1,046,083	1,000,000	－46,083
3	X1. 6. 30	96,833	946,549	1,043,382	1,000,000	－43,382
4	X1. 7. 31	94,123	946,549	1,040,672	1,000,000	－40,672
5	X1. 8. 31	91,405	946,549	1,037,954	1,000,000	－37,954
6	X1. 9. 30	88,680	946,549	1,035,229	1,000,000	－35,229
7	X1. 10. 31	85,946	946,549	1,032,495	1,000,000	－32,495
8	X1. 11. 30	83,204	946,549	1,029,753	1,000,000	－29,753
9	X1. 12. 31	80,453	946,549	1,027,002	1,000,000	－27,002
10	X2. 1. 31	77,695	946,549	1,024,244	1,000,000	－24,244
11	X2. 2. 28	74,928	946,549	1,021,477	1,000,000	－21,477
12	X2. 3. 31	72,152	946,546	1,018,698	1,000,000	－18,698
	合計	1,047,180	11,358,585	12,405,765	12,000,000	－405,765

基準第33において，ファイナンス・リース取引が損益に与える影響額等を財務諸表に注記することとされているため，上記のファイナンス・リース取引が損益に与える影響額を財務諸表に注記する。利息相当額が複利で計算されるため，リース契約期間の初期においては費用合計額が運営費交付金債務収益化額を上回る形となる。

X2年3月期におけるファイナンス・リース取引が損益に与える影響額は，収益化合計額12,000,000円－費用合計額12,405,765円＝△405,765円となる。

＜X2年3月期の財務諸表における注記＞

ファイナンス・リース取引が損益に与える影響額は，△405,765円であり，当該影響額を除いた当期総利益は○○円であります。

（以下，中略）

5） X4年3月31日（第36回支払日・決算日）

(借)	リース債務	997,009 *1	(貸) 現金預金	1,000,000
	支払利息	2,991 *1		
	減価償却費	11,358,585 *2	減価償却累計額	11,358,585

＊1）　リース債務の元本返済額及び支払利息は，［表1］より。

＊2）　減価償却費は，リース期間を耐用年数とし，残存価額をゼロとして計算する。

$$34{,}075{,}755\text{円} \times \frac{1\text{年}}{3\text{年}} = 11{,}358{,}585\text{円}$$

(借)	運営費交付金債務	1,000,000	(貸) 運営費交付金収益	1,000,000

X4年3月期における上記リース物件にかかる費用計上額と運営費交付金債務収益化額との関係

回数	支払日	利息相当額	減価償却費	費用合計	交付金債務収益化額	損益に与える影響額
25	X3. 4. 30	35,308	946,549	981,857	1,000,000	18,143
26	X3. 5. 31	32,414	946,549	978,963	1,000,000	21,037
27	X3. 6. 30	29,511	946,549	976,060	1,000,000	23,940
28	X3. 7. 31	26,599	946,549	973,148	1,000,000	26,852
29	X3. 8. 31	23,679	946,549	970,228	1,000,000	29,772
30	X3. 9. 30	20,750	946,549	967,299	1,000,000	32,701
31	X3. 10. 31	17,812	946,549	964,361	1,000,000	35,639
32	X3. 11. 30	14,866	946,549	961,415	1,000,000	38,585
33	X3. 12. 31	11,910	946,549	958,459	1,000,000	41,541
34	X4. 1. 31	8,946	946,549	955,495	1,000,000	44,505
35	X4. 2. 28	5,973	946,549	952,522	1,000,000	47,478
36	X4. 3. 31	2,991	946,546	949,537	1,000,000	50,463
	合計	230,759	11,358,585	11,589,344	12,000,000	410,656

利息相当額が複利で計算されるため，リース契約期間の終期においては費用合計額が運営費交付金債務収益化額を下回る形となる。

X6年3月期におけるファイナンス・リース取引が損益に与える影響額は，収益化合計額12,000,000円－費用合計額11,589,344円＝410,656円となる。

＜X6年3月期の財務諸表における注記＞

ファイナンス・リース取引が損益に与える影響額は，410,656円であり，当該影響額を除いた当期総利益は○○円であります。

なお，当然のことながら，複利計算によって利息相当額をリース契約期間にわたって配分計算しているだけであるため，リース契約期間の全期間を通算すれば，「利息相当額の累計合計額＋元本相当額に係る減価償却費の累計合計額＝リース料総額」となるため，リース契約期間の全期間を通算した場合ではファイナンス・リース取引が損益に与える影響額はゼロとなります（次ページの表参照）。

リース会計基準等に定めのあるその他留意事項のうち，主なものをまとめると次の通りになります。

①　リース料総額に含まれる維持管理費用相当額・通常の保守等の役務提供相当額の取扱い（リース適用指針第14，25，26） リース料総額の中に含まれる通常の維持管理費用（固定資産税・保険料等の諸費用）については，当該リース契約がファイナンス・リース取引に該当するか否かの判定を行う際のリース料総額から維持管理費用相当額を控除して判定する。ただし，取得価額相当額に比して維持管理費用相当額の重要性が乏しい場合には控除しないことができる。 通常の保守等の役務提供相当額がリース料総額に含まれている場合の取扱いも同様となる。
②　利子込み法（リース適用指針第31～32） リース資産総額に重要性が乏しいと認められる場合は，リース料総額から利息相当額の合理的見積額を控除せずにリース資産・リース債務を利子込みで計上できる。リース資産総額に重要性が乏しいと認められる場合とは，未経過リース料の期末残高が当該期末残高及び有形固定資産及び無形固定資産の期末残高の合計額に占める割合が10％未満である場合となる。
③　少額リース資産にかかる取扱い（リース適用指針第34～35） 1）ファイナンス・リース資産の価額が，固定資産の計上基準額を下回る場合，2）リース期間が1年以内のリース取引，3）リース契約1契約当たりのリース料総額（維持管理費用相当額・通常の保守等の役務提供相当額がリース料総額に占める割合が重要な場合はその合理的見積額を控除できる）が300万円以下のリース取引については，個々のリース資産の重要性が乏しいものとして，通常の賃貸借取引に係る方法に準じた会計処理を行うことができる（独法Q&A Q33-4参照）。

回数	支払日	利息相当額	減価償却費	費用合計	交付金債務収益化額	損益に与える影響額
1	X1. 4. 30	102,227	946,549	1,048,776	1,000,000	－48,776
2	X1. 5. 31	99,534	946,549	1,046,083	1,000,000	－46,083
3	X1. 6. 30	96,833	946,549	1,043,382	1,000,000	－43,382
4	X1. 7. 31	94,123	946,549	1,040,672	1,000,000	－40,672
5	X1. 8. 31	91,405	946,549	1,037,954	1,000,000	－37,954
6	X1. 9. 30	88,680	946,549	1,035,229	1,000,000	－35,229
7	X1. 10. 31	85,946	946,549	1,032,495	1,000,000	－32,495
8	X1. 11. 30	83,204	946,549	1,029,753	1,000,000	－29,753
9	X1. 12. 31	80,453	946,549	1,027,002	1,000,000	－27,002
10	X2. 1. 31	77,695	946,549	1,024,243	1,000,000	－24,243
11	X2. 2. 28	74,928	946,549	1,021,477	1,000,000	－21,477
12	X2. 3. 31	72,152	946,546	1,018,698	1,000,000	－18,698
13	X2. 4. 30	69,369	946,549	1,015,918	1,000,000	－15,918
14	X2. 5. 31	66,577	946,549	1,013,126	1,000,000	－13,126
15	X2. 6. 30	63,777	946,549	1,010,326	1,000,000	－10,326
16	X2. 7. 31	60,968	946,549	1,007,517	1,000,000	－7,517
17	X2. 8. 31	58,151	946,549	1,004,700	1,000,000	－4,700
18	X2. 9. 30	55,325	946,549	1,001,874	1,000,000	－1,874
19	X2. 10. 31	52,491	946,549	999,040	1,000,000	960
20	X2. 11. 30	49,649	946,549	996,198	1,000,000	3,802
21	X2. 12. 31	46,798	946,549	993,347	1,000,000	6,653
22	X3. 1. 31	43,938	946,549	990,487	1,000,000	9,513
23	X3. 2. 28	41,070	946,549	987,619	1,000,000	12,381
24	X3. 3. 31	38,193	946,546	984,739	1,000,000	15,261
25	X3. 4. 30	35,308	946,549	981,857	1,000,000	18,143
26	X3. 5. 31	32,414	946,549	978,963	1,000,000	21,037
27	X3. 6. 30	29,511	946,549	976,060	1,000,000	23,940
28	X3. 7. 31	26,599	946,549	973,148	1,000,000	26,852
29	X3. 8. 31	23,679	946,549	970,228	1,000,000	29,772
30	X3. 9. 30	20,750	946,549	967,299	1,000,000	32,701
31	X3. 10. 31	17,812	946,549	964,362	1,000,000	35,638
32	X3. 11. 30	14,866	946,549	961,415	1,000,000	38,585
33	X3. 12. 31	11,910	946,549	958,460	1,000,000	41,540
34	X4. 1. 31	8,946	946,549	955,495	1,000,000	44,505
35	X4. 2. 28	5,973	946,549	952,522	1,000,000	47,478
36	X4. 3. 31	2,991	946,546	949,537	1,000,000	50,463
		1,924,245	34,075,755	36,000,000	36,000,000	0

第5章 外貨換算会計

第1節 外貨建取引等の換算にかかる会計処理

外貨での取引等にかかる会計処理については，基準第34において，以下の通りに規定されています。

基準第34 外貨建取引の会計処理

1 外貨建取引は，原則として，当該取引発生時の為替相場による円換算額をもって記録する。（注26）（注27）
2 （略）（第2節にて記載，解説します）
3 外国通貨，外貨建金銭債権債務及び外貨建有価証券については，決算時において，次の区分ごとの換算額をもって貸借対照表価額とする。
(1) 外国通貨については，決算時の為替相場による円換算額
(2) 外貨建金銭債権債務については，決算時の為替相場による円換算額
(3) 外貨建有価証券の換算額については，保有目的による区分に応じ，次により換算した額
ア 満期保有目的の外貨建債券については，決算時の為替相場による円換算額
イ 売買目的有価証券及びその他有価証券については，外国通貨による時価を決算時の為替相場により円換算した額
ウ 関係会社株式については，出資先持分額を決算時の為替相場により円換算した額
4 外貨建有価証券について時価の著しい下落または実質価額の著しい低下により評価額の引下げが求められる場合には，当該有価証券の時価または実質価額

は，外国通貨による時価または実質価額を決算時の為替相場により円換算した額とする。

5　決算時における換算によって生じた換算差額は，当期の為替差損益として処理する。

ただし，外貨建有価証券換算差額については，時価の著しい下落または実質価額の著しい低下により，決算時の為替相場による換算を行ったことによって生じた換算差額は，当期の有価証券の評価損として処理するほか，次に定めるところにより処理するものとする。

(1)　満期保有目的の外貨建債券について決算時の為替相場による換算を行うことによって生じた換算差額は，当期の為替差損益として処理する。

(2)　売買目的の外貨建債券について決算時の為替相場による換算を行うことによって生じた換算差額は，当期の有価証券評価損益として処理する。

(3)　外貨建の関係会社株式について決算時の為替相場による換算を行うことによって生じた換算差額は，出資先持分額を決算時の為替相場により円換算した額が，取得原価を下回る場合は当期の関係会社株式評価損として，取得原価を上回る場合は純資産の部に関係会社株式評価差額金として計上し，翌期首に取得原価に洗い替える。

(4)　外貨建のその他有価証券について決算時の為替相場による換算を行うことによって生じた換算差額は，純資産の部に計上し，翌期首に取得原価に洗い替える。

＜注 26＞取引発生時の為替相場について

取引発生時の為替相場とは，取引が発生した日における直物為替相場または合理的な基準に基づいて算定された平均相場，例えば取引の行われた月または週の前月または前週の直物為替相場を平均したもの等，直近の一定期間の直物相場に基づいて算出されたものとする。ただし，取引が発生した日の直近の一定の日における直物為替相場，例えば取引の行われた月若しくは週の前月若しくは前週の末日または当月若しくは当週の初日の直物為替相場によることも認められる。

＜注 27＞外国通貨による記録について

外貨建債権債務及び外国通貨の保有状況並びに決済方法等から，外貨建取引について当該取引発生時の外国通貨により記録することが合理的であると認められる場合には，取引発生時の外国通貨の額をもって記録する方法を採用することができる。この場合には，外国通貨の額をもって記録された外貨

> 建取引は，各月末等一定の時点において，当該時点の直物為替相場または合理的な基礎に基づいて算定された一定期間の平均相場による円換算額を付するものとする。

なお，独立行政法人会計基準において特段の定めのない事項については，企業会計の基準に従うこととなります。外貨建て取引等に関する企業会計の基準として，「外貨建取引等会計処理基準」（平成11年10月22日　企業会計審議会）が公表されているため，独立行政法人においても別段の定めがない事項については同会計基準に従うことになります。

外貨建取引が発生した場合には，取引発生時，決算日，決済時の各時点において，会計処理が求められます。基準第2において，正規の簿記の原則が採用されており，企業会計と同様に発生主義による取引の認識，複式簿記による継続受払帳簿による記録が求められるためであり，官庁会計のように支出時まで取引を認識しないという処理は採用されません。

以上をまとめると次の通りになります。

①　取引の発生時（債権・債務の発生時）

取引の発生時の為替相場にて取引を記録する(注)。

（注）　注解26，27に規定の通り，実務上の便宜から取引発生時の為替相場による記録は，取引発生日だけでなく，取引発生日を含む1週間の平均相場や当該月の月平均相場あるいは前週または前月の平均相場など一定の平均相場による換算も容認されています。これはある程度反復継続する取引がある場合に全ての取引を発生日の為替相場で換算することを要求することまでは実務における事務負担を考慮して要求せず，週平均や月平均相場にて月の取引総額や週の取引総額をまとめて換算することも容認されるとの考え（費用対効果の配慮）によるものと考えられます。

②　決算日

外貨建取引による外貨建金銭債権・債務や外国通貨などを決算日現在で保有している場合には，当初取引発生時の為替相場による円貨換算額を記録したままとすると，決算日現在に仮に決済したならば生じるであろう為替換算差額が貸借対照表に反映されないこととなるため，為替相場の変動による影響を財政状態に反映するため，決算日の為替相場にて換算替えを行います。

③　決済時

当初の取引発生時の為替相場と代金決済時点の為替相場とは為替変動により

一致しない場合がむしろ一般的といえます。外貨を決済した際の当初の取引発生時の為替相場による円貨額と決済時に要した円貨額との差額を決済損益として認識します。

事例 5-1

▶外国製の特殊機材が業務に必要となり，当該機材の輸入を行った。
▶機材の対価は，30,000US ドルであった。
▶代金支払条件は機材納入・検査後 30 日以内の支払いとなっていた。
▶簡便化のため，購入に付随する費用（通関費用・税金など）の発生はないものとする。

（　）内は各取引時点における為替相場である。
機材の納入・検査完了日：X2 年 3 月 15 日（1US ドル＝78 円）
決算日：X2 年 3 月 31 日（1US ドル＝77 円）
決済日：X2 年 4 月 14 日（1US ドル＝79 円）

＜上記事例における会計処理＞

1）X2 年 3 月 15 日（取引日）における会計処理

㈰ 機械装置	2,340,000*	㈮ 未払金	2,340,000

＊ 30,000US ドル×78 円/US ドル＝2,340,000 円

機材の納入・検査日現在において，物品の受領・検収を完了していることから反対給付となる機材の購入対価の支払義務が発生しているため，納入・検査日において未払金を認識・計上する必要がある。これは物品売買契約という双務契約（契約当事者の一方は物品を納入する義務を負い，他方は当該物品の受領に対して対価の支払い義務を負うという契約）の性質に鑑み，物品の受入れ・検収を行った時点で義務が確定するためと言える。

この場合，未払金を取引発生日における為替相場にて円貨に換算して記録を行う（為替予約が行われている場合などの例外を除けば，他に円貨で記録する方法がないことからそうせざるを得ないこととなる）。

2）X2 年 3 月 31 日（決算日）における会計処理

㈰ 未払金	30,000*	㈮ 為替差益	30,000

＊ 30,000US ドル×（78 円/US ドル－77 円/US ドル）＝30,000 円

X2 年 3 月 31 日における上記機材の購入にかかる未払金は，30,000US ドルを将来の確定日である X2 年 4 月 14 日に支払うという外貨建ての債務であり，将

来のX2年4月14日時点における為替相場はX2年3月31日時点では確定していないことから，債務の発生時点である機材の納入・検査日時点で，一旦未払金計上したものの，当該未払金の円貨の支払額は未だ確定していない。このため，貸借対照表日（決算日）における未払金の計上額を決算日現在の時価で表示するよう，決算日の為替相場にて円貨に評価替えを行い，未払金の円貨額を決算日における評価額に修正する（これを換算換えといいい，決算日における換算換えによる評価差額を「換算損益」という）。

ただし，決算日現在の換算換えを行ったとしても当該換算換えした額で支払額が確定したわけではないため，あくまで暫定的な評価替えであることには変わりはない。暫定的な評価に過ぎないのであれば，取引発生時の為替相場のまま記録しておけば良いのではないかとの考えもあるが，企業会計の基準（外貨建取引等会計処理基準）においては財務諸表の利用者に決算日現在の財政状態をより正しく開示するという有用性に重きを置いているため，暫定的な評価ではあるものの，換算換えを行うことを要求しているわけである。

3)　X2年4月14日（決済日）における会計処理

(借)	未　払　金	2,310,000 *1	(貸) 現　金　預　金	2,370,000 *2
	為　替　差　損	60,000 *3		

＊1)　30,000USドル×77円/USドル＝2,310,000円
＊2)　30,000USドル×79円/USドル＝2,370,000円
＊3)　30,000USドル×（79円/USドル－77円/USドル）＝60,000円

X2年4月14日現在の為替相場が79円/USドルとなったため，X2年4月14日に30,000USドルを送金するために必要な円貨額は，30,000USドル×79円/ドル＝2,370,000円となった。

上記の為替差損60,000円は，決算日における換算換えとは異なり，実際に送金に必要となった円貨額と未払金の当初認識時点における円貨額との差額であり，確定額であることから，「為替決済損益」といい，換算損益とは区別されるものである。

ところで，仮に，X2年4月14日に実際に支払った額で機械装置の計上額を修正すれば，「為替差損」は発生しないこととなります（以下の参考仕訳参照）が，企業会計の枠組みでは減価償却資産は当初取得日の価額（取得原価）で記録し，以後評価替えは行わないという考え（取得原価主義）を採用しているため，以下の参考仕訳のような処理は行いません。

（参考仕訳：仮に決済日に機械装置の計上額を補正した場合）

㈱ 未　払　金	2,310,000	㈹ 現　金　預　金*	2,370,000
機　械　装　置	60,000		

＊　30,000USドル×79円/USドル＝2,370,000円

なお，為替差損は債権債務の認識時点と決済時点でのレート差により生じる「決済差損」と期末における外貨建債権債務の換算に係る「換算差損」に分かれますが，改訂前の独法会計基準では，為替管理も含めた運営上の管理責任を独立行政法人が負っていることから，決済差損及び換算差損ともに運営費交付金の収益化は行ってはならないとされていました。

平成27年1月に改訂された独法会計基準において，運営費交付金の収益化基準については業務達成基準が原則とされました。業務達成基準は，収益化単位の業務ごとに運営費交付金予算を配分し，業務の全部が完了した場合に予算配分額を収益化する会計処理が求められることとなります。このような処理を前提とした場合，実績として要した業務費の中に為替差損が含まれることも生じうるといえます。よって，収益化単位の業務に配分した予算額と実績額との差額として業務達成基準による損益が認識されることとなりますが，当該差額の損益の中に為替損益が結果として含まれる場合がある点で変更が生じるものとなります。

また，運営費交付金以外の財源（補助金・寄付金など）で外貨建取引を行った場合の為替差損についても交付される財源の性質から為替差損益が当該財源で負担できる費用に含まれるか否かを検討したうえで個別に会計処理を検討することが求められるものと考えられます。

事例5-2　専門書籍の購入を運営費交付金財源で行った場合の会計処理

▶収益化単位の業務Aに配分された運営費交付金予算配分額は1,000,000円であった。

▶収益化単位の業務Aにかかわる業務費用として外国製の専門書籍1,000 USドルの購入を行った。

▶収益化単位の業務Aは年度末時点で業務の全部を完了したため，業務達成基準により運営費交付金配分額の全額を収益化した。

▶代金支払条件は書籍納入後7日以内の支払いとなっていた。

▶簡便化のため，購入に付随する費用（通関費用・税金など）の発生はないものとする。

（　）内は各取引時点における為替相場である。

書籍の納入日：X2年3月15日（1 USドル＝120円）

決済日：X2年3月22日（1 USドル＝123円）

<上記事例における会計処理>

1）X2年3月15日（取引日）における会計処理

㈱	図書費	120,000*	㈹ 未払金	120,000

＊1,000 USドル×120円／USドル＝120,000円

2）X2年3月22日（決済日）における会計処理

㈱	未払金	120,000*	㈹ 現金預金	123,000**
	為替差損	3,000***		
	運営費交付金債務	1,000,000	運営費交付金収益	1,000,000

＊1,000 USドル×120円／USドル＝120,000円
＊＊1,000 USドル×123円／USドル＝123,000円
＊＊＊1,000 USドル×（123円／USドル－120円／USドル）＝3,000円

したがって，上記 **事例5-2** では専門書籍の購入に円貨123,000円を要し，為替相場の変動による損失（為替差損）3,000円（＝為替決済損3,000円）については，収益化単位の業務Aの業務全部が完了した時点で収益化単位の業務Aに配分された運営費交付金配分額を収益化することを通じて，結果として運営費交付金財源で負担されることとなります。

第2節　在外事務所等にかかる外貨換算の会計処理

独立行政法人によっては，国外に支所・在外事務所等を有している場合があります。

在外事務所における外貨建取引の換算方法については，独立行政法人会計基

準で以下の通りに規定されています。

> 基準第34　外貨建取引の会計処理
>
> 2　在外事務所における外貨建取引については，原則として，主たる事務所と同様に処理する。ただし，外国通貨で表示されている在外事務所の財務諸表に基づき独立行政法人の財務諸表を作成する場合には，在外事務所の財務諸表の費用及び収益（費用性資産の費用化額及び収益性負債の収益化額を除く。）の換算については，期中平均相場によることができる。

在外事務所の場合，現地通貨（外国通貨）で財務諸表を作成している場合には，在外事務所における取引の都度，当該取引額を円貨にて換算を行うことに実務的な煩雑性を伴い，外貨での帳簿記録と円貨での帳簿記録という双方の帳簿記録義務を課すこととなり，事務負担が増加することから，在外事務所における外貨建ての財務諸表項目をまとめて決算時に換算換えすることにより円貨に換算することが容認されています。

この場合の在外支店における期中の取引額については，1年間の期中平均相場によって費用及び収益を換算替えすることが容認されています。

第6章　独立行政法人固有の会計処理

第1節　運営費交付金の会計処理

運営費交付金とは，独立行政法人の業務の運営上必要な支出を賄うために国から交付される財源をいう。

運営費交付金には以下の特徴点が挙げられます。

① 独立行政法人の業務活動に費消するために支給される資金であること。

② 柔軟で弾力的な使用ができるよう制度設計されていること。

運営費交付金の会計処理については，基準第81及び注解60において以下の通り規定されています。

基準第81　運営費交付金の会計処理

1　独立行政法人が運営費交付金を受領したときは，相当額を運営費交付金債務として整理するものとする。運営費交付金債務は，流動負債に属するものとする。

2　運営費交付金債務は中期目標等の期間中は，運営費交付金を業務の進行に応じて収益化を行う方法（以下「業務達成基準」という。）によって収益化を行うことを原則とする。

「収益化基準の単位としての業務」（以下「収益化単位の業務」という。）とは，法人の事務・事業など継続的に実施される活動を示し，運営費交付金予算が配分され，投入費用の管理が行われている業務とする。

なお，法人の総務部門や経理部門等の管理部門の活動は，収益化単位の業務には含めない。

3　独立行政法人は，収益化単位の業務及び管理部門の活動と運営費交付金の対応関係を明確にする必要がある。（注 60）

4　運営費交付金債務は，次の中期目標及び中長期目標の期間に繰り越すことはできず，中期目標及び中長期目標の期間の最後の事業年度の期末処理において，これを全額収益に振り替えなければならない。

なお，行政執行法人は，毎事業年度の期末処理において，これを全額収益に振り替えることとする。

5　中期目標及び中長期目標の期間の最後の事業年度（行政執行法人は毎事業年度）の期末処理において精算のために収益に振り替えられた金額については，臨時利益として計上する。

6　独立行政法人が固定資産等を取得した際，その取得額のうち運営費交付金に対応する額については，次のように処理するものとする。

⑴　取得固定資産等が運営費交付金により支出されたと合理的に特定できる場合においては，

ア　当該資産が非償却資産であって，その取得が中期計画の想定の範囲内であるときに限り，その金額を運営費交付金債務から資本剰余金に振り替える。

イ　当該資産が非償却資産であって上記アに該当しないときまたは当該資産が償却資産若しくは重要性が認められる棚卸資産（通常の業務活動の過程において販売するために保有するものを除く。以下，この項において同じ。）であるときは，その金額を運営費交付金債務から別の負債項目である資産見返運営費交付金に振り替える。資産見返運営費交付金は，償却資産の場合は毎事業年度，減価償却相当額を，棚卸資産の場合は消費した際に，当該消費した相当額を，それぞれ取り崩して，資産見返運営費交付金戻入として収益に振り替える。

⑵　取得固定資産等が運営費交付金により支出されたと合理的に特定できない場合においては，相当とする金額を運営費交付金債務から収益に振り替える。（注 61）

7　独立行政法人が，「第 17　引当金」2 に基づく引当金見返を計上した場合には，引当金の取崩し時に当該引当金見返とそれに見合う運営費交付金債務とを相殺するものとする。

運営費交付金は，独立行政法人が国から交付を受ける業務の運営に必要となる財源であり，独立行政法人の業務運営の範囲内で使用される限り，予め使途の特定を受けず柔軟な執行が認められている点に特徴があります。

以下の注解61において，業務達成基準を適用する場合のより詳細な規定等が置かれています。

注解61　運営費交付金の会計処理について

1　運営費交付金は独立行政法人に対して国から負託された業務の財源であり，運営費交付金の交付をもって直ちに収益と認識することは適当ではない。したがって，交付された運営費交付金は相当額を運営費交付金債務として負債に計上し，業務達成基準により収益化を行うことを原則とする。

2　業務達成基準による収益化は，具体的には以下により行うものとする。

(1)　収益化単位の業務ごとに，年度末時点の業務の進行状況を測定し，目的が達成された（完了した）収益化単位の業務については運営費交付金配分額を収益化する。

(2)　年度末時点において未了の収益化単位の業務については，運営費交付金配分額を収益化単位の業務の進行状況に応じて収益化させる。

(3)　独立行政法人は，収益化単位の業務の進行状況を客観的に測定するため，客観的，定量的な指標を設定する必要がある。

3　管理部門の活動は運営費交付金財源と期間的に対応していると考えられる。そのため，管理部門の活動に限り，一定の期間の経過を業務の進行とみなし，運営費交付金債務を収益化することを認める。

4　例えば，期中に震災対応のための突発的な業務が複数発生したが，当面各業務の予算，期間等を見積もることができないなど，業務と運営費交付金との対応関係が示されない場合に限り，運営費交付金債務は，支出額を限度として収益化することを認める。

別途使途が特定されない運営費交付金に基づく収益以外の収益がある場合には，運営費交付金債務残高と当該収益とで財源を按分して支出されたものとみなす等の適切な処理を行い，運営費交付金の収益化を行うものとする。

なお，当該収益化の考え方を採用した理由を，＜注56＞「重要な会計方針等の開示について」第2項(1)「運営費交付金収益の計上基準」に注記しなければならない。

5　運営費交付金が既に実施された業務の財源を補塡するために交付されたことが明らかといえる場合においては，交付時において収益計上するものとする。

6　中期目標等の期間の終了時点においては，期間中に交付された運営費交付金を精算するものとする。このため，中期目標等の期間の最後の事業年度においては，当該事業年度の業務の進行に応じて運営費交付金を収益化し，なお，運営費交付金債務が残る場合には，当該残額は，別途，精算のための収益化を行うものとする。

7　運営費交付金の収益化に関する会計方針については，適切な開示を行わなければならない。

8　長期の契約により固定資産を取得する場合であって，当該契約に基づき前払金又は部分払金を支払うときは，当該支出額が運営費交付金により支出されたと合理的に特定できる場合には，その金額を運営費交付金債務から建設仮勘定見返運営費交付金に振り替え，現実に引渡しを受けたときに建設仮勘定見返運営費交付金を本来の科目（資本剰余金または資産見返運営費交付金）に振り替えるものとする。

9　資産見返運営費交付金を計上している固定資産を売却，交換又は除却した場合には，これを全額収益に振り替えるものとする。

収益化単位の業務とは，PDCAサイクル等の内部管理が機能するよう，原則として，運営費交付金予算が配分され，投入費用の管理が行われる最小の単位の業務とすることが求められます。ただし，法人の長の運営上の判断により，複数の業務を一体として収益化単位の業務とすることも認められるものと定められています（独法Q&A Q81-3）。ただし，複数の業務を一体として収益化単位の業務とする場合には当該複数の業務を一体として設定することの合理性が求められます（独法Q&A Q81-3）。他方，管理部門の活動については，業務との直接的な関係が認められない場合が多く，収益化単位の業務に配分することは求められず，例えば部門別などの細かい単位に細分化したうえで管理することを求めています（独法Q&A Q81-3）。

これら「収益化単位の業務と運営費交付金との対応関係を明確にする」とは，具体的には法人の長が事業年度開始時点において収益化単位の業務及び管理部門の活動に対応する運営費交付金の配分額を示すことをいい（注解60），運営費交付金配分決定の内規等に従い，法人内において理事会等，一定の承認を得た年度予算の算定資料において両者の対応関係を示すことが例示されています（独法Q&A Q81-12）。

なお，法人の長が収益化単位の業務に対応する運営費交付金の配分額を示すに当たっては，業務費のうち，収益化単位の業務に横断的，共通的に発生する費用（人件費や修繕費等）については，原則として一定の基準を用いて各収益化単位の業務に配分する必要があります（注解60)。ただし，法人の長の運営上の判断により，間接業務費については収益化単位の業務に配分せずに費目別又は部門別等の単位で予算執行管理を行い，当該費目別又は部門別等の単位で業務達成基準を適用することも認められています（独法 Q&A Q81-22)。

中期目標等における事業等のまとまりと収益化単位の業務との関係を示すと，**図表 6-1** の通りとなります。収益化単位の業務は，投入費用の管理が行われる最小の単位とすることが原則として求められ（独法 Q&A Q81-3，注解60)，複数の業務を一体として収益化単位の業務とする場合には，当該複数の業務を一体として設定することの合理性が求められます（独法 Q&A Q81-3)。なお，単一業務を行っている等の理由により，中期目標等における事業等のまとまり

図表 6-1　事業等のまとまりと収益化単位の業務との関係図

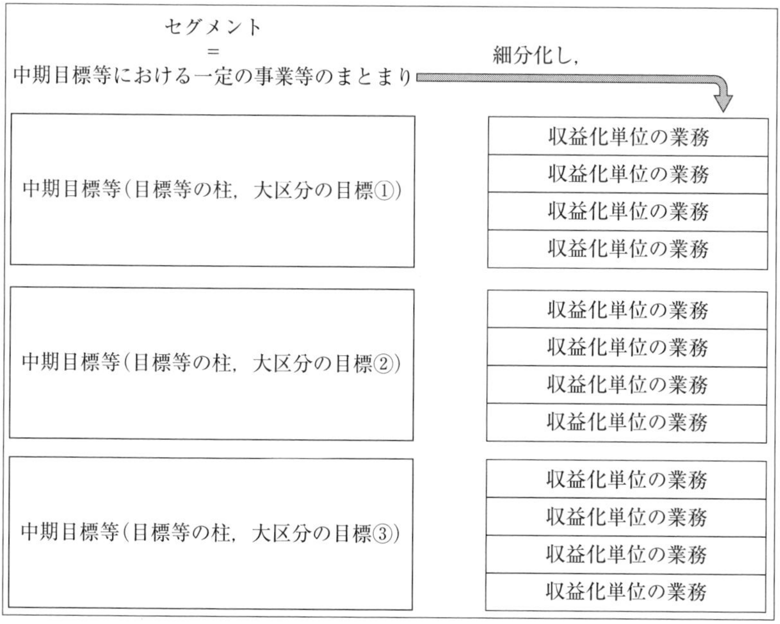

と収益化単位となる業務とがイコールの場合もありうるものとされています。

基準第81は，運営費交付金の会計処理について，大きく次の区分を設けて規定しています。

⑴　運営費交付金受領時の会計処理

受領しただけでは収益とならず，交付を受けた財源に見合う業務を執行することによってその責務を遂行するものであるため，受領時点では一旦，「運営費交付金債務」（負債）として計上する。

⑵　運営費交付金の収益化時の会計処理：費用の支払いに充てた時

運営費交付金の財源を実際に使用した際に，運営費交付金債務から収益に振り替える処理を行う。

運営費交付金債務の収益化の方法として次の３つを規定する。

①　業務達成基準（収益化単位の業務ごとに適用）

②　期間進行基準（管理部門の活動などに適用）

③　費用進行基準（突発的な業務対応などに適用）

⑶　運営費交付金使用時の会計処理：固定資産の取得に充てた時

①　償却資産の取得に充てた時

償却資産（固定資産）はその耐用年数期間にわたって減価償却費の計上を通じて費用化されるため，運営費交付金の財源を一時の収益計上とせず，購入時に「資産見返運営費交付金」に振り替え計上し，減価償却費の計上に合わせて戻入益を計上する。

②　非償却資産の取得に充てた時

非償却資産の購入が中期計画の想定の範囲内で行われる場合には，財産的基礎を形成するものとして，「資本剰余金」に振り替え計上し，そうではない場合には，「資産見返運営費交付金」に振り替え計上する。

③　その他の場合（建設仮勘定）

建設または製作途上の固定資産の前払金・部分払い金の支出に充てた場合には，「建設仮勘定見返運営費交付金」に振り替え計上する。

⑷　運営費交付金使用時の会計処理：棚卸資産の取得に充てた時

重要な棚卸資産（販売の目的で保有するものを除く）の取得に充てた場合には

固定資産の取得と同様に運営費交付金債務を「資産見返運営費交付金」に振り替えるものとされています。

⑸　中期計画等期間満了時の会計処理

独立行政法人は，中期計画等期間単位で主務大臣の指示を受けた中期目標の実現のために業務運営し，中期計画等期間の終了時点では廃止を含めてその在り方そのものについて見直しを行うものとされています（通則法第35条）。

このため，中期計画等期間終了時点において未執行の運営費交付金債務が残存している場合には残額の全額を臨時利益区分に「運営費交付金精算収益化額」の科目をもって収益化し，一旦，「積立金」として整理したうえで国庫納付の検討対象とし，次期中期計画等期間への繰越しが必要な額については個別法の定めに従って主務大臣の認可を取ることを求めています。

⑹　運営費交付金が既に実施された業務の財源を補塡するために交付されたことが明らかといえる場合

運営費交付金が既に実施された業務の財源を補塡するために交付されたことが明らかといえる場合には，運営費交付金の交付時において受領額全額を「運営費交付金収益」に計上します。

⑺　運営費交付金使用時の会計処理：「第17　引当金」2に基づく引当金見返を計上している引当金の支払いに充てた時

運営費交付金を「第17　引当金」2に基づく引当金見返を計上している引当金の支払いに充てた際には，引当金の取崩し時に当該引当金見返とそれに見合う運営費交付金債務とを相殺する。

以下では，それぞれの項目ごとに内容を解説していきます。

1．運営費交付金の受領時の会計処理

運営費交付金は，交付を受けた時点では，交付金を原資に行うことが期待されている業務活動が未だ行われておらず，独立行政法人が業務活動を実施する義務を有していることから，受領した交付金は受領した時点では収益性負債（前受収益）の性格を持つものと言えます。よって，受領時においては「運営

費交付金債務」として流動負債計上することとされています。

なお，運営費交付金は収益性負債（前受収益）の性質を有することから，受領時に負債計上することと整理されたものであり，受領していない運営費交付金を運営費交付金債務として計上することは想定されません。このため，運営費交付金の未収計上は認められないものとされています（独法 Q&A Q81-2）。

国から受け取っただけでは当該交付金に見合う業務の実施がなされていない段階では収益として計上することができないものとして前受収益（負債）として整理することとされた経緯から，受領していない運営費交付金を前受収益（負債）に計上することは想定されず，未収計上は認められないと規定されたものと言えます。

また，2. にて詳細は後述しますが，運営費交付金債務の収益化の基準として業務達成基準を採用している場合において，独立行政法人が予定した業務以上の業務量を実施した場合に業務達成率が 100% を超過することも想定されます。このような場合に，運営費交付金の未収計上を認めたならば，国から交付された運営費交付金の予算の範囲内で業務を行うべきところ，予定以上の業務を実施することにより費用が予算以上に発生した場合における運営費交付金の不足額を国に請求する形（未収計上できる根拠があるとすれば請求できる形）となってしまいます。独立行政法人は，予め定められた予算の範囲内において効率的・効果的に業務を実施することが求められるのであって，独立行政法人側における無制限な業務の拡大には一定の歯止めがかけられるべきであるとの観点から，運営費交付金の未収計上は認められないものとされています。

事例 6-1

独立行政法人 A は，中期計画及び年度計画に基づき，業務運営に必要となる運営費交付金を積算し資金計画を添付のうえ，X1 年 9 月 20 日に X1 年 10 月分の運営費交付金として 1,500 百万円を主務省に請求し，X1 年 10 月 3 日に運営費交付金 1,500 百万円の入金を受けた。

＜上記事例における会計処理＞

1) 運営費交付金の請求時（X1 年 9 月 20 日）の会計処理

会計処理なし*

＊運営費交付金を未収計上することは認められない（独法 Q&A Q81-2）とされており，請求した時点での未収計上は認められない。

独立行政法人会計基準における当該規定は，元々前受収益（負債）として計上することを想定したものであるため，入金を受けていないものを未収計上したうえで同額の運営費交付金債務を計上することは想定していない趣旨と思われ，また運営費交付金債務の収益化基準として業務達成基準を採用している場合に交付を受けていない運営費交付金の不足額を独立行政法人が100% 以上の業務達成をしたことを理由として追加請求できることを認めたものではないとの趣旨であるものと考えられる。

これらの趣旨を勘案した場合，何らかの不測の事態が生じて運営費交付金の交付決定がなされていて，かつ交付を受けていない場合においても，未収計上を認めないという趣旨のものであるかについては見解が分かれるように思われる。

あくまで私見であるが，運営費交付金を交付する国側から独立行政法人に対して運営費交付金の交付の決定が行われており，当該運営費交付金の入金が遅れているような場合であって，例えば，何らかの不測の事態により会計年度末の出納整理期間内に当会計年度分の運営費交付金の入金がなされたというような限定的なケース（運営費交付金の交付を受けることが確定債権といえる場合など）には未収計上できる余地もありうるのではないかと考えられる。この点は基準の設定趣旨を勘案して総合的に判断がなされるべきものと考える（反対に，国の予算制度との整合性を勘案すれば，会計年度末の3月に翌会計年度の4月分の運営費交付金を請求した場合において，翌会計年度である4月分の運営費交付金を3月末時点で未収計上することは明らかに認められないものと考える）。

2)　運営費交付金の入金時（X1年10月3日）の会計処理

(借) 現　金　預　金	1,500	(貸) 運営費交付金債務	1,500

2.　運営費交付金の収益化時の会計処理

次に運営費交付金の財源を使用し，運営費交付金債務を収益化する場合の会計処理について説明します。

前述の収益性負債の性格から「運営費交付金債務」は，独立行政法人の業務活動の進捗・進行状況に応じて収益化されるべきものとなります。

基準第81で定める運営費交付金債務の収益化の方法をまとめると，**図表6-2**のようになります。

図表6-2　運営費交付金債務の収益化基準

収益化基準	内　　容
業務達成基準	運営費交付金を業務の進行に応じて収益化を行う方法*
期間進行基準	一定の期間の経過を業務の進行とみなし，運営費交付金債務を収益化する方法
費用進行基準	業務と運営費交付金との対応関係が示されない場合に限り，運営費交付金債務について，支出額を限度として収益化する方法
その他	運営費交付金が既に実施された業務の財源を補填するために交付されたことが明らかといえる場合においては，交付時において収益計上する

*業務達成基準による収益化は，具体的には以下により行うこととされています（注解61）。

①収益化単位の業務ごとに，年度末時点の業務の進行状況を測定し，目的が達成された（完了した）収益化単位の業務については運営費交付金配分額を収益化する。

②年度末時点において未了の収益化単位の業務については，運営費交付金配分額を収益化単位の業務の進行状況に応じて収益化させる。

収益化単位の業務とは，法人の事務・事業など継続的に実施される活動を示し，運営費交付金予算が配分され，投入費用の管理が行われている業務とします。なお，収益化単位の業務の進行状況を客観的に測定するため，客観的，定量的な指標を設定することが独立行政法人に求められます（注解61）。

なお，業務達成基準は会計基準の策定当初は「成果進行基準」と呼ばれていましたが，「成果進行基準」という記述からは，アウトプットとしての「成果」の現出を必須条件とするような印象を与える表現である一方で独立行政法人においては必ずしも成果の達成が定量的に把握できる業務ばかりとは限らず，また，業務実施の進捗度は生み出される成果と一定の相関関係を持つことが想定されるものであることから，「業務実施の進捗度」をもって業務の達成度を示すこととすることもできるものとし，「予定された成果の達成度」だけでなく，「業務実施の進捗度」も業務の達成度に含まれる点を一層明確化するよう「業務達成基準」に名称変更されています。

また，業務達成基準による運営費交付金債務の収益化は業務達成度100%が上限となり，仮に，割り当てられた運営費交付金の予算を使い切り，120%の達成度を出したとしても収益化される額は当該業務に割り当てられた運営費交付金の予算額が上限となり，割り当てられた運営費交付金財源を120%収益化する方法は採用されません（独法Q&A Q81-13）。この点は，運営費交付金を未収計上できないとする取扱い（独法Q&A Q81-2）と整合すると言えます。

運営費交付金債務の収益化基準として業務達成基準の適用を法人に義務付け

ることの意義は，業務と運営費交付金との対応関係を法人が示し，運営費交付金予算配分額と実績との関係を明らかにすることにより，国民に対する説明責任を果たすこと，及び業務別の予算執行管理を通じて法人のマネジメント向上を図り，事務・事業にかかる政策効果の最大化を求めることにあります。業務達成基準を適用するためには，様々な事項を法人の方針として定めることが求められます。

業務達成基準は，企業会計で例えるならば収益認識に関して工事進行基準を適用することに類似するものと言えます。工事進行基準を適用するためには，工事売上高の総額の確定，工事完了時点までの工事原価総額の見積り，各決算期末時点における工事進捗率の見積り，各工事に配分する共通費等の配分方法の決定など様々な事項を決定する必要があり，管理体制の整備が求められることとなります。同様に，独立行政法人における業務達成基準の適用に際しても，各業務に配分する運営費交付金予算配分額の決定，業務が完了するまでの業務費総額の見積り，各決算期末時点で業務が未了である場合の業務の進捗率の見積り等を決定する必要があります。業務達成基準の適用に際し法人として方針を定めるべき主な事項をまとめると，次の通りになります。

項目	法人の長が 決定すべき事項	Q&Aにおける取扱い
1	収益化単位の 業務の範囲	・収益化単位の業務は事業等のまとまり（セグメント）を細分化して設定する。 ・原則として投入費用の管理が行われる最小単位の業務を収益化単位の業務とする。 ・法人の長の判断により複数の業務グループを収益化単位の業務とすることも認められる。
2	予算配分手続	内規等に基づき，理事会等の一定の承認機関において，法人の長が事業年度開始時点で配分を示すことが求められる。

3	間接業務費・人件費	・複数の業務に横断的に発生する間接業務費については，原則として一定の基準に基づき収益化単位の業務に配分して業務達成基準を適用する。 ・法人の長の運営上の判断により間接業務費を収益化単位の業務に配分せずに費目別又は部門別等に細分化して予算執行管理し，業務達成基準を適用することも認められる。 ・人件費についても可能な限り各収益化単位の業務に配分することが必要である。
4	管理費	・部門別等の単位に細分化して予算執行管理する。管理費については期間進行基準の適用が認められる。
5	予算配分額の変更	・予算執行管理を適切に行うためには第３四半期末までに運営費交付金の予算配分額を確定させるべきである。 ・第４四半期以降に運営費交付金の予算配分額の変更を行う場合には，予見しえない外部環境の変化に伴い，法人の業務量の増加または減少が生じる場合に限定される。第４四半期以降に運営費交付金の予算配分額の変更を行う場合には，その変更の理由･合理性に関する説明責任を法人が負う。
6	業務達成度	年度末時点で業務が未了の場合に，業務の進行度合いを測定する指標を決定する必要がある。当該指標としてアウトプット指標（業務の実施回数・成果の件数等）またはインプット指標（投入費用・投入時間等）を決定する必要がある。
7	複数財源の場合	運営費交付金財源のほかに自己収入等の複数財源を有する法人においては財源の充当順位・充当方法等を予め定める必要がある。
8	固定資産の取得予定額	法人の業務によっては予め当該業務に含まれる固定資産取得額が判明せず，収益化単位の業務に配分した運営費交付金予算額の中に固定資産取得予定額を含めて予算執行管理を行う場合がある。固定資産取得予定額を収益化単位の業務に含めるか，あるいは別枠で予算執行管理するかの方針を予め定めておくことが求められる。
9	複数年事業	中期目標管理法人，国立研究開発法人においては，中期目標期間または中長期目標期間中に目標を達成するよう事務事業を行うこととされている。運営費交付金事業単年度ごとの事業として管理を行うのか，複数年を要する事業として予算執行管理を行うのかを定める必要がある。 なお，収益化単位の業務ごとに業務の特性に応じて単年度のもの，複数年を要するものが並存する場合も想定される。

以下，それぞれの論点について解説を行います。

＜論点1：収益化単位の業務＞

独法会計基準では業務達成基準を適用する単位を「収益化単位の業務」と定めています。どのような単位を適用単位とするかについて基準並びに独法Q&Aではいくつかの指針を設けており，これらの指針を踏まえて法人の業務特性に応じて適切な単位を設定することが求められます。

Point：

① 収益化単位の業務は，一定の事業等のまとまりを細分化して設定する。
収益化単位の業務は，中期目標等と整合する一定の事業等のまとまりを細分化して設定することが求められる。

② 収益化単位の業務は，原則として運営費交付金予算が配分され，投入費用の管理が行われる最小単位の業務とする。
収益化単位の業務は投入費用の管理が行われる最小の業務を単位とすることを原則とする。

③ 複数の業務を一体として収益化単位の業務とすることも認められる。
法人の長の運営上の判断により複数の業務を一体として収益化単位の業務とすることも認められる。

④ 複数の業務を一体として収益化単位の業務とする場合には，当該業務間の有機的関連性など，複数業務を一体として設定することの合理性が求められる。
業務達成基準を適用する単位であることから，業務が完了したか否かを判別できる単位での一体化が認められ，業務関連性のない複数業務を一体化することは認められない。

基準では，運営費交付金債務の収益化基準として業務達成基準を適用する単位を「収益化単位の業務」として定めています。収益化単位の業務とは，法人の事務・事業など継続的に実施される活動を示し，運営費交付金予算が配分され，投入費用の管理が行われている業務とされています（基準第81第2項）。また，独法Q&A Q81-3において，「PDCAサイクル等の内部管理が機能するよう，原則として，運営費交付金予算が配分され，投入費用の管理が行われる最小の単位の業務」とすることが求められています。なお，独法Q&A Q81-3

図表 6-3　一定の事業等のまとまりと収益化単位の業務との関係

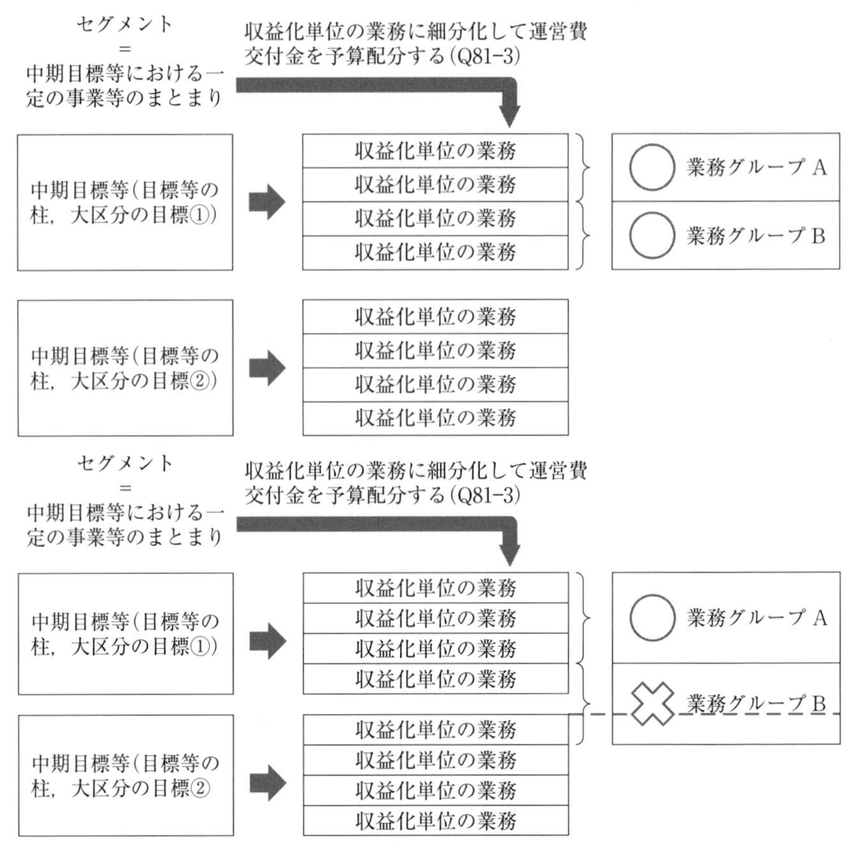

において，法人の長の判断でこれら複数の業務を一体として設定することも容認されています。

独立行政法人の従来の実務においては，運営費交付金を予算配分する際に組織に着目して各部署別に予算配分を行っている場合が想定されます。しかしながら，収益化単位の業務は一定の事業等のまとまり，すなわちセグメント単位を細分化して設定することが求められるものであるため，特定の部署が複数の中期目標等に関連する業務を実施している場合には部署別に運営費交付金予算を配分するだけでは基準の求める収益化単位の業務への予算配分の要件に合致しないこととなる点に留意が必要です。

収益化単位の業務をどの程度細分化するかについては，細分化を進めるほど収益化単位の業務間での予算流用に関する制約や横断的に発生する共通費の配分ルールがより詳細なものとなり管理コストが増大する可能性があります。他方で業務の単位を大きくし過ぎた場合，実質的な予算執行管理が機能しなくなる可能性も否定できません。このため，各独立行政法人においては，運営費交付金の予算執行の柔軟性・機動性と適切なマネジメントが可能となる管理単位とのバランスを勘案しつつ，収益化単位の業務を定めることが求められるものと考えます。

なお，独法Q&Aにおいて，業務達成基準を適用する収益化単位の業務は，業務が完了したか否かを判別できる範囲において業務のグルーピングを認めるものとし，複数の業務が有機的に関連しながら業務の完了を目指しているなど複数の業務を一体として設定することの合理性について法人が説明できるようにする必要がある旨の指針を定めています（独法Q&A Q81-3)。

直接的な業務関連性のない複数業務をグルーピングして全体として業務が未了であるとするような運用は本来の趣旨から逸脱するものと考えられますので，元々の業務達成基準の趣旨からすれば，当然の規定と解されます。

＜論点2：予算配分の時点・手続＞

Point：

① 運営費交付金の予算配分額は事業年度開始時点で法人の長が示す必要がある。

② 具体的な配分の手続は内規等に従い，理事会等の機関において適切な承認を行うことが求められる。

運営費交付金を各収益化単位の業務及び管理部門の活動に配分する時点は，注解60において，法人の長が事業年度開始時点において示すことが求められています。

具体的な手続として，独法Q&A Q81-12において，各独立行政法人の運営費交付金配分決定の内規等に従い，例えば，法人内において理事会等，一定の承認を得た年度予算の算定資料で対応関係を示すことが例示されています。必ずしも規程等を設けることが求められるものではないと解されますが，運営費交付金の予算配分方法が文書化され，然るべき法人の機関等において決裁されることが求められるものとなります。

<論点3：間接業務費・人件費>

各収益化単位の業務に横断的，共通的に発生する人件費などの間接業務費については，各収益化単位の業務に一定の基準で配分したうえで業務達成基準を適用する方法のほかに，収益化単位の業務に配分せずに費目別・部署別等の単位で業務達成基準を適用する方法があります。

> Point：
> ①　間接業務費は各収益化単位の業務に配分することを原則とする。
> 　間接業務費は原則として各収益化単位の業務に一定の基準等をもって配分を行う。
> ②　収益化単位の業務への配分を行わない間接業務費であってもいずれかのセグメント区分には帰属させる。
> 　間接業務費はあくまで業務費であることから，いずれかの事業等のまとまりとなるセグメント区分に帰属させ，法人共通には区分しないものとする。
> ③　収益化単位の業務への配分を行わない間接業務費については費目別・部署別等の単位で予算執行管理を行い，業務達成基準を適用する。
> 　間接業務費は業務費の一部であるため，期間進行基準の適用は認められず，業務達成基準を適用することが求められる。

注解60において，「収益化単位の業務に横断的，共通的に発生する費用については，原則として一定の基準等を用いて各収益化単位の業務に配分する必要がある」と定められているものの，法人の業務の特性を踏まえたマネジメントを機能させる観点から，法人の長の判断により，間接業務費を各収益化単位の業務に配分しないことも容認されるものと定められています（独法Q&A Q81-22第3項）。

したがって，各法人においては，収益化単位の業務に配分する間接業務費の範囲を定めることが求められます。例えば光熱水費のように収益化単位の業務における業務の活動量に関連して発生する間接業務費については収益化単位の業務に配分してトータルコスト管理を促すという観点が想定されます。他方で，各収益化単位の業務への配分は行わずに，法人全体でまとめて一般競争入札等による調達を行って調達規模を大きくすることが経済性の追求につながるといった費目も存在するかもしれません。それぞれの方法にはそれぞれの利点があり，法人の運営費交付金予算マネジメントの考え方によってはいずれの方法も採用されうる方法であるものと考えられます。管理会計的な視点に立てば，収益化単位の業務における活動量と間接的な関連のある管理可能間接費については，収益化単位の業務への配分を行い，各収益化単位の業務において管理不能となる間接費については配分を行わず単独で予算執行管理を行うという方法も合理的な方法と想定されます。どのような方法を採用するかは法人の業務の特性を踏まえて適切な決定を行うことが求められます。

なお，収益化単位の業務に配分しない間接業務費であっても，あくまで業務費であることから，一定の事業等のまとまりたるセグメント単位のいずれかへの配分が求められ，収益化単位の業務に配分しなかった間接業務費をセグメント開示上，「法人共通」欄に計上することは認められない点に留意が必要と言えます（独法 Q&A Q81-22 第4項。**図表 6-4** 参照）。

図表 6-4　収益化単位の業務に配分されない間接業務とセグメントとの関係

Aセグメント			Bセグメント			法人共通
収益化単位の業務	収益化単位の業務	収益化単位の業務	収益化単位の業務	収益化単位の業務	収益化単位の業務	
収益化単位の業務に配分しない間接業務費		収益化単位の業務に配分しない間接業務費	収益化単位の業務に配分しない間接業務費		収益化単位の業務に配分しない間接業務費	

＜論点 4：一般管理費＞

運営費交付金を予算配分する管理部門の活動については期間進行基準の適用が認められます。また，業務の進行状況と運営費交付金との対応関係を明確に示すことができる管理部門の活動については原則どおり業務達成基準が適用されます。

> Point：
> ①　管理部門の活動については運営費交付金債務の収益化基準として期間進行基準の適用が認められる。
> ②　管理部門の活動であっても，業務完了までの全体像を客観的に示すことができる特定の費用については原則どおり業務達成基準の適用が認められる。

管理部門の活動は運営費交付金財源と期間的に対応していると考えられ，管理部門の活動に限り，一定の期間の経過を業務の進行とみなし，運営費交付金債務を収益化することを認める（注解 61 第 3 項）ことが定められています。

このため，一般管理費については，期間進行基準を適用することとなります。ただし，独法 Q&A Q81-3 において，「管理部門の活動についても，例えば部門別などの細かい単位に細分化することとする」と規定されており，法人全体を 1 つの収益化単位とするのではなく，部門別等の単位に区分して予算配分し，予算執行管理を行うことが求められます。

なお，管理費であっても，例えば計画修繕やシステム化費用など複数年度の一般管理費を用いて計画的に予算執行を行う管理費も想定されることから，業務完了までの全体像が示される特定の支出等に限定して業務達成基準を適用することが可能である旨が平成 28 年 2 月改訂の独法 Q&A において追加規定されています（独法 Q&A Q81-34）。独法改革にかかる閣議決定においては，業務達成基準の適用を原則とすることが定められている以上，管理費であっても業務の完了を明確に定義付けられる支出については原則どおり，業務達成基準を適用することが認められる点を明確化した当然の規定と解されます。

＜論点5：予算配分額の変更＞

各独立行政法人は予算執行の効率化だけでなく，事務・事業における成果の最大化が同時に求められることから，事業開始後の業務進捗状況に応じて柔軟に予算配分を見直すことを禁ずるものではありません。他方で，予算額が実績額に一致することとなるような予算変更を制限なく認めた場合には，業務達成基準を適用する本来の趣旨が実現しなくなる恐れがあり，これらを踏まえて基準では一定の制限を設けています。

Point：運営費交付金配分額の変更

① 原則として第3四半期末までに予算配分を確定させる。
第3四半期末までの予算配分の変更は，法人の長が決定するなど適切な承認をとる。

② 法人の責めによらない外部環境の変化に起因し，法人の業務の大幅な追加又は縮小が生じた場合に限り第4四半期以降の予算配分額の変更が認められる。
第4四半期以降の運営費交付金予算配分の見直しは法人に帰責事由のない外部要因による業務の大幅な追加又は縮小が生じた場合に限られる。当該変更理由の説明責任は法人が負う。

③ 収益化単位の業務の統合又は分割及び管理部門の活動の単位の変更は，合理的な理由が存在する場合に第3四半期末まで認められる。
原則として収益化単位の業務及び管理部門の活動単位の決定は事業年度開始時点で行う必要があるが，法人の長のマネジメントの考え方が当該時期に変更されたことを含め，合理的な理由が存在する場合に変更することが可能である。②と同様，当該変更理由の説明責任は法人が負う。

予算執行を適切に行う観点並びに業務達成基準の適用が事実上形骸化することを防止する観点から，第3四半期末までに運営費交付金予算配分額の見直しは確定されるべきとされています（独法Q&A Q81-21）。これは，仮に事業年度末時点まで運営費交付金予算配分額の見直しを認めた場合，予算配分額を年度末時点での執行実績額に一致させる変更を行うことが想定され，このような予算変更を認めた場合，事実上，業務達成基準は形骸化し，予算と実績との乖離がどの業務から生じたかを明らかにし，国民に対する運営費交付金予算の使用に関する説明責任を果たすとの閣議決定における趣旨が実現されなくなる恐れが生じます。このような観点から，一定の基準を設けるため，第３四半期末時点で運営費交付金予算配分の見直しを終えるよう変更見直し期限が設けられたものと解されます。

ただし，例外的な場合として，「独立行政法人の業務の特性を踏まえると，法人の責めに帰さないコントロール不可能な業務を取り巻く環境の変化，例えば，大幅な為替変動のほか，国の補正予算の編成に伴う業務の追加，民間受託等の外部資金獲得に伴う業務の大幅な追加，社会情勢の変化による業務の縮小など，通常想定することが困難な事象に伴う業務の大幅な追加あるいは縮小が第４四半期中に生じた場合には，更なる運営費交付金配分額の見直しを行うことが適切な場合も想定される」ことが独法 Q&A Q81-21 で定められており，法人の責めに帰さない外部要因により，業務の大幅な追加または縮小が生じた場合には運営費交付金予算配分額の見直しができるものとされています。なお，この場合の予算配分の見直しを行う理由やその合理性については法人が説明責任を負うものとされています。

また，今回の Q&A の改正により追加された独法 Q&A Q81-5 において，「運営費交付金を適切かつ効率的に使用する責務を果たすため，収益化単位の業務及び管理部門の活動の単位の変更は，原則として事業年度開始時点で行う必要があるが，法人の長のマネジメントの考え方が当該時期に変更されたことを含め合理的な理由が存在する場合には，第３四半期末までに変更することも認められる。変更する場合には，法人の長は速やかに，変更された収益化単位の業務及び管理部門の活動に対応する運営費交付金配分額を示す必要がある。」と定められており，収益化単位の業務についても，法人の長による決定の下，第３四半期末までに変更が可能とされています。ただし，なお，この場合も同様に，上記の変更を行う理由や合理性について，法人が説明責任を負うものとされています。

＜論点６：業務の達成度を測定する指標＞

業務達成基準を適用する場合，業務が未了の段階で事業年度末が到来した場合，当該業務に配分した運営費交付金配分額に業務の進行度合いを乗じた額を収益化することになります。したがって，業務の進行度合いを測定する指標を適切に設定することが求められます。どのような指標を設定するかは法人の判断に委ねられますが，当該指標が客観的，定量的であることが求められるとともに当該指標を適切と判断した理由の説明責任を法人が負います。

Point：
① 運営費交付金債務の収益化額の算定方法
・業務の全部が完了した場合
当該業務に配分した運営費交付金予算配分額の全額を収益に振り替える。
・事業年度末時点で業務が未了の場合
当該業務に配分した運営費交付金予算配分額に業務の進行度を乗じた額を収益に振り替える。
② 業務の進行度を測定する指標には客観的かつ定量的な指標の採用が求められる。
業務の進行度合いを測定する指標として客観的かつ定量的な指標の設定が求められる。当該指標としてアウトプット指標（中期目標等における定量目標等）のほかにインプット指標（投入時間，投入費用等）の採用も認められる。

業務達成基準を適用する場合の収益への振替額は，業務が完了した場合には，配分した運営費交付金予算配分額の全額を収益化するものと定められています（注解61第2項（1））。業務が完了した場合には完了時点での達成度等を測定する訳ではなく，配分額の全額を収益化することになります。この点，独法Q&A Q81-13において，「当初設定した数値の80%の結果しか出せなかったとしても，業務が完了した場合には当該業務に係る運営費交付金配分額を全額収益化する」と定められています。

他方，事業年度末時点で業務が未了の場合には，運営費交付金配分額を収益化単位の業務の進行状況に応じて収益化します（注解61第2項(2)）。この場合の進行状況は客観的，定量的な指標を設定して測定することが求められます（注解61第2項(3)）。当該指標は，中期目標等において設定された事業等のまとまりごとの定量的な目標又は指標等のアウトプット指標として設定することも考えられますが，業務の進行状況を測定する客観的，定量的な指標として，投入資源（例えば作業時間，投入費用）などのインプット指標で進行状況を測定する方法も独法 Q&A Q81-27 で定められています。

法人の長は，国民等に対する説明責任を果たすため，採用した指標が，進行状況を測定するための指標として適切であると判断した理由を説明できなければなりません。

このため，業務の進行状況を測定する指標としてどのような指標を設定するかを法人の方針として定める必要があります。これらの指標は収益化単位の業務ごとに定める必要があります。

＜論点 7：複数財源がある場合の取扱い＞

独立行政法人によっては運営費交付金財源のほかに一定の自己収入があり，当該自己収入によって業務運営がなされている場合が想定されます。複数財源がある場合には，それぞれの財源をどのように使用するか，財源の充当順位，充当割合等の方針をあらかじめ定めておくことが法人に求められます。

Point：

① 運営費交付金のほかに自己収入財源がある場合，それぞれの財源をどのように充当するかをあらかじめ方針を定めておくことが法人に求められる。

② 財源の充当方法，充当順位によっては業務達成基準を適用することによる運営費交付金債務の収益化額が異なる場合がある。

運営費交付金のほかに自己収入財源がある場合，それぞれの財源をどのような優先順位，充当割合で財源使用するかについては，自己収入事業と運営費交付金事業とを区分して予算管理する方法や自己収入を獲得するために直接要する経費についてだけ自己収入財源を措置する方法など様々な財源措置の方法が想定されます。

自己収入による財源措置の方法によっては，運営費交付金で措置する対象となる経費の額が相違することとなり，結果として業務達成基準を適用した場合における収益化額が相違する場合が生じます。自己収入の額が確定してから運営費交付金で措置する経費の額を事後的に決定するような恣意的な運用を行うことは業務達成基準を適用する本来の趣旨から逸脱した運用となりかねません。

この点，独法 Q&A Q81-31 において，「いずれの充当方法を採用するかは独立行政法人の長の運営上の判断によるが，充当方法によっては損益計算書の利益額が影響を受けることから，事後的に財源の充当の優先順位を決定するのではなく，独立行政法人の内部において業務実施以前（既存の業務については，新たな中期目標期間の開始以前を指す。）に充当財源を明確にしておくとともに，事業の性質等によって処理方法を明確にしておく必要がある。」と規定されています。

したがって，運営費交付金のほかに自己収入などの複数財源がある法人においては，それぞれの財源をどのような優先順位・充当割合等で配分し予算執行するかにつき予め方針を明確に定めておく必要があります。どのような方法を採用するかは，事業の性質や法人の長のマネジメントにかかわる判断によるべき事項と考えますが，恣意的な運用とならないよう，事前に予算配分方針書等で方針を明確にしておくことが求められるものと考えます。

＜論点8：固定資産予算の取扱い＞

業務に使用する固定資産を運営費交付金財源で取得する場合，収益化単位の業務への運営費交付金予算配分額に固定資産取得予定額を含めるか否かに関して，予算配分時点で法人の方針を予め定めておくことが求められます。

Point：

① 固定資産取得予定額を収益化単位の業務への運営費交付金予算配分額に含める場合と含めずに予算配分を行う場合が想定される。

・業務完了時

業務達成基準による収益化額：(収益化単位の業務に配分した予算額―固定資産取得額)

・年度末時点で業務未了の場合

業務達成基準による収益化額：(収益化単位の業務に配分した予算額―固定資産取得額）×業務の進行度

② 固定資産取得予算を収益化単位の業務への予算配分額に含めない場合，固定資産取得に業務達成基準が適用されることはないため，固定資産取得予定額と

実際取得額との差額は運営費交付金債務として残存する。

収益化単位の業務に運営費交付金予算を配分した場合，当該業務費予算を執行した結果，取得価額が50万円以上となり固定資産の取得に該当するのか，消耗品費などの業務費となるかが予め判明しない場合が想定され，固定資産取得予定額を収益化単位の業務への予算配分額に含めて予算配分を行う場合が想定されます。

他方で，特定の業務に関連付けずに運営費交付金財源によって業務に共通的に利用する施設整備のために固定資産を取得することも想定されます。いずれの方法も想定されますが，運営費交付金を財源として固定資産を取得した場合の会計処理は，取得額を資産見返運営費交付金に振り替える処理を行う（詳細は「第6章第1節(3)運営費交付金で固定資産を取得した場合の会計処理」を参照下さい。）ため，いずれの方法を採用するかによって両者の会計処理結果は次のように相違したものとなります。

1）収益化単位の業務への運営費交付金予算配分額に固定資産取得予定額を含める場合
固定資産の取得予定額と実際取得額との差額は収益化単位の業務の完了時に業務達成基準により運営費交付金収益に振り替える会計処理が適用されます。

2）固定資産の取得予定額を収益化単位の業務に含めずに運営費交付金の予算配分を行う場合
現行の独法会計基準は，固定資産の取得に業務達成基準を適用するという基準とはなっておりません。運営費交付金を財源として固定資産を取得した場合，固定資産取得額と同額を運営費交付金債務から資産見返運営費交付金に振り替える会計処理が要求されます。このため，固定資産の取得予定額よりも少ない金額で固定資産を取得した場合，当該差額は運営費交付金債務として残存することとなります（なお，固定資産取得業務全体が業務の完了を定義できる程度の計画を有している場合を前提とします）。

具体的な関係を示すと**図表6-5**の通りになります。

図表 6-5　固定資産取得見込額を収益化単位の業務に含めるか否かの相違点

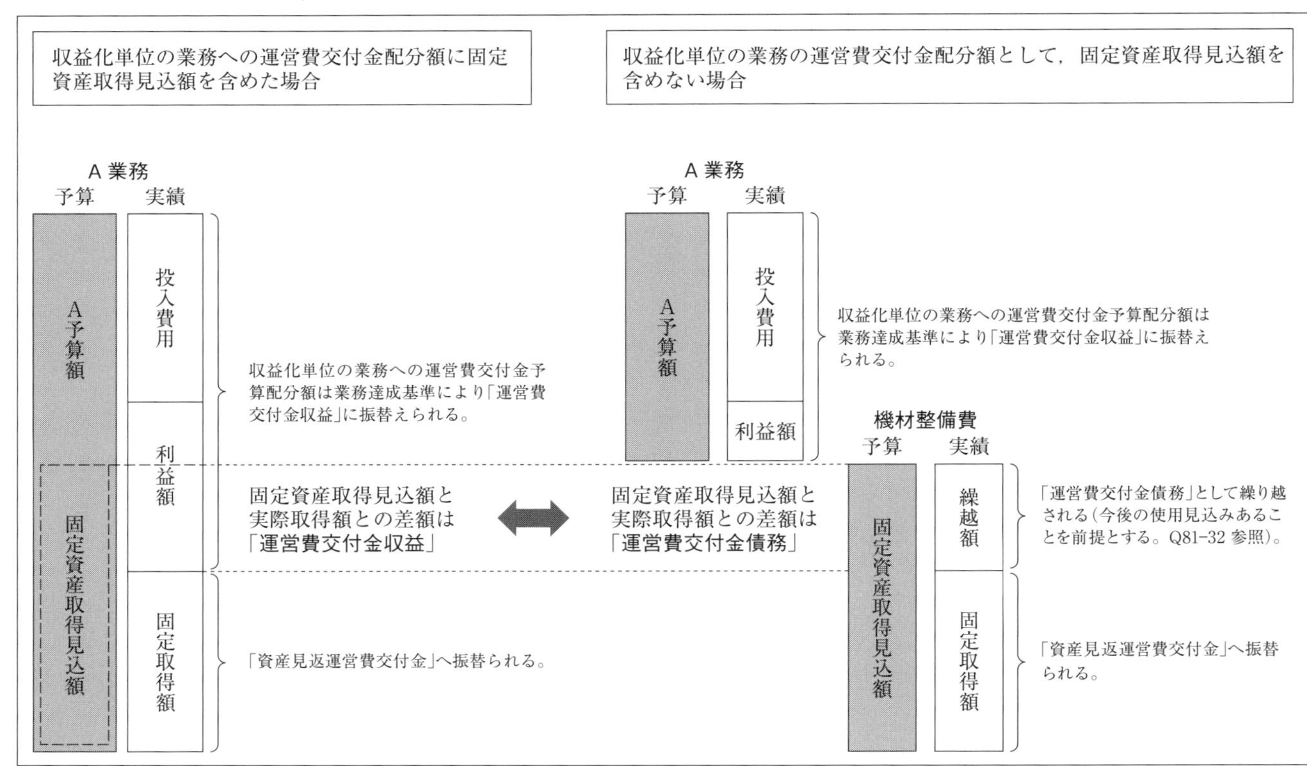

＜論点９：複数年度事業＞

独立行政法人が運営費交付金財源で実施する事務・事業の性質によっては，業務の完了に複数事業年度を要する場合が想定されます。このような場合には，業務の完了時点や初年度末時点における業務の進行度合いをどのように測定するかについて予め法人の方針を定めておくことが求められます。

> Point：
> ①　業務完了までに複数年を要する事業として運営費交付金予算を配分する場合には，業務完了時点をロードマップ，工程表等の法人内部資料によって予め明確にすることが求められる。
> ②　業務完了までの全体像を明確に示すことができない事業については運営費交付金が毎年交付されるものである点を鑑み，当該事業は単年度で終了するものとみなして業務達成基準を適用する。
> ③　複数事業年度にわたって業務を実施する場合であっても初年度に配分する運営費交付金予算の総額は実際に交付される運営費交付金の総額を超過してはならない。

独法Q&A Q81-25第４項において，運営費交付金は毎年度所要額が交付される性質のものであることから，業務の完了までに複数事業年度を要するものとして業務達成基準を適用する事業においては事業開始時点において，ロードマップ，業務工程表等の法人内部資料等において業務の完了時点を明確化すべき旨の指針が追加されています。

以上のように業務達成基準を適用するためには，様々な事項を法人の方針として定める必要があります。予め様々なケースを想定し，シミュレーションを行うなど計画的な準備が求められるものと考えられます。運営環境に重要な変更がない場合においては，会計方針については継続性の原則が適用され，みだりに変更を行わないことが求められるため，この観点からも特に導入初年度における選択が大変重要なものになるものと考えられます。

このほか，業務達成基準の適用に関する詳細な取扱いが下記のとおり，独法Q&Aで規定されています。

図表 6-6　業務達成基準の適用に関する詳細指針

項　　目	会計基準の規定内容（骨子）
独法 Q&A Q81-12 注解 60 において，「収益化単位の業務及び管理部門の活動と運営費交付金の対応関係を明確にする」とは，法人の長が事業年度開始時点において，収益化単位の業務及び管理部門の活動に対応する運営費交付金の配分額を示すことをいう。」とされているが，具体的にはどのような方法で示せばよいのか。	各独立行政法人の運営費交付金配分決定の内規等に従い，例えば，法人内において理事会等，一定の承認を得た年度予算の算定資料を両者の対応関係を示すものとして取り扱うことが考えられる。
独法 Q&A Q81-21 注解 60 において，「『収益化単位の業務及び管理部門の活動と運営費交付金の対応関係を明確にする』とは，法人の長が事業年度開始時点に，収益化単位の業務及び管理部門の活動に対応する運営費交付金の配分額を示すことをいう。」とされている。事業年度開始時点で示された運営費交付金配分額について，事業年度途中において見直すことは認められないのか。	1　法人の長は，法人に対して課された運営費交付金を適切かつ効率的に使用する責務を果たすために，事業年度開始時点までに，当該事業年度に交付される運営費交付金（前事業年度から繰り越された運営費交付金債務額を含む。）について，収益化単位の業務及び管理部門の活動に配分しなければならない。 2　運営費交付金を適切かつ効率的に使用する責務が課されている一方で，独立行政法人には，業務効率化だけではなく政策効果の最大化も求められている。そのため，必要に応じて，事業年度途中において運営費交付金配分額の見直しを行うことも認められる。なお，この運営費交付金配分額の見直しには，各収益化単位の業務に配分しない間接業務費への配分額の見直しも含む。 3　適切かつ計画的な業務実施の観点からは，運営費交付金配分額の見直しは第3四半期末までに確定されるべきである。なお，当該見直しについても法人の長が行う必要がある。 4　ただし，独立行政法人の業務の特性を踏まえると，法人の責めに帰さないコントロール不可能な業務を取り巻く環境の変化，例えば，大幅な為替変動のほか，国の補正予算の

	編成に伴う業務の追加，民間受託等の外部資金獲得に伴う業務の大幅な追加，社会情勢の変化による業務の縮小など，通常想定することが困難な事象に伴う業務の大幅な追加あるいは縮小が第4四半期中に生じた場合には，更なる運営費交付金配分額の見直しを行うことが適切な場合も想定される。この場合には，当該見直し後の交付金配分額をもって運営費交付金債務の収益化を行うことになる。 5　第4四半期に運営費交付金配分額を見直す場合においても，法人の長が見直しを行うのはもちろんのこと，第4四半期に運営費交付金配分額の見直しを行う理由や合理性を主務大臣や国民，監事や会計監査人等に対して説明できるようにする必要がある。 6　収益化単位の業務が複数年にわたって実施される業務の場合，各事業年度の第3四半期末から期末日までの間，運営費交付金配分額の見直しは認められないが，翌事業年度の期首から第3四半期末までの間は，運営費交付金配分額の見直しを行うことが認められる。 7　なお，Q81-1に記載した，原則として業務達成基準により運営費交付金債務を収益化することとしている会計基準の趣旨を踏まえれば，収益化単位の業務及び業務達成基準を採用している管理部門の活動の運営費交付金配分額については，業務あるいは活動が完了した時点以降見直しの対象とすることは認められない。 8　また，独立行政法人は政策実施機能の最大化を図る観点から，法人の長の判断の下，各収益化単位の業務の運営費交付金配分額を超過して支出することができる。その当不当の判断は事後の評価によることとなる。
独法Q&A Q81-22 注解60において，「収益化単位の業務に対応する運営費交付金	1　業務達成基準の原則適用は，法人の長による収益化単位の業務ごとの予算と実績の比較分析を通じたPDCAを可能にし，会計情

の配分額を示すに当たっては，業務費のうち，収益化単位の業務に横断的，共通的に発生する費用（人件費や修繕費等）については，原則として一定の基準を用いて各収益化単位の業務に配分する必要がある。」とされているが，配分しないことも認められるのか。	報を用いたマネジメントの実現に貢献することを目的としている。収益化単位の業務ごとのPDCAを徹底する観点から，業務費のうち，収益化単位の業務に横断的，共通的に発生する費用（以下「間接業務費」という。）について，原則として一定の基準を用いて各収益化単位の業務に配分する必要がある，とされている。 2　独立行政法人は，一般的に人的資源投入型の業務を実施している法人が多いと考えられるため，人件費をはじめとする間接業務費についても可能な限り各収益化単位の業務に配分することが必要である。 3　一方，「(2) 管理会計の活用等による自律的マネジメントの考え方」（独立行政法人会計基準の改訂について（平成27年1月27日独立行政法人会計基準研究会財政制度等審議会財政制度分科会法制・公会計部会））では，独立行政法人会計における管理会計の活用等について記述されているが，一般的に管理会計は内部利用目的の会計であることから，会計基準及び注解で一律に方法を定めるべきものではなく，当該法人の業務の特性を踏まえたマネジメントを機能させる観点から，法人の長が決定するべきものである。そのため，法人の長の判断により，間接業務費を各収益化単位の業務に配分しないことも許容される。
独法Q&A Q81-23 間接業務費を各収益化単位の業務に配分する際の「一定の基準」とはどのような基準か。	1　法人の長が間接業務費を各収益化単位の業務に配分する際の「一定の基準」は，実態を適切に反映する合理的な基準でなければならない。 2　合理的な基準は，法人の長が間接業務費の発生態様に応じて定めるものであり，会計基準及び注解あるいは本Q&Aで一律に示すべきものではない。 3　そのため，費目ごとに配分基準を設けることも認められるし，1つの配分基準で間接業務費を配分することも認められると考えら

	れる。 4　ただし，一旦採用した配分基準は，原則として，継続的に適用しなければならない。
独法 Q&A Q81-24 収益化単位の業務に配分しなかった間接業務費についてはどのように収益化すればよいか。	収益化単位の業務に配分しなかった間接業務費（独法 Q&A Q81-22 参照）については，業務完了の考え方を明確化することは困難であることから，独法 Q&A Q81-25A5 に従って，単年度で業務が完了するとみなした上で会計処理を行う必要がある。 なお，収益化単位の業務に配分しなかった間接業務費は，「間接業務費」という管理区分に運営費交付金予算が配分され，予算執行が行われるものであり，いまだ業務に投入されていない配分留保額（独法 Q&A Q81-33 参照）とは異なる点に留意が必要である。
独法 Q&A Q81-33 運営費交付金は，事業年度開始時点にその全額を収益化単位の業務及び管理部門の活動に配分することなく，その一部を運営費交付金債務のまま留保することはできるのか。	1　注解 60 において，法人の長は事業年度開始時点に，収益化単位の業務及び管理部門の活動に対応する運営費交付金の配分額を示すことが定められている。 2　法人の長が運営費交付金の配分額を示す過程において，法人の長のマネジメントの考え方によっては，例えば不測の事態に備える必要性が認められる場合には，当該事項のために必要な額を運営費交付金債務のまま留保しておくことも認められると考えられる。 3　当該事項のために留保した必要な額（以下「配分留保額」という。）は，適切な時期に収益化単位の業務として配分すること及び次年度に繰り越すことが考えられる。 4　ただし，独法 Q&A Q81-1 に記載した，原則として業務達成基準により運営費交付金債務を収益化することとしている会計基準の趣旨や，独立行政法人には効果的かつ効率的な業務運営が求められ，必要最小限の財務基盤で質の高い業務を確保していく必要があることを踏まえれば，配分留保額に対し，運営費交付金配分額の見直しに伴う増額を行うことは認められない。

5　また，配分留保額を収益化単位の業務に配分する場合には，第3四半期末までに確定することが求められ，第4四半期に見直す場合には，法人の責めに帰さないコントロール不可能な業務を取り巻く環境の変化など，通常想定することが困難な事象に伴う業務の大幅な追加あるいは縮小が生じた場合に限られる（独法Q&A Q81-21参照）。
「単年度で業務完了するとみなした上で会計処理を行う」収益化単位の業務（独法Q&A Q81-25A5参照）や期間進行基準による収益化を行う管理部門の活動（複数年にわたって収益化を行う活動を除く。）において，資材調達業者の倒産や自然災害の影響などの自己の責任ではない事由といった，通常想定することが困難な事象に伴う業務の大幅な縮小が生じた場合，A4にかかわらず，具体的な使用見込みがあり必要性が認められる額の範囲内に限り配分留保額を増額することが認められる。
6　なお，次年度に繰り越すことになった場合，附属明細書の運営費交付金債務残高の明細には，債務残高の今後の使用見込みについて，その繰越事由と必要性を具体的に記載することになる。
7　さらに，注解61第6項のとおり，中期目標等の期間の最後の事業年度に運営費交付金債務が残る場合には，当該残額は，別途，精算のための収益化を行うこととなるが，配分留保額についても中期目標等の期間の最後の事業年度に残額があれば当然に収益化を行うこととなる。
8　政策実施機能の最大化を図る観点から，法人の長の判断の下，各収益化単位の業務の運営費交付金配分額を超過して支出することができる（独法Q&A Q81-21A8参照）が，第4四半期において，当該超過支出を，配分留保額（A5後段の規定により増額した額を除く。）

	から賄うことも考えられる。 この場合，適切な予算管理体制を整備する観点から，第３四半期末までに運営費交付金配分額の確定を求める会計基準の趣旨に反するため，当該超過支出の財源となった運営費交付金債務の収益化を行うことは認められない。 なお，当該超過支出の財源となった運営費交付金債務は次年度以降に繰り越されるため，A6に従い，附属明細書の運営費交付金債務残高の明細に，債務残高の今後の使用見込みについて，その繰越事由と必要性を具体的に記載することになるが，当該債務残高の今後の使用見込みは存在しないため，中期目標等の期間の最後の事業年度において収益化する予定である旨の記載を行う必要がある。

事例6-2　業務達成基準

独立行政法人Aは，特定の業務プロジェクトの実施にかかわる運営費交付金債務の収益化の基準として業務達成基準を採用している。

当該プロジェクトの実施のために必要な予算として30百万円の運営費交付金予算を割り当てている。当会計年度末時点で当該プロジェクトの業務の全部が予定どおり終了したため，運営費交付金債務を業務達成基準により収益化した。

当該業務プロジェクトの実施に要した費用は，26百万円であった。

＜上記事例における会計処理＞

1）　プロジェクトのための費用発生時の会計処理

(借) 業務費	26	(貸) 未払金	26

2）　運営費交付金債務の収益化処理

(借) 運営費交付金債務*	30	(貸) 運営費交付金収益	30

＊プロジェクトの全部が予定どおり終了しているため，当該プロジェクトに配分された運営費交付金予算額の全額を収益化する。この結果，当初の予算30百万円よりも4百万円少ない費用にてプロジェクトの全部を予定どおり終了したことにより30百万円－26百万円＝4百万円の利益が発生する。

なお，上記事例において，当該業務に配分された運営費交付金予算30百万円，実際にプロジェクト全部の完了に要した業務費用が32百万円であった場合の会計処理は，以下の通りとなり，当初の予算よりも実施した費用が多い場合には反対に損失が発生することになる。

3)　実際の発生費用が当初予算を上回る場合

(借)	業　務　費	32	(貸)	未　払　金	32
	運営費交付金債務	30		運営費交付金収益	30

事例 6-3　期間進行基準

独立行政法人 A は，年間の入退室警備業務を外部業者に委託している。当該警備業務は運営費交付金予算 30 百万円を割り当てており，年間を通じて継続的に行われるものであり，業務の実施と運営費交付金財源とが期間的に対応していることから，運営費交付金債務の収益化の基準として期間進行基準を採用している。

本年度の年間入退室管理警備業務を入札により調達したところ，26 百万円で落札業者との契約となった。落札業者は予定どおりに 1 年間の入退室警備業務を履行した。

＜上記事例における会計処理＞

1)　入退室警備業務の費用発生時

(借)	外部委託費（一般管理費）	26	(貸)	未　払　金	26

2)　運営費交付金債務の収益化処理

(借)	運営費交付金債務	* 30	(貸)	運営費交付金収益	30

＊業務の履行期間の全部が経過したため，当該業務に配分された運営費交付金予算 30 百万円の全額を収益化する。この結果，当初の予算 30 百万円よりも 4 百万円少ない費用にて業務の履行期間全部を経過したことにより 30 百万円－26 百万円＝4 百万円の利益が発生する。

なお，上記事例において，当該業務に配分された運営費交付金予算 30 百万円，実際に要した外部委託費用が 32 百万円であった場合の会計処理は，以下の通りとなり，当初の予算よりも実施した費用が多い場合には反対に損失が発生することになる。

3)　実際の発生費用が当初予算を上回る場合

(借)	外部委託費（一般管理費）	32	(貸)	未　払　金	32
	運営費交付金債務	30		運営費交付金収益	30

図表 6-7　業務達成基準を適用する単位

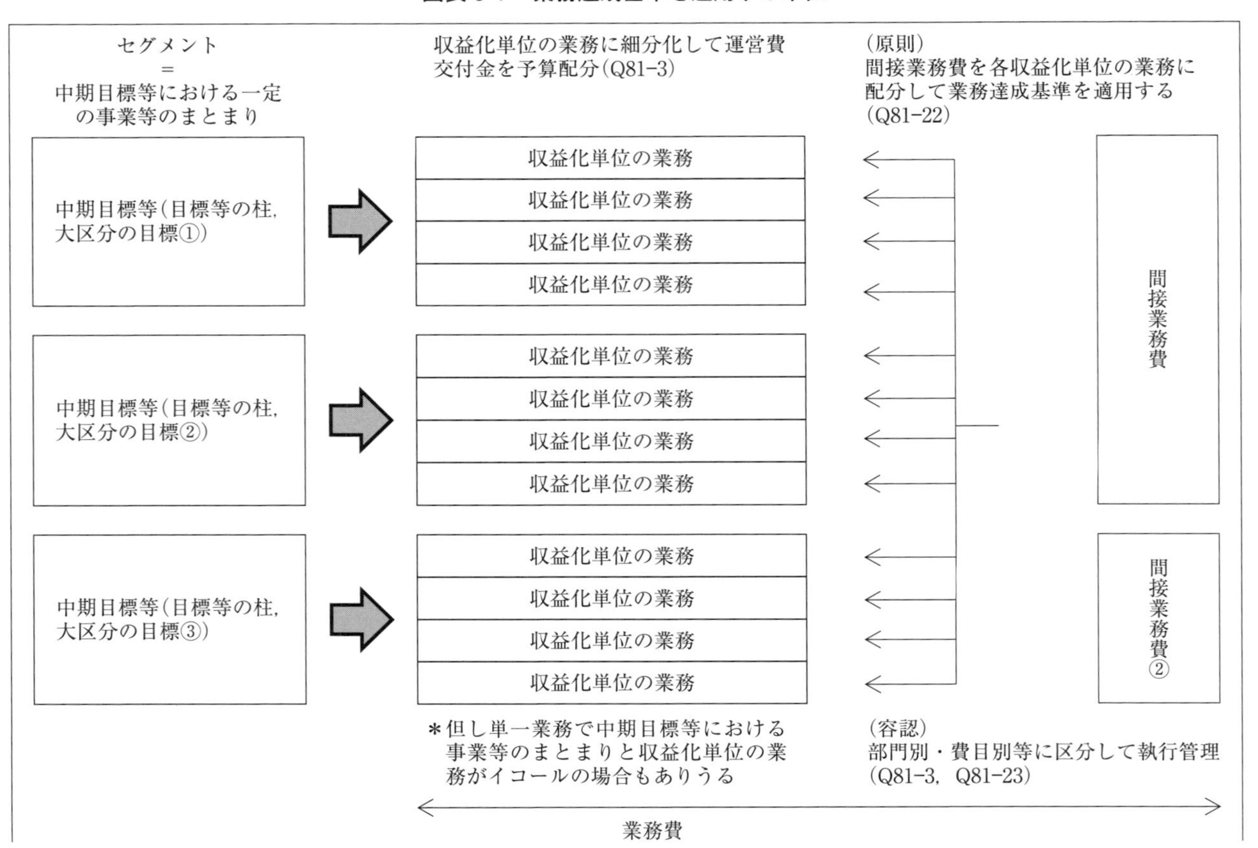

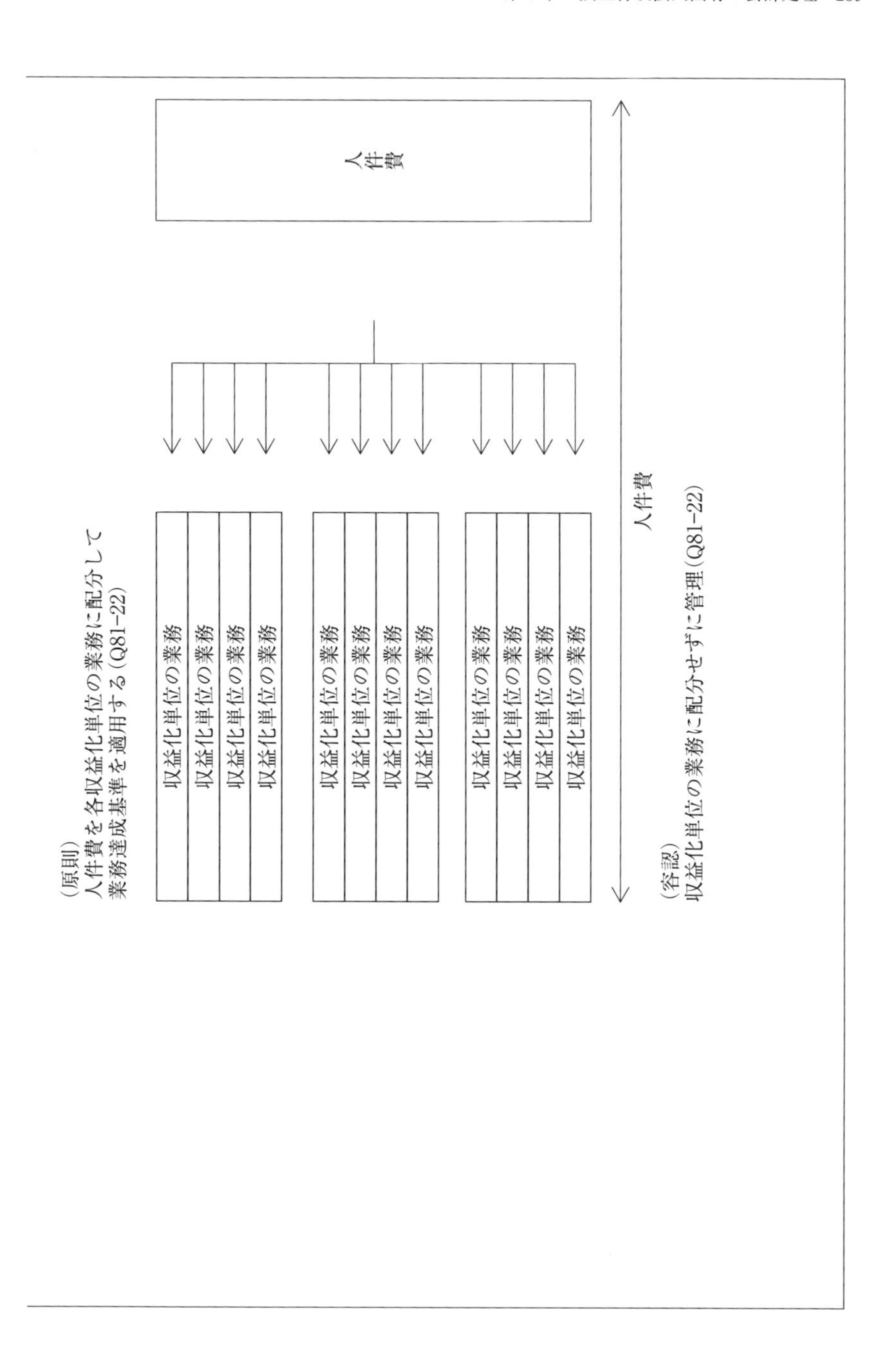
(原則)
人件費を各収益化単位の業務に配分して
業務達成基準を適用する(Q81−22)
人件費
収益化単位の業務
収益化単位の業務
収益化単位の業務
収益化単位の業務
収益化単位の業務
収益化単位の業務
収益化単位の業務
収益化単位の業務
収益化単位の業務
収益化単位の業務
収益化単位の業務
収益化単位の業務
人件費
(容認)
収益化単位の業務に配分せずに管理(Q81−22)

事例6-4 費用進行基準

独立行政法人Aは，災害等の発生により，事業年度開始時点において想定されていなかった緊急の対応業務を実施することが求められた。当該事項は中期計画等で予め業務目標の定められた事項ではないため，費用進行基準を適用することとした。当該対応業務に要する業務費として運営費交付金予算30百万円を割り当てて業務を実施した。

当該対応業務に本年度要した費用は26百万円であった。

<上記事例における会計処理>

1) 業務の実施終了時点

(借)	業務費	26	(貸) 未払金	26

2) 運営費交付金債務の収益化処理

(借)	運営費交付金債務*	26	(貸) 運営費交付金収益	26

＊業務と運営費交付金との対応関係を示すことが困難であるものとして費用進行基準を採用していることから，発生した費用と同額の運営費交付金債務を収益化する。この場合，損益はゼロとなり，利益も損失も発生しない。

なお，上記事例において，当該業務に配分された運営費交付金予算30百万円（このほかに予め使途を定めていない執行可能な運営費交付金が予備費として残存しているものと仮定する），実際に要した業務費が32百万円であった場合の会計処理は，以下の通りとなり，当初の予算よりも実施に要した費用が多く発生した場合であっても損失は発生しない。

3) 実際の発生費用が当初予算を上回る場合

(借)	業務費	32	(貸) 未払金	32
	運営費交付金債務	32	運営費交付金収益	32

以上の事例において，運営費交付金債務の収益化基準として業務達成基準，期間進行基準，費用進行基準の各基準を適用した結果をまとめると**図表6-8**の通りとなり，業務達成基準・期間進行基準を採用した場合には，運営費交付金の当初予算の配分額と実際に要した費用との間に乖離が生じた場合には当該乖離額が損益として認識されるのに対して，費用進行基準を採用した場合には，実際に要した費用が当初の予算より少ない額で実施された場合，多くの費用を必要とした場合のいずれの場合であっても損益がゼロとなる点が相違します。

図表 6-8　運営費交付金債務の各収益化基準による損益

	業務達成基準の場合（業務の全部を完了した場合）	期間進行基準の場合	費用進行基準の場合
①実際に要した費用26百万円の場合	業務費用　26 運営費交付金収益　30 経常利益　4	業務費用　26 運営費交付金収益　30 経常利益　4	業務費用　26 運営費交付金収益　26 経常利益　0
②実際に要した費用32百万円の場合	業務費用　32 運営費交付金収益　30 経常利益　−2	業務費用　32 運営費交付金収益　30 経常利益　−2	業務費用　32 運営費交付金収益　32 経常利益　0

（注）①業務に割り当てられた運営費交付金予算は30百万円と仮定する。②いずれの基準を採用する場合も予定どおりに業務の全部を完了したものと仮定する。③割り当てられた運営費交付金予算30百万円以外に執行可能な交付金が残存しているものとする。

3.　運営費交付金で固定資産を取得した場合の会計処理

（1）　固定資産のうち減価償却資産を購入した場合の会計処理

運営費交付金は，費用の支払いに充当される場合には前項の2. に示した各収益化の基準に従って会計処理を行いますが，運営費交付金を財源として固定資産（償却資産）を購入した場合において，執行額と同額を収益化する会計処理を採用すると，費用と収益の期間対応が適切に図られないという問題が生じます。固定資産（償却資産）は，その耐用年数期間にわたって使用され，減価償却を通じて費用化されるため，固定資産（償却資産）の購入時に購入額と同額の運営費交付金を収益化すると費用収益の期間対応が図られないことになります。

このため，期間損益計算の適正化の観点から，運営費交付金で償却資産を購入した場合には，償却資産の取得時に，運営費交付金債務を一旦，「資産見返運営費交付金」に振り替え，当該固定資産の減価償却費の計上額と同額だけ「資産見返運営費交付金」を取り崩し，「資産見返運営費交付金戻入」を計上する会計処理を行います。

なお，償却資産の耐用年数が中期計画期間の末までの期間よりも長い場合が想定されますが，資産見返負債（資産見返運営費交付金）については，中期計画期間の終了時点において精算収益化することは求められておらず，運営費交付金で購入した償却資産の耐用年数が中期目標の期間より長い場合，当該資産及び資産見返負債は中期目標の期間を繰り越せるものとされています（独法Q&A Q81-10）。

事例6-5　償却資産の取得

独立行政法人Aは，X0年度の4月に運営費交付金財源にて業務に必要となる器具備品10百万円を購入した。当該器具備品は耐用年数5年，残存価額ゼロで減価償却するものとする。

当該器具備品がX3年3月期末に故障し，修理することが困難となったことから用途廃止決定し，除却した。

＜上記事例における会計処理＞

1)　器具備品購入時の会計処理（X0年4月）

(借)	器具備品	10	(貸) 現金預金	10
	運営費交付金債務	10	資産見返運営費交付金	10

2)　器具備品の減価償却時の会計処理（X1年3月末）

(借)	減価償却費	2	(貸) 減価償却累計額	2
	資産見返運営費交付金	2	資産見返運営費交付金戻入*	2

＊基準第81第6項(1)イにより，資産見返運営費交付金は，償却資産の場合は毎事業年度，減価償却相当額を取り崩して，資産見返運営費交付金戻入として収益に振り替える。

3)　器具備品の減価償却時の会計処理（X2年3月末）

(借)	減価償却費	2	(貸) 減価償却累計額	2
	資産見返運営費交付金	2	資産見返運営費交付金戻入	2

4)　器具備品の減価償却時の会計処理（X3年3月末）

(借)	減価償却費	2	(貸) 減価償却累計額	2
	資産見返運営費交付金	2	資産見返運営費交付金戻入	2

5)　器具備品の除却時の会計処理（X3年3月末）

(借)	減価償却累計額	6	(貸) 器具備品	10
	固定資産除却損	4		
	資産見返運営費交付金	4	資産見返運営費交付金戻入	*4

＊資産見返運営費交付金当初計上額10百万円－減価償却費相当額と同額の戻入6百万円（X1年3月期～X3年3月期）＝4百万円

注解61第9項により，「資産見返運営費交付金を計上している固定資産を売却，交換または除却した場合には，これを全額収益に振り替える」とされている。

このように資産見返負債が計上されている固定資産を除却した場合，固定資産除却損と同額の資産見返運営費交付金戻入が計上され，損益均衡となる。

（2）　固定資産のうち非償却資産を取得した場合の会計処理

運営費交付金で固定資産のうち非償却資産を取得した場合には，当該非償却資産は，減価償却されることなく，独立行政法人内に残存することにより独立行政法人の会計上の財産的基礎を形成するものとなることから，1）当該非償却資産の取得が中期計画の想定の範囲内における取得である場合には，運営費交付金債務を「資本剰余金」に振り替える処理を行い，2）当該非償却資産の取得が中期計画の想定の範囲内とは言えない場合には，運営費交付金債務を「資産見返運営費交付金」に振り替える処理を行うこととされています。

中期計画の想定の範囲内における取得であるか否かによって区別するのは，中期計画は主務大臣の認可を要するという点で出資者たる国の意思が反映されている度合が高いと考えられるためであって，非償却資産であって中期計画で想定しているものについては財産的基礎の形成を反映して資本剰余金へ振り替えるという考え方に基づいていることによるものとされています。

なお，運営費交付金を財源として中期計画の想定の範囲外で非償却資産を取得した場合，運営費交付金債務から振り替えられた資産見返負債（資産見返運営費交付金）は，当該非償却資産を売却または除却するまで資産見返負債が残存する形となり，中期計画期間の終了時点において精算収益化することは求められておらず，当該資産及び資産見返負債は中期目標の期間を繰り越せるものとされています（独法Q&A Q81-10）。

事例6-6　非償却資産の取得

独立行政法人Aは，X1年3月期に運営費交付金財源にて土地を購入し，業務に必要となる周辺用地の拡張を行った。当該土地は，第三者から400百万円で購入した。当該土地はX6年3月期に一定の事業目的を達成したことから，第三者に売却し，390百万円で売却した。

＜上記事例における会計処理＞

1) 土地の取得が中期計画の想定の範囲内によるものである場合

① 土地購入時の会計処理（X1 年 3 月期）

[借]	土　　地	400	[貸]	現金預金	400
	運営費交付金債務	400		資本剰余金*	400

＊中期計画の想定の範囲内における土地取得により，独立行政法人の財産的基礎が形成されることから，運営費交付金債務は資本剰余金に振り替え計上する。

② 土地売却時の会計処理（X6 年 3 月期）

[借]	現金預金	390	[貸]	土　　地	400
	除売却差額相当累計額*	10			

＊独立行政法人の財産的基礎を成すものとして資本剰余金に振り替えられた土地を売却する場合の売却差額は，除売却差額相当累計額で処理する。

2) 土地の取得が中期計画の想定の範囲内によるものではない場合

① 土地購入時の会計処理（X1 年 3 月期）

[借]	土　　地	400	[貸]	現金預金	400
	運営費交付金債務	400		資産見返運営費交付金*	400

＊非償却資産（土地）の取得が中期計画の想定の範囲内とはいえない場合には，出資者たる国の意思が反映されていないことから，資本剰余金には振り替え計上をせず，資産見返運営費交付金に振り替えを行う。

② 土地売却時の会計処理（X6 年 3 月期）

[借]	現金預金	390	[貸]	土　　地	400
	固定資産売却損	10			
	資産見返運営費交付金	400		資産見返運営費交付金戻入	400

＊注解 61 第 9 項により，資産見返運営費交付金を計上している固定資産を売却，交換または除却した場合には，これを全額収益に振り替えるものとされている。

（3） その他の固定資産を取得した場合の会計処理

長期の契約により固定資産を取得する場合であって，当該契約に基づき前払金または部分払金を支払うときは，当該支出額が運営費交付金により支出されたと合理的に特定できる場合には，その金額を運営費交付金債務から建設仮勘定見返運営費交付金に振り替え，現実に引渡しを受けたときに建設仮勘定見返運営費交付金を本来の科目（資本剰余金または資産見返運営費交付金）に振り替えます。

ここで,「長期の契約」とは，契約期間が2以上の事業年度にわたる契約をいうものとされ，事業年度末をまたいで工事の完了または資産の製作が完了する場合をいいます。このような場合には事業年度末に工事途上または製作途上の固定資産を「建設仮勘定」に計上することに対応して，財源側の運営費交付金も「建設仮勘定見返運営費交付金」に計上するものと整理されたところであります。

なお，固定資産を取得し，建設仮勘定見返負債から本来の科目に振り替える際に，費用処理されるものが判明した場合には，当該費用の額に相当する額を建設仮勘定見返負債から収益に振り替えるものとされ，建設仮勘定を計上するに際しては，契約内容から，資産に計上すべき部分と費用処理すべき部分とを適切に管理し，当初から費用認識できるような経費については，その発生した事業年度において費用認識を行う必要があり，費用処理すべきことが明らかな経費を建設仮勘定に計上することは認められないものとされています（独法Q&A Q81-17）ので，この点に留意が必要です。

事例6-7　建設仮勘定

独立行政法人Aは，X1年3月期に運営費交付金財源にて建物の一部を改修し，給排水設備の更新工事を行った。設計業務に関する業務が完了した時点で年度末を迎え，本工事については来年度のX2年3月期での工事実施となった。設計料は15百万円，本工事代金は90百万円であり，中間金45百万円，完成時45百万円の支払いであった。

＜上記事例における会計処理＞

1）X1年3月期

(借)	建設仮勘定*	15	(貸) 現金預金	15
	運営費交付金債務	15	建設仮勘定見返運営費交付金	15

＊設計業務は本工事の実施に付随して発生するものであることから，本工事の完了時に一体として資産計上する。このため，設計業務完了時点では工事の一部が完了したものとして建設仮勘定に計上する。

2）本工事代金（中間金）支払い時（X2年3月期）

(借)	建設仮勘定	45	(貸) 現金預金	45
	運営費交付金債務	45	建設仮勘定見返運営費交付金	45

3) 本工事代金（完成時）支払い（X2 年 3 月期）

(借)	建設仮勘定	45	(貸) 現金預金	45
	運営費交付金債務	45	建設仮勘定見返運営費交付金	45

4) 建物改修終了時（X2 年 3 月期）

(借)	建物	105	(貸) 建設仮勘定	105
	建設仮勘定見返運営費交付金	105	資産見返運営費交付金	105

事例 6-8　建設仮勘定に費用が含まれる場合

上記 事例 6-7 において，X2 年 3 月期の本工事代金（中間金）の中に既存設備の撤去工事代金 10 百万円が含まれていたことが本工事代金（完成時金）の支払い時に判明した。なお，中間金 45 百万円の支払い時点では全額を建設仮勘定で処理していたものとする。

＜上記事例における会計処理＞

1)，2)，3) は 事例 6-7 と会計処理同じ。

4) 建物改修終了時（X2 年 3 月期）

(借)	建物	95	(貸) 建設仮勘定	105
	外部委託費（撤去費）	10		
	建設仮勘定見返運営費交付金	105	(貸) 資産見返運営費交付金	95
			運営費交付金収益*	10

＊固定資産を取得し，建設仮勘定見返負債から本来の科目に振り替える際に，費用処理されるものが判明した場合には，当該費用の額に相当する額を建設仮勘定見返負債から収益に振り替えるものとされている（独法 Q&A Q81-17）。

4.　運営費交付金で棚卸資産を購入した場合の会計処理

運営費交付金で重要性が認められる棚卸資産（通常の業務活動の過程において販売するために保有するものを除く）を購入した場合には，運営費交付金債務を「資産見返運営費交付金」に振り替える処理を行い，当該棚卸資産を費消したときに「資産見返運営費交付金」を「資産見返運営費交付金戻入」に振り替えて収益化します。

なお,「重要性が認められる棚卸資産」とは，独立行政法人の業務の性格や貸借対照表における棚卸資産の占める割合等を総合的に勘案して決定すべきものとなりますが，例えば，プロジェクト等の業務に必要な棚卸資産であって，当該業務との関係から，年度末の保有高が事業年度ごとに大きく変動するようなものが該当するものとし，事務用の消耗品等，経常的な事務処理を円滑に行うため通常一定量を保管しているものについては「重要性が認められる棚卸資産」には該当しないものとして取り扱うこととされています（独法 Q&A Q81-14)。

事例 6-9　重要性の認められる棚卸資産

災害対応などの危機対応事業として，重油・灯油などの燃料の非常時備蓄用に貯蔵品（重油・灯油）を 200 百万円にて購入した。当該貯蔵品は，上記の目的から独立行政法人の通常の業務運営時の保有水準を上回り，金額的な重要性が認められる棚卸資産に該当するものとする。当該棚卸資産は，運営費交付金財源により取得した。

1）　重要性の認められる棚卸資産を運営費交付金財源で取得した場合の会計処理

(借)	棚卸資産（貯蔵品）	200	(貸)	現　金　預　金	200
	運営費交付金債務	200		資産見返運営費交付金	200

2）上記の棚卸資産を全額費消した場合の会計処理

(借)	燃　料　費	200	(貸)	棚卸資産（貯蔵品）	200
	資産見返運営費交付金	200		資産見返運営費交付金戻入	200

なお，上記棚卸資産に重要性が認められない場合の会計処理は，以下となる（運営費交付金の収益化基準として費用進行基準の採用を前提とする)。

(借)	燃　料　費	200	(貸)	現　金　預　金	200
	運営費交付金債務	200		運営費交付金収益	200

＜資産見返負債の計上が認められる棚卸資産について＞

運営費交付金を財源として棚卸資産を購入する場合においては，重要性が認められる棚卸資産（販売するために保有する棚卸資産を除く）を購入した場合には，運営費交付金債務を資産見返運営費交付金に振り替える処理が容認されています（基準第81第6項(1)イ）。

ただし，当該棚卸資産は，「通常の業務活動の過程において販売するために保有するものを除く」とされており，販売するために保有する棚卸資産については運営費交付金を財源として購入した場合であっても，資産見返負債の計上が認められていません。

販売を目的とする棚卸資産について資産見返運営費交付金を計上すると，売却時に資産見返運営費交付金戻入を計上することとなり，資産見返運営費交付金戻入の計上額は，棚卸資産の購入原価と一致することから，交付金財源によって投下資本（原価）の回収が措置され，棚卸資産の売却収入の全額が「自己収入」となってしまいます。

資産見返運営費交付金を計上できる棚卸資産に「通常の業務活動の過程において販売するために保有するものを除く」という規定が設けられたのは，販売収入を得るために必要となる棚卸資産の購入原価は，販売収入から回収することを原則的に求め，棚卸資産の販売収入の全額が「自己収入」として独立行政法人内に資金留保されることのないよう配慮したことによるものと思われます。棚卸資産の購入原価を上回る利益をあげた場合の当該利益部分（販売収入－棚卸資産購入原価）だけが「自己収入」による利益であるとの評価を行う観点から整理されたものと考えられます。

5. 中期目標期間満了時における会計処理

運営費交付金は，独立行政法人が中期目標期間中において，柔軟に業務を実施するために予め使途の特定を受けずに自由に使用する財源として国から交付を受けたものであり，中期目標期間内においては，未執行の残額が生じた場合であっても，翌年度以降に繰越使用することが認められています。

他方，独立行政法人は，中期目標期間終了の都度，その存廃を含めて在り方について見直しを行うものとされているため，次の中期目標期間に繰り越しての使用は原則として認められていません。このため，中期目標期間終了時においては，未使用の運営費交付金債務の残額があれば，一旦，全額収益化し，利益積立金に振り替える処理が求められることになります（基準第81第4項，注解61第6項，これを運営費交付金の精算収益化という）。

事例6-10

独立行政法人Aは，中期目標期間末となるX5年3月期末時点で運営費交付金債務（運営費交付金の未執行残額）が450百万円であった。

＜上記事例における会計処理＞

1）X5年3月期の会計処理

(借)	運営費交付金債務	450	(貸)	運営費交付金精算収益化額（臨時利益）*	450

＊注解61第6項により，「中期目標期間末における運営費交付金の残額は全額を精算し，収益化するもの」とされている。

6．運営費交付金が既に実施された業務の財源補塡のために交付された場合の会計処理

注解61第5項に，「運営費交付金が既に実施された業務の財源を補塡するために交付されたことが明らかといえる場合には，交付時において収益計上するものとする」旨が規定されています。

注解61第5項に該当するケースがどのようなケースであるかについて，詳細な規定はされていませんが，例えば，既に発生した運営費交付金事業にかかる業務費について，事後に運営費交付金の補正予算による増額が行われるケースなどにおいては「既に実施された業務の財源を補塡するために交付されたことが明らかといえる場合」に該当する可能性があるものと考えられます。

以上のほかに，運営費交付金の会計処理については，独法会計基準Q&Aでいくつかの論点の解説がなされています。これらのうち主な論点をまとめると，次のようになります。

①　運営費交付金の未使用の資金について，余資運用の観点から有価証券を取得した場合の会計処理

有価証券の取得はあくまで余資の運用であって，予算の執行とは関係がな

い。したがって，運営費交付金債務を取り崩すことはできない（独法Q&A Q81-15）。

② 運営費交付金を財源として固定資産を取得した場合の会計処理について，企業会計原則注解24国庫補助金等によって資産を取得した場合の圧縮記帳を適用することの可否

運営費交付金を財源として固定資産を取得した場合の会計処理については，基準第81に定められているため，企業会計原則注解24「国庫補助金等によって資産を取得した場合の圧縮記帳」は適用されない。

なお，同様に，施設費及び補助金等を財源として固定資産を取得した場合においても，圧縮記帳は認められない（独法Q&A Q81-16）。

③ 独立行政法人が通常の業務として貸付事業を行っている場合，運営費交付金や補助金を財源として業務を実施した場合の財源側の会計処理

資産見返負債による会計処理は，独立行政法人固有の会計処理として設定されたものであり，会計基準に規定されていないものは認められない。

他方，「独立行政法人会計基準の改訂について」（令和3年9月21日　独立行政法人評価制度委員会会計基準等部会 財政制度等審議会財政制度分科会法制・公会計部会）の中で「主務省令において個別の独立行政法人の特殊性に基づく会計処理を定めることを排除するものではない」と規定されている。設問のような事例のケースでは，主務省令等でその旨の会計処理が規定される場合に限って認められる。なお，この場合，「基準及び注解の趣旨に抵触してはならない」とされていることにも留意する（独法Q&A Q81-18）。

第2節　施設費の会計処理

1．施設費とは

施設費は，独立行政法人がその業務を遂行していくうえで必要な施設の整備に要する経費に充てるために国から交付されます。国の予算においては公債発行対象経費（建設国債発行対象経費）である施設整備費補助金として予算に計上され，独立行政法人においては固定資産の取得または施設整備を行うことが求められる補助金となります。

基準第82　施設費の会計処理

1　独立行政法人が施設費を受領したときは，相当額を預り施設費として整理するものとする。預り施設費は，流動負債に属するものとする。
2　施設費によって固定資産を取得した場合は，当該資産が非償却資産であるとき又は当該資産の減価償却について「第87特定の資産に係る費用相当額の会計処理」に定める処理が行われることとされたときは，当該固定資産の取得費に相当する額を，預り施設費から資本剰余金に振り替えなければならない。(注62)

<注62>施設費を財源に固定資産を取得した場合の会計処理について
1　独立行政法人における施設費は，国から拠出された対象資産の購入を行うまでは，その使途が特定された財源として，預り施設費として負債に整理する。
2　施設費を財源とする償却資産については，通常，「第87特定の資産に係る費用相当額の会計処理」にしたがって減価償却の処理を行うことが想定される。そのような場合には，当該資産の購入時において，預り施設費を資本剰余金に振り替えることとし，独立行政法人の会計上の財産的基礎を構成するものとする。資本剰余金は，「第87特定の資産に係る費用相当額

会計処理」により，減価償却の進行に応じて実質的に減価していくこととなる。

3　長期の契約により固定資産を取得する場合であって，当該契約に基づき前払金または部分払金を支払うときは，その金額を預り施設費から建設仮勘定見返施設費に振り替え，現実に引渡しを受けたときに建設仮勘定見返施設費を資本剰余金に振り替えるものとする。

施設費は補助金の一種ですが，国の予算分類上，公債発行対象経費であることから施設整備補助事業における事業目的として固定資産の購入・整備に補助金を使用することが交付を受ける独立行政法人に求められる点に特徴があるといえます。施設費は，施設整備に用いることに使途を限定された補助金であり，当該補助事業の目的に限定して補助金を使用する義務を独立行政法人が負っているため，補助金の交付を受けた時点では「預り施設費」として負債に計上します。

事例6-11　**施設費受領時**

独立行政法人Aは当会計年度（X1年3月期）において，国から施設整備補助金60,000千円の概算払いを受けた。

<上記事例における会計処理>

㈾ 現金預金	60,000	㈮ 預り施設費	60,000

国から施設費を受領した時点では受領額を預り施設費(流動負債)に計上する。

2.　施設費による固定資産取得時の会計処理

施設費によって固定資産の取得・整備を行った場合，独立行政法人内に固定資産が新たに計上され，当該固定資産が非償却資産である場合には，法人の財産的基礎を形成することから，施設費の財源は固定資産の取得時に「預り施設費」を「資本剰余金」に振り替え計上します。また，施設費財源により償却資産を取得した場合には，通常，当該資産の減価償却について「第87特定の資産に係る費用相当額の会計処理」に定める処理が適用され，この場合には「預り施設費」を「資本剰余金」に振替える処理を行います（独法 Q&A Q19-1）。

ただし，固定資産の取得に際して既存資産の撤去が不可欠のため行われる工事などの支出については，預り施設費は施設費収益に振り替え計上し，資本剰余金への振り替えは行いません（独法 Q&A Q82-1）。以上の会計処理をまとめると，次のようになります。

①　非償却資産の取得 「資本剰余金」に振り替える。
②　償却資産の取得であって，基準第 87 第 1 項「その減価に対応すべき収益の獲得が予定されないものとして特定された資産」に該当する場合 「資本剰余金」に振り替える。施設費を財源とする償却資産については，通常，「第 87 特定の資産に係る費用相当額の会計処理」にしたがって損益外での減価償却処理を行うことが想定され，この場合，資産の取得時に預り施設費を資本剰余金に振り替える（注解 62 第 2 項）。
③　償却資産の取得であって，基準第 87 第 1 項「その減価に対応すべき収益の獲得が予定されないものとして特定された資産」に該当しない場合 「資産見返施設費」（資産見返負債）に振り替える。主に自己収入財源で投下資本の回収を行う事業独法等において，施設費で固定資産整備を行った場合には，その減価に対応する将来の収益獲得が見込まれることになるため，資産見返施設費に計上する場合も理論的には生じうるものと考えられる（独法 Q&A Q19-1 参照）。
④　費用に充当される場合（撤去工事費・修繕工事費など） 「施設費収益」に振り替える（独法 Q&A Q82-1 参照）。

また，施設費で取得した償却資産が基準第 87 第 1 項「その減価に対応すべき収益の獲得が予定されないものとして特定された資産」に該当する場合には，当該固定資産の減価償却費は損益計算書には計上せず，「減価償却相当累計額」の科目をもって資本剰余金区分から控除する処理を行います（詳細は，第 5 節固定資産にかかる固有の会計処理を参照下さい）。

[事例 6-12]

建物の建設のために，工事業者に対して工事中間金として20,000千円を支出した。完成引渡し時に残金10,500千円の支払いを行った。このうち500千円については工事に必要な既存設備の撤去工事見積り費用が含まれていた。当該工事代金は施設整備費補助金にて行われた。

なお，当該建物は，その減価に対応すべき将来の収益獲得が予定されない特定の償却資産として主務大臣指定を受けている償却資産に該当する。

<上記事例における会計処理>

1）工事中間金の支払時

(借)	建設仮勘定	20,000	(貸)	現金預金	20,000
	預り施設費	20,000		建設仮勘定見返施設費	20,000

2）建物が完成し，残金を支払った

(借)	建設仮勘定	10,500	(貸)	現金預金	10,500
	預り施設費	10,500	(貸)	建設仮勘定見返施設費	10,500
	建物	30,000		建設仮勘定	30,000
	外部委託費	500		建設仮勘定	500
	建設仮勘定見返施設費	500		施設費収益	500
	建設仮勘定見返施設費	30,000		資本剰余金	30,000

[事例 6-13]

上記 [事例 6-12] における建物30,000千円を耐用年数20年，残存価額ゼロの定額法で償却を行う。

(借)	減価償却相当累計額	1,500	(貸)	減価償却累計額	1,500

施設費を財源として取得した償却資産については，「第87第1項特定の償却資産（その減価に対応すべき収益の獲得が予定されない特定の償却資産）」であることが通常，想定される。前提条件より特定の償却資産として主務大臣指定を受けていることから減価償却費相当額については，減価償却相当累計額（資本剰余金の控除科目）として計上する。

なお，施設費を財源として取得した無形固定資産が基準第87第1項の適用を受ける特定の償却資産に該当する場合の減価償却費の計上に係る仕訳は以下の通りとなり，無形固定資産の場合には減価償却累計額を固定資産の取得価額から直接控除する方法で表示するため，「減価償却累計額」という科目は使用されません。

(借)	減価償却相当累計額	××	(貸)	無形固定資産	××

事例 6-14

上記 **事例 6-12** における建物を（耐用年数 20 年で定額法，残存価額ゼロ）を取得から 4 年経過後に 25,000 千円で売却した場合の会計処理

1）通常の償却資産の場合

(借)	減価償却累計額	6,000	(貸)	建　物	30,000
	現金預金	25,000		固定資産売却益	1,000

2）特定の償却資産の場合（基準第 87 第 1 項の適用がある場合）

(借)	減価償却累計額	6,000	(貸)	建　物	30,000
	現金預金	25,000		減価償却相当累計額	6,000
	除売却差額相当累計額	5,000			

以上の会計処理をまとめると，**図表 6-9** の通りになります。

図表 6-9　施設費の会計処理

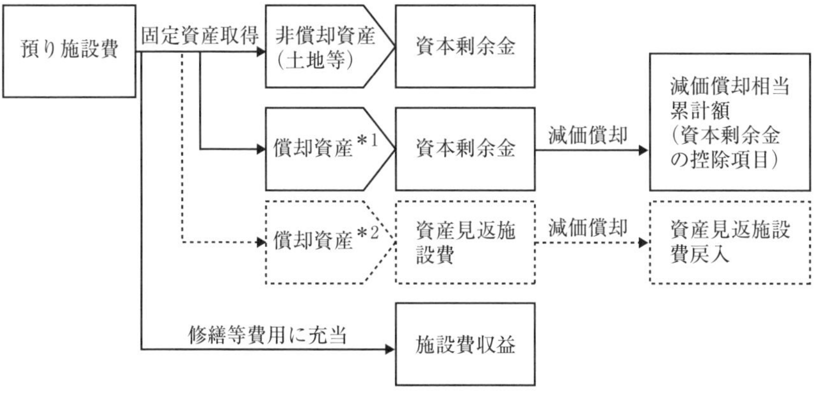

＊1）基準第 87 第 1 項「その減価に対応すべき収益の獲得が予定されないものとして特定された資産」の取得の場合

＊2）基準第 87 第 1 項「その減価に対応すべき収益の獲得が予定されないものとして特定された資産」に該当しない固定資産の取得の場合（独法 Q&A Q19-1A3 参照）

以上のほかに，「施設費の精算請求額が，国の出納整理期間である翌事業年度の4月中に交付される場合における施設費の未収計上の可否」という論点がありますが，補助金交付決定通知書等に記載された補助事業が補助事業の期間内に完了しており，交付決定通知書等に記載された補助金等額の交付が出納整理期間である翌事業年度の4月に交付されることが確実であると見込まれる場合には，未収金を計上することができるものとされています（独法Q&A Q82-2）。

第3節　補助金等の会計処理

1．補助金等とは

補助金等は独立行政法人が行う業務のうち，運営費交付金や施設整備費補助金とは別に特定の事務・事業に対して交付されるものであり，補助金等の交付の対象となる事務・事業の範囲は補助事業の実施要綱，認可を受けた実施計画書，交付決定通知書等で具体的に示されることになります。このため，補助金等は特定の補助事業の実施のために国などから交付された財源であることから，受領した時点では「預り補助金等」として負債に計上し，補助金等の収益化は実施要綱・実施計画書等で示された業務の進行に応じて行います。補助金等に関する独法会計基準の規定は，以下の通りとなります。

基準第83　補助金等の会計処理

1　独立行政法人が国又は地方公共団体から補助金等の概算交付を受けたときは，相当額を預り補助金等として整理するものとする。預り補助金等は流動負債に属するものとする。
2　預り補助金等は，補助金等の交付の目的に従った業務の進行に応じて収益化を行うものとする。

3　補助金等が，翌事業年度以降の特定の事業に充てるため特別の資金として保有することを目的として交付されたときは，相当額を長期預り補助金等として整理するものとする。長期預り補助金等は，固定負債に属するものとする。

4　補助金等を財源の全部又は一部として固定資産等を取得したときは，次のように処理するものとする。（注 63）

(1)　当該資産が非償却資産であるときは，取得に充てられた補助金等の金額を預り補助金等から資本剰余金に振り替える。

(2)　当該資産が償却資産若しくは重要性が認められる棚卸資産（通常の業務活動の過程において販売するために保有するものを除く。以下，この項において同じ。）であるときは，取得に充てられた補助金等の金額を預り補助金等から資産見返補助金等に振り替える。資産見返補助金等は，償却資産の場合は毎事業年度，当該資産の減価償却額に取得価額に占める補助金等の割合を乗じて算定した額を，棚卸資産の場合は消費した際に，当該消費した相当額を，それぞれ取り崩して，資産見返補助金等戻入として収益に振り替える。

(3)　当該資産が販売用不動産であるときは，取得に充てられた補助金等の金額を預り補助金等から資産見返補助金等に振り替える。資産見返補助金等は，当該資産の販売を行ったときに取り崩して，資産見返補助金等戻入として収益に振り替える。

＜注 63＞　補助金等の会計処理について

1　補助金等が既に実施された業務の財源を補填するために精算交付された場合においては，補助金等の交付を受けたときに収益計上するものとする。

2　長期の契約により固定資産を取得する場合であって，当該契約に基づき前払金又は部分払金を支払うときは，その金額を預り補助金等から建設仮勘定見返補助金等に振り替え，現実に引渡しを受けたときに建設仮勘定見返補助金等を本来の科目（資本剰余金または資産見返補助金等）に振り替えるものとする。また，当該固定資産が償却資産の場合は毎事業年度，減価償却相当額を取り崩して，資産見返補助金等戻入として収益に振り替える。

3　資産見返補助金等を計上している固定資産を売却，交換又は除却した場合には，これを全額収益に振り替えるものとする。

補助金等の場合，「補助金等に係る予算の執行の適正化に関する法律」の適用を受けますので，同法第７条第２項により，「補助事業等の完了により当該補助事業者等に相当の収益が生ずると認められる場合においては，当該補助金等の交付の目的に反しない場合に限り，その交付した補助金等の全部または一部に相当する金額を国に納付すべき旨の条件を附することができる。」とされている趣旨から，補助事業の実施に要した費用の額が当初交付した補助金よりも少額で済んだ場合には国等の交付者に不要となった補助金を返還するかまたは未交付になります。この点が，中期計画期間内であれば柔軟な執行が認められる運営費交付金と相違します。

補助金の収益化処理は，基準第83で「補助金等の交付の目的に従った業務の進行に応じて収益化する」と定められていますが，より具体的には当該業務に係る経費の支出に応じて収益化するものと定められています（独法Q&A Q83-1）。

事例6-15　補助金の会計処理

国に対して70,000千円の補助金交付申請を行い，その交付を受けた。その補助金の交付決定通知書に示された業務実施のために業務費を20,000千円支出した。

＜上記事例における会計処理＞

1）　補助金受領時

(借)	現金預金	70,000	(貸) 預り補助金等	70,000

2）　業務費支出時

(借)	業務費	20,000	(貸) 現金預金	20,000
	預り補助金等	20,000	補助金等収益	20,000

2.　補助金等により固定資産等を取得した時の会計処理

補助金等による固定資産等の取得時の会計処理は，運営費交付金によるそれと類似しています。しかし，運営費交付金が幅広い業務に対する一般財源であるのに対し，補助金等については交付当初からその使途が補助金の交付対象となった補助事業にかかるものに限定されています。このため，運営費交付金で固定資産を購入した場合における「支出の合理的特定」や「中期計画の想定の範囲内か否か」の判定が不要となっている点に相違があります。

補助金等で固定資産等を取得した場合の会計処理をまとめると，**図表 6-10**の通りになります。

図表 6-10　補助金等で固定資産等を取得した場合の会計処理

<table>
<tr><th>補助金等の使途</th><th>資産取得時の会計処理</th><th>減価償却時の会計処理</th><th>除売却時の会計処理</th></tr>
<tr><td>非償却資産の取得</td><td>「資本剰余金」に振り替える。</td><td>—</td><td rowspan="3">除売却（棚卸資産にあっては費消）時に「資産見返補助金等」を全額取崩し，「資産見返補助金等戻入」を計上する。</td></tr>
<tr><td>償却資産の取得</td><td>「資産見返補助金等」（資産見返負債）に振り替える。</td><td>減価償却費の計上に合わせて「資産見返補助金等戻入」を計上する。</td></tr>
<tr><td>重要性の認められる棚卸資産（通常の業務活動の過程において販売するために保有するものを除く）の取得</td><td>「資産見返補助金等」（資産見返負債）に振り替える。</td><td>—</td></tr>
</table>

なお，平成 27 年の独法会計基準改訂により補助金等を財源として重要性の認められる棚卸資産（通常の業務過程で販売するために保有するものを除く）を取得した場合に資産見返補助金等を計上することが認められる改訂が行われました。補助事業の対象として重要性の認められる棚卸資産を購入した場合，当該支出額は会計上，資産計上される一方で改訂前の基準では補助金等収益を計上することとなり，補助事業における収支が均衡しているものの，会計上は利益が生じることとなっていました。このため，経営努力認定を適切に行う観点から補助金等が期間損益計算に与える影響を中立化するべく改訂が行われました。当該改訂は，平成 27 年 4 月以降に取得する棚卸資産にかかる会計処理から適用されます（独法 Q&A Q83-4）。

補助金等を財源として固定資産を購入する場合の会計処理について，**事例 6-16** に示します。

事例 6-16

独立行政法人Cは×1年4月に補助金を財源として，土地（非償却資産）30,000千円，機械装置15,000千円（耐用年数5年残存価額ゼロ）を購入した。×2年3月末に，上記機械装置について償却を行った。

＜上記事例における会計処理＞

1）固定資産購入時

	借方	金額		貸方	金額
㈱	土地	30,000	㈴	現金預金	45,000
	機械装置	15,000			

2）預り補助金等の振替

	借方	金額		貸方	金額
㈱	預り補助金等	45,000	㈴	資本剰余金	30,000
				資産見返補助金等	15,000

3）減価償却費の計上

	借方	金額		貸方	金額
㈱	減価償却費	3,000	㈴	減価償却累計額	3,000
	資産見返補助金等	3,000		資産見返補助金等戻入	3,000

独立行政法人制度の基本的な仕組みとして，独立行政法人の会計上の財産的基礎となる固定資産（償却資産）の取得については，出資による方法と施設費による方法が予定され，補助金等による方法は予定されていません。したがって，会計基準第87第1項の特定の償却資産を補助金等により取得することは予定されていません（独法Q&A Q83-2）。

補助金等を財源とした固定資産売却時の会計処理について，**事例 6-17**に示します。

事例 6-17

C社は×2年3月末に機械装置15,000千円（耐用年数5年残存価額12,000千円）を11,000千円で売却した。

＜上記事例における会計処理＞

	借方	金額		貸方	金額
㈱	減価償却累計額	3,000	㈴	機械装置	15,000
	現金預金	11,000			
	固定資産売却損	1,000			
	資産見返補助金等	12,000		資産見返補助金等戻入	12,000

補助金等を財源とした固定資産除却時の会計処理について，[事例 6-18]に示します。

[事例 6-18]

C社は×2年3月末に機械装置15,000千円（耐用年数5年残存価額12,000千円）を除却した。

＜上記事例における会計処理＞

(借)	減価償却累計額	3,000	(貸)	機　械　装　置	15,000
	固定資産除却損	12,000			
	資産見返補助金等	12,000		資産見返補助金等戻入	12,000

既に実施された業務の補塡のための補助金の交付について，[事例 6-19]に示します。

[事例 6-19]

独立行政法人Aは，特定の対象者に対して政策的に低利率での資金貸付を実施している。独立行政法人Aの当該資金貸付のための資金は，独立行政法人A債券，民間金融機関からの借入金によって調達がなされているが，当該政策目的のために調達金利が貸付金の金利を上回り，利払いによる損失が発生している。

このため，当該利払いにかかわる損失に対して国から利子補給金400,000千円の支給を受けている。

＜上記事例における会計処理＞

(借)	現　金　預　金	400,000	(貸)	預り補助金等	400,000
	預り補助金等	400,000		補助金等収益	400,000

補助金等が既に実施された業務の財源を補塡するために精算交付された場合においては，補助金等の交付を受けたときに収益計上するものとされています（注解63第1項）。

以上のほかに，補助金等の会計処理については，独法会計基準Q＆Aでいくつかの論点の解説がなされています。これらのうち主な論点をまとめると，以下のようになります。

① 補助金等を財源として会計基準第87第1項の特定の償却資産を取得することの可否
独立行政法人制度の基本的な仕組みとして，独立行政法人の会計上の財産的基礎となる固定資産の取得については，出資による方法と施設費による方法が予定され，補助金等による方法は予定されない。したがって，補助金等により基準第87の特定の償却資産を取得することは予定されない（独法Q&A Q83-2）。
② 既に実施された業務の財源を補填するための補助金が翌年度に精算交付される場合の未収計上の可否
補填対象となる業務が事業年度の期間内に完了し，精算交付時期が出納整理期間である翌事業年度の4月に交付されることが確実であると見込まれる場合には，未収計上できるものとする（独法Q&A Q83-3）。

3. 科学研究費補助金

科学研究費補助金は，競争的研究資金や外部競争資金などとも呼ばれ，公募型で優れた研究テーマに対して補助金を交付する研究資金制度であり，研究者個人の研究テーマに対して研究資金を交付する制度である点に特徴があります。

当該研究資金は，研究者個人に対して交付される制度ではありますが，研究資金の適切な執行を管理するよう研究者が所属する研究機関において，資金の管理や予算の執行などの事務管理を行うことが要請されている場合が通常となっています。このため，科学研究費補助金は，直接研究費に対する補助金と研究の事務管理等の間接費のための補助金とが交付される制度となっているものが多く見受けられます（補助金の種別にもよりますが，間接費補助金は直接研究費の30%としている場合が多く見受けられます。ただし，制度によっては間接費補助金のない競争資金もあります）。

この場合，独立行政法人などの法人ではなく，独立行政法人に所属する研究者個人に対して採択された研究資金の会計処理が問題となるわけですが，独法Q&Aでは，直接研究費部分の補助金については，法人の研究資金ではなく，研究者個人から委任を受けて事務管理をしているだけですので，「科研費預り金」として会計処理し，間接経費にかかる補助金については，研究資金の事務管理を行う研究者の所属研究機関の収入として会計処理するものとされ，独法Q&A Q66-5において，以下の通りに規定されています。

> 科学研究費補助金はいわゆる競争的研究費として一人又は複数の研究者により行われる研究計画の研究代表者に交付される補助金であり，研究機関に交付されるものではない。したがって，研究機関では当該補助金を機関収入に算入することはできないものとされている（「科学研究費補助金 交付・執行等事務の手引」日本学術振興会編)。一方，同手引においては補助金の取扱事務は研究機関の事務局で処理することとされている。
>
> 以上の点を踏まえつつ，科学研究費補助金の事務取扱を公正に実施する観点から，科学研究費補助金については独立行政法人において預り金として処理し，補助金に含まれる事務取扱に要する間接費相当額は法人の収益として整理することとする。
>
> なお，補助金で購入した固定資産を独立行政法人が研究者個人から寄贈された場合には，基準第26に従い公正な評価額をもって受け入れる。

科学研究費補助金の会計処理をまとめると，次のようになります。

① 直接研究費にかかる補助金（研究費に直接充当するための補助金）

研究者の所属する研究機関（法人）に交付された研究資金ではないため，「科研費預り金」として会計処理を行う。

② 間接費にかかる補助金（研究環境の整備や事務管理に要する間接費にかかる補助金）

研究者個人から事務管理の委任を受けた法人に帰属する収入であるため，その他研究収入，その他収入，雑収入，雑益などの科目で法人の収入（収益）に計上する。なお，本来的には補助金であるため，実際に執行した額だけ収益計上するのが原則であると考えられるが，交付年度に全額使用することを前提として受領時に全額を収益に計上する簡便的な処理を採用することも考えられる。

事例 6-20

独立行政法人に所属する研究者 A が科学研究費補助金に応募し，採択を受けた。申請し，認可を受けた研究費計画は以下の通りであった。

<研究資金の支出計画>

直接研究費　100 万円

間接費　30 万円

合計　130 万円

研究期間：X3 年度（1 年間）

<上記事例における科学研究費補助金 130 万円の交付を受けた際の会計処理>

1）科学研究費補助金受領時の会計処理

(借)	現金預金	130	(貸) 科研費預り金	130

または

(借)	現金預金	130	(貸) 科研費預り金	100
			前受金*	30

＊間接費にかかる補助金部分は，事務管理を行う法人の収入となるため，研究推進のための間接費の支払いに実際に使用するまでの間は収益化せず，前受金として会計処理しておき，直接研究費にかかる補助金と間接費にかかる補助金とを受領時点で区分しておく方法も考えられる。

または

(借)	現金預金	130	(貸) 科研費預り金	100
			その他収入*	30

＊交付年度に全額使用することを前提として受領時に全額を収益に計上する簡便的な処理を採用することも考えられる。

事例 6-21

事例 6-20 において，直接研究費 40 万円を執行して研究費を支出した際の会計処理

(借)	科研費預り金	40	(貸) 現金預金	40

直接研究費は，研究機関に所属する研究者個人に交付される研究資金であることから，当該研究費を執行した場合も預り金を支払うという事務を代行しているだけという会計処理になる。

事例 6-22

[事例 6-20] において，間接費にかかる補助金を研究環境整備のための費用30万円の支出に充てて使用した際の会計処理

1）間接費にかかる補助金を受領時に前受金計上していた場合

(借)	前　受　金	30	(貸)	その他収入	30
	費　　用	30		現金預金	30

2）間接費にかかる補助金を受領時にその他収入に計上していた場合

(借)	費　　用	30	(貸)	現金預金	30

事例 6-23

[事例 6-20] において，研究期間終了時点で実績報告書を作成し，完了報告を行った。

	研究資金の支出計画	実績報告書
直接研究費	100	85
間接費	30	30
合　計	130	115

直接研究費は予定より15万円少ない支出で研究が完了したため，15万円の返還を行った。

＜上記事例における研究資金の精算時の会計処理＞

(借)	科研費預り金	15	(貸)	現金預金	15

事例 6-24

[事例 6-20] において，研究期間終了時点で実績報告書を作成し，完了報告を行った。

	研究資金の支出計画	実績報告書
直接研究費	100	100
間接費	30	25
合　計	130	125

間接費にかかる補助金のうち研究環境整備のための支出に使用された額は25万円であったため，5万円の返還を行った。

＜上記事例における研究資金の精算時の会計処理＞

1) 間接費にかかる補助金を受領時に前受金計上していた場合

(借)	前受金	5	(貸)	現金預金	5

2) 間接費にかかる補助金を受領時にその他収入に計上していた場合

(借)	その他収入	5	(貸)	前受金	5
	前受金	5		現金預金	5

事例 6-25

事例 6-20 において，X3 年度の 9 月末時点における研究資金の執行状況は以下の通りであった。

	研究資金の支出計画	支出実績(9 月末時点)
直接研究費	100	50
間接費	30	15
合　計	130	65

X3 年度の年央の 10 月 1 日に研究者 A が人事異動により，他の研究機関に異動となり，転出した。

＜上記事例における会計処理＞

科学研究費補助金は，研究者個人に対して交付されたものであるため，当該研究者が転出し，転出先の研究機関において継続して当該研究課題に取り組む場合には，残存している未執行の研究費は間接費にかかる補助金部分を含めて一旦，当該研究者に返還し，そのうえで研究者 A が異動先の所属研究機関に研究資金管理の事務委任を行うことにより，異動先の所属研究機関に研究資金を移動する形となる（**図表 6-11**）。

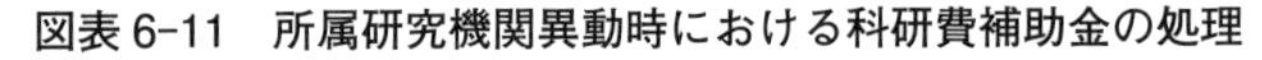

図表 6-11　所属研究機関異動時における科研費補助金の処理

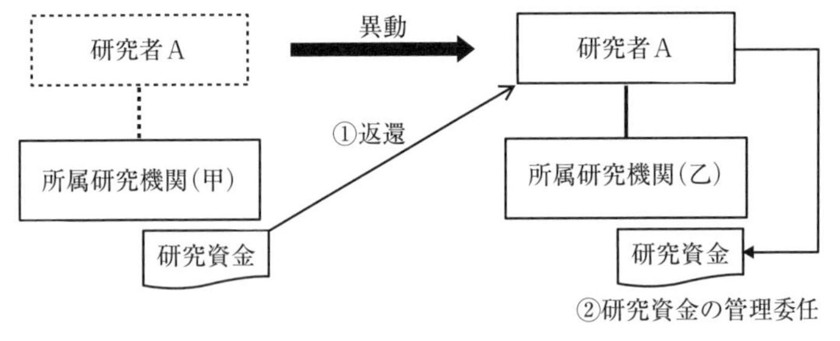

このため，異動前の研究機関においては，以下の会計処理により，異動先の研究機関に研究者Aの研究資金の残額を送金する形となる。

1）間接費にかかる補助金を受領時に前受金計上していた場合

(借)	科研費預り金	50	(貸) 現金預金	65
	前受金	15		

2）間接費にかかる補助金を受領時にその他収入に計上していた場合

(借)	科研費預り金	50	(貸) 現金預金	65
	その他収入	15		

この際，研究資金の残金を異動先の研究機関に送金する際に間接費にかかる補助金部分の取扱いに留意が必要となる。間接費にかかる補助金の額は，直接研究費の一定割合（本事例では30%）とされている場合には，原則として未執行の直接研究費に間接経費割合を乗じた額の間接費にかかる補助金も合わせて送金する形となる。

本事例では，未執行の直接研究費50の30%＝15の間接費にかかる補助金を異動後の研究機関に送金する形となっている。ただし，科学研究費補助金の制度によっては，間接費にかかる補助金の額を既に全額執行している場合には，異動後の研究機関に間接費にかかる補助金を送金しないことが容認されている制度など様々なケースが存在するので，実際に取り扱う科学研究費補助金の制度の内容に応じた適切な処理を行うことが求められる。

また，科学研究費補助金の制度によっては研究機関が単年度ではなく，複数年度の期間を対象とした制度なども存在するため，研究計画上，2年目以降の年度で使用することが予定されている直接研究費に対応する間接費にかかる補助金については，簡便的な処理として受領時に全額を収益計上すべきではなく，その後の研究者の人事異動の可能性も考慮し，慎重な対応が求められるものと考える。

事例6-26

事例6-20 において，直接研究費として研究に必要な機械20万円を購入した。研究者Aは，当該機械を取得後，所属研究機関に無償譲渡し，所属研究機関に機械の管理を委ねることとした。
決算時において当該機械の減価償却費を4万円計上した。

<上記事例における会計処理>

科学研究費補助金で研究者が固定資産を購入した場合には，当該固定資産の所有権は研究者個人に帰属する。しかしながら，科学研究費補助金の制度では当該

補助金制度の取扱規程等で研究の過程で取得した固定資産については，取得後速やかに所属研究機関に当該資産を譲渡し，所属研究機関における資産の管理を求めているものがある。そのような場合には，研究者個人から所属研究機関に購入資産の無償譲渡（寄贈）が行われることになる。研究者から寄附を受けた場合の評価額は，原則として設備等の取得価額（当該資産の引取費用等の付随費用を含めた額）によることになる。また，研究作業上の理由等により一定期間の経過後に研究者から独立行政法人へ寄附された場合については，取得時から寄附時点までの減価償却累計額相当額を取得価額から控除した額をもって公正な評価額とする（独法 Q&A Q26-2-2）。

このため，所属研究機関は以下の会計処理を行う。

1） 研究者Aから所属研究機関への機械の無償譲渡

(借)	機械装置*	20	(貸) 資産見返寄附金	20

＊機械購入後遅滞なく無償譲渡が行われている場合には，当該機械の取得価額を受入価額（公正な評価額）として計上する。

2） 減価償却費の計上

(借)	減価償却費	4	(貸) 減価償却累計額	4
	資産見返寄附金	4	資産見返寄附金戻入	4

＜その他―研究期間が複数年である科学研究費補助金＞

このほか，科学研究費補助金の中には複数年研究期間となる補助金制度も存在します。この場合，２年目以降の直接研究費に対応する間接費相当額の補助金については，初年度に収益計上せず，翌年度の研究期間の直接費の執行に合わせて間接費相当額の補助金を執行することが原則的な取扱いになるものと考えます。制度によって，取扱いが異なる場合がありますので，当該科学研究費補助金制度ごとに間接費相当額の補助金の取扱いを確認することが必要と考えます。

第4節　寄附金の会計処理

寄附は，反対給付を伴わずに第三者から金銭または財産を受領する行為を意味します。

1.　寄附金受領時の会計処理

独立行政法人会計基準における寄附金の取扱いは，以下の通りとなっています。

基準第85　寄附金の会計処理

1　独立行政法人が受領した寄附金については，次により処理するものとする。（注65）

(1)　中期計画等及び年度計画において，独立行政法人の財産的基礎に充てる目的で民間からの出えんを募ることを明らかにしている場合であって，当該計画に従って出えんを募った場合には，民間出えん金の科目により資本剰余金として計上する。

(2)　寄附者がその使途を特定した場合又は寄附者が使途を特定していなくとも独立行政法人が使用に先立ってあらかじめ計画的に使途を特定した場合において，寄附金を受領した時点では預り寄附金として負債に計上し，当該使途に充てるための費用が発生した時点で当該費用に相当する額を預り寄附金から収益に振り替えなければならない。

2　前項(2)の寄附金によって固定資産を取得した場合は，次のように処理するものとする。

(1)　当該資産が非償却資産であって，その取得が中期計画等の想定の範囲内であるときに限り，その金額を預り寄附金から資本剰余金に振り替える。

(2)　当該資産が非償却資産であって，上記(1)に該当しないとき及び当該資産が償却資産であるときは，その金額を預り寄附金から別の負債項目である資産見返寄附金に振り替える。償却資産の場合は毎事業年度，減価償却相当額を

取り崩して，資産見返寄附金戻入として収益に振り替える。(注 66)

3　前項の(1)または(2)のいずれにも該当しない寄附金については，当該寄附金に相当する額を受領した期の収益として計上する。

<注 65>寄附金の負債計上について

独立行政法人においては，その性格上，様々な趣旨の寄附金を受けることが想定される。

寄附金は，寄附者が独立行政法人の業務の実施を財産的に支援する目的で出えんするものであるが，寄附者があらかじめその使途を特定したり，あるいは独立行政法人の側で使途を示して計画的に管理支出することが想定され，独立行政法人が通常はこれを何らかの特定の事業のための支出に計画的に充てなければならないという責務を負っているものと考えられる。このため，受領した寄附金の会計的な性格として，あらかじめ使途が特定されて管理されている寄附金に関しては，その未使用額と同額の負債の存在を認め，受領した期の終了後も引き続き独立行政法人に留保することとしている。これは，中期計画期間の終了時においても同様であり，運営費交付金とは異なり，精算のための収益化は不要である。

<注 66>寄附金を財源として固定資産を取得した場合の会計処理について

1　独立行政法人が使途を特定した寄附金によって非償却資産を取得した場合においては，これが中期計画の想定の範囲内である場合には，独立行政法人の会計上の財産的基礎を構成するものと考えられることから，資本剰余金に振り替えるものとする。

2　資産見返寄附金を計上している固定資産を売却，交換または除却した場合は，これを全額収益に振り替えるものとする。

寄附金の会計処理をまとめると，次のようになります。

① 中期計画等において，独立行政法人の財産的基礎に充てる目的で民間からの出えんを募ることを明らかにしている場合であって，当該計画に従って出えんを募った場合における寄附の受領は，資本剰余金の区分に「民間出えん金」の科目をもって計上する。

② 寄附者がその使途を特定した場合，または寄附者が使途を特定していなくとも，独立行政法人が使用に先立ってあらかじめ計画的に使途を特定した場合における寄附の受領は，「預り寄附金」として負債に計上する。

③ 使途が特定されない寄附金の受領は，受領時に「寄附金収益」の科目をもっ

て収益計上する。

寄附金の会計処理は，その使途が特定されているか否かによって会計処理が大きく異なることになります。

独立行政法人会計基準及び同Q&Aでは，使途が特定されているといえる要件として以下の点を定めています（独法Q&A Q16-2，Q85-1）。

1）　会計基準が規定する負債の定義に合致していること。

▶負債計上の前提として，寄附金の受領が独立行政法人に何らかの義務をその時点において生じさせていることが必要

以下の場合に基準上は義務が生じているとみなします。

▶寄附者がその使途を特定した場合

▶独立行政法人が使用に先立ってあらかじめ計画的に使途を特定した場合

2）　使途の特定の程度が以下を満たすこと。

▶法人に対して当該寄附金の使用状況についての管理責任が問える程度に特定されていること。

▶当該法人の業務に関連した用途の種類，使用金額，使用時期等が明確になっていること。

3）　特定の方法が以下を満たすこと。

▶法人が自ら計画的に使途を特定する場合の典型例としては中期計画において定めている場合

▶寄附金受領後使用するまでに当該寄附金の使途を定めた事実が事後的に検証可能な場合

一方，寄附者または独立行政法人が寄附金について何らその使途を特定しなかった場合においては，企業会計の場合と同様に寄附金は受領時に収益として計上されることになるため，寄附金を受領した年度と同一の会計年度に寄附金の全額を費消しない限り，寄附金受領年度に利益が発生することになります。

使途を定めない寄附金によって利益が生じた場合には，当該利益は通則法第

44条第1項によって積立金として整理されることになり，寄附金を収集することに経営努力が認められる場合以外では中期計画期間の末時点で結果として国庫に納付されるものも生じうることになります（独法Q&A Q85-7）。

2. 寄附金使用時の会計処理

寄附金の使用時の会計処理をまとめると，次のようになります。

① 費用の支払いに充てた場合

「預り寄附金」から「寄附金収益」に振り替える。

② 固定資産（非償却資産）の取得で当該取得が中期計画の想定の範囲内といえる場合

「預り寄附金」から「資本剰余金」に振り替える。

③ 固定資産（償却資産）の取得または上記②に該当しない非償却資産の取得に充てた場合

「預り寄附金」から「資産見返寄附金」に振り替える。

④ 使途が特定されない寄附金を使用した場合

受領時に「寄附金収益」の科目をもって収益計上済みであるため，使用時には寄附金に関して特段の会計処理は行われない。

事例6-27　使途特定寄附金の会計処理

寄附者から使途の特定（A業務普及のためのシンポジウムの開催）を受けた寄附金100万円を受領した。このうち，80万円を特定された使途に充てるために使用した。使途の特定を受けた事業の全部が終了した。寄附金の未使用残高は20万円であった。

＜上記事例における会計処理＞

1）寄附金受領時の会計処理

㈰	現金預金	100	㈫ 預り寄附金	100

2）寄附金使用時の会計処理

㈰	業務費	80	㈫ 現金預金	80
	預り寄附金	80	寄附金収益	80

3)　事業終了時の会計処理

(借)	預り寄附金	20	(貸) 寄附金収益	20

寄附者から使途の特定を受けた事業の全部が終了した時点で，受け入れた寄附金に対する負債性はなくなると考えられるので，預り寄附金全額を取り崩し，寄附金収益として処理するものと考えられる（独法Q&A Q85-4）。

事例6-28　使途不特定寄附金の会計処理

寄附者から使途の特定がなく，あらかじめ独立行政法人が定めた使用計画のない寄附金100万円を受領した。このうち，80万円を独立行政法人の主たる業務費に充当し，使用した。

＜上記事例における会計処理＞

1)　寄附金受領時の会計処理

(借)	現金預金	100	(貸) 寄附金収益	100

2)　寄附金使用時の会計処理

(借)	業務費	80	(貸) 現金預金	80

事例6-29　寄附金による固定資産（非償却資産）取得時の会計処理

寄附者から使途の特定を受けた寄附金100万円を受領し，当該特定を受けた使途に従って土地100万円を購入した。

＜上記事例における会計処理＞

1)　土地の取得が中期計画の想定の範囲内の場合

(借)	土地	100	(貸) 現金預金	100
	預り寄附金	100	資本剰余金	100

2)　土地の取得が中期計画の想定の範囲内とは言えない場合

(借)	土地	100	(貸) 現金預金	100
	預り寄附金	100	資産見返寄附金	100

事例6-30　寄附金による固定資産（償却資産）取得時の会計処理

X1年3月期の期首に寄附者から使途の特定を受けた寄附金100万円を受領し，当該特定を受けた使途に従って機械装置100万円を購入した。当該機械装置は，耐用年数4年，残存価額ゼロで減価償却するものとする。

＜上記事例における会計処理＞

1） 機械装置の取得時の会計処理

(借)	機械装置	100	(貸)	現金預金	100
	預り寄附金	100		資産見返寄附金	100

2） 減価償却費計上時の会計処理

(借)	減価償却費	25	(貸)	減価償却累計額	25
	資産見返寄附金	25		資産見返寄附金戻入	25

事例 6-31 寄附金で取得した固定資産売却時の会計処理

事例 6-30 で取得した機械装置を X2 年 3 月期末に売却した。

＜上記事例における会計処理＞

1） 80 万円で売却した場合

(借)	現金預金	80	(貸)	機械装置	100
	減価償却累計額	50		固定資産売却益	30
	資産見返寄附金	50		資産見返寄附金戻入	50

2） 35 万円で売却した場合

(借)	現金預金	35	(貸)	機械装置	100
	減価償却累計額	50			
	固定資産売却損	15			
	資産見返寄附金	50		資産見返寄附金戻入	50

3. 中期目標期間終了時における寄附金の会計処理

運営費交付金とは異なり，未使用となっている使途特定の寄附金残額を中期目標期間終了時点で収益化する処理は求められません。寄附者または独立行政法人が使途を特定した場合には，特定の事業のために計画的な支出を行うという責務を負っていると考えられますが，この責務は中期計画の期間とは関係がないため，当該使途に沿った費用が発生するまで負債のまま繰り越されることになります。

また，固定資産の取得によって預り寄附金から振り替えられた資産見返寄附金も同様に，固定資産として貸借対照表に計上されている間は，次期中期計画期間へ繰り越すことになります（独法 Q&A Q85-5）。

以上のほかに，寄附金の会計処理については，独法会計基準 Q&A でいくつかの論点の解説がなされています。これらのうち主な論点をまとめると，次のようになります。

①　寄附金の使途として定めた内容を実施するために発生した費用には，直接費のほかに間接費も含まれる。管理部門などの費用についても，寄附金の管理を適切に行い，直接費の執行管理のために発生したものであることを説明できるのであれば，「寄附金の使途に充てるための費用」に含めることが認められる（独法 Q&A Q85-3）。
②　あらかじめ使途の特定を受けた寄附金を使用してなお残余が生じた場合は，使途が特定された事業が終了した時点で，受け入れた寄附金に対する負債性はなくなると考えられるので，預り寄附金全額を取り崩し，寄附金収益として処理するものと考えられる（独法 Q&A Q85-4）。

第5節　固定資産にかかる固有の会計処理

1．基準第87特定の資産に係る費用相当額の会計処理

（1）　特定の償却資産

独立行政法人の損益計算目的の1つとして，国から負託を受けた財源の使用状況を明らかにし，独立行政法人の運営状況を明瞭に開示することがあげられます。この観点からは独立行政法人の毎年の運営のために交付される運営費交付金財源の使用状況に関係しない資産，例えば設立時の政府出資財産の減価などについては独立行政法人の損益責任の範囲外とするような別段の配慮が必要となります。このような要請に基づき独立行政法人会計基準では，独立行政法

人の損益責任の範囲外となる償却資産の減価については，実質的には独立行政法人の財産的基礎の減少と考えるべきであることから，資本剰余金からの控除項目とし，「減価償却相当累計額」の科目をもって計上する制度が設けられています。

併せて，今回の改訂により，独立行政法人が取得した有形固定資産及び無形固定資産を除く承継資産のうち，その費用相当額に対応すべき収益の獲得が予定されないものとして特定された資産についても，上記償却資産と同様に，資本剰余金からの控除項目とし，「承継資産に係る費用相当累計額」の科目をもって計上する制度が加わることになりました。

損益計算書外で減価償却費及び承継資産に係る費用を計上する資産の範囲については，独立行政法人による恣意性が排除されるよう，独立行政法人の外から当該資産を指定することとし，具体的には主務大臣に指定の申請を行い，認可を得るか，またはあらかじめ独立行政法人の個別法・主務省令においてその範囲を定めておくという手続を経ることによって損益外となる資産の範囲を明確化することとしています。

このような損益外となる資産のうち，償却資産に該当するものを特定の償却資産といいます。以下に，独立行政法人会計基準における該当規定を紹介します。

基準第87　特定の資産に係る費用相当額の会計処理

独立行政法人が保有する償却資産のうち，その減価に対応すべき収益の獲得が予定されないものとして特定された資産については，当該資産の減価償却相当額は，損益計算上の費用には計上せず，資本剰余金を減額するものとする。（注68）

2　独立行政法人が取得した有形固定資産及び無形固定資産を除く承継資産のうち，その費用相当額に対応すべき収益の獲得が予定されないものとして特定された資産については，当該資産の費用相当額は，損益計算上の費用には計上せず，資本剰余金を減額するものとする（注68）。

＜注68＞　減価償却及び承継資産に係る費用相当額の会計処理について

1　独立行政法人が固定資産を取得するに当たっては，国は，国有財産の現物出資あるいは施設費の交付等を行うことができるものとされている。また，独立行政法人が承継資産を取得する場合には，個別法の権利義務承継の根拠規定に基づくこととなる。ところで，業務運営の財源を運営費交付金に依存することになる独立行政法人においては，償却資産の減価部分及び承継資産に係る費用相当部分については通常は運営費交付金の算定対象とはならず，また，運営費交付金に基づく収益以外の収益によって充当することも必ずしも予定されていない。さらに資産の更新に当たっては，出資者たる国により改めて必要な措置が講じられることになるものと想定される。このような場合においては，減価償却及び承継資産に係る費用に相当する額は，むしろ実質的には会計上の財産的基礎の減少と考えるべきであることから，損益計算上の費用には計上せず，独立行政法人の資本剰余金を直接に減額することによって処理するものとする。この取扱いは，取得時までに別途特定された資産に限り行うものとする。

2　貸借対照表の資本剰余金の区分においては，「第87　特定の資産に係る費用相当額の会計処理」に基づく減価償却相当額の累計額及び承継資産に係る費用相当額の累計額を表示しなければならない。この累計額は，独立行政法人の実質的な会計上の財産的基礎の減少の程度を表示し，当該資産の更新に係る情報提供の機能を果たすこととなる。

特定の償却資産に該当することが想定される償却資産の典型として，政府出資財産，施設費により取得した固定資産があげられます。このほか，経営努力認定等により利益積立金のうち目的積立金として認可を受けた額によって固定資産の購入を行った場合においても固定資産取得額と同額の目的積立金を資本剰余金に振り替える処理を行います。これは，当該目的積立金の使途が予め中期計画等で定められていることから，固定資産の取得に出資者たる国の意思が反映されていると考えられるためであります。

独法会計基準第87第1項で定める「特定の償却資産」に該当するための要件は，次の通りになります。

①　その減価に対応すべき将来の収益獲得が予定されないこと。

②　当該資産の取得時までに主務大臣に特定の申請を行い，認可を受けることまたは主務省令において特定の償却資産とする範囲が定められているこ

と。

これらの要件を満たした特定の償却資産については，その減価は損益計算書上の費用とするのではなく，財産的基礎を成す固定資産の価値の減少と考えられるべきであることから，資本剰余金から「減価償却相当累計額」の科目をもって控除する会計処理を行います。

図表 6-12　基準第 87 第 1 項特定の償却資産に該当する固定資産の会計処理

特定の償却資産となりうる財源の種別	特定償却資産の取得時の財源計上科目	特定償却資産の減価償却時の処理	特定償却資産の除売却時の処理
出資 (現物出資を含む)	資本金	「減価償却相当累計額」を計上し，資本剰余金から控除	除売却差額相当累計額を計上し，資本剰余金から控除
施設費	資本剰余金		
目的積立金	資本剰余金		

事例 6-32

施設費により建物 300 百万円を取得した。施設費は建物の完成検査確認後に精算交付を受けた。なお，当該建物は，施設整備の完了前に主務大臣に対して当該固定資産の減価に対応すべき収益獲得が予定されない特定の償却資産（会計基準第 87 第 1 項特定の償却資産）に該当するものとして特定の申請を行い，主務大臣より指定通知を受けている。

決算時に上記建物について，減価償却費 10 百万円を計上した。

＜上記事例における会計処理＞

1)　建物の取得と施設費の精算受領

(借)	建物	300	(貸)	現金預金	300
	現金預金	300		預り施設費	300
	預り施設費	300		資本剰余金	300

2)　特定の償却資産の減価償却時の処理

(借)	減価償却相当累計額	10	(貸)	減価償却累計額	10

事例 6-33

事例 6-32 において，その後の環境の変化から当該建物を地方公共団体に 250 百万円にて売却することとなった。なお，売却時点における減価償却相当累計額は 50 百万円であった。

＜上記事例における会計処理＞

1)　建物の売却時の会計処理

	借方	金額		貸方	金額
㈱	現　金　預　金	250	㈹	建　　　物	300
	除売却差額相当累計額*	50			
	減価償却累計額	50		減価償却相当累計額	50

＊特定償却資産の場合，売却時点までの減価償却費相当額は「減価償却相当累計額」として累積し，建物からの間接控除項目である減価償却累計額と同額が累積する形となる。このため，特定の償却資産を売却した場合，当該特定の償却資産の当初の「取得価額」と売却価額との差額が除売却差額相当累計額となり，売却時の「簿価」との差額が「除売却差額相当累計額」となる訳ではない点に留意が必要となる。

事例 6-34

落雷の発生により，電源設備（取得価額100百万円，減価償却累計額60百万円）が焼失し，当該電源設備に係る受取保険金100百万円により，特定の償却資産として代替となる新たな電源設備95百万円を取得した。

＜上記事例における会計処理＞

特定の償却資産に係る保険金をもって特定の償却資産たる代替資産を取得した場合に，仮に受取保険金を収益として取り扱うと多額の利益が損益計算書に計上されることになり，代替資産に係る減価償却相当額は資本剰余金から控除されることとの均衡を失する結果となる。また，滅失資産の財源が施設費であれば拠出者の意思を尊重して代替資産の取得財源も資本化する必要があるものと考えられる。したがって，滅失資産の財源が施設費であって，代替取得資産についても特定の償却資産として申請・認可を受ける場合には保険金のうち代替資産の取得価額を資本剰余金として処理することが妥当と考えられる。なお，独立行政法人において圧縮記帳は認められていない（独法Q&A Q87-6)。

1)　滅失資産の会計処理

	借方	金額		貸方	金額
㈱	除売却差額相当累計額	100	㈹	建　　　物	100
	減価償却累計額	60		減価償却相当累計額	60

2)　保険金受領時の会計処理

	借方	金額		貸方	金額
㈱	現　金　預　金	100	㈹	未決算勘定（仮受金）	100

3)　代替資産の取得時の会計処理

	借方	金額		貸方	金額
㈱	建　　　物	95	㈹	現　金　預　金	95
	未決算勘定（仮受金）	100		資　本　剰　余　金*	95
				保険差益（臨時利益）	5

＊保険金受領額のうち代替資産の取得に要した額95を資本剰余金としている。

以上のほかに，基準第 87 第 1 項特定の償却資産にかかる会計処理については，独法会計基準 Q&A でいくつかの論点の解説がなされています。これらのうち主な論点をまとめると，次のようになります。

① 取得後償却終了以前の途中の段階で，会計基準第 87 第 1 項による特定の償却資産に変更することはできるのか。また，一旦，基準第 87 第 1 項による特定がされた償却資産を，途中で変更し，通常の減価償却を行うものとすることは可能かという論点があるが，理論的には，取得後の事情の変更により収益構造が大幅に変化し，更新のための財源の負担者を変更することが決定している場合に，指定の解除または追加指定を行うことが排除されているわけではない。ただし，資産の特定は主務大臣により法人の外部から行われることを想定しているので，主務大臣がこのような指定の解除または追加を行うためには，別途省令上の規定の整備を行う必要がある（独法 Q&A Q87-4）。

② 基準第 87 第 1 項の特定の償却資産を取り替えた後の償却資産は，必ず会計基準第 87 第 1 項による特定の償却資産となるであろうか。☞基準第 87 第 1 項の会計処理が適用されていた特定の償却資産を建て替え等で取り替えた場合には，取替え後の資産が「その減価に対応すべき収益の獲得が予定されないもの」に該当するかをあらためて判断し，該当する場合には基準第 87 第 1 項の会計処理を行うことになる（独法 Q&A Q87-5）。

③ 基準第 87 第 1 項の特定の償却資産に運営費交付金財源で改修を行い資本的支出があった場合，当該資本的支出に係る減価償却の会計処理はどのようになるであろうか。☞特定の償却資産の減価に係る損益外処理は，その減価に対応すべき収益の獲得が予定されない場合に限られており，運営費交付金財源で特定の償却資産に対して資本的支出を行った場合，当該資本的支出相当額を運営費交付金債務から資産見返運営費交付金に振替えることになるため，当該資本的支出に係る資産の減価償却費相当額を取り崩して資産見返運営費交付金戻入として収益に振り替える（独法 Q&A Q87-7）。

（2） 特定の承継資産（有形固定資産及び無形固定資産を除く）

次に，独法会計基準第 87 第 2 項で定める独立行政法人が取得した有形固定資産及び無形固定資産を除く承継資産のうち，その費用相当額に対応すべき収益の獲得が予定されないものとして特定された資産については，資本剰余金からの控除項目とし，「承継資産に係る費用相当累計額」の科目をもって控除する会計処理を行います。

当該会計処理が導入された背景ですが，独法化直後の会計処理を踏まえて，**事例6-35** により説明します。

事例6-35

特殊法人から移行した独立行政法人において，設立時に貯蔵品100を政府出資として受け入れた。

1)　独法設立時の会計処理

㈱ 貯　蔵　品　100　㈹ 資　本　金　100

特殊法人からの移行独法においては，独法化直前末に保有する全ての資産と負債の差額を政府出資として整理している場合が想定されます。

貸借対照表

貯蔵品	100	資本金	100
資産合計	100	純資産合計	100

2) 独法化時承継資産（貯蔵品）をその後，費消した際の処理

㈱ 消　耗　品　費　100　㈹ 貯　蔵　品　100

貯蔵品をその後費消した場合には，費用だけが計上され，合わせて貸借対照表上において繰越欠損金100が計上されます。

貸借対照表

貯蔵品	0	資本金	100
		繰越欠損金	100
		（うち当期総損失	100）
資産合計	0	純資産合計	0

3) 独法が自己収入50を獲得した際の処理

㈱ 現　　　金　50　㈹ 自　己　収　入　50

独法が自助努力により自己収入を獲得した場合には上記となりますが，独法化時に資本金として整理された貯蔵品の費消化額100が積立金のマイナスとして残存している（これは独法化後に現金支出を行ったものではない）ことにより，積

立金が計上されず，累積損失となっています。これにより，経営努力認定を受け目的積立金申請を行うことができない状態が継続します。

貸借対照表

現金預金	50	資本金	100
		繰越欠損金	50
		(うち当期総利益	50)
資産合計	0	純資産合計	0

上記のような政府出資見合いの固定資産以外の資産に起因した欠損についても，実質的な会計上の財産的基礎の減少に相当するものであることから，その費消額を「資本剰余金」のマイナスとして処理できるよう，会計基準改正が新たに加わりました。

これにより，政府出資見合いの特定の承継資産の費用化に関連して生じた過去の欠損が資本剰余金のマイナス項目に整理され，このことを通じて損益計算書上の損益が独法の財務的な経営努力の結果を表し，目的積立金申請のための基礎数値となりうるように改訂されることとなります。

次に具体的な会計処理ですが，費用相当額について承継資産に係る費用相当累計額の科目をもって資本剰余金からの控除項目として計上します（独法Q&A Q20-2，Q87-8）。

一方，承継資産に係る費用が過年度に計上されており，当期において取得前に特定されたとみなされた場合は，過年度に計上された費用の合計額を「承継資産の特定に伴う利益」の科目で臨時利益に振り替えるとともに，その他行政コストを計上した上で，貸借対照表においてその他行政コスト累計額を同時に計上します（独法Q&A Q20-2参照）。

この金額に重要性がある場合には，行政コスト計算書及び損益計算書にその内容を注記します。また，「承継資産の特定に伴う利益」は，独立行政法人の業務運営に関して国民の負担に帰せられるコストの計算上，運営費交付金収益及び国又は地方公共団体からの補助金等に基づく収益以外の収益として控除しません。なお，承継資産の特定の要件や手続の規定については，主務省令で定める必要があることに留意が必要です（独法 Q&A Q87-8）。

事例 6-36

特定された承継資産である貯蔵品について，当期において 50 費消した。

＜上記事例における会計処理＞

(借)	承継資産に係る費用相当累計額 （承継資産に係る費用相当額）	50	(貸)	貯　蔵　品	50

事例 6-37

承継資産である棚卸資産について，当期において省令改正により，取得前に特定されたとみなされた。

過年度に計上した当該資産に係る費用は 70 である。

＜上記事例における会計処理＞

(貸)	承継資産に係る費用相当累計額 （承継資産に係る費用相当額）	70	(貸)	承継資産の特定に伴う利益 （臨　時　利　益）	70

＜注記例＞

（行政コスト計算書関係）

承継資産に係る費用相当額のうち，70 は過年度に計上した費用分であります。

（損益計算書関係）

臨時利益に計上した承継資産の特定に伴う利益 70 は，過年度に計上した費用に見合う収益であります。

2.　固定資産の資産区分に応じた売却・除却時の取扱い

固定資産を売却または除却した場合の会計処理は，独法 Q&A Q31-5 で定められています。「平成 23 年 6 月 28 日改正により」独法 Q&A Q31-5 において，基準第 87 第 1 項特定の償却資産を売却した場合は，当該売却資金により代替資産を取得する予定があるか否かにかかわらず，その除売却差額は除売却差額相当累計額を計上する処理に統一する改正が行われています。

（現行基準）

資産区分	売却差額の処理	除却額の処理
通常の償却資産の場合（基準第87第1項の適用がない場合）	固定資産売却損益（臨時損益）	固定資産除却損（臨時損益）
特定の償却資産の場合（基準第87第1項の適用がある場合）	除売却差額相当累計額	除売却差額相当累計額

これに対して，平成23年改正前の独法Q&Aでは，基準第87第1項特定の償却資産に該当する場合，固定資産売却後の代替資産の取得予定の有無に応じて以下の通り会計処理が相違していました。

（平成23年6月28日改正前の独立行政法人会計基準Q&Aの規定）

資産区分	売却差額の処理	除却額の処理
通常の償却資産の場合（基準第87の適用がない場合）	固定資産売却損益（臨時損益）	固定資産除却損（臨時損益）
特定の償却資産の場合（基準第87の適用があり，その資産の売却収入をもって代替資産の取得を予定している場合）	資本剰余金（損益外除売却差額相当額）	—（売却収入で代替資産取得を予定する場合のため除却する場合は生じない）
特定の償却資産の場合（基準第87の適用があり，その資産の売却収入をもって代替資産の取得を予定していない場合）	固定資産売却損益（臨時損益）	固定資産除却損（臨時損益）

事例6-38　固定資産の処分時の会計処理（独法Q&A Q31-5）

取得時の価額60百万円の償却資産（耐用年数4年で定額法，残存価額ゼロ）を1年後に売却した。

＜上記事例における会計処理＞

独立行政法人においては，固定資産を取得した際，取得原資拠出者の意図や取得資産の内容等を勘案し，独立行政法人の財産的基礎を構成すると認められる場合には，相当額を資本剰余金として計上することとなる資産が存在する。すなわち，当該固定資産の取得が資本計算に属するものと損益計算に属するものとに区別される。したがって，当該固定資産の処分時の会計処理は，取得時の会計処理が資本計算に属するのか，損益計算に属するのかによって，会計処理が異なる。

1)　現物出資財産の場合

(資産取得時)

(借)	固　定　資　産	60	(貸) 資　本　金	60

①　会計基準第87第1項特定の償却資産の適用を受けない場合*

＊現物出資財産で会計基準第87第1項特定の償却資産の適用を受けない場合はケースとしては稀な場合であるものと考えられるが，他の法人との統合による包括承継により出資財産として受け入れた固定資産であり，当該他の法人の業務が主として自己収入財源による業務運営を行っている法人に該当するような場合には出資財産であっても，会計基準第87第1項の適用を受けない場合が生じるうるものと想定される（なお，現物出資財産としているだけであって，国からの「政府出資財産」と限定している訳ではない)。

(減価償却時)

(借)	減　価　償　却　費	15	(貸) 減価償却累計額	15

a)　65百万円で売却した場合

(借)	現　金　預　金	65	(貸) 固　定　資　産	60
	減価償却累計額	15	固定資産売却益	20

b)　40百万円で売却した場合

(借)	現　金　預　金	40	(貸) 固　定　資　産	60
	減価償却累計額	15		
	固定資産売却損	5		

②　特定の償却資産の場合（会計基準第87第1項の適用を受ける場合）

（注）以下の③に該当しないことを前提とする。

(減価償却時)

(借)	減価償却相当累計額	15	(貸) 減価償却累計額	15

a)　65百万円で売却した場合

(借)	現　金　預　金	65	(貸) 固　定　資　産	60
			除売却差額相当累計額	5
	減価償却累計額	15	減価償却相当累計額	15

b)　40百万円で売却した場合

(借)	現　金　預　金	40	(貸) 固　定　資　産	60
	除売却差額相当累計額	20		
	減価償却累計額	15	減価償却相当累計額	15

③　特定の償却資産の場合（会計基準第87第1項の適用を受ける場合）であって，通則法第46条の2第3項ただし書きによる不要財産の譲渡により生じた簿価（取得時の簿価）超過額の全部または一部の金額を国庫納付しない

ことについて主務大臣の認可を受けた場合の譲渡に該当する場合（なお，不要財産の国庫返納にかかる会計処理の詳細については第6節を参照）

（減価償却時）

㈶ 減価償却相当累計額	15	㈸ 減価償却累計額	15

a） 65百万円で売却した場合

㈶ 現金預金	65	㈸ 固定資産	60
		固定資産売却益*	5
減価償却累計額	15	減価償却相当累計額	15

*「通則法第46条の2第3項ただし書きによる不要財産の譲渡により生じた簿価（取得時の簿価）超過額の全部または一部の金額を国庫納付しないことについて主務大臣の認可を受けた場合」とは，不要財産の譲渡による簿価超過額の全部または一部を独立行政法人が既に有する繰越欠損金の補填に使用する場合などが該当し，当該制度趣旨から特定の償却資産の譲渡の場合であっても，当該不要財産の譲渡による簿価超過額のうち国庫納付しないことにつき主務大臣の認可を受けた額は，損益内で認識するものである（そうしないと譲渡損益を繰越欠損金の補填に使用できないため)。

なお，通則法第46条の2第3項ただし書きによる不要財産の譲渡により生じた簿価超過額の全部または一部の金額を国庫納付しないことについて主務大臣の認可を受けた時点で会計基準第87第1項（特定償却資産）の特定が解除された状態になったと言えることから，売却差額は損益取引として整理されることになる。

b） 40百万円で売却した場合：簿価超過額が生じる場合に限定されることからこのような場合は生じない。

2） 施設費や目的積立金等による取得財産で資本剰余金に振り替えられた取引の場合

（資産取得時）

㈶ 固定資産	60	㈸ 現金預金	60
預り施設費（または目的積立金）	60	資本剰余金	60

① 会計基準第87第1項特定の償却資産の適用を受けない場合*

*施設費や目的積立金等で取得した財産で基準第87第1項特定の償却資産の適用を受けない場合は通常は想定されないが，主として自己収入財源で運営を行う事業独法など一部の法人においてはこのような例外的な場合も生じ得るものと考えられる。

（減価償却時）

㈶ 減価償却費	15	㈸ 減価償却累計額	15

a） 65百万円で売却した場合

㈶ 現金預金	65	㈸ 固定資産	60

	減価償却累計額	15		固定資産売却益	20

b)　40百万円で売却した場合

㈲	現　金　預　金	40	㈸	固　定　資　産	60
	減価償却累計額	15			
	固定資産売却損	5			

②　特定の償却資産の場合（会計基準第87第1項の適用を受ける場合）

（注）以下の③に該当しないことを前提とする。

（減価償却時）

㈲	減価償却相当累計額	15	㈸	減価償却累計額	15

a)　65百万円で売却した場合

㈲	現　金　預　金	65	㈸	固　定　資　産	60
				除売却差額相当累計額	5
	減価償却累計額	15		減価償却相当累計額	15

b)　40百万円で売却した場合

㈲	現　金　預　金	40	㈸	固　定　資　産	60
	除売却差額相当累計額	20			
	減価償却累計額	15		減価償却相当累計額	15

③　特定の償却資産の場合（会計基準第87第1項の適用を受ける場合）であって，通則法第46条の2第3項ただし書きによる不要財産の譲渡により生じた簿価（取得時の簿価）超過額の全部または一部の金額を国庫納付しないことについて主務大臣の認可を受けた場合の譲渡に該当する場合

「1)　現物出資財産の場合③」と同一の会計処理となるため，省略する。

3)　固定資産取得時に資産見返負債を計上している場合（例：資産見返運営費交付金が計上されている場合）

（資産取得時）

㈲	固　定　資　産	60	㈸	現　金　預　金	60
	運営費交付金債務	60		資産見返運営費交付金	60

（減価償却時）

㈲	減　価　償　却　費	15	㈸	減価償却累計額	15
	資産見返運営費交付金	15		資産見返運営費交付金戻入	15

a)　65百万円で売却した場合

㈲	現　金　預　金	65	㈸	固　定　資　産	60

	減価償却累計額	15		固定資産売却益	20
	資産見返運営費交付金	45		資産見返運営費交付金戻入	45

b） 40 百万円で売却した場合

(借)	現　金　預　金	40	(貸)	固　定　資　産	60
	減価償却累計額	15			
	固定資産売却損	5			
	資産見返運営費交付金	45		資産見返運営費交付金戻入	45

4） 自己収入財源で固定資産取得した場合

（資産取得時）

(借)	固　定　資　産	60	(貸)	現　金　預　金	60

（減価償却時）

(借)	減　価　償　却　費	15	(貸)	減価償却累計額	15

a） 65 百万円で売却した場合

(借)	現　金　預　金	65	(貸)	固　定　資　産	60
	減価償却累計額	15		固定資産売却益	20

b） 40 百万円で売却した場合

(借)	現　金　預　金	40	(貸)	固　定　資　産	60
	減価償却累計額	15			
	固定資産売却損	5			

3. 固定資産の取得時における取得財源別の会計処理

固定資産を取得した場合における取得財源ごとの財源側の会計処理をまとめると，次ページの**図表 6-13** の通りになります。

4. 独立行政法人設立時の固定資産の処理

独立行政法人の設立時における固定資産の会計処理は，国の機関の一部を独立行政法人化したもの（先行独法）と，特殊法人等の他の法人から独立行政法人に移行したもの（移行独法）とで取扱いに違いが生じます。先行独法は，国

図表 6-13　固定資産の取得財源別の貸方科目の関係（独法 Q&A Q19-1）

<table>
<tr><th rowspan="2">取得財源</th><th colspan="2">取得財源の貸方科目の計上区分</th></tr>
<tr><th>非償却資産取得の場合</th><th>償却資産取得の場合</th></tr>
<tr><td>出資
(現物出資も含む)</td><td>資本金</td><td>資本金</td></tr>
<tr><td rowspan="2">施設費</td><td rowspan="2">資本剰余金</td><td>資本剰余金
(基準第 87 第 1 項適用の場合)</td></tr>
<tr><td>資産見返施設費
(基準第 87 第 1 項適用ない場合)</td></tr>
<tr><td rowspan="2">目的積立金*</td><td rowspan="2">資本剰余金</td><td>資本剰余金
(基準第 87 第 1 項適用の場合)</td></tr>
<tr><td>資産見返目的積立金
(基準第 87 第 1 項適用ない場合)</td></tr>
<tr><td rowspan="2">運営費交付金</td><td>資本剰余金
(中期計画等の想定範囲内の場合)</td><td rowspan="2">資産見返運営費交付金</td></tr>
<tr><td>資産見返運営費交付金
(中期計画等の想定範囲外の場合)</td></tr>
<tr><td>補助金等</td><td>資本剰余金</td><td>資産見返補助金等</td></tr>
<tr><td>国からの譲与</td><td>資本剰余金</td><td>資産見返物品受贈額</td></tr>
<tr><td rowspan="2">使途特定寄附金</td><td>資本剰余金
(中期計画等の想定範囲内の場合)</td><td rowspan="2">資産見返寄附金</td></tr>
<tr><td>資産見返寄附金
(中期計画等の想定範囲外の場合)</td></tr>
<tr><td>使途特定寄附財産</td><td>資本剰余金</td><td>資産見返寄附金</td></tr>
<tr><td>使途不特定寄附金</td><td colspan="2">受入時に収益（受贈益）計上</td></tr>
<tr><td>使途不特定寄附財産</td><td colspan="2">受入時に収益（受贈益）計上</td></tr>
<tr><td>自己収入</td><td colspan="2">実現基準（財または役務提供の完了時点）で収益計上</td></tr>
</table>

＊運営費交付金で償却資産を購入した場合と目的積立金で償却資産を購入した場合の貸方の整理が異なるのは，前者においては，当該資産を購入するかどうかは法人の裁量に委ねられているのに対して，後者においては，中期計画に定める剰余金の使途についての主務大臣の認可（通則法第 30 条）を経ており，取得原資拠出者の意図や取得資産の内容等を勘案した結果差異が認められるためであり，後者の場合は独立行政法人の財産的基礎を構成すると考えるためである。

からの承継については，資産に限定され，負債の承継は行われておらず，承継資産のうち，国有財産（国有財産法上の国有財産）についてのみ国からの現物出資とし，物品については無償譲与と整理されています。先行独法における国からの資産承継時の会計処理をまとめると**図表 6-14** の通りになります。

図表6-14　国から引き継いだ資産の会計処理

独法移行前の資産区分			引継形態	法人の取得価額		耐用年数	会計処理	
		償却区分					取得時	償却等の認識
①国有財産		非償却資産	現物出資	評価委員会による評価額		—	資　産××× 資本金×××	—
		償却資産*1				残存耐用年数	資　産××× 資本金×××	減価償却相当累計額××× 減価償却累計額×××
国有財産以外の資産	②重要物品（50万円以上）	非償却資産	譲与	公正な評価額		—	資　産××× 資本剰余金×××	—
		償却資産			50万円以上	残存耐用年数	資　産××× 資産見返物品受贈額×××	減価償却費××× 減価償却累計額××× 資産見返物品受贈額××× 資産見返物品受贈額戻入（収益）×××
					50万円未満*2	—	消耗品費××× 物品受贈益×××	—
	③50万円未満の物品	非償却資産	譲与	公正な評価額		—	資　産××× 資本剰余金×××	—
		償却資産*2				—	消耗品費××× 物品受贈益×××	—

＊1）　会計基準第87第1項の特定の償却資産に該当する場合とする。
＊2）　取得価額50万円未満の償却資産は，重要性が乏しいものとして貸借対照表に計上しない取扱いを採用した場合とする。

これに対し，特殊法人等から独立行政法人化される場合は，特殊法人等が保有する資産のほか債務も承継することとされており，また，資産の総額から負債の総額を控除した額を国から出資されたものと整理することとされています。

このように，会計処理の前提となる法令の規定が異なっているため，特殊法人等から承継する資産の会計処理は，国から承継する資産に係る会計処理とは同一ではなく，設立法令の規定を踏まえ適切な処理を行う必要があります。具体的には，特殊法人等からの承継資産は物品であっても資本金の一部を構成することになることから，「譲与」として整理することは，原則として認められません（独法Q&A Q26-1，Q26-3，Q26-5）。特殊法人等からの移行独法におけ

図表6-15　特殊法人等から引き継いだ資産の会計処理

<table>
<tr><th colspan="2">独法移行前の資産区分</th><th rowspan="2">引継形態</th><th rowspan="2">法人の取得価額</th><th rowspan="2">耐用年数</th><th colspan="2">会計処理</th></tr>
<tr><th>財源区分</th><th>償却区分</th><th>取得時</th><th>償却等の認識</th></tr>
<tr><td rowspan="2">資産見返負債の計上なし</td><td>非償却資産</td><td rowspan="4">現物出資</td><td rowspan="4">評価委員会による評価額</td><td>—</td><td>資　産×××
資本金×××</td><td>—</td></tr>
<tr><td>償却資産[*1]</td><td>残存耐用年数</td><td>資　産×××
資本金×××</td><td>減価償却相当累計額×××
減価償却累計額×××</td></tr>
<tr><td rowspan="2">資産見返負債の計上あり</td><td>非償却資産[*2]</td><td>—</td><td>資　産×××
資産見返負債×××</td><td>—</td></tr>
<tr><td>償却資産[*1]</td><td>残存耐用年数</td><td>資　産×××
資産見返負債×××</td><td>減価償却費　×××
減価償却累計額×××
資産見返負債×××
資産見返負債戻入×××</td></tr>
<tr><td colspan="2">消耗品等（資産計上されていないもの）</td><td>—</td><td>—</td><td>—</td><td>特殊法人等の会計処理で既費用処理済のため，会計処理なし</td><td>—</td></tr>
</table>

＊1）特殊法人等からの引継資産の場合，法人税法の要請で資産計上基準が10万円以上となっている場合も存在し，必ずしも資産計上基準が重要物品の基準（金額50万円以上）と合致しない場合が想定される。

＊2）非償却資産であっても補助金等で購入していることにより，資産見返負債が計上されている非償却資産が存在する場合も想定される（土地・電話加入権など）。このような非償却資産については，資産の総額から負債の総額を控除した額を国から現物出資したものとみなす法律関係を適用する場合では，資本金に計上することはできないものと判断される。

る資産の承継時の会計処理をまとめると，**図表6-15**の通りになります。

第6節　不要財産の国庫返納にかかる会計処理

1．制度導入の背景等

平成22年の独立行政法人通則法改正により，不要財産の国庫返納制度が導入されました。当該制度が導入されるまでは，独立行政法人においては政府出資財産などを国庫に返納する制度はなく，利益積立金（利益剰余金）を国庫返

図表 6-16　平成 22 年通則法改正前後における国庫返納制度の異同

純資産の部	<平成 22 年改正前通則法>	<平成 22 年改正後通則法>
資本金（に見合う財産，政府出資財産など）	国庫返納する制度なし。	不要財産として国庫返納した場合には不要財産に対応する資本金を減資する（通則法第 46 条の 2 第 4 項）。
資本剰余金（に見合う財産，施設費で整備した財産など）	国庫返納する制度なし。	不要財産として国庫返納した場合には不要財産に対応する資本剰余金を減少する（基準第 98 第 3 項）。
利益積立金	中期計画期間終了時に利益積立金を国庫返納する制度あり（通則法第 44 条第 4 項）。	中期計画期間終了時に利益積立金を国庫返納する制度あり（通則法第 44 条第 4 項）。 このほかに利益積立金に見合う財産を不要財産として国庫返納することもできる。

納する制度しかありませんでした。

しかしながら，政府出資財産であっても独立行政法人内で当該財産が有効活用されていない事例が見受けられるなど，国の財政への寄与等を勘案して国庫返納することが求められる情勢となったことから，独立行政法人通則法の改正により不要財産の国庫返納を独立行政法人に義務付ける制度が導入されました。

これにより，政府出資財産等を国庫返納することが可能となったことから，平成 22 年の通則法改正による不要財産の国庫返納制度は「減資法制」の導入と呼ばれることがあります（**図表 6-16**）。

ただし，不要財産の国庫返納制度は，純資産の部に着目して資本金や資本剰余金を減少させる場合だけを規定した制度ではなく，その名の通り資産側に着目して国庫返納を規定している制度である点に留意する必要があります。

すなわち，独立行政法人内に残存する業務運営上，不要となった「財産」を国庫返納することを求めており，当該財産には政府出資財産だけでなく，定義上，現金預金や定期預金，有価証券といった財産も不要財産の範囲に含まれることになります。このため，中期計画期間終了時を待たずとも不要となった利

図表6-17　不要財産の対象範囲

現金預金 有価証券 その他の流動資産 有形固定資産 無形固定資産 投資その他の資産	これらのうち業務運営上，不要となった財産 =**「不要財産」**

益剰余金見合いの現金預金（いわゆる「溜り金」）なども不要財産の範囲に含まれることになる点に留意が必要といえます（**図表6-17**）。

不要財産に該当する場合，独立行政法人通則法第46条の2（現物納付による返納または譲渡代金による金銭納付）または第46条の3（民間等出資の払戻し）の規定により，当該財産を処分しなければならないものと義務付けられています。

2.　不要財産の定義

不要財産とは，通則法第8条第3項において，「業務の見直し，社会経済情勢の変化その他の事由により，その保有する重要な財産であって主務省令で定めるものが将来にわたり業務を確実に実施する上で必要がなくなったと認められる財産」と定義しています。

3.　不要財産に該当するか否かの判断指針

不要財産であるか否かの判断に当たっては，各独立行政法人の業務の見直しや財務基盤の状況等を踏まえることとなり，独立行政法人は業務を確実に実施するための財産的基礎を有しなければならない（通則法第8条第1項）一方，その財政基盤の大部分が公費によって賄われることから，必要最小限の財務基盤で効率的な業務運営を行う必要があり，保有する資産についてもこれを必要最小限とすることが求められているものと考えられます。

例えば，ある財産について，その処分によって得られる対価を当該法人の別の業務ないし新たな資産取得に充当することを明確な目的として処分が行われる場合（注）は，当該財産は不要財産には該当しないと整理することが可能である一方，財産の処分が行われるも，処分により得られる対価の使途についての見込みがなく，いずれ生じ得る資産取得等のために充当する可能性があるという程度では，当該財産は業務を確実に実施する上で必要とは認められないと解釈することが適当と判断されます。

（注） この場合，「別の業務」が当該法人の目的に照らして真に必要な内容のものであることや，「新たな資産取得」が当該法人の業務を確実に実施する上で必要なものであることが当然に求められます。

4. 不要財産に該当する資産の要件

通則法第8条第3項の定義から不要財産は，以下に該当する財産となります。

① 独立行政法人の保有する重要な財産であって主務省令で定めるものであること

主務省令に定める重要な財産の定義は，以下とすることが適当とされている。

1) 帳簿価額*（現金及び預金にあってはその額）が50万円以上の財産

＊帳簿価額は減価償却後の簿価

2) 処分することが不適当な財産は50万円以上であっても除外する。

例えば，容易に犯罪に用いられることが想定される機械や危険物質など現物返納することが不適当であり，独立行政法人において廃棄すべき財産については不要財産の対象から除外する。

3) 譲渡収入が見込めない財産であっても現物納付は可能であることから処分することが不適当なものとはしない。

なお，当該不要財産が，補助金等に係る予算の執行の適正化に関する法律施行令の適用を受けるものである場合でも，通則法に基づく国庫納付が適用される。

② 将来にわたり業務を確実に実施する上で必要がなくなったと認められる財産であること

「将来にわたり業務を確実に実施する上で必要がなくなった財産である」ことの認定を受けるため，不要財産については財務大臣との協議を経たのちに独立行政法人が主務大臣に不要財産の認定を申請し，認可を受けてから国庫返納するという手続きを取ることになっている。

5.　重要な財産と不要財産との関係

通則法第8条第3項では，不要財産を「業務の見直し，社会経済情勢の変化その他の事由により，その保有する重要な財産であって主務省令で定めるものが将来にわたり業務を確実に実施する上で必要がなくなったと認められる」財産としており，その定義から不要財産は重要な財産に含まれることになります。

他方，通則法第48条では，不要財産以外の重要な財産であって主務省令で定めるものを譲渡し，または担保に供しようとするときは，主務大臣の認可を受けなければならない（主務大臣認可を受けた中期計画に定めのある場合を除く）ものとされています。

以上から，不要財産と重要な財産との関係を示すと**図表6-18**の通りとなります。

ただし，独立行政法人通則法 附則（平成22年5月28日法律第37号）第3条により，改正通則法の施行日前に行った財産の譲渡のうち，施行日において改

図表6-18　不要財産と重要な財産との関係

重要な財産	
不要財産 （通則法第8条第3項）	不要財産以外の重要な財産 （通則法第48条）
対象資産の範囲：帳簿価額（現金及び預金にあってはその額）50万円以上の財産など（その性質上，処分することが不適当なものを除く）の主務省令で定める財産	対象資産の範囲：公共上の見地から確実に実施されることを物的に担保し，大規模な財産の処分等によっても独立行政法人の業務運営が阻害されないことを確認する必要のある重要な財産として主務省令で定める財産（土地，建物と定める場合が比較的多いものと考えられる）

正通則法46条の2第1項に規定する政府出資等にかかる不要財産（金銭を除く）の譲渡に相当するものとして主務大臣が定めるものは，施行日においてされた改正通則法46条の2第2項の規定による政府出資等に係る不要財産の譲渡とみなすものとされています。

このため，改正通則法の施行日前に通則法第46条第1項の重要財産であった財産の譲渡は，不要財産とみなされる場合がありますので，経過措置の取扱いに合わせて留意する必要があります。

6. 不要財産の国庫返納

不要財産として認定を受けた財産については，独立行政法人通則法第46条の2（現物納付による返納または譲渡代金による金銭納付）または第46条の3（民間等出資の払戻し）の規定により，当該財産を処分しなければならないものと義務付けられています。

政府出資財産等を不要財産として国庫返納する場合の国庫納付額をまとめると**図表6-19**の通りになります。

《民間等出資の払戻し》

不要財産として認定されたものの中にその財源の一部を民間出資等によって

図表6-19 政府出資財産等にかかる不要財産の国庫納付額

<table>
<tr><th>納付方法</th><th>現物納付
（通則法第46条の2第1項）</th><th>譲渡代金による金銭納付
（通則法第46条の2第2項）</th></tr>
<tr><td rowspan="3">国庫
納付額</td><td rowspan="3">帳簿価額</td><td>（原則）譲渡収入の全額を国庫納付する。
（通則法第46条の2第2項）</td></tr>
<tr><td>（容認①）譲渡に要する費用として主務大臣が定めた額を控除した後の譲渡収入を国庫納付する。
（通則法第46条の2第2項）</td></tr>
<tr><td>（容認②）譲渡収入が当該財産の帳簿価額を超える額（簿価超過額）がある場合の簿価超過額の全部または一部を国庫納付しないことにつき主務大臣認可を得ている場合は当該額を控除した残額を国庫納付する。
（通則法第46条の2第3項）</td></tr>
</table>

賄われた財産がある場合において民間等出資等の払戻しに関する規定を通則法第46条の3で定めています。国庫返納の場合と同様ですが，払い戻す額は出資等にかかる持ち分額に応じた払戻しとなりますが，民間出資者等の財産権を侵害しないよう，払戻しをうけることができる旨の公告を行い，民間出資者等から請求があった場合に限り払い戻すこととしている点に相違があります。

払戻し方法は，不要財産の現物による払戻しと不要財産の譲渡代金による金銭の払戻しの双方が想定されていますが，金銭の払戻しの場合には帳簿価額を上限とし，帳簿価額超過額（譲渡利益部分）の払戻しは認めていません。これは独立行政法人が非営利の公共法人として民間出資者等への利益の分配を行わないことが制度上，前提とされているためであります。同様の趣旨から現物による払戻しを行う場合には，当該不要財産の時価評価を適正に行ったうえで民間出資者等に帳簿価額を上回る含み益部分の払戻しを行わないことが求められます。

7.　減少する資本等の額

不要財産の国庫返納に伴って，資本金を減少する場合，資本剰余金を減少する場合のそれぞれの場合における減少額は**図表6-20，6-21**に定める通りとなります。

図表6-20　資本金の減少額

出資形態	現物出資	金銭出資	
		当該不要財産の取得を目的に出資されたものであると特定できる事由が存する場合（当初金銭出資と取得財産との紐付きが認められる場合）	当該不要財産の取得を目的に出資されたものと特定できるだけの事由が認められない場合（当初金銭出資と取得財産との紐付きが認められない場合）
減資する額	取得時（当初）の帳簿価額	取得時（当初）の帳簿価額	譲渡収入による納付：国庫納付額（当該財産の取得時の帳簿価額を上限とする）
			現物による納付：現物納付資産*の取得時（当初）の帳簿価額

＊当初の出資が金銭出資であるにもかかわらず，国庫返納を現物で返納するケースは通常は想定されないものと考えられる。

図表 6-21　資本剰余金の減少額

支出形態	金銭支出	
	当該不要財産の取得を目的に支出されたものであると特定できる事由が存する場合	当該不要財産の取得を目的に支出されたものと特定できるだけの事由が認められない場合
減少する資本剰余金の額	取得時（当初）の帳簿価額	譲渡収入による納付： 国庫納付額（当該財産の取得時の帳簿価額を上限とする）
		現物による納付： 現物納付資産の取得時（当初）の帳簿価額

8.　譲渡差額を損益計算書上の損益に計上しない譲渡取引

不要財産の譲渡後に譲渡収入により国庫納付する場合において，主務省令の規定に基づき譲渡差額を損益計算書上の損益に計上しないことが必要と認められる場合には，当該譲渡取引に関する主務大臣指定を受けることにより譲渡差額を損益外とすることができます。

これは不要財産の譲渡により生じた譲渡損益を利益積立金の計算に影響させると既に不要財産として国庫返納した金銭納付額が中期計画期間末において利益積立金として国庫返納の対象となり，二重に国庫納付対象となることを回避する必要がある場合などにこのような主務大臣指定を受けることが想定されます。

以上の不要財産の国庫返納に関する会計処理について，独立行政法人会計基準では以下のように規定しています。

基準第 98　不要財産に係る国庫納付等に伴う資本金等の減少に係る会計処理

1　独立行政法人が通則法第 46 条の 2 の規定により不要財産に係る国庫納付をした場合において，当該納付に係る不要財産が政府からの出資に係るものであるときは，当該独立行政法人は，当該独立行政法人の資本金のうち当該納付に係る不要財産に係る部分として主務大臣が定める金額により資本金を減少する

ものとする。(注74)

2　独立行政法人が通則法第46条の3の規定により不要財産に係る民間等出資の払戻しをしたときは，当該独立行政法人は，当該独立行政法人の資本金のうち当該払戻しをした持分の額により資本金を減少するものとする。(注74)

3　独立行政法人が通則法第46条の2の規定により不要財産に係る国庫納付をした場合において，当該納付に係る不要財産の取得時に資本剰余金が計上されているときは，当該独立行政法人は，当該独立行政法人の資本剰余金のうち当該納付に係る不要財産に係る部分の金額を資本剰余金から減少するものとする。(注74)

＜注74＞不要財産に係る国庫納付等に係る注記について

不要財産に係る国庫納付等を行った場合には，次に掲げる事項について注記するものとする。

(1)　不要財産としての国庫納付等を行った資産の種類，帳簿価額等の概要
(2)　不要財産となった理由
(3)　国庫納付等の方法
(4)　譲渡収入による現金納付等を行った資産に係る譲渡収入の額
(5)　国庫納付等に当たり譲渡収入により控除した費用の額
(6)　国庫納付等の額
(7)　国庫納付等が行われた年月日
(8)　減資額

基準第99　不要財産に係る国庫納付等に伴う譲渡取引に係る会計処理

1　独立行政法人が通則法第46条の2または第46条の3の規定に基づいて行う不要財産の譲渡取引のうち，主務大臣が必要なものとして指定した譲渡取引については，当該譲渡取引により生じた譲渡差額を損益計算上の損益には計上せず，資本剰余金を減額または増額するものとする。(注75)(注76)

2　主務大臣が指定した譲渡取引に係る不要財産の国庫納付等に要した費用のうち，主務大臣が国庫納付等額から控除を認める費用については，損益計算上の費用には計上せず，資本剰余金を減額するものとする。(注76)

＜注75＞譲渡収入額のうち帳簿価額を超える額の国庫納付等について

主務大臣が指定した譲渡取引により生じた収入額のうち，当該財産の帳簿価額を超える額を国庫納付等するときは，資本剰余金を直接減額するものとする。

＜注76＞行政コストについて

独立行政法人が通則法第46条の2または第46条の3の規定に基づいて行う不要財産の譲渡取引のうち主務大臣が必要なものとして指定した譲渡取引により生じた譲渡差額及び主務大臣が指定した譲渡取引に係る不要財産の国庫納付等に要した費用のうち主務大臣が国庫納付等額から控除を認める費用については，その他行政コストに属するものとし，行政コスト計算書において，除売却差額相当累計額の科目に表示しなければならない。

以下では，不要財産の国庫返納にかかる会計処理を具体的な事例に基づいて確認していきます。

事例6-39　政府出資にかかる不要財産の国庫納付（独法Q&A Q98-1）

償却資産については，取得時の価額100百万円の資産（耐用年数5年で定額法，残存価額ゼロ）を1年後に現物または売却して納付した場合，非償却資産については，取得時の価額100百万円の資産をその後に現物または売却して納付した場合とする。

なお，①売却金額，②国庫納付額等及び③独立行政法人の資本金のうち当該納付に係る部分として主務大臣が定める金額は，それぞれ以下の通りとする。

納付方法・①売却金額		②国庫納付額等	③独立行政法人の資本金のうち当該納付に係る部分として主務大臣が定める金額	
			現物出資の場合	金銭出資の場合
現物納付の場合		現物	100	100
売却後納付の場合	110で売却	110	100	100
	70で売却	70	100	70

＜上記事例における会計処理及び注記開示＞

1)　現物出資の場合

(取得時)

㈲ 固定資産	100	㈶ 資本金	100

①現物納付した場合

a)　通常の償却資産の場合（会計基準第87第1項の適用がない場合）

（減価償却時）

(借)	減価償却費	20	(貸) 減価償却累計額	20

（返納時）

(借)	資本金	100	(貸) 固定資産	100
	減価償却累計額	20	資本剰余金（減資差益）	20

（注記事項）

(1)　不要財産としての国庫納付等を行った資産の種類，帳簿価額等の概要

名称	種類	場所	帳簿価額
○○施設	建物	○○県○○市	80

(2)　不要財産となった理由

「○△□に関する基本方針」（平成×年××月××日 閣議決定）により，当法人の保有する○○施設は今後使用しない決定となったことから，不要財産に該当したものである。

(3)　国庫納付等の方法

当該不要財産については，独立行政法人通則法第46条の2に基づき，現物納付を行っている。

(4)　国庫納付等の額　80百万円

(5)　国庫納付等が行われた年月日 平成××年×月×日

(6)　減資額　100百万円

以上の会計処理を図にまとめると，**図表6-22**の通りになる。

図表6-22　通常の償却資産を不要財産として現物返納する場合の会計処理（体系図）

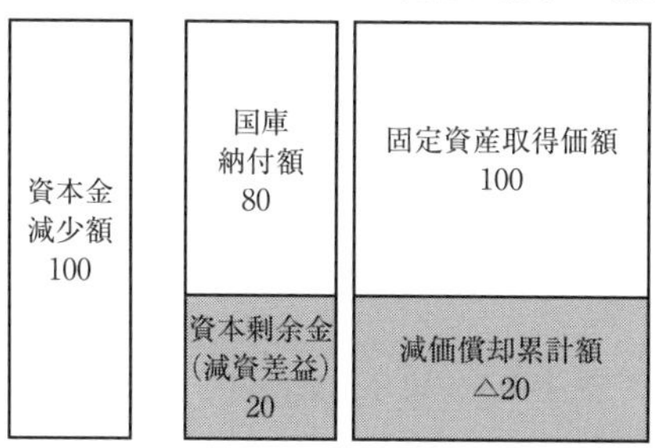

b)　特定の償却資産の場合（会計基準第87第1項の適用がある場合）

（減価償却時）

(借)	減価償却相当累計額	20	(貸) 減価償却累計額	20

（返納時）

(借)	資本金	100	(貸) 固定資産	100
	減価償却累計額	20	減価償却相当累計額	20

（注記事項）a）通常の償却資産の場合（会計基準第 87 第 1 項の適用がない場合）と同じ。

以上の会計処理を図にまとめると，**図表 6-23** の通りになる。

図表 6-23 特定の償却資産を不要財産として現物返納する場合の会計処理（概念図）

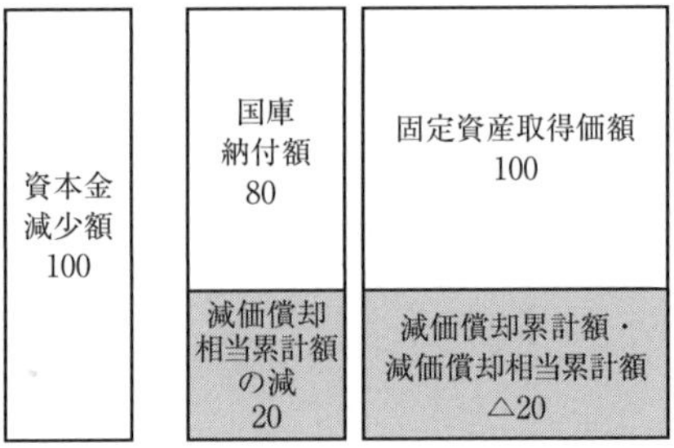

c）非償却資産の場合

（返納時）

㈶ 資　本　金　　100　　㈸ 固　定　資　産　　100

（注記事項）

⑴ 不要財産としての国庫納付等を行った資産の種類，帳簿価額等の概要

名称	種類	場所	帳簿価額
○○施設	土地	○○県○○市	100

⑵ 不要財産となった理由

「○△□に関する基本方針」（平成×年××月××日 閣議決定）により，当法人の保有する○○施設は今後使用しない決定となったことから，不要財産に該当したものである。

⑶ 国庫納付等の方法

当該不要財産については，独立行政法人通則法第 46 条の 2 に基づき，現物納付を行っている。

⑷ 国庫納付等の額　100 百万円

⑸ 国庫納付等が行われた年月日 平成××年×月×日

⑹ 減資額　100 百万円

② 資産の譲渡後，譲渡収入により金銭納付した場合

a）通常の償却資産の場合（会計基準第 87 第 1 項の適用がない場合）

（減価償却時）

㈶ 減 価 償 却 費　　20　　㈸ 減価償却累計額　　20

イ）110 百万円で売却した場合

（売却時）

㈶ 現　金　預　金　　110　　㈸ 固　定　資　産　　100
　　減価償却累計額　　20　　　　固定資産売却益　　30

（返納時）

㈹	資　本　金	100	㈸　現　金　預　金	110
	国庫納付金（臨時損失）	10		

（注記事項）

⑴　不要財産としての国庫納付等を行った資産の種類，帳簿価額等の概要

名称	種類	場所	帳簿価額
○○施設	建物	○○県○○市	80

⑵　不要財産となった理由

「○△□に関する基本方針」（平成×年××月××日 閣議決定）により，当法人の保有する○○施設は今後使用しない決定となったことから，不要財産に該当したものである。

⑶　国庫納付等の方法

当該不要財産については，独立行政法人通則法第46条の2に基づき，譲渡収入による金銭納付を行っている。

⑷　譲渡収入による現金納付等を行った資産に係る譲渡収入の額　110百万円

⑸　国庫納付等に当たり譲渡収入により控除した費用の額　—

⑹　国庫納付等の額　110百万円

⑺　国庫納付等が行われた年月日　平成××年×月×日

⑻　減資額　100百万円

以上の会計処理を図にまとめると，**図表6-24**の通りになる。

図表6-24　通常の償却資産を不要財産として譲渡後金銭返納する場合（譲渡価額＞帳簿価額の場合）

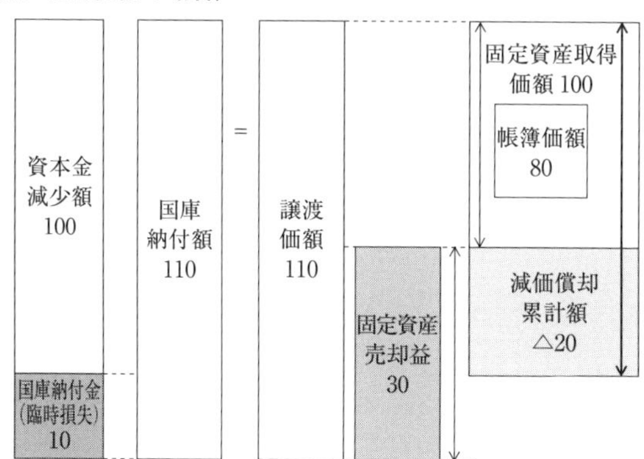

ロ）　70百万円で売却した場合

（売却時）

㈹	現　金　預　金	70	㈸　固　定　資　産	100
	減価償却累計額	20		
	固定資産売却損	10		

（返納時）

㈲	資　本　金	100	㈶ 現　金　預　金	70
			資本剰余金（減資差益）	30

（注記事項）記載省略

売却損が生じる場合の会計処理を同様に図示すると，**図表 6-25** の通りになる。

図表 6-25　通常の償却資産を不要財産として譲渡後金銭返納する場合（譲渡価額＜帳簿価額の場合）

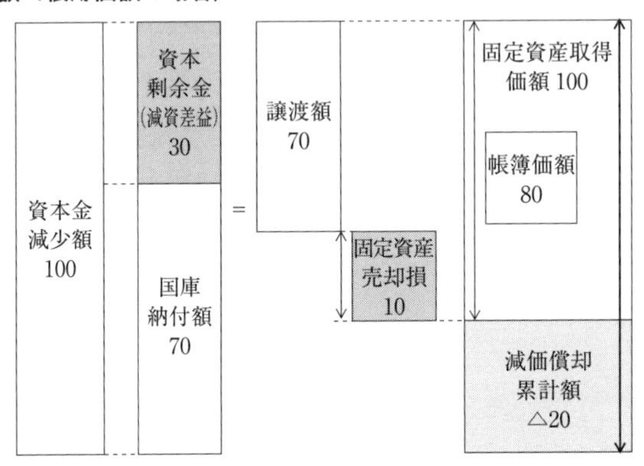

b）特定の償却資産の場合（会計基準第 87 第 1 項の適用がある場合）

（減価償却時）

㈲	減価償却相当累計額	20	㈶ 減価償却累計額	20

イ）110 百万円で売却した場合

（売却時）

㈲	現　金　預　金	110	㈶ 固　定　資　産	100
			除売却差額相当累計額	10
	減価償却累計額	20	減価償却相当累計額	20

（返納時）

㈲	資　本　金	100	㈶ 現　金　預　金	110
	資本剰余金（国庫納付差額）	10		

（注記事項）a）通常の償却資産の場合（会計基準第 87 第 1 項の適用がない場合）に同じ。

特定の償却資産を不要財産として譲渡後金銭返納する場合の会計処理（譲渡価額＞取得価額の場合）を図にまとめると，**図表 6-26** の通りになる。

図表6-26　特定の償却資産を不要財産として譲渡後金銭返納する場合の会計処理（譲渡価額＞固定資産取得価額の場合）

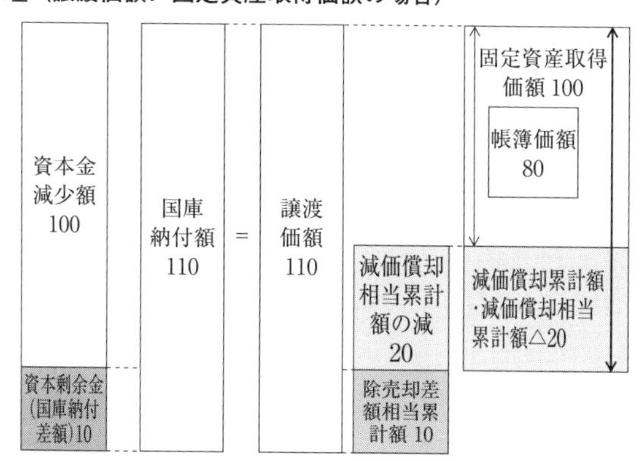

ロ）70百万円で売却した場合

（売却時）

㈱	現　金　預　金	70	㈶	固　定　資　産	100
	除売却差額相当累計額	30			
	減価償却累計額	20		減価償却相当累計額	20

（返納時）

㈱	資　　本　　金	100	㈶	現　金　預　金	70
				資本剰余金（減資差益）	30

（注記事項）記載省略

同様に，特定の償却資産を不要財産として譲渡後金銭返納する場合であって，譲渡価額が取得価額に満たない場合の会計処理を図にまとめると，**図表6-27**の通りになる。

図表 6-27　特定の償却資産を不要財産として譲渡後金銭返納する場合の会計処理（譲渡価額＜固定資産取得価額の場合）

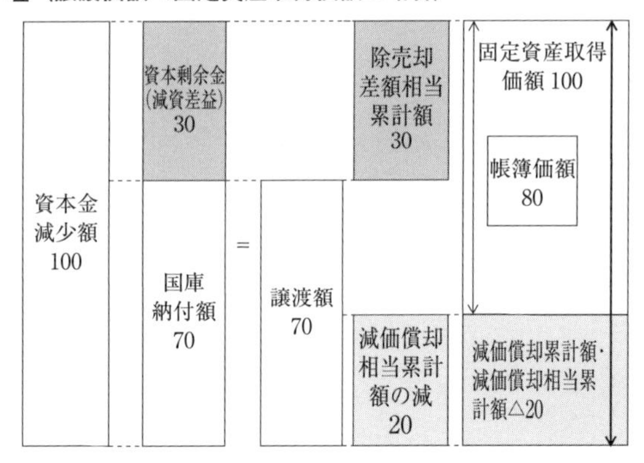

c）　非償却資産の場合

イ）　110 百万円で売却した場合

（売却時）

㈹　現　金　預　金	110	㈺　固　定　資　産	100
		除売却差額相当累計額	10

（返納時）

㈹　資　本　金	100	㈺　現　金　預　金	110
資本剰余金（国庫納付差額）	10		

（注記事項）

⑴　不要財産としての国庫納付等を行った資産の種類，帳簿価額等の概要

名称	種類	場所	帳簿価額
○○施設	土地	○○県○○市	100

⑵　不要財産となった理由

「○△□に関する基本方針」（平成×年××月××日 閣議決定）により，当法人の保有する○○施設は今後使用しない決定となったことから，不要財産に該当したものである。

⑶　国庫納付等の方法

当該不要財産については，独立行政法人通則法第 46 条の 2 に基づき，譲渡収入による金銭納付を行っている。

⑷　譲渡収入による現金納付等を行った資産に係る譲渡収入の額　110 百万円

⑸　国庫納付等に当たり譲渡収入により控除した費用の額　―

⑹　国庫納付等の額　110 百万円

⑺　国庫納付等が行われた年月日 平成××年×月×日

⑻　減資額　100 百万円

ロ）　70 百万円で売却した場合

（売却時）

(借)	現金預金	70	(貸) 固定資産	100
	除売却差額相当累計額	30		

（返納時）

(借)	資本金	100	(貸) 現金預金	70
			資本剰余金（減資差益）	30

（注記事項）記載省略

2）金銭出資の場合

（金銭出資及び取得時）

(借)	現金預金	100	(貸) 資本金	100
	固定資産	100	現金預金	100

① 現物納付した場合

a）通常の償却資産の場合（会計基準第87第1項の適用がない場合）

（減価償却時）

(借)	減価償却費	20	(貸) 減価償却累計額	20

（返納時）

(借)	資本金	100	(貸) 固定資産	100
	減価償却累計額	20	資本剰余金（減資差益）	20

（注記事項）

⑴ 不要財産としての国庫納付等を行った資産の種類，帳簿価額等の概要

名称	種類	場所	帳簿価額
○○施設	建物	○○県○○市	80

⑵ 不要財産となった理由

「○△□に関する基本方針」（平成×年××月××日 閣議決定）により，当法人の保有する○○施設は今後使用しない決定となったことから，不要財産に該当したものである。

⑶ 国庫納付等の方法

当該不要財産については，独立行政法人通則法第46条の2に基づき，現物納付を行っている。

⑷ 国庫納付等の額　80百万円

⑸ 国庫納付等が行われた年月日 平成××年×月×日

⑹ 減資額　100百万円

b）特定の償却資産の場合（会計基準第87第1項の適用がある場合）

（減価償却時）

(借)	減価償却相当累計額	20	(貸) 減価償却累計額	20

（返納時）

(借)	資本金	100	(貸) 固定資産	100
	減価償却累計額	20	減価償却相当累計額	20

（注記事項）a）通常の償却資産の場合（会計基準第87第1項の適用がない場合）に同じ。

c）　非償却資産の場合

（返納時）

(借)	資　本　金	100	(貸)	固　定　資　産	100

（注記事項）

⑴　不要財産としての国庫納付等を行った資産の種類，帳簿価額等の概要

名称	種類	場所	帳簿価額
○○施設	土地	○○県○○市	100

⑵　不要財産となった理由

「○△□に関する基本方針」（平成×年××月××日 閣議決定）により，当法人の保有する○○施設は今後使用しない決定となったことから，不要財産に該当したものである。

⑶　国庫納付等の方法

当該不要財産については，独立行政法人通則法第46条の2に基づき，現物納付を行っている。

⑷　国庫納付等の額　100百万円

⑸　国庫納付等が行われた年月日 平成××年×月×日

⑹　減資額　100百万円

②　資産の譲渡後，譲渡収入により金銭納付した場合

a）　通常の償却資産の場合（会計基準第87第1項の適用がない場合）

（減価償却時）

(借)	減 価 償 却 費	20	(貸)	減価償却累計額	20

イ）　110百万円で売却した場合

（売却時）

(借)	現　金　預　金	110	(貸)	固　定　資　産	100
	減価償却累計額	20		固定資産売却益	30

（返納時）

(借)	資　本　金	100	(貸)	現　金　預　金	110
	国庫納付金（臨時損失）	10			

（注記事項）記載省略

ロ）　70百万円で売却した場合

（売却時）

(借)	現　金　預　金	70	(貸)	固　定　資　産	100
	減価償却累計額	20			
	固定資産売却損	10			

（返納時）

(借)	資　本　金	70	(貸)	現　金　預　金	70

（注記事項）

⑴　不要財産としての国庫納付等を行った資産の種類，帳簿価額等の概要

名称	種類	場所	帳簿価額
○○施設	建物	○○県○○市	80

⑵　不要財産となった理由

「○△□に関する基本方針」（平成×年××月××日 閣議決定）により，当法人の保有する○○施設は今後使用しない決定となったことから，不要財産に該当したものである。

⑶　国庫納付等の方法

当該不要財産については，独立行政法人通則法第 46 条の 2 に基づき，譲渡収入による金銭納付を行っている。

⑷　譲渡収入による現金納付等を行った資産に係る譲渡収入の額　70 百万円

⑸　国庫納付等に当たり譲渡収入により控除した費用の額　―

⑹　国庫納付等の額　70 百万円

⑺　国庫納付等が行われた年月日 平成××年×月×日

⑻　減資額　70 百万円

b）　特定の償却資産の場合（会計基準第 87 第 1 項の適用がある場合）

（減価償却時）

㈿	減価償却相当累計額	20	㈹	減価償却累計額	20

イ）　110 百万円で売却した場合

（売却時）

㈿	現　金　預　金	110	㈹	固　定　資　産	100
				除売却差額相当累計額	10
	減価償却累計額	20		減価償却相当累計額	20

（返納時）

㈿	資　　本　　金	100	㈹	現　金　預　金	110
	資本剰余金（国庫納付差額）	10			

（注記事項）記載省略

ロ）　70 百万円で売却した場合

（売却時）

㈿	現　金　預　金	70	㈹	固　定　資　産	100
	除売却差額相当累計額	30			
	減価償却累計額	20		減価償却相当累計額	20

（返納時）

㈿	資　　本　　金	70	㈹	現　金　預　金	70

（注記事項）a）通常の償却資産の場合（会計基準第 87 第 1 項の適用がない場合）に同じ。

c）　非償却資産の場合

イ）110百万円で売却した場合

（売却時）

㈹	現　金　預　金	110	㈮	固　定　資　産	100
				除売却差額相当累計額	10

（返納時）

㈹	資　本　金	100	㈮	現　金　預　金	110
	資本剰余金（国庫納付差額）	10			

（注記事項）記載省略

ロ）70百万円で売却した場合

（売却時）

㈹	現　金　預　金	70	㈮	固　定　資　産	100
	除売却差額相当累計額	30			

（返納時）

㈹	資　本　金	70	㈮	現　金　預　金	70

（注記事項）

⑴ 不要財産としての国庫納付等を行った資産の種類，帳簿価額等の概要

名称	種類	場所	帳簿価額
○○施設	土地	○○県○○市	100

⑵ 不要財産となった理由

「○△□に関する基本方針」（平成×年××月××日 閣議決定）により，当法人の保有する○○施設は今後使用しない決定となったことから，不要財産に該当したものである。

⑶ 国庫納付等の方法

当該不要財産については，独立行政法人通則法第46条の2に基づき，譲渡収入による金銭納付を行っている。

⑷ 譲渡収入による現金納付等を行った資産に係る譲渡収入の額　70百万円

⑸ 国庫納付等に当たり譲渡収入により控除した費用の額　—

⑹ 国庫納付等の額　70百万円

⑺ 国庫納付等が行われた年月日 平成××年×月×日

⑻ 減資額　70百万円

以上の各事例における会計処理をまとめると，312ページの**図表6-28**の通りになります。

資本剰余金に計上された財産の不要財産指定による国庫納付について，以下の事例でみていくことにします（独法 Q&A Q98-2）。

事例 6-40

事例 6-39 の政府出資財産を「施設費等により取得し，資本剰余金に計上された財産を不要財産として国庫納付した場合」に変更する。売却による金銭納付の場合の国庫納付額については，110 百万円で売却した場合は 110 百万円，70 百万円で売却した場合は 70 百万円とする。

＜上記事例における会計処理＞

（取得時）

(借)	固定資産	100	(貸) 現金預金	100
	預り施設費	100	資本剰余金	100

1)　現物納付した場合

①　通常の償却資産の場合（会計基準第 87 第 1 項の適用がない場合）

（減価償却時）

(借)	減価償却費	20	(貸) 減価償却累計額	20

（返納時）

(借)	資本剰余金（施設費）	80	(貸) 固定資産	100
	減価償却累計額	20		

（注記事項）

(1)　不要財産としての国庫納付等を行った資産の種類，帳簿価額等の概要

名称	種類	場所	帳簿価額
○○施設	建物	○○県○○市	80

(2)　不要財産となった理由

「○△□に関する基本方針」（平成×年××月××日 閣議決定）により，当法人の保有する○○施設は今後使用しない決定となったことから，不要財産に該当したものである。

(3)　国庫納付等の方法

当該不要財産については，独立行政法人通則法第 46 条の 2 に基づき，現物納付を行っている。

(4)　国庫納付等の額　80 百万円

(5)　国庫納付等が行われた年月日 平成××年×月×日

(6)　減資額　—

②　特定の償却資産の場合（会計基準第 87 第 1 項の適用がある場合）

（減価償却時）

(借)	減価償却相当累計額	20	(貸) 減価償却累計額	20

図表 6-28　不要財産の国庫返納にかかる会計処理のまとめ

国庫返納対象固定資産の種別		現物納付の場合			
		譲渡損益の会計処理	資本金減少額（減資額）	国庫納付額	資本金減少額と国庫納付額との差額
政府出資財産（現物出資の場合）	会計基準第 87 第 1 項「特定の償却資産」の場合（特定償却資産）	—	固定資産の取得価額と同額（100）	固定資産の帳簿価額（80）	減価償却相当累計額の減(20)で処理
政府出資財産（現物出資の場合）	会計基準第 87 第 1 項「特定の償却資産」ではない場合（通常の償却資産）	—	固定資産の取得価額と同額（100）	固定資産の帳簿価額（80）	資本剰余金（減資差益）(20)で処理
政府出資財産（金銭出資の場合）	会計基準第 87 第 1 項「特定の償却資産」の場合（特定償却資産）	—	固定資産の取得価額と同額（100）	固定資産の帳簿価額（80）	減価償却相当累計額の減(20)で処理
政府出資財産（金銭出資の場合）	会計基準第 87 第 1 項「特定の償却資産」ではない場合（通常の償却資産）	—	固定資産の取得価額と同額（100）	固定資産の帳簿価額（80）	資本剰余金（減資差益）(20)で処理

＊　政府出資が金銭出資の場合，当該金銭出資が固定資産の取得を目的になされたものと特定できる事由がない場合には，資本金と固定資産との紐付き関係が認められず，そのような場合には，現に返納した金銭の額（70）だけ資本金を減少し，減資差益 30 は生じないと考えている。
（第 6 章第 6 節 7，減少する資本等の額参照）

譲渡後金銭納付の場合			
譲渡損益の会計処理	資本金減少額（減資額）	国庫納付額	資本金減少額と国庫納付額との差額
除売却差額相当累計額で処理（譲渡価額110では110－100＝10，譲渡価額70では100－70＝30）	固定資産の取得価額と同額（100）	譲渡価額（110又は70）	資本金減少額<国庫納付額の場合：資本剰余金（国庫納付差額）で処理（＝110－100＝10） 資本金減少額>国庫納付額の場合：資本剰余金（減資差益）で処理（＝100－70＝30）
固定資産売却損益（臨時損益）で処理（譲渡価額110では110－80＝30，譲渡価額70では80－70＝10）	固定資産の取得価額と同額（100）	譲渡価額（110又は70）	資本金減少額<国庫納付額の場合：国庫納付金（臨時損失）で処理（＝110－100＝10） 資本金減少額>国庫納付額の場合：資本剰余金（減資差益）で処理（＝100－70＝30）
除売却差額相当累計額で処理（譲渡価額110では110－100＝10，譲渡価額70では100－70＝30）	譲渡価額≧取得価額の場合：取得価額（100），譲渡価額<取得価額の場合：譲渡価額（70）*	譲渡価額（110又は70）	資本金減少額<国庫納付額の場合：資本剰余金（国庫納付差額）で処理（＝110－100＝10） 資本金減少額（70）＝国庫納付額（70）で差額なし。
固定資産売却損益（臨時損益）で処理（譲渡価額110では110－80＝30，譲渡価額70では80－70＝10）	譲渡価額≧取得価額の場合：取得価額（100），譲渡価額<取得価額の場合：譲渡価額（70）*	譲渡価額（110又は70）	資本金減少額<国庫納付額の場合：国庫納付金（臨時損失）で処理（＝110－100＝10） 資本金減少額（70）＝国庫納付額（70）で差額なし。

（返納時）

㈹	資本剰余金（施設費）	100	㈶	固　定　資　産	100
	減価償却累計額	20		減価償却相当累計額	20

（注記事項）①通常の償却資産の場合（会計基準第87第1項の適用がない場合）に同じ。

③　非償却資産の場合

（返納時）

㈹	資本剰余金（施設費）	100	㈶	固　定　資　産	100

（注記事項）

⑴　不要財産としての国庫納付等を行った資産の種類，帳簿価額等の概要

名称	種類	場所	帳簿価額
○○施設	土地	○○県○○市	100

⑵　不要財産となった理由

「○△□に関する基本方針」（平成×年××月××日 閣議決定）により，当法人の保有する○○施設は今後使用しない決定となったことから，不要財産に該当したものである。

⑶　国庫納付等の方法

当該不要財産については，独立行政法人通則法第46条の2に基づき，現物納付を行っている。

⑷　国庫納付等の額　100百万円

⑸　国庫納付等が行われた年月日 平成××年×月×日

⑹　減資額　―

2)　資産の譲渡後，譲渡収入により金銭納付した場合

①　通常の償却資産の場合（会計基準第87第1項の適用がない場合）

（減価償却時）

㈹	減　価　償　却　費	20	㈶	減価償却累計額	20

a)　110百万円で売却した場合

（売却時）

㈹	現　金　預　金	110	㈶	固　定　資　産	100
	減価償却累計額	20		固定資産売却益	30

（返納時）

㈹	資本剰余金（施設費）	100	㈶	現　金　預　金	110
	国庫納付金（臨時損失）	10			

（注記事項）

⑴　不要財産としての国庫納付等を行った資産の種類，帳簿価額等の概要

名称	種類	場所	帳簿価額
○○施設	建物	○○県○○市	80

⑵　不要財産となった理由

「○△□に関する基本方針」（平成×年××月××日 閣議決定）により，当法人の保有する○○施設は今後使用しない決定となったことから，不要財産に該当したものである。

(3) 国庫納付等の方法

当該不要財産については，独立行政法人通則法第46条の2に基づき，譲渡収入による金銭納付を行っている。

(4) 譲渡収入による現金納付等を行った資産に係る譲渡収入の額　110百万円

(5) 国庫納付等に当たり譲渡収入により控除した費用の額　—

(6) 国庫納付等の額　110百万円

(7) 国庫納付等が行われた年月日 平成××年×月×日

(8) 減資額　—

b）70百万円で売却した場合

（売却時）

(借)	現金預金	70	(貸)	固定資産	100
	減価償却累計額	20			
	固定資産売却損	10			

（返納時）

(借)	資本剰余金（施設費）	70	(貸)	現金預金	70

（注記事項）記載省略

② 特定の償却資産の場合（会計基準第87第1項の適用がある場合）

（減価償却時）

(借)	減価償却相当累計額	20	(貸)	減価償却累計額	20

a）110百万円で売却した場合

（売却時）

(借)	現金預金	110	(貸)	固定資産	100
				除売却差額相当累計額	10
	減価償却累計額	20		減価償却相当累計額	20

（返納時）

(借)	資本剰余金（施設費）	100	(貸)	現金預金	110
	資本剰余金（国庫納付差額）	10			

（注記事項）①通常の償却資産の場合（会計基準第87第1項の適用がない場合）に同じ。

b）70百万円で売却した場合

（売却時）

(借)	現金預金	70	(貸)	固定資産	100
	除売却差額相当累計額	30			
	減価償却累計額	20		減価償却相当累計額	20

（返納時）

㈱ 資本剰余金（施設費） 70 ㈹ 現金預金 70

（注記事項）記載省略

③ 非償却資産の場合

a） 110百万円で売却した場合

（売却時）

㈱ 現金預金 110 ㈹ 固定資産 100

除売却差額相当累計額 10

（返納時）

㈱ 資本剰余金（施設費） 100 ㈹ 現金預金 110

資本剰余金（国庫納付差額） 10

（注記事項）

⑴ 不要財産としての国庫納付等を行った資産の種類，帳簿価額等の概要

名称	種類	場所	帳簿価額
○○施設	土地	○○県○○市	100

⑵ 不要財産となった理由

「○△□に関する基本方針」（平成×年××月××日 閣議決定）により，当法人の保有する○○施設は今後使用しない決定となったことから，不要財産に該当したものである。

⑶ 国庫納付等の方法

当該不要財産については，独立行政法人通則法第46条の2に基づき，譲渡収入による金銭納付を行っている。

⑷ 譲渡収入による現金納付等を行った資産に係る譲渡収入の額 110百万円

⑸ 国庫納付等に当たり譲渡収入により控除した費用の額 ―

⑹ 国庫納付等の額 110百万円

⑺ 国庫納付等が行われた年月日 平成××年×月×日

⑻ 減資額 ―

b） 70百万円で売却した場合

（売却時）

㈱ 現金預金 70 ㈹ 固定資産 100

除売却差額相当累計額 30

（返納時）

㈱ 資本剰余金（施設費） 70 ㈹ 現金預金 70

（注記事項）記載省略

資産見返負債が計上された財産の不要財産指定による国庫納付について，**事例6-41** でみていきます（独法Q&A Q98-3）。

事例 6-41

事例 6-39 の政府出資財産を「運営費交付金により取得し，資産見返負債が同額計上された財産を不要財産として国庫納付した場合」に変更する。売却による金銭納付の場合の国庫納付額については，110 百万円で売却した場合は 110 百万円，70 百万円で売却した場合は 70 百万円とする。

＜上記事例における会計処理＞

（取得時）

(借)	固定資産	100	(貸)	現金預金	100
	運営費交付金債務	100		資産見返運営費交付金	100

1）　現物納付した場合

①　償却資産の場合

（減価償却時）

(借)	減価償却費	20	(貸)	減価償却累計額	20
	資産見返運営費交付金	20		資産見返運営費交付金戻入	20

（返納時）

(借)	国庫納付金（臨時損失）	80	(貸)	固定資産	100
	減価償却累計額	20			
	資産見返運営費交付金	80		資産見返運営費交付金戻入	80

②　非償却資産の場合（中期計画の想定範囲外による取得の場合）

（返納時）

(借)	国庫納付金（臨時損失）	100	(貸)	固定資産	100
	資産見返運営費交付金	100		資産見返運営費交付金戻入	100

2）　資産の譲渡後，譲渡収入により金銭納付した場合

①　償却資産の場合

（減価償却時）

(借)	減価償却費	20	(貸)	減価償却累計額	20
	資産見返運営費交付金	20		資産見返運営費交付金戻入	20

a）110 百万円で売却した場合

（売却時）

(借)	現金預金	110	(貸)	固定資産	100
	減価償却累計額	20		固定資産売却益	30
	資産見返運営費交付金	80		資産見返運営費交付金戻入	80

（返納時）

㈼	国庫納付金（臨時損失）	110	㈹	現　金　預　金	110

b）70 百万円で売却した場合

（売却時）

㈼	現　金　預　金	70	㈹	固　定　資　産	100
	減価償却累計額	20			
	固定資産売却損	10			
	資産見返運営費交付金	80		資産見返運営費交付金戻入	80

（返納時）

㈼	国庫納付金（臨時損失）	70	㈹	現　金　預　金	70

②　非償却資産の場合（中期計画の想定範囲外による取得の場合）

a）110 百万円で売却した場合

（売却時）

㈼	現　金　預　金	110	㈹	固　定　資　産	100
				固定資産売却益	10
	資産見返運営費交付金	100		資産見返運営費交付金戻入	100

（返納時）

㈼	国庫納付金（臨時損失）	110	㈹	現　金　預　金	110

b）70 百万円で売却した場合

（売却時）

㈼	現　金　預　金	70	㈹	固　定　資　産	100
	固定資産売却損	30			
	資産見返運営費交付金	100		資産見返運営費交付金戻入	100

（返納時）

㈼	国庫納付金（臨時損失）	70	㈹	現　金　預　金	70

譲渡収入のうち簿価超過額の一部を控除して納付することを定めた場合について，**事例 6-42** でみていきます（独法 Q&A Q98-6）。

事例 6-42

事例 6-39 において，現物出資財産（会計基準第 87 第 1 項の適用のない通常の償却資産）を取得から 1 年後に売却し，譲渡収入により金銭納付する場合において，110 百万円で売却した場合であって，簿価超過額の一部の金額につき国庫納付しないことについて主務大臣の認可を受けた額が 5 百万円である場合。

＜上記事例における会計処理＞

（取得時）

(借)	固　定　資　産	100	(貸) 資　本　金	100

（減価償却時）

(借)	減 価 償 却 費	20	(貸) 減価償却累計額	20

（売却時）

(借)	現　金　預　金	110	(貸) 固　定　資　産	100
	減価償却累計額	20	固定資産売却益	30

（返納時）

(借)	資　本　金	100	(貸) 現　金　預　金*	105
	国庫納付金（臨時損失）	5		

* 前提条件により譲渡収入は110であるが，譲渡収入のうち簿価超過額の一部(5)を控除して国庫納付することの認可を得ているため，110－5＝105の国庫納付を行っている。

不要財産の譲渡取引にかかる譲渡差額を損益計算書上の損益に計上しないものとする主務大臣指定を受けた場合について，**事例6-43** でみていきます（独法Q&A Q99-1）。

事例6-43

事例6-39 において，現物出資財産（会計基準第87第1項の適用のない通常の償却資産）を取得から1年後に不要財産指定を受け，譲渡収入により金銭納付する場合において，当該不要財産の譲渡取引にかかる譲渡差額につき損益計算書上の損益に計上しないことが必要なものとする主務大臣指定を受けた。譲渡収入による金銭での国庫納付額は，110百万円で売却した場合は110百万円，70百万円で売却した場合は70百万円とする。

＜上記事例における会計処理及び注記開示＞

（取得時）

(借)	固　定　資　産	100	(貸) 資　本　金	100

（減価償却時）

(借)	減 価 償 却 費	20	(貸) 減価償却累計額	20

1）110百万円で売却した場合

（売却時）

(借)	現　金　預　金	110	(貸) 固　定　資　産	100

減価償却累計額　20　除売却差額相当累計額　30*

＊譲渡差額を損益計算上の損益に計上しないことが必要なものとして主務大臣指定を受けているため，通常の償却資産であるが，譲渡差額は損益外となっている。

（返納時）

㈲ 資本金	100	㈻ 現金預金	110
資本剰余金（国庫納付差額）	10		

（注記事項）

⑴　不要財産としての国庫納付等を行った資産の種類，帳簿価額等の概要

名称	種類	場所	帳簿価額
○○施設	建物	○○県○○市	80

⑵　不要財産となった理由

「○△□に関する基本方針」（平成×年××月××日 閣議決定）により，当法人の保有する○○施設は今後使用しない決定となったことから，不要財産に該当したものである。

⑶　国庫納付等の方法

当該不要財産については，独立行政法人通則法第46条の2に基づき，譲渡収入による金銭納付を行っている。

⑷　譲渡収入による現金納付等を行った資産に係る譲渡収入の額　110百万円

⑸　国庫納付等に当たり譲渡収入により控除した費用の額　—

⑹　国庫納付等の額　110百万円

⑺　国庫納付等が行われた年月日 平成××年×月×日

⑻　減資額　100百万円

2)　70百万円で売却した場合

（売却時）

㈲ 現金預金	70	㈻ 固定資産	100
減価償却累計額	20		
除売却差額相当累計額*	10		

＊譲渡差額を損益計算上の損益に計上しないことが必要なものとして主務大臣指定を受けているため，通常の償却資産であるが，譲渡差額は損益外となっている。

（返納時）

㈲ 資本金	100	㈻ 現金預金	70
		資本剰余金（減資差益）	30

（注記事項）

⑴　不要財産としての国庫納付等を行った資産の種類，帳簿価額等の概要

名称	種類	場所	帳簿価額
○○施設	建物	○○県○○市	80

⑵　不要財産となった理由

「○△□に関する基本方針」（平成×年××月××日 閣議決定）により，当法人の保有する○○施設は今後使用しない決定となったことから，不要財産に該当したものである。

(3)　国庫納付等の方法
当該不要財産については，独立行政法人通則法第46条の2に基づき，譲渡収入による金銭納付を行っている。
(4)　譲渡収入による現金納付等を行った資産に係る譲渡収入の額　70百万円
(5)　国庫納付等に当たり譲渡収入により控除した費用の額　—
(6)　国庫納付等の額　70百万円
(7)　国庫納付等が行われた年月日 平成××年×月×日
(8)　減資額　100百万円

譲渡収入からの控除を認める費用を定めた場合について，**事例6-44**でみていくことにします（独法Q&A Q99-4）。

事例6-44

事例6-39において，現物出資財産（会計基準第87第1項の適用を受ける特定償却資産）を取得から1年後に不要財産指定を受け，譲渡収入により金銭納付する場合において，当該不要財産の譲渡取引にかかる譲渡差額につき損益計算書上の損益に計上しないことが必要なものとする主務大臣指定を受け，かつ主務大臣が国庫納付額から控除を認める費用5百万円が合わせて認められた。譲渡収入による金銭での国庫納付額は，控除が認められた費用を除き譲渡収入の全額を国庫納付するものとする。

＜上記事例における会計処理及び注記開示＞

（取得時）

(借)	固定資産	100	(貸)　資本金	100

（減価償却時）

(借)	減価償却相当累計額	20	(貸)　減価償却累計額	20

1）　110百万円で売却した場合

（売却時）

(借)	現金預金	110	(貸)　固定資産	100
			除売却差額相当累計額	10
	減価償却累計額	20	減価償却相当累計額	20

（譲渡費用）

(借)	除売却差額相当累計額	5	(貸)　現金預金	5

（返納時）

(借)	資本金	100	(貸)　現金預金	105
	資本剰余金（国庫納付差額）	5		

（注記事項）

⑴ 不要財産としての国庫納付等を行った資産の種類，帳簿価額等の概要

名称	種類	場所	帳簿価額
○○施設	建物	○○県○○市	80

⑵ 不要財産となった理由
「○△□に関する基本方針」（平成×年××月××日 閣議決定）により，当法人の保有する○○施設は今後使用しない決定となったことから，不要財産に該当したものである。

⑶ 国庫納付等の方法
当該不要財産については，独立行政法人通則法第46条の2に基づき，譲渡収入による金銭納付を行っている。

⑷ 譲渡収入による現金納付等を行った資産に係る譲渡収入の額　110百万円

⑸ 国庫納付等に当たり譲渡収入により控除した費用の額　5百万円

⑹ 国庫納付等の額　105百万円

⑺ 国庫納付等が行われた年月日 平成××年×月×日

⑻ 減資額　100百万円

2）70百万円で売却した場合

（売却時）

㈶	現金預金	70	㈹ 固定資産	100
	除売却差額相当累計額	30		
	減価償却累計額	20	減価償却相当累計額	20

（譲渡費用）

㈶	除売却差額相当累計額	5	㈹ 現金預金	5

（返納時）

㈶	資本金	100	㈹ 現金預金	65
			資本剰余金（減資差益）	35

（注記事項）

⑴ 不要財産としての国庫納付等を行った資産の種類，帳簿価額等の概要

名称	種類	場所	帳簿価額
○○施設	建物	○○県○○市	80

⑵ 不要財産となった理由
「○△□に関する基本方針」（平成×年××月××日 閣議決定）により，当法人の保有する○○施設は今後使用しない決定となったことから，不要財産に該当したものである。

⑶ 国庫納付等の方法
当該不要財産については，独立行政法人通則法第46条の2に基づき，譲渡収入による金銭納付を行っている。

⑷ 譲渡収入による現金納付等を行った資産に係る譲渡収入の額　70百万円

⑸ 国庫納付等に当たり譲渡収入により控除した費用の額　5百万円

⑹ 国庫納付等の額　65百万円

⑺ 国庫納付等が行われた年月日 平成××年×月×日

⑻ 減資額　100百万円

以上のほかに，不要財産の国庫返納にかかる会計処理については，独法会計基準Q&Aでいくつかの論点の解説がなされています。これらのうち主な論点をまとめると，次のようになります。

1）不要財産に係る譲渡取引と当該不要財産に係る国庫納付等が年度を跨った場合には，不要財産に係る国庫納付等に係る注記はどちらの年度において行うことになるか。
☞これについては，独立行政法人が不要財産に係る譲渡取引を行った年度及び実際に当該不要財産に係る国庫納付等を行った年度において記載することとなります。なお，譲渡取引が行われた年度における注記について，国庫納付等が行われないと記載できない事項については，財務諸表作成時点において判明している事項を可能な限り取り込んで記載することとなる（独法Q&A Q98-5）。

2）不要財産に係る国庫納付等に関し，その不要財産を売却した年度と国庫納付等をする年度が異なる場合の会計処理は，どうなるか。
☞決算書作成時までに国庫納付額が確定しているようであれば，国庫納付等予定額のうち減少する資本金または資本剰余金の額を上回る額について未払金計上を行うこととなる（独法Q&A Q99-5）。

第７節　サービスの提供等による収益の会計処理

1．会計基準の概要

サービスの提供等による収益，いわゆる自己収入の会計処理は基準第86に基づいて会計処理を行います。なお，収益認識にかかる会計基準に関連する改訂は令和５事業年度からの適用となります。

基準第86　サービスの提供等による収益の会計処理

1　顧客との契約から生じた取引については，約束したサービス等の顧客への移転を当該サービス等と交換に独立行政法人が権利を得ると見込む対価の額で描写するように，収益を認識することを原則とする。顧客とは，対価と交換に独立行政法人の通常の業務活動により生じたアウトプットであるサービス等を得るために当該独立行政法人と契約した当事者をいい，独立行政法人に対して対価を支払い，サービス等を直接的に受益する者が該当する。また，契約とは，法的な強制力のある権利及び義務を生じさせる複数の当事者間における取決めをいう。（注67）

2　上記による収益を認識するために，次の⑴から⑸までのステップを適用する。

⑴　顧客との契約を識別する。

⑵　契約における履行義務を識別する。

⑶　取引価格を算定する。

⑷　契約における履行義務に取引価格を配分する。

⑸　履行義務を充足した時に又は充足するにつれて収益を認識する。

＜注67＞サービスの提供等による収益の会計処理について

1　履行義務とは，顧客との契約において，次の⑴又は⑵のいずれかを顧客に移転する約束をいう。

⑴　別個のサービス等（又は別個のサービス等の束）

⑵　一連の別個のサービス等（特性が実質的に同じであり，顧客への移転のパターンが同じである複数のサービス等

2　取引価格とは，サービス等の顧客への移転と交換に独立行政法人が権利を得ると見込む対価の額をいう。

3　独立行政法人が履行している場合や独立行政法人が履行する前に顧客から対価を受け取る場合等，契約のいずれかの当事者が履行している場合等には，独立行政法人は，独立行政法人の履行と顧客の支払との関係に基づき，契約資産，契約負債又は顧客との契約から生じた債権を計上する。また，契約資産，契約負債又は顧客との契約から生じた債権は，適切な科目をもって貸借対照表に表示する。

4　顧客との契約から生じる収益は，適切な科目をもって損益計算書に表示

する。

5　独立行政法人に対して国又は地方公共団体から支出された委託費については，独立行政法人のサービスの提供等の対価に該当するものであるので，他の主体からの受託収入と同様の会計処理を行う。ただし，国又は地方公共団体からの受託による収益と他の主体からの受託による収益とは区別して表示しなければならない。

独立行政法人がそのサービスの提供等により得た収入のうち，企業会計基準の考え方を参考に，金融商品に係る取引，リース取引，保険法（平成20年法律第56号）における定義を満たす保険契約等を除く，「顧客との契約」から生じた取引に対して，会計基準第86第2項に規定されている5つのステップ（以下「5ステップ」という）を適用することが原則です。

5ステップを適用するか否かは，基準第86第1項に規定されている「顧客」及び「契約」の定義に照らして判断することになりますが，独法Q&AQ86-1では，5ステップを適用するか否かの判断基準が示されています。

5ステップを適用する例	5ステップを適用しない例
・受託収入 ・手数料収入 ・入場料収入 ・財産賃貸等収入（リース取引除く） ・売上高	・運営費交付金収益 ・施設費収益 ・補助金等収益 ・財源措置予定額収益 ・寄附金収益 ・賞与引当金見返に係る収益 ・退職給付引当金見返に係る収益 ・法令に基づく引当金等に係る収益 ・資産見返負債戻入 ・負担金 ・科学研究費補助金その他の補助金に係る間接経費相当額 ・独立行政法人の通常の業務活動により生じたアウトプットではない固定資産の売却

2. 履行義務の充足の判定

基準第86に従い，独立行政法人は約束したサービス等（以下，顧客との契約の対象となるサービス等については「資産」という）を顧客に移転することにより履行義務を充足した時に又は充足するにつれて，収益を認識します。資産が移転するのは，顧客が当該資産に対する支配を獲得した時又は獲得するにつれてとなります。

契約における取引開始日に，以下の(1)及び(2)に従って，識別された履行義務のそれぞれが，一定の期間にわたり充足されるものか又は一時点で充足されるものかを判定します。

(1) 一定の期間にわたり履行義務を充足する場合

次の①から③までの要件のいずれかを満たす場合，資産に対する支配を顧客に一定の期間にわたり移転することにより，一定の期間にわたり履行義務を充足し収益を認識します。一定の期間にわたり充足される履行義務については，履行義務の充足に係る進捗度を見積もり，当該進捗度に基づき収益を一定の期間にわたり認識します。

① 独立行政法人が顧客との契約における義務を履行するにつれて，顧客が便益を享受すること（例：清掃サービスなど，日常的又は反復的なサービスに関するもの）

② 独立行政法人が顧客との契約における義務を履行することにより，資産が生じる又は資産の価値が増加し，当該資産が生じる又は当該資産の価値が増加するにつれて，顧客が当該資産を支配すること（例：顧客の土地に建物を建設する契約で，建設中の建物を顧客が物理的に占有している）

③ 次の要件のいずれも満たすこと（例：固有の事実及び状況に関する専門的意見を提供するコンサルティング・サービスで，契約解除時に生じた費用に利益相当額を加算した金額を補償することが契約で定められている）

・独立行政法人が顧客との契約における義務を履行することにより，別の用途に転用することができない資産が生じること

・独立行政法人が顧客との契約における義務の履行を完了した部分について，対価を収受する強制力のある権利を有していること

（２）　一時点で履行義務を充足する場合

上記⑴①から③までの要件のいずれも満たさず，履行義務が一定の期間にわたり充足されるものではない場合には，一時点で充足される履行義務として，資産に対する支配を顧客に移転することにより当該履行義務が充足される時に，収益を認識します。

３．　契約資産，契約負債及び顧客との契約から生じた債権

契約資産とは，顧客との契約に基づくサービスの提供等の対価として当該顧客から支払を受ける権利のうち，受取手形及び売掛金以外のものです。また，契約負債とは，顧客との契約に基づくサービスの提供等の義務に対して，当該顧客から支払を受けた対価又は当該対価を受領する期限が到来しているものであって，かつ，いまだ顧客との契約から生じる収益を認識していないものです。

例えば，複数のサービス（サービスＡ及びサービスＢ）を提供し，サービスＡを提供し，サービスＡの提供に対する支払はサービスＢの提供を条件とすると契約で定められている場合，独立行政法人は，サービスＡとサービスＢの両方が顧客に移転されるまで，対価に対する無条件の権利（顧客との契約から生じた債権）を有しません。この場合，サービスＡに関する履行義務を充足した際に契約資産を認識し，サービスＢに関する履行義務を充足した際に顧客との契約から生じた債権を認識します。その際，サービスＡに関する契約資産は顧客との契約から生じた債権に振り替えます。また，受託研究契約において履行義務を充足する前に顧客から研究費の概算払を受けたとき等に，契約負債を認識します。

契約資産は，例えば，契約資産，受託研究未収金として表示します。契約負債は，例えば，契約負債，前受金として表示します。顧客との契約から生じた

債権は，例えば，受取手形，売掛金，未収金として表示します。顧客との契約に基づくサービスの提供等の対価として当該顧客から支払を受ける権利のうち，当該顧客に対する法的な請求権を有するものを「売掛金」以外の勘定科目に整理している場合，当該「売掛金」以外の勘定科目は「契約資産」ではなく，「顧客との契約から生じた債権」として整理されることに留意が必要です。

契約資産と顧客との契約から生じた債権のそれぞれについて，貸借対照表に他の資産と区分して表示しない場合には，それぞれの残高を注記します。また，契約負債を貸借対照表において他の負債と区分して表示しない場合には，契約負債の残高を注記します。

例えば，受託研究の進行途上において計上される未収額（契約資産）と委託者に対する法的な請求権として計上される未収額（顧客との契約から生じた債権）を同じ「未収金」として表示する場合，契約資産と顧客との契約から生じた債権のそれぞれの残高を注記することになります。また，契約負債と他の負債を合算して「前受金」として貸借対照表において表示している場合には，契約負債を他の負債と区分して貸借対照表に表示していないため，契約負債の残高を注記します。

なお，重要性が乏しい契約資産について，貸借対照表に他の資産と区分して表示しない場合に，それぞれの残高を注記しないことができます。また，重要性が乏しい契約負債について，貸借対照表に他の負債と区分して表示しない場合に，契約負債を注記しないことができます。

4. 受託研究業務で固定資産を取得した場合

研究を主たる業務とする独立行政法人においては，国，地方公共団体あるいは他の独立行政法人，民間企業等から特定の研究テーマに関する受託研究が行われる場合があります。受託研究は，契約で定める研究実施計画に基づいて研究を実施し，契約期間終了時に研究実施結果の報告及び研究業務費の精算を行うことをもって研究業務を完了させる契約形態をとっている場合が通常と思われます。

このうち，国からの受託研究は実質的に複数年にわたり行われるものの，契約期間は単年度ごとの契約とされ，契約期間終了ごとに精算報告または研究成果の報告によって研究業務を完了させ受託研究収入を受領する形態をとっている場合が多く見受けられます。

このため，受託研究業務で償却資産を購入した場合には固定資産の減価償却費は当該固定資産の使用予定期間にわたって計上されるのに対して，受託研究収入の精算は，研究に要した支出額を基準として精算が行われることから，初年度の受託研究業務において未償却の固定資産簿価相当額だけ利益が発生する形となります。

事例6-45　受託研究収入の会計処理

X1年3月期に国と研究期間1年間の受託研究契約を締結し，当該契約に添付した研究実施計画に基づき以下の支出を行った。

① 研究に使用する機械装置100百万円（汎用性があり翌年度以降の研究での使用見込みもある。耐用年数は4年，残存価額ゼロ）
② 研究補助員人件費　40百万円
③ 消耗品費　60百万円

X1年3月期の受託研究契約期間終了時に以下の研究実績報告書を作成し，研究業務の完了報告を行うとともに，受託研究業務に要した実費200百万円を受託研究収入として，国に精算請求した。

＜研究実績報告書＞

支出項目	研究計画書（予算）	実績額	予算実績差異
研究機材購入費	100	100	0
研究補助員人件費	40	40	0
消耗品費	60	60	0
合　計	200	200	0

X1年4月の出納整理期間中に国より受託研究収入の入金を受けた。

＜上記事例における会計処理＞

1）受託研究計画に基づく研究費の支出時

㈶	機械装置	100	㈹ 現金預金	200
	その他人件費	40		
	消耗品費	60		

2) X1年3月期末

(借)	減価償却費*	25	(貸) 減価償却累計額	25

＊前提条件より機械装置の耐用年数は4年のため，100÷4＝25の減価償却費を計上する。なお，受託研究業務で使用する固定資産は，将来の収益獲得が見込まれる研究業務に使用する資産であるため，支出時に研究開発費として費用処理せず，利用可能期間にわたって減価償却を行うことが求められる（実証実験機材など実験終了後に物理的に滅失することが見込まれる機械装置等については結果として利用可能期間と受託研究期間が合致する場合も想定される）。

3) X1年3月期末（受託研究業務精算報告時）

(借)	未収入金	200	(貸) 受託研究収入	200

（X1年3月期における受託研究業務にかかる損益）

経常費用		
受託研究業務費		
その他人件費	40	
減価償却費	25	
消耗品費	60	125
経常収益		
受託研究収入		200
経常利益		75

この事例のように，当該事業のみに着目すると初年度では受託研究収入で購入した固定資産の未償却簿価と同額の利益が計上され，翌年度以降は他に収入がないことを前提とすれば減価償却費計上額と同額の損失が発生することになります。

国または地方公共団体からの受託研究収入は独立行政法人の自己収入であり，民間からの受託収入と同様の処理を行う（注解67）こととされています。受託研究収入の一部を資産見返負債に計上して収益を分割計上することにより損益を均衡させるような会計処理は，運営費交付金や補助金等の国の財源措置との関係で認められるものであり，自己収入に該当する受託研究収入を財源として購入した償却資産について，資産見返負債を設定することは認められません。

5.　業務実施期間が１年を超える受託契約の会計処理

受託収入は基準第 86 第２項に規定されている５ステップを適用した会計処理を行います。特に業務実施期間が複数年度にわたる受託契約については，「2. 履行義務の充足の判定⑴一定の期間にわたり履行義務を充足する場合」に記載のとおり，独法 Q&AQ86-3 ①から③までの要件を検討し，いずれかに該当する場合には，一定の期間にわたり履行義務を充足し収益を認識します。いずれも該当しない場合には，一時点で充足される履行義務として収益を認識します。

受託収入の履行義務が一定の期間にわたり充足されると判断できる契約については，収益の認識にあたって進捗度の見積りが必要となります。その方法は以下の２種類があります。

見積方法	アウトプット法	インプット法
考え方	顧客に移転した資産の価値を直接的に見積り，移転した資産と約束した残りの資産との比率で収益を認識するもの。	使用されたインプットが履行義務を完全に充足するまでに予想されるインプット合計に占める割合に基づき収益を認識するもの。
使用する指標(例)	履行完了部分の調査，達成した成果の評価，達成したマイルストーン，経過期間，生産単位数，引渡単位数など。	消費した資源，発生した労働時間，発生したコスト，経過期間，機械使用時間等など。

特に受託研究の成果は客観的に測定することが困難なことが多く，アウトプット法を用いることは困難と考えられます。研究者は受託研究契約で定めた直接経費を上限に計画的に支出を行って研究を進めることから，投下したコストと総コストは把握可能であり，インプット法は採用しうると考えられますが，インプットに比例して成果が徐々に生じるかどうかは研究の内容次第となります。

また，契約において合意された仕様に従っていることにより財又はサービスに対する支配が顧客に移転されたことを客観的に判断できる場合には，顧客の検収は，形式的なものであり，顧客による財又はサービスに対する支配の時点に関する判断に影響を与えないこととなります。例えば，受託研究において，研究期間終了後に成果物報告書の提出が求められる場合がありますが，研究の遂行自体が主な目的である契約にあっては，研究期間満了により履行義務が充足するものもあります。

上記の会計処理を踏まえて，令和５事業年度より「重要な会計方針」に「収益及び費用の計上基準」を記載する必要があります。独法 Q&A Q80-3 にある標準的な例は，一時点で履行義務を充足することが前提となっています。一定の期間にわたり履行義務を充足する場合には，例えば以下のように記載内容を変更する必要があります。

一時点で履行義務を充足 （独法 Q&A Q80-3）	一定の期間にわたり履行義務を充足 （独法 Q&A Q80-3 を一部修正）
（X）受託研究に係る収益 受託研究に係る収益は，主に国又は地方公共団体から支出された委託費であり，委託契約等に基づいてサービス等を引き渡す義務を負っております。当該履行義務は，サービス等を引き渡す一時点において，顧客が当該サービス等に対する支配を獲得して充足されると判断し，引渡時点で収益を認識しております。	（X）受託研究に係る収益 受託研究に係る収益は，主に国又は地方公共団体から支出された委託費であり，委託契約等に基づいてサービス等を引き渡す義務を負っております。当該履行義務は，当法人が顧客との契約における義務を履行するにつれて，顧客が便益を享受することで充足されると判断し，履行義務の充足に応じて一定の期間にわたり収益を認識しております。

事例 6-46　受託研究収入の履行義務

５年契約で民間企業から受託研究業務契約を締結し，受託研究業務契約に添付された研究実施計画に従って，研究業務は毎年均等に進行するものと仮定する。研究業務費が毎年 15 百万円発生し，これを現金支出し，研究初年度に民間企業から受託研究契約に基づく研究業務代金 100 百万円を受け入れた。

一定の期間にわたり履行義務を充足する場合，又は一時点で履行義務を充足する場合のそれぞれの収益計上基準に基づいて会計処理を行うと，次のようになる。

	一時点で履行義務を充足				一定の期間にわたり履行義務を充足			
1年目	(借) 仕掛品 現　金	15 100	(貸) 現　金 契約負債	15 100	(借) 費　用 現　金	15 100	(貸) 現　金 契約負債 収益	15 80 20
2年目	仕掛品	15	現　金	15	費　用 契約負債	15 20	現　金 収　益	15 20
3年目	仕掛品	15	現　金	15	費　用 契約負債	15 20	現　金 収　益	15 20
4年目	仕掛品	15	現　金	15	費　用 契約負債	15 20	現　金 収　益	15 20
5年目	仕掛品 契約負債 費　用	15 100 75	現　金 収　益 仕掛品	15 100 75	費　用 契約負債	15 20	現　金 収　益	15 20

なお，一定の期間にわたり履行義務を充足し収益を認識する場合，又は一時点で履行義務を充足し収益を認識する場合のいずれであっても研究業務の全部が終了した時点における利益の額は同一となる（受託研究収入総額100－業務に要した費用75＝25）。

コラム③　特定の承継資産

独法会計基準第87第1項において，「その減価に対応すべき収益の獲得が予定されないもの」に該当する償却資産（これを「特定の償却資産」といいます。）については，減価償却費を損益計算書の費用に計上せず，資本剰余金から控除する会計処理が適用されます。

このような処理が採用されたのは，運営費交付金の予算執行との関係のない，国からの現物出資や施設整備費補助金で措置された固定資産については，国からの拠出により独法の財産的基礎が形成されたものと捉え，その減価については，実質的には会計上の財産的基礎が減少するものとして資本剰余金から控除することが適切と捉えたこと，並びに，運営費交付金の予算執行に関連しない項目を損益外とすることにより，損益計算書上の損益が独法の運営責任の範囲や財務的な経営努力の結果を表すように制度設計することが求められたこと等がその背景となっています。

ところで，今回の基準改訂で，有形固定資産及び無形固定資産を除く承継資産のうち，その費用相当額に対応すべき収益の獲得が予定されないものとして特定された資産についても，新たに損益計算書上の費用に計上せず，資本剰余金から控除する会計処理が加えられています。基準では，承継資産を「個別法の権利義務承継の根拠規定に基づく資産」と定義しています。これにより，償却資産以外の資産であっても，その費用化額を損益計算書上の費用に計上せずに，資本剰余金からの控除項目とすることが可能となりました。

特定の償却資産については，償却資産が発生する時点や財源を限定していないのに対して，特定の承継資産については，個別法の権利義務承継の根拠規定に基づいて承継された資産であることが求められる点で相違します。

個別法の権利義務承継の根拠規定に基づいて承継される場合とは，独法以外の法人格の法人（特殊法人）が独法に移行する場合や複数の独法が統合して１つの法人となる場合が一般に想定されます。このため，承継資産が生じる場合であれば，独法への移行時又は統合時にその時点の資産と負債の差額分だけ政府出資金が増加することから，独法の会計上の財産的基礎を形成していると考えられることが背景にあるものと考えられます。

その費用相当額に対応すべき収益の獲得が予定されない特定の「資産」ではなく，その費用相当額に対応すべき収益の獲得が予定されない特定の「承継資産」に対象範囲を限定しているのは，会計上の財産的基礎が形成されたものかどうかに着目している点が特徴といえます。

	特定の償却資産	特定の承継資産
対応すべき収益の獲得	予定されない	予定されない
当該資産の発生事由に関する限定の有無	範囲限定なし （償却資産の取得事由や財源の範囲限定なし）	範囲限定あり （個別法の権利義務承継の根拠規定に基づいて承継により発生した有形固定資産及び無形固定資産を除く資産に範囲を限定）

第7章　純資産変動計算書及び利益の処分又は損失の処理に関する書類

第1節　純資産変動計算書

1. 作成目的

純資産変動計算書は，独立行政法人の財政状態と運営状況との関係を表すため，1会計期間に属する独立行政法人の全ての純資産の変動を記載します（基準第47)。

2. 内　容

1会計期間に属する独立行政法人の純資産の変動のうち，政府からの出資の変動や利益積立金の国庫納付といった行政コスト計算書及び損益計算書の両者に反映されない項目が存在すること等も踏まえ，独立行政法人の財政状態及び運営状況の関係を表す財務諸表として純資産変動計算書を作成します。

従来，附属明細書において，資本金，資本剰余金の増減明細，積立金，目的積立金の増減明細が開示されていましたが，純資産の変動に関する一覧性のある財務諸表を作成することが貸借対照表と行政コスト計算書及び損益計算書との関係に対する理解可能性が高まること，企業会計基準においても株主資本等変動計算書が作成されていること等から，純資産変動計算書を新たに独法の作成すべき財務諸表に加える改訂が行われました。

図表 7-1　純資産変動計算書の様式

	Ⅰ　資本金				Ⅱ　資本			
						その他行政コスト		
	政府出資金	地方公共団体出資金	(何)出資金	資本金合計(①)	資本剰余金(②)	減価償却相当累計額(−)	減損損失相当累計額(−)	利息費用相当累計額(−)
当期首残高	1,000	200	100	1,300	600	−200	−100	−10
当期変動額（③）								
Ⅰ 資本金の当期変動額								
出資金の受入	100	15		115				
不要財産に係る国庫納付金等による減資	-20			-20				
Ⅱ 資本剰余金の当期変動額								
固定資産の取得					50			
固定資産の除売却						15		
減価償却						−40		
固定資産の減損							−30	
時の経過による資産除去債務の増加								−2
承継資産の使用等								
不要財産に係る国庫納付等					−40			
出えん金の受入								
その他の資本剰余金の当期変動額（純額）								
Ⅲ 利益剰余金(又は繰越欠損金)の当期変動額								
(1) 利益の処分又は損失の処理								
前中期目標期間からの繰越（⑤）								
利益処分による積立								
利益処分(又は損失処理)による取り崩し								
国庫納付金の納付（⑤）								
(2) その他								
当期純利益（又は当期純損失）								
前中期目標期間繰越積立金取崩額								
目的積立金取崩額					20			
その他の利益剰余金の当期変動額（純額）								
Ⅳ 評価･換算差額等の当期変動額(純額)(④)								
当期変動額合計	80	15	—	95	30	−25	−30	−2
当期末残高	1,080	215	100	1,395	630	-225	-130	-12

① 資本金合計，資本剰余金合計又は利益剰余金（繰越欠損金）合計の表示は省略できる（注解 46 第 1 項）。
② 資本剰余金の内訳項目を表示し，各内訳項目ごとに当期首残高，当期変動額及び当期末残高の各金額を純資産変動計算書に表示することができる。この場合，附属明細書における資本剰余金の明細を作成しないことができる（注解 46 第 2 項）。
③ 当期変動額の表示は，おおむね貸借対照表における表示の順序によることとする（基準第 68 第 6 項）。
④ 評価・換算差額等の当期変動額には，当期変動額の純額を表示するものとする（基準 68 第 4 項）。
⑤ 中期目標期間の最終年度における目的積立金残額の積立金への振替及び積立金の国庫納付金等の会計処理については Q96-2 参照。

剰余金				Ⅲ　利益剰余金（又は繰越欠損金）						Ⅳ　評価・換算差額等			純資産合計
累計額		民間出えん金	資本剰余金合計（①）	前中期目標期間繰越積立金	(何）積立金	積立金	当期未処分利益（又は当期未処理損失）		利益剰余金（又は繰越欠損金）合計（①）	その他有価証券評価差額金	繰延ヘッジ損益	評価・換算差額等合計	
承継資産に係る費用相当累計額（−）	除売却差額相当累計額（−）							うち当期総利益（又は当期総損失）					
—	−80	100	310	50	40	300	100	—	490	21	−15	6	2,106
													115
													−20
			50										50
	−20		−5										−5
			−40										−40
			−30										−30
			−2										−2
−150			−150										−150
			−40										−40
		60	60										60
					20	80	−100		—				—
							50	50	50				50
			20		−50		30	30	−20				—
										3	−2	1	1
−150	−20	60	−137	—	−30	80	−20	80	30	3	−2	1	−11
−150	−100	160	173	50	10	380	80	80	520	24	−17	7	2,095

⑥ うち当期総利益（又は当期総損失）は，当期首残高を「－」とし，当期純利益（又は当期純損失），前中期目標期間繰越積立金取崩額，目的積立金取崩額，当期変動額合計及び当期末残高を記載するものとする。

3. 表示区分

純資産変動計算書には，貸借対照表の純資産の部の分類及び表示項目に係る当期首残高，当期変動額及び当期末残高を表示します（基準第68第1項）。当期変動額は，資本金の当期変動額，資本剰余金の当期変動額，利益剰余金（又は繰越欠損金）の当期変動額及び評価・換算差額等の当期変動額に分類します（基準第68第2項）。純資産変動計算の様式は，前ページの**図表7-1**の通り独法Q&AのQ69-1で定められています。なお，評価・換算差額等の当期変動額は増加額・減少額の総額表示ではなく，純額（純増減額）にて表示するものと定められています（基準第68第4項）。

純資産変動計算書において，「Ⅱ資本剰余金」区分のうち「資本剰余金」区分の内訳を表示する場合には，附属明細書の資本剰余金の明細を作成しないことができる（注解46第2項）と定められており，資本剰余金の内訳を純資産変動計算書に記載するか，附属明細書に記載するかの選択ができます。また，「Ⅱ資本剰余金」区分の内訳として，行政コスト計算書との関係が分かるよう，「その他行政コスト累計額」の区分が定められています。

第2節　利益の処分又は損失の処理に関する書類

1. 内容及び表示方法

(1) 作成目的

利益の処分又は損失の処理に関する書類は，独立行政法人の当期未処分利益の処分又は当期未処理損失の処理の内容を明らかにするために作成します（基準第49）。

(2) 内　　容

利益の処分又は損失の処理に関する書類は，各事業年度の運営で生じた損益計算書上の当期総利益（当期未処分利益）を通則法第44条第1項の積立金（以下「(目的なしの）積立金」）に整理し，繰越欠損金がある場合には当期総利益（当期未処分利益）をもって繰越欠損金をうめるか，当期総損失（当期未処理損失）を繰越欠損金に加える処理を行うことにより，独立行政法人通則法第44条に基づき利益の処分又は損失の処理の内容を開示する財務諸表となります。

(3) 表示区分及び方法

① 利益の処分に関する書類

1) 中期目標及び中長期目標期間（以下，中期目標等期間）の最後事業年度を除く各事業年度の場合

利益の処分に関する書類は，当期未処分利益と利益処分額に分けて表示します（基準第74第1項）。

また，当期未処分利益は，前期繰越欠損金が存在するときは，当期総利益から前期繰越欠損金の額を差し引いて表示しなければなりません。さらに，利益処分の区分には，積立金（目的なしの積立金）及び通則法第44条第3項の積立金（以下「目的積立金」）を内容ごとに表示します（基準第75）。

2) 中期目標等期間の最後事業年度（行政執行法人は毎事業年度）の場合

中期目標等期間の最後事業年度（行政執行法人は毎事業年度）においては，当期未処分利益は（目的なしの）積立金として整理し，さらに目的積立金及び個別法の規定に基づく前中期目標等期間繰越積立金が残っている場合は，（目的なしの）積立金に一旦振り替える必要があるため，目的積立金及び前中期目標等期間繰越積立金から（目的なしの）積立金への振替額も加えて表示しなければなりません。(基準第74第1項，第96)。

その理由としては，独立行政法人においては，中期目標等期間ごとに運営状

況を評価することとされており，運営費交付金のルール設定等財務関係においても中期目標等及びそれに基づく中期計画等の期間を１つの区切りとしているため，このような独立行政法人においては，運営費交付金等をこの中期目標等の期間の終了時に精算するという考え方に立っているためであります(注解73)。

② 損失の処理に関する書類

損失の処理に関する書類は，当期未処理損失，損失処理額及び次期繰越欠損金に分けて表示します（基準第74第２項)。また，当期未処理損失は，前期繰越欠損金が存在し，当期総損失を生じた場合は当期総損失に前期繰越欠損金を加えて表示し，前期繰越欠損金が存在し，その額よりも少ない当期総利益を生じた場合は，前期繰越欠損金から当期総利益を差し引いて表示しなければなりません。

さらに損失処理額の区分には，当期未処理損失を埋めるための各積立金の取崩額を積立金ごとに表示し，各積立金を取り崩しても当期未処理損失が埋まらないときは，その額は繰越欠損金として整理します（基準第76)。

なお，ある事業年度に生じた損失に関し，当該事業年度末において（目的なしの）積立金と目的積立金及び前中期目標等期間繰越積立金がともに残っている場合には，損失をどの積立金から補填する優先順位とするかについては一義的に定められていないため，個別にその額を明らかにし，主務大臣の承認を得ることになります（独法Q&A Q76-1)。

以上をまとめると**図表7-2**の通りになります。

図表7-2　利益の処分と損失の処理方法のまとめ

	同一中期目標等期間内の処理方法	
	中期目標等期間の最後事業年度以外	中期目標等期間の最後事業年度及び行政執行法人の各事業年度
未処分利益	繰越欠損金へのてん補	繰越欠損金へのてん補
	目的積立金への振替え	積立金に整理
	積立金への振替え	
未処理損失	繰越欠損金の積み増し	繰越欠損金の積み増し
	積立金・目的積立金の取崩しによるてん補	積立金・目的積立金の取崩しによるてん補

参考までに，利益処分・損失処理に関する通則法の関連条文を以下に記載します。

通則法

第44条　独立行政法人は，毎事業年度，損益計算において利益を生じたときは，前事業年度から繰り越した損失を埋め，なお残余があるときは，その残余の額は，積立金として整理しなければならない。ただし，第3項の規定により同項の使途に充てる場合は，この限りでない。

2　（略）

3　中期目標管理法人及び国立研究開発法人は，第1項に規定する残余があるときは，主務大臣の承認を受けて，その残余の額の全部又は一部を中期計画（第30条第1項の認可を受けた同項の中期計画（同項後段の規定による変更の認可を受けたときは，その変更後のもの）をいう。以下同じ。）の同条第2項第7号又は中長期計画（第35条の5第1項の認可を受けた同項の中長期計画（同項後段の規定による変更の認可を受けたときは，その変更後のもの）をいう。以下同じ。）の第35条の5第2項第7号の剰余金の使途に充てることができる。

4　第1項の規定による積立金の処分については，個別法で定める。

第67条　主務大臣は，次の場合には，財務大臣に協議しなければならない。

一・二・三・四（略）

五　第44条第3項の規定による承認をしようとするとき。

六　（略）

利益の処分に関する書類及び損失の処理に関する書類の標準的な様式は，以下の通りになります。

利益の処分に関する書類
（○○年○月○日）

Ⅰ　当期未処分利益			×××
当期総利益		×××	
前期繰越欠損金	×××		
Ⅱ　利益処分額			
積立金		×××	
独立行政法人通則法第44条第3項により			

主務大臣の承認を受けた額			
（何）積立金	×××		
……………	×××	×××	×××

損失の処理に関する書類
（○○年○月○日）

Ⅰ　当期未処理損失			×××
当期総損失	×××		
（当期総利益）		（×××）	
前期繰越欠損金	×××		
Ⅱ　損失処理額			
（何）積立金取崩額	×××		
……………	×××		
積立金取崩額	×××		×××
Ⅲ　次期繰越欠損金			×××

以下，中期目標管理法人を前提に具体的な事例を用いて記載例を示します。

事例 7-1

X1 会計年度における前期繰越欠損金残高は，1,000 百万円であった。
X1 会計年度において，当期総利益 2,000 百万円が生じ，目的積立金 700 百万円の積立申請を行い，残り 300 百万円は，積立金として整理した。
＜上記における利益の処分に関する書類の記載＞

利益の処分に関する書類
（X 2 年○月○日）

Ⅰ　当期未処分利益			1,000
当期総利益		2,000	
前期繰越欠損金	1,000		
Ⅱ　利益処分額			
積立金		300	
独立行政法人通則法第 44 条第 3 項により			
主務大臣の承認を受けた額			
目的積立金	700	700	1,000

当期総利益 2,000 百万円は，まず前期繰越欠損金 1,000 百万円の補塡に使用されますので，当期未処分利益は 2,000−1,000＝1,000 百万円になります。前提条件から，このうち目的積立金 700 百万円の積立申請が行われるため，（目的なしの）積立金は 300 百万円になります。

事例 7-2

事例 7-1 の翌会計年度であるX2会計年度において，当期総損失1,000百万円が生じた。X2会計年度末に残存した目的積立金未使用残高400百万円と積立金300百万円の全額を欠損填補に充てる損失処理を行うこととした。

＜損失の処理に関する書類の記載＞

損失の処理に関する書類
（X３年○月○日）

Ⅰ	当期未処理損失		1,000
	当期総損失	1,000	
Ⅱ	損失処理額		
	目的積立金取崩額	400	
	積立金取崩額	300	700
Ⅲ	次期繰越欠損金		300

当期未処理損失が生じた場合には，積立金を取り崩して当期未処理損失を埋めることとされている。

2.　目的積立金の承認及び取崩しについて

（1）　目的積立金の承認

利益の処分に関する書類において，目的積立金として整理しようとするときは，「独立行政法人通則法第44条第3項により主務大臣の承認を受けた額」（承認前にあっては「独立行政法人通則法第44条第3項により主務大臣の承認を受けようとする額」）としてその総額を表示しなければなりません（基準第77第1項）。

利益の処分に関する書類における「独立行政法人通則法第44条第3項により主務大臣の承認を受けた額」（承認前にあっては「独立行政法人通則法第44条第3項により主務大臣の承認を受ようとする額」）は，当該事業年度における利益のうち独立行政法人の経営努力により生じたとされる額です（基準第77第2項）。

経営努力認定については，「独立行政法人における経営努力の促進とマネジメントの強化について」（平成 30 年 3 月 30 日　総務省行政管理局）において一般的な考え方が示されており，具体的な内容は次の通りとなります。

独立行政法人における経営努力の促進とマネジメントの強化について

平成 30 年 3 月 30 日
総務省行政管理局

「独立行政法人改革等に関する基本的な方針」（平成 25 年 12 月 24 日閣議決定。以下「閣議決定」という。）等を踏まえて，「独立行政法人における経営努力の促進とマネジメントの強化について」を次のとおり定める。

なお，本基準は，経営努力認定の一般的な考え方を示すものであり，法人の業務の特性などを踏まえた特段の取扱いが必要な案件については，個別に対応することとする。

1　独立行政法人が，法人の長のリーダーシップの下で自主的・戦略的な業務運営を行い最大限の成果を上げていくためには，法人の主体的な経営努力を促進するインセンティブが機能するよう運用を改善していく必要がある。このため，下記（1）から（3）に示す要件を満たしていることを条件に，法人の主体的な活動を通して得た利益の一定割合を，独立行政法人通則法（平成 11 年法律第 103 号。以下「通則法」という。）第 44 条第 3 項の定めるところにより，目的積立金として計上することを認めることとする。

（1）年度評価結果等及び年度計画予算について

法人が主務大臣に経営努力認定の申請を行うに当たっては，通則法第 32 条第 1 項第 1 号又は第 35 条の 6 第 1 項第 1 号に基づいて主務大臣が行う前事業年度実績の評価の結果（年度評価結果）において，下記①から③の要件全てを満たしていることを要する。ただし，中期目標期間又は中長期目標期間の最終年度の翌年度に行う申請については，年度評価結果に代えて，通則法第 32 条第 1 項第 2 号又は第 35 条の 6 第 1 項第 2 号に基づいて主務大臣が行う評価の結果（見込評価結果）を用いることを認める(注)。

また，法人全体における前事業年度の当期総利益が前事業年度計画予算の当期総利益を上回っていることを要する（区分経理をしている場合には，勘定ごとに申請することとし，当該勘定においても前事業年度の当期総利益が前事業年度計画予算の当期総利益を上回っていることを要する。)。

① 総合評定がB以上であること

② 総合評定がBである場合には，通則法第29条第2項第2号から第5号又は第35条の4第2項第2号から第5号に定める事項に関するいずれかの項目別評定でA以上であること

③ 総合評定がBである場合には，通則法第29条第2項第2号から第5号又は第35条の4第2項第2号から第5号に定める事項に関する全ての項目別評定でC以下がないこと。ただし，国立研究開発法人については，通則法第35条の4第4項に定める研究開発に関する審議会が，研究開発業務の特性（長期性，不確実性，予見不可能性，専門性）に起因する結果であると認めた場合は，この限りではない。

（注） 法人は6月末までに財務諸表案（利益処分書類案の中に目的積立金が記載）及び自己評価書を主務大臣に提出し，主務大臣は法人等との調整を経て財務大臣への協議を行い，8月末を目途に承認を行うものとする。ただし，最終年度の翌年度においては，法人は4月末までに財務諸表案及び自己評価書（見込評価結果でも可）を主務大臣に提出し，主務大臣は法人等との調整を経て財務大臣への協議を行い，6月末までに承認を行うものとする。

（2） 自己収入の獲得に係る活動について

自己収入（運営費交付金及び国又は地方公共団体からの補助金等の国民負担に帰さない収益。国又は地方公共団体からの受託収入は自己収入に含まれる。）から生じた利益については，下記①及び②の要件を満たしている場合には，10割を目的積立金として認める。ただし，特許等による知的財産収入に基づく利益については，下記①及び②の要件にかかわらず，10割を目的積立金として認める。

① 経営努力認定の申請対象となる利益が，経常収益（目的積立金及び寄付金以外の財務収益，雑益，その他中期計画又は中長期計画に関連しない活動による収益を除く。）から生じた利益であること。ただし，臨時利益と整理されたものであっても，寄付で得た資産の売却や出資業務として取得した有価証券の売却から生じた利益など，自己収入の獲得として認めることが適切なものについては，個別に対応することとする。

② 経営努力認定の申請対象となる利益が，過去（中期目標期間又は中長期目標期間の年数）の平均実績を上回ること

（3） 運営費交付金で賄う経費の節減に係る活動について

法人において運営費交付金の予算配分が適正に実施されていることを確保するための体制が整備・運用されていることを前提に，下記①から③の要件全てを満たしている場合には，運営費交付金で賄う経費の節減から生じた利益の5割を目的積立金として認める。なお，下記要件のほか，経費節減の努力として認めることが適切ではないものについては，個別に対応することとする。

① 業務の一部未実施や中止等による運営費交付金で賄う経費の節減ではないこと

② 管理部門及び業務達成基準を採用している収益化単位業務における経費節減であること

③ 他の収益化単位業務からの運営費交付金の振替により生じた経費節減ではないこと

さらに，閣議決定において国立研究開発法人における経営努力認定については研究開発の特性を踏まえた柔軟な運用を行うとされていることなどを踏まえ，国立研究開発法人が上記に加えて，1（1）の主務大臣が行う評価の結果で下記①の要件を満たしている場合には7.5割を，下記②又は③の要件を満たしている場合には10割を目的積立金として認めることとする。

① 総合評定がAであること（下記③の場合を除く。）

② 総合評定がSであること

③ 総合評定がAかつ全項目別評定の2分の1以上でA以上であること

ただし，業務達成基準の採用及び次期中期目標期間又は次期中長期目標期間への積立金の繰越しを適正に行う観点から，収益化単位業務の実施期間が複数年度にまたがる場合で，かつ，中期目標期間又は中長期目標期間の最終年度にのみ利益を計上する場合は，上記整理により算定された額を収益化単位業務の実施期間で除した額に限り経営努力認定の対象とする（例えば，中期目標期間における収益化単位業務の実施期間を2年と3年に分けて2年目と5年目に利益を計上することとした場合，最終年度である5年目に計上した利益を3年で除した額が対象となる。）。

2 主務大臣は，経営努力認定を得ることを目的として不当に高い評定を付すことのないよう，これまでに行ってきた評価の水準との整合性などを参考にしつつ，「独立行政法人の評価に関する指針」（平成26年9月2日総務大臣決定）を踏まえて，適正かつ厳正に評価を行うこととする。

3　目的積立金の使途については，通則法第44条第3項等を踏まえて，中期計画又は中長期計画において具体的に定めるものとする。なお，運営費交付金で賄う経費の節減により生じた利益に係る目的積立金の使途については，その原資が運営費交付金であることから，通則法第46条の趣旨を勘案して，「運営費交付金で賄う経費」の範囲に限るものとする。

また，次期中期目標期間又は次期中長期目標期間への積立金の繰越しについては，別途定める「次期中期目標期間への積立金の繰越しについて」（平成18年6月22日総務省行政管理局）に基づいて適切に行うこととする。

4　中期目標管理法人及び国立研究開発法人は，利益剰余金及び運営費交付金債務の適切な管理・評価に資するため，通則法第32条第2項又は第35条の6第3項に基づき作成する事業年度実績の自己評価書において，「財務内容の改善に関する事項」の参考情報として，次の様式により目的積立金等の状況を明らかにすることとする。

（単位：百万円、%）

		平成○年度末（初年度）	平成○年度末	平成○年度末	平成○年度末	平成○年度末（最終年度）
前期中(長)期目標期間繰越積立金						
目的積立金						
積立金						
	うち経営努力認定相当額	＼	＼	＼	＼	
その他の積立金等						
運営費交付金債務						
当期の運営費交付金交付額（a）						
	うち年度末残高（b）					
当期運営費交付金残存率（b÷a）						

（注1）　横列は，当目標期間の初年度から最終年度まで設けること。

（注2）　最終年度における「前期中（長）期目標期間繰越積立金」，「目的積立金」，「積立金」には，次期中（長）期目標期間への積立金の繰越しを算定するために各勘定科目の残余を積立金に振り替える前の額を記載すること。

（注3）「うち経営努力認定相当額」には，最終年度に経営努力認定された額を記載すること（最終年度に経営努力認定された利益は「目的積立金」には計上されずに，「積立金」に計上された上で次期中（長）期目標期間に繰り越される。）。

（注4）「その他の積立金等」には，各独立行政法人の個別法により積立が強制される積立金等の額を記載すること。

5　経営努力認定の手続については，閣議決定において，「主務大臣は，法人からの財務諸表提出後，速やかに財務諸表をチェックし，特段の事情がない限り，遅くとも８月末までには承認するよう努める」とされていること等を踏まえ，速やかに行うものとする。

6 「独立行政法人の経営努力認定について」（平成18年7月21日総務省行政管理局）は廃止する。

従来，「独立行政法人の経営努力認定について」（平成26年6月27日改訂　総務省行政管理局）では，目的積立金の認可要件として，法人の新規性・自主性のある活動によって生じた自己収入の増加や費用節減であることの要件が定められておりましたが，「独立行政法人における経営努力の促進とマネジメントの強化について」（平成30年3月30日　総務省行政管理局）では，新規性や自主性の要件を付さず，法人の年度評価が一定水準以上であること，過年度の平均利益を上回る利益を計上していること等の要件を満たす場合には原則として自己収入から生じた利益の10割，運営費交付金の経費節減から生じた利益の5割を目的積立金として認可する内容へと改正されました。

（2） 目的積立金の使用範囲及び取崩しの会計処理

次に，前述の要件を満たして目的積立金として認可を受けた場合の目的積立金の使用方法とその取崩し処理について説明します。

① 目的積立金の使用範囲

目的積立金は，主務大臣の認可を受けた中期計画及び中長期計画（以下，中期計画等）においてあらかじめ定めた「剰余金の使途」の範囲に使用することができます（通則法第30条第2項第7号同第35条の5第2項第7号)。反対に，目的積立金は，中期計画等で定めた剰余金の使途の範囲での使用しか認められないため，仮に中期計画等期間末に未使用の目的積立金が残存した場合には，目的なしの「積立金」に振り替える必要があり，中期計画等期間をまたいで翌中期計画等期間に繰越して目的積立金を使用することは個別法において別段の定めがある場合を除いて認められません（基準第96，注解73)。

②　目的積立金取崩しの会計処理

目的積立金を中期計画等であらかじめ定めた剰余金の使途に沿って使用し，費用が発生した場合には費用と同額を取り崩し，損益計算書上の当期純利益と当期総利益の間の表示区分（当期総利益計算区分）において「目的積立金取崩額」の科目に振替計上します（したがって，この取崩は利益の処分に関する書類を通して取崩額を開示する必要はありません）。また，「剰余金の使途」に沿って固定資産を取得した場合には，その取得に要した額を取り崩して「資本剰余金」に振り替えなければなりません（基準第97）。

目的積立金をもとに「剰余金の使途」に従って取得した固定資産の減価償却については，他の固定資産と同様に，当該固定資産が基準第87に定める「その減価に対応すべき収益の獲得が予定されないものとして特定された資産」に該当するか否かの判断を行います。「その減価に対応すべき収益の獲得が予定されないものとして特定された資産」として主務大臣への申請及び指定を受けた場合には，会計基準第87に基づき，減価償却相当累計額を計上し，資本剰余金区分から減額する会計処理が行われ，基準第87で定める特定の償却資産に該当しない場合には損益計算書で減価償却費を計上します（独法Q&A Q97-2，97-3）。

しかしながら，特定の償却資産の指定が全く予定されず，基準第97の会計処理を行うことが合理的ではないと認められる独立行政法人については，例えば，償却資産の取得に要した額の目的積立金を取り崩して資産見返負債（資産見返目的積立金など）に振り替え，毎事業年度，減価償却費相当額を取り崩して，資産見返負債戻入として収益に計上する等の異なる会計処理を主務省令で定めることが考えられます（独法Q&A Q97-5）。

3.　次期中期目標等期間繰越積立金・国庫納付金計算書

（1）　次期中期目標等期間繰越積立金

次期中期目標等期間繰越積立金とは，前中期目標等期間末において残存した積立金のうち個別法等で次の中期目標等期間に繰越すことが認められた積立金の額をいいます。なお，次期中期目標等期間（への）繰越積立金は，当中期目標等期間から翌中期目標等期間への繰越しの認可が行われ，その結果として繰り越された額が翌年度の貸借対照表に記載されることとなるため，貸借対照表の期末日時点で判断すると，前中期目標等期間（からの）繰越積立金となることから，貸借対照表上の科目名は，中期目標管理法人においては「前中期目標期間繰越積立金」，行政執行法人においては「前事業年度繰越積立金」，国立研究開発法人においては「前中長期目標期間繰越積立金」と表示します（独法Q&A Q57-4）。

中期目標等期間の末に残存した積立金は，この次期中期目標等期間繰越積立金として繰越すことが認められた額以外は，国庫納付することになります。以上の関係を図示すると，**図表 7-3** の通りになります。

この場合の次期中期目標等期間繰越積立金の額は，個別法等において主務大臣が財務大臣と協議のうえ認可することと定められていることから，次期中期目標等期間繰越積立金の認可の判断基準については，総務省行政管理局から次の指針が公表されています。

図表 7-3　中期目標等期間末時点における積立金の処分

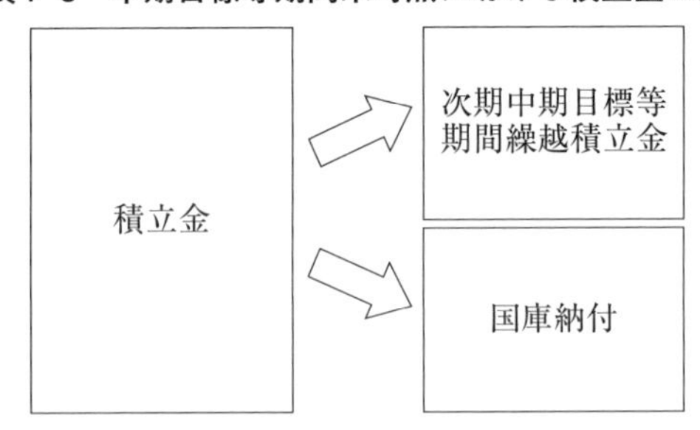

次期中期目標期間への積立金の繰越しについて

平成26年6月27日
総務省行政管理局

「独立行政法人改革等に関する基本的な方針」(平成25年12月24日閣議決定)を受けて,「次期中期目標期間への積立金の繰越しについて」を次の通り定める。なお,会計基準や今後の運用の状況等を踏まえ,必要に応じ見直すものとする。

標記については,各府省において財務省と協議するものであるが,一般的な考え方を参考に示せば,以下の通りである。なお,個別の判断に当たっては,法人の業務の特性などを勘案することも必要である。

1　原則的な考え方

本来,積立金は原則国庫納付するものであるが,

①　経営努力が認定された目的積立金(独立行政法人通則法(平成11年法律第103号)第44条第3項)については,当中期目標期間中に使用できなかった合理的な理由がある場合,

②　競争的資金制度の円滑な運営のために,研究資金の繰越しを行う合理的な理由がある場合,

③　自己の責任でない事由により,当中期目標期間中に使用できなかった合理的な理由がある場合,

④　中期目標期間の最終年度に,目的積立金に係る経営努力が認定される事由に相当する事由がある場合,

⑤　国庫納付する現金がなく,その点について合理的理由がある場合,

については,個別事情を勘案の上,合理的な範囲内で次期中期目標期間に繰り越すことができると考えられる。

2　次期中期目標期間に繰り越すことができる場合の主な例

一般的に,次のような場合には次期中期目標期間に繰り越すことができると考えられるが,個別の事情を考慮して更に検討する必要がある。

①　研究開発を行う独立行政法人において経営努力が認定された目的積立金について,当中期目標期間中に使用できなかった合理的な理由がある場合であって,次期中期目標を達成するために,ⅰ)研究開発のための施設・設備の整備や用地の取得を行う場合,ⅱ)実施すべき研究開発プロジェクトがある

場合

② 競争的資金の配分を受けた研究開発を行う機関において，当初予想し得なかったやむを得ない事由に基づいてその研究計画に変更が生じ，当中期目標期間中の完了が困難になったために，競争的資金配分機関において次期中期目標期間への繰越しが必要になる場合

③ 資材調達業者の倒産や震災の影響，共同研究の相手先の研究遅延など自己の責任でない事由により，当中期目標期間中に使用できなかった合理的な理由がある場合

④ 中期目標期間の最終年度に，目的積立金に係る経営努力が認定される事由に相当する事由がある場合

⑤ 自己財源で償却資産を取得し，期末に残高が計上されている場合

⑥ 棚卸資産や前払費用，長期前払費用，前渡金等の経過勘定が計上されている場合

(注) ⑤，⑥のような場合は，積立金のうち簿価相当額の貨幣資産が償却資産として拘束されているためである。

なお，上記については，中期計画に照らし，業務上真に必要と認められる場合でなければならない。

3 ファイナンスリースに係る損益差額（運営費交付金を収益化して支払った場合）

実際に支払うリース料に応じて運営費交付金を収益化した結果，契約期間の途中においては損失が生じるものがある（リース契約期間終了時には損益はゼロとなるものである。）。その結果，中期目標期間の終了時にファイナンスリースに係る差損が生じた場合には，当該部分に関しては積立金が発生しないため，国庫納付は行われないこととなると考えられる。

したがって，次期中期目標等期間繰越積立金として認められる額は，大別すると以下の２つに分類されることになります。

① 前中期目標等計画期間において積立金として残存したものの，当該積立金に見合う資産が減価償却資産，費用性資産などの資産で保有されており，いずれ費用化されることにより当該積立金に見合う額と同額の費用が発生し，将来積立金ではなくなると認められる場合。

② 研究開発を行う独立行政法人において経営努力認定により生じた目的積

立金が何らかのやむを得ない理由により使用されずに残存した場合であって次期中期目標等を達成するために必要と認められる場合，競争的資金の配分を受けた研究開発を行う独立行政法人において，当初予想し得なかったやむを得ない事由に基づいてその研究計画に変更が生じ，次期中期目標等期間への繰越が必要になる場合，取引業者の倒産や震災による場合。

前者は，国庫納付するに見合う現金預金が法人になく，積立金の額に見合う法人内に残存する資産が費用性資産であることにより，いずれ積立金と同額の費用が発生し当該積立金がなくなると認められる場合（いわゆる費用と利益の発生のタイムラグを要因とした積立金である場合）となり，後者は，研究開発を行う独立行政法人等において，中期目標等期間の末までに使用できなかった目的積立金や研究開発を行う法人の自己努力とも言える外部競争資金の獲得によって生じた積立金であるものの，何らかの止むを得ない事情により，使用できなかったものの，次期中期目標等を達成するために必要とされる場合，その他自己の責任でない事由による止むを得ない場合となります。

（2）　国庫納付金計算書

個別法において積立金を次の中期目標等の期間に繰り越す旨の規定が設けられている独立行政法人においては，利益の処分又は損失の処理に関する書類のほか，国庫納付金の計算書の作成が必要とされます。当該計算書においては，中期目標等の期間の最後の事業年度（行政執行法人は毎事業年度）に係る利益処分を行った後の積立金の総額並びにその処分先である国庫納付金の額及び次期中期目標等期間繰越積立金として，次の中期目標等期間に繰り越される金額を記載する必要があります（注解 73 第２項）。

国庫納付金計算書の様式は，次の通りになります（独法 Q&A Q96-1）。

国庫納付金計算書

Ⅰ	積立金	×××
Ⅱ	次期中期目標等期間繰越額	×××
Ⅲ	差引国庫納付金額	×××

なお，国庫納付金計算書は，主務大臣に提出する書類であり財務諸表ではないことから，平成30年度までは国庫納付金額及び次期中期目標期間への繰越額を明瞭に説明するための注記が必要とされていました（旧独法Q&A Q96-2）が，今回の改訂で新設された純資産変動計算書の利益剰余金の当期変動額に，目的積立金残額の積立金への振替及び積立金の国庫納付額，前中期目標期間等期間からの繰越額がそれぞれ内訳として記載されていることから，国庫納付金に関する財務諸表注記の記載は不要と改訂されました。

4. 事例による解説

以下，中期目標管理法人を前提に，具体的な事例を用いて利益の処分に関する書類，国庫納付金計算書，純資産変動計算書の記載方法を確認します。

事例7-3

中期目標期間最終年度の前年度（X4年度）における積立金期末残高は50,000千円，目的積立金期末残高1,900千円，前中期目標期間繰越積立金残高0円であった。X4年度に生じた当期総利益2,000千円について，目的積立金700千円の積立てを行い，残額を積立金として整理する利益処分案を申請し，主務大臣認可を受けた。

中期目標期間最終年度（X5年度）において，当期総利益1,000千円が生じた。同会計年度内での目的積立金の使用による取崩し額は2,000千円であった。X5年度末における利益処分の結果，国庫納付金39,900千円，次期中期目標期間繰越額13,000千円となった。

＜上記事例におけるX4年度及びX5年度の利益処分及び国庫納付に関する会計

処理，各会計年度における利益の処分に関する書類の開示例＞

まず，各事業年度に生じた利益に対して当該利益を利益処分申請により処分する事業年度が翌事業年度になる点に留意する必要がある。これは利益処分の承認申請・認可を受けるのが決算確定後のタイミングであるがゆえに，必ず翌会計年度となるからである（民間企業において，3月決算企業の株主総会での利益処分が翌期の6月に実施されるのと同様の理由と言える）。

したがって，当該利益処分は翌事業年度に実施されることから，利益処分による積立金の増減額は翌事業年度における純資産変動計算書に記載されることになる。

以上の点を整理して図示すると，**図表7-4**の通りになる。

図表7-4　各決算期と利益処分・国庫納付実施時点との関係

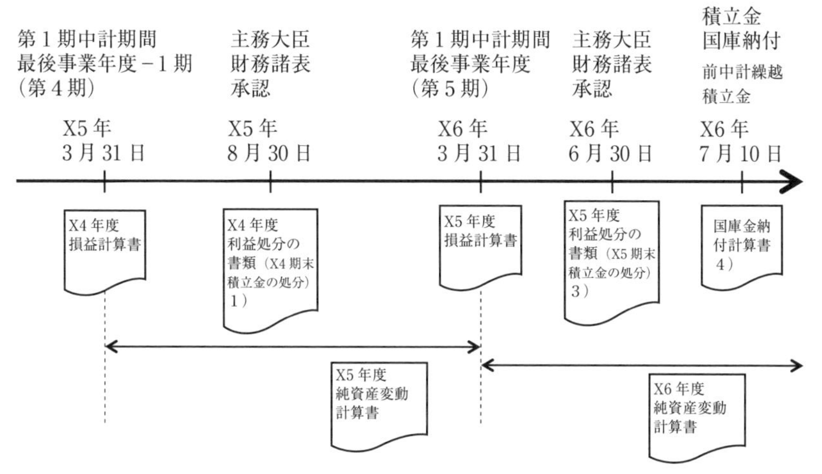

（注）上図の1）～5）は以下の各仕訳・財務諸表等の記載例の解説番号に対応しています。

1）　X5年8月30日（X4年度の利益処分に関する会計処理）

㈵	未処分利益	2,000	㈶ 目的積立金	700
			積立金	1,300

前提条件よりX4年度の当期総利益は2,000千円，このうち700千円を目的積立金に，残りを積立金に整理する。

以上を利益の処分に関する書類で表わすと下記の通りになる。

（X4年度　利益の処分に関する書類）

利益の処分に関する書類
（X 5 年 8 月 30 日）

Ⅰ	当期未処分利益			2,000
	当期総利益		2,000	
Ⅱ	利益処分額			
	積立金		1,300	
	独立行政法人通則法第 44 条第 3 項により			
	主務大臣の承認を受けた額			
	目的積立金	700	700	2,000

2） X5 年度（自 X5 年 4 月 1 日至 X6 年 3 月 31 日）純資産変動計算書（関連部分を抜粋）

	Ⅱ資本剰余金	Ⅲ利益剰余金（又は繰越欠損金）					純資産合計
	資本剰余金	目的積立金	積立金	当期未処分利益	うち当期総利益	利益剰余金合計	
当期首残高	—	1,900	50,000	2,000	2,000	53,900	53,900
当期変動額							
Ⅲ 利益剰余金の当期変動額							
(1) 利益の処分							
利益処分による積立		700	1,300	－2,000	－2,000	—	—
(2) その他							
当期純利益				1,000	1,000	1,000	1,000
目的積立金取崩額	2,000	－2,000				－2,000	—
当期変動額合計	2,000	－1,300	1,300	－1,000	－1,000	－1,000	1,000
当期末残高	2,000	600	51,300	1,000	1,000	52,900	54,900

X5 年度の積立金の期首残高には X4 年度の積立金期末残高と同額が記載されるため，前提条件より，X5 年度の積立金期首残高（X4 年度の積立金期末残高）は 50,000 千円，X5 年度の目的積立金期首残高（X4 年度の目的積立金期末残高）は 1,900 千円となる。

次に，前述の通り X4 年度の利益処分は X5 年度に行われるため，X5 年度の積立金の当期増加欄に X4 年度の利益処分の内容が記載され，積立金の当期増加は 1,300 千円，目的積立金の当期増加は 700 千円となる。

最後に，前提条件からX5年度中に目的積立金の使用による取崩しが2,000千円生じているため，X5年度の目的積立金の当期減少欄に2,000千円が記入される。

3）　X6年6月30日（X5年度の利益処分に関する会計処理）

㈱	未処分利益	1,000	㈹	積立金	1,600
	目的積立金	600			

前提条件よりX5年度の当期総利益は1,000千円であり，X5年度が中期目標期間末であることから，X5年度末における目的積立金残高600千円を（目的なしの）積立金に振り替える。

以上を利益の処分に関する書類で表わすと，下記の通りになる。

（X5年度　利益の処分に関する書類）

利益の処分に関する書類
（X6年6月30日）

Ⅰ	当期未処分利益		1,000
	当期総利益	1,000	
Ⅱ	積立金振替額		600
	目的積立金	600	
Ⅲ	利益処分額		
	積立金		1,600

4）　X6年7月10日（国庫納付金，次期中期目標期間繰越積立金の会計処理）

㈱	積立金	52,900	㈹	未払国庫納付金	39,900
				前中期目標期間繰越積立金	13,000
	未払国庫納付金	39,900		現金預金	39,900

前提条件より，次期中期目標期間繰越額13,000千円，国庫納付金39,900千円のため，上記の会計処理となる。これを国庫納付金計算書で表わすと次の通りになる。

（国庫納付金計算書の記載）

国庫納付金計算書

Ⅰ	積立金	52,900
Ⅱ	次期中期目標期間繰越額	13,000
Ⅲ	差引国庫納付金額	39,900

5）X6年度（自X6年4月1日至X7年3月31日）純資産変動計算書（関連部分を抜粋）

	Ⅱ資本剰余金	Ⅲ　利益剰余金（又は繰越欠損金）						純資産合計
	資本剰余金	前中期目標期間繰越積立金	目的積立金	積立金	当期未処分利益	うち当期総利益	利益剰余金合計	
当期首残高	2,000	—	600	51,300	1,000	1,000	52,900	54,900
当期変動額								
Ⅲ 利益剰余金の当期変動額								
(1) 利益の処分								
前中期目標期間からの繰越		13,000		−13,000			—	—
積立金への振替			−600	1,600	−1,000	−1,000	—	—
国庫納付金の納付				−39,900			−39,900	−39,900
当期変動額合計	—	13,000	−600	−51,300	−1,000	−1,000	−39,900	−39,900
当期末残高	2,000	13,000	—	—	—	—	13,000	15,000

X6年度の積立金の期首残高にはX5年度の積立金期末残高と同額が記載されるため，2）よりX6年度の積立金期首残高（X5年度の積立金期末残高）は51,300千円，X6年度の目的積立金期首残高（X5年度の目的積立金期末残高）は600千円となる。

次に，X5年度中期目標期間末の利益処分はX6年度に行われるため，X6年度の積立金の当期増加欄にX5年度の利益処分の内容が記載され，積立金の当期増加は1,600千円，目的積立金の当期減少は600千円となる。

最後に，4）国庫納付金計算書から，X5年度中期目標期間末の積立金52,900千円のうち，39,900千円が国庫納付に，13,000千円が次期中期目標期間繰越積立金にまわされるため，これらをそれぞれ純資産変動計算書の対応箇所に記入する。なお，当該記載が行われるのはX6年度の財務諸表の純資産変動計算書であることから，X6年度からみた場合，X5年度中期目標期間末から繰越された積立金は，前中期目標期間から繰越された積立金であるため，科目名は次期中期目標期間繰越積立金ではなく，「前中期目標期間繰越積立金」となる。

以上のほかに，利益の処分又は損失の処理に関する書類については，独法会計基準Q&Aでいくつかの論点の解説がなされています。これらのうち主な論点をまとめると，次のようになります。

1)　目的積立金を財源に固定資産を取得した場合に取得原価を目的積立金から資本剰余金に振り替えることになっているが，この場合利益処分に関する書類を通さずに直接振替処理を行ってよいか。
☞利益の処分に関する書類は，会計年度終了時における独立行政法人の当期未処分利益を求め，その処分の内容を明らかにするものであるので，利益処分として目的積立金を積み立てた旨を表示すれば書類として完結し，その後の目的積立金の取崩しについてまで記載する必要はない（独法Q&A Q97-1）。

2)　目的積立金を中期計画に定める「剰余金の使途」に従って固定資産を取得したときは，当該積立金は資本剰余金に振り替えることとなるが，その場合，減価償却に相当する額は資本剰余金を減額することになるか。
☞目的積立金をもとに「剰余金の使途」に従って取得した固定資産の減価償却についても，会計基準「第87その減価に対応すべき収益の獲得が予定されないもの」に該当するか否かの判断が行われ，これに該当するものとして特定された場合には，会計基準第87第1項による会計処理が行われ，減価償却相当累計額の科目をもって資本剰余金から控除することになる（独法Q&A Q97-2）。

3)　前中期目標期間繰越積立金を使用する際の会計処理
☞前中期目標期間繰越積立金については，それが積み立てられている時点で効力を有している中期計画において，その使途が定められているはずであるので，その使途に照らして目的積立金の会計処理（会計基準第97）と同様に当期純利益と当期総利益の間の区分にて取崩額を計上する（独法Q&A Q97-4）。

第8章 キャッシュ・フロー計算書

第1節　作成目的・表示区分

1.　作成目的

キャッシュ・フロー計算書は，独立行政法人の1会計期間におけるキャッシュ・フロー（資金の流れ）の状況を報告するため，キャッシュ・フローを一定の活動区分別に表示するものであり，独立行政法人の財務諸表の1つとされています（基準第48）。

独立行政法人の会計は，原則として企業会計基準に従うものとされ，企業会計と同様に発生主義会計が適用されます。このため，収入・支出ではなく，費用・収益によって損益計算が行われ，その結果が損益計算書として開示されます。

しかしながら，損益計算書では実際の資金の流れ（キャッシュ・フロー）を把握することができないため，損益情報を補完する財務諸表としてキャッシュ・フロー計算書を開示することが要請されています。

2.　表示区分

キャッシュ・フロー計算書は，業務活動によるキャッシュ・フロー，投資活動によるキャッシュ・フロー及び財務活動によるキャッシュ・フローの3つに区分を設けて表示します（基準第70第1項)。なお，これらの3つの区分については，キャッシュ（資金）の動きを法人の活動の性質ごとに区分して表示するためのものであり，各区分内で資金収支を均衡させなければならないといった規範性はありません（独法Q&A Q72-1)。

独立行政法人は，利益の獲得を主たる目的とせず，公共上の見地から確実に実施されることが必要な事務・事業を行うことを業務目的としており，営利を目的とするものではないことから，「業務活動によるキャッシュ・フロー」という名称が付され「営業活動によるキャッシュ・フロー」という名称は採用されていません。これに対して，企業会計では，「営業活動によるキャッシュ・フロー」,「投資活動によるキャッシュ・フロー」,「財務活動によるキャッシュ・フロー」の3つの表示区分が設けられています。

次に，各表示区分に記載すべきキャッシュ・フローの内容を説明します。

（1） 業務活動によるキャッシュ・フロー

業務活動によるキャッシュ・フローの区分には，独立行政法人の通常の業務の実施に係る資金の状態を表すため，サービスの提供等による収入，原材料，商品又はサービスの購入による支出，国庫納付及び法人税等の支払など投資活動及び財務活動以外の取引によるキャッシュ・フローを記載します（注解47第2項)。業務活動によるキャッシュ・フローは，主要な取引ごとにキャッシュ・フローを総額表示することが求められます（基準第71第1項)。

これは，他の異なる取引によるキャッシュ・フローとの相殺を認めると，取引に伴うキャッシュ・フローの実態が開示されず，実際に生じたキャッシュ・フローの総額も示されないことになり，このような弊害を防止する観点から当然の要請と言えます。

業務活動によるキャッシュ・フローの区分には，例えば，次のようなものが記載されます（注解47)。

① 原材料，商品又はサービスの購入による支出

② 人件費支出（職員及び役員に対する報酬の支出）

③ その他の業務支出

④　運営費交付金収入

⑤　受託収入，手数料収入等サービスの提供等による収入（④，⑥及び⑧に掲げるものを除く。）

⑥　補助金等収入

⑦　補助金等の精算による返還金の支出

⑧　寄附金収入（「第85 寄附金の会計処理」により資本剰余金として計上されるものを除く。）

⑨　利息及び配当金の受取額

⑩　利息の支払額

⑪　国庫納付金の支払額

⑫　法人税等の支払額

(2)　投資活動によるキャッシュ・フロー

投資活動によるキャッシュ・フローの区分には，固定資産の取得及び売却，投資資産の取得及び売却等によるキャッシュ・フローを記載します（基準第70第3項）。また，投資活動によるキャッシュ・フローは，主要な取引ごとにキャッシュ・フローを総額表示することが求められます（基準第71第2項）。

投資活動によるキャッシュ・フローの区分には，例えば，次のようなものが記載されます（注解48）。

①　有価証券の取得による支出

②　有価証券の売却による収入

③　有形固定資産及び無形固定資産の取得による支出

④　有形固定資産及び無形固定資産の売却による収入

⑤　施設費による収入

⑥　施設費の精算による返還金の支出

⑦　資産除去債務の履行による支出

(3)　財務活動によるキャッシュ・フロー

財務活動によるキャッシュ・フローの区分には，増減資による資金の収入・

支出，債券の発行・償還及び借入れ・返済による収入・支出等，資金の調達及び返済によるキャッシュ・フロー記載します（基準第70第4項)。また，財務活動によるキャッシュ・フローは，主要な取引ごとにキャッシュ・フローを総額表示することが求められます（基準第71第2項)。

財務活動によるキャッシュ・フローの区分には，例えば，次のようなものが記載されます（注解50)。

① 短期借入れによる収入
② 短期借入金の返済による支出
③ 債券の発行による収入
④ 債券の償還による支出
⑤ 長期借入れによる収入
⑥ 長期借入金の返済による支出
⑦ 金銭出資の受入れによる収入
⑧ 不要財産に係る国庫納付等による支出
⑨ 民間出えん金（「第85寄附金の会計処理」により，資本剰余金に計上される寄附金に限る。）の受入れによる収入

第2節　キャッシュ・フロー計算書の様式

キャッシュ・フロー計算書の標準的な様式は，独法会計基準第72で以下の通りに定められています（基準第72)。

キャッシュ・フロー計算書
（○○年4月1日～○○年3月31日）

Ⅰ　業務活動によるキャッシュ・フロー

原材料，商品またはサービスの購入による支出	－×××

人件費支出	－×××
その他の業務支出	－×××
運営費交付金収入	×××
受託収入	×××
…………	×××
補助金等収入	×××
補助金等の精算による返還金の支出	－×××
寄附金収入	×××
小計	×××
利息及び配当金の受取額	×××
利息の支払額	－×××
…………	×××
国庫納付金の支払額	－×××
法人税等の支払額	－×××
業務活動によるキャッシュ・フロー	×××
Ⅱ　投資活動によるキャッシュ・フロー	
有価証券の取得による支出	－×××
有価証券の売却による収入	×××
有形固定資産の取得による支出	－×××
有形固定資産の売却による収入	×××
施設費による収入	×××
施設費の精算による返還金の支出	－×××
資産除去債務の履行による支出	－×××
…………	×××
投資活動によるキャッシュ・フロー	×××
Ⅲ　財務活動によるキャッシュ・フロー	
短期借入れによる収入	×××
短期借入金の返済による支出	－×××
債券の発行による収入	×××
債券の償還による支出	－×××
長期借入れによる収入	×××
長期借入金の返済による支出	－×××
金銭出資の受入れによる収入	×××
不要財産に係る国庫納付等による支出	－×××

民間出えん金の受入れによる収入	×××
…………	×××
財務活動によるキャッシュ・フロー	×××
Ⅳ　資金に係る換算差額	×××
Ⅴ　資金増加額（または減少額）	×××
Ⅵ　資金期首残高	×××
Ⅶ　資金期末残高	×××

上記の様式について，特徴点をいくつか説明致します。キャッシュ・フロー計算書の様式は，直接法（収入・支出などのキャッシュ・フローの総額を記載する方法）での記載が求められる様式となっており，間接法（損益計算書上の当期利益の額に減価償却費などの非資金項目・資産負債の増減額を加減してキャッシュ・フローの額を算出する方法）は採用されていません。これは，独立行政法人においては，間接法により当期利益とキャッシュ・フローの関係を示すことよりも，直接法により，実際の取引による資金を把握し，業務活動に係るキャッシュ・フローの総額を示すことのほうが情報の有用性が高く，重要であると考えられたためと言えます。

また，業務活動によるキャッシュ・フロー区分内での記載順序については，業務活動による支出の後に，業務活動による収入を記載するという順序となっています。この点は損益計算書において経常費用が経常収益よりも先に記載される点と同様の記載順序（配列）になっています。

このほか，様式で定められている「資金に係る換算差額」は，法人の保有するキャッシュ（資金）の中に外貨建ての現金預金が含まれている場合において，当該外貨建て現金預金を期末為替相場にて換算換えしたことによって生じる換算差額を独立の区分を設けて記載するものとなっています（基準第71第3項）。これは，当該換算差額を記載しなければ，資金期首残高に業務活動・投資活動・財務活動の各区分におけるキャッシュ・フローの総額を加減しても資金期末残高に合致しないことになるため，期末資金残高にかかる換算差額をこの区分に記載するものです。

第3節　キャッシュ・フローに関する主な論点

1.　業務活動によるキャッシュ・フロー区分の科目

（1）　運営費交付金収入及び補助金収入について

運営費交付金及び補助金の受入れによる収入は，その全額を業務活動によるキャッシュ・フローに表示します（注解47第3項，第4項）。運営費交付金及び補助金は，法人の業務活動のための財源として国（補助金にあっては国又は地方公共団体）から交付されるものであり，業務活動への使用に伴って最終的には法人の収益となるべきものであることから，運営費交付金及び補助金の受入れによる収入は業務活動によるキャッシュ・フローの区分に記載するものと整理されています。

なお，法人が運営費交付金の一部を使用して固定資産を購入する場合であっても，固定資産の購入に充てた運営費交付金の額だけを部分的に投資活動によるキャッシュ・フローの区分に分割して収入計上する方法は採用されません（独法Q&A Q72-1）。運営費交付金は法人の通常の業務活動に利用されるものとして，全体として業務活動によるキャッシュ・フロー区分に計上されることとされています。これは，企業会計において企業の主たる事業活動から生じた利益を原資として固定資産の購入を行った場合であっても固定資産の購入に見合う原資を部分的に投資活動によるキャッシュ・フローの区分には計上しないことと同様の処理であるものと言えます。

（2）　寄附金収入について

寄附金（資本剰余金として整理される民間出えん金を除く）の受入れによる収入は，その全額を業務活動によるキャッシュ・フローの区分に表示します（独法 Q&A Q72-1)。寄附金は，法人の一定の業務活動に充てることを期待されて寄附者から交付されるものであり，寄附金の使用に伴って最終的には法人の収益となるべきものであることから，寄附金の受入れによる収入は，業務活動によるキャッシュ・フローの区分に記載するものと整理されています。

なお，独立行政法人の財産的基礎に充てる目的で民間からの出えんを募って資本剰余金に計上した寄附金については，増資による資金の受け入れに準じるものとして，財務活動によるキャッシュ・フローの区分に記載します。

（3） 受取利息，受取配当及び支払利息について

独立行政法人が行う出資は，主として政策目的の資金供給として行われるほか，債券発行，長期借入れによる資金の調達についても法人の業務財源として必要性が認められる場合に限られています。また，通則法第 47 条で余裕金の運用先を安全資産に限る等，本来実施すべき業務以外の資産運用等によって収益を上げることは期待されておらず，これらの活動から生ずる受取利息，受取配当及び支払利息はいずれも法人の業務に起因するものとなります。

よって，受取利息，受取配当及び支払利息（ファイナンス・リース取引により計上される支払利息を含む）に係るキャッシュ・フローは，いずれも業務活動によるキャッシュ・フローの区分に記載します（基準第 70 第 6 項，注解 47 第 9 項，注解 51，独法 Q&A Q72-2)。

（4） 独立行政法人の通常の業務目的として行われる投資資産の取得及び売却等について

独立行政法人の中には政策金融目的から資金の貸付けを本来の業務目的とする法人が含まれます。同様に，政策投資目的で他の法人への出資や融資を行うことを本来の業務目的とする法人が含まれます。また，共済事業や貸付事業を行うために有価証券のディーリングや売買業務を通常の業務活動の範囲内で行う法人も含まれます。

これらの法人においては，投資資産の取得及び売却等は，本来の業務活動の一環として実施されるものであり，余資運用としての投資活動とは異なる位置

付けであるため，これらのキャッシュ・フローを投資活動によるキャッシュ・フローの区分に表示することはむしろ財務諸表の利用者に誤った情報を提供する恐れがあるため，独立行政法人の通常の業務活動として投資資産の取得及び売却等が行われる場合には，次のキャッシュ・フロー科目は業務活動によるキャッシュ・フローの区分に記載します（注解49第2項，独法Q&A Q70-2)。

1)　資金の貸付けを業務とする独立行政法人が行う貸付けによる支出
2)　出資及び貸付けにより民間企業に研究資金を供給することを業務とする独立行政法人が行う出資及び貸付けによる支出
3)　保有する有価証券の相当部分が売買目的であり，ディーリングを主要な業務とする独立行政法人が行う有価証券の売買による収入及び支出
4)　民間企業等に対する資金の貸付けを主要な業務として実施している独立行政法人にあっては，当該業務に係る貸付けの支出及び回収金の収入

2.　投資活動によるキャッシュ・フロー区分の科目

（1）　施設費収入について

独立行政法人に対して国から交付される施設費（施設整備費補助金）については，当該施設費の交付目的は通常固定資産の購入であり，投資活動に充てられることが前提とされているため，その収入額を投資活動によるキャッシュ・フローの区分に表示します（注解47第7項)。

（2）　施設費の精算による返還金支出について

施設費収入が投資活動によるキャッシュ・フローに区分されるのと同様の理由により「施設費の精算による返還金の支出」も投資活動によるキャッシュ・フローに区分されます（注解49)。

3. 財務活動によるキャッシュ・フロー区分の科目

（1） 国庫納付に係るキャッシュ・フローについて

独立行政法人の国庫納付（不要財産に係る国庫納付を除く）は，①運営費交付金の精算的性格のもの，②独占的な業務に係る収益を納付するもの，③政府出資金に対する配当的性格のもの，あるいはこれらの複数の性格を有するもの等様々ですが，いずれも，業務活動に伴い生じた余剰の一部を国庫に納付するものであることから，業務活動によるキャッシュ・フローに区分することとされています。

なお，法人の業務活動のための財源として交付された運営費交付金及び補助金等が，受入時において業務キャッシュ・フロー内の収入として計上されることから，どちらも業務活動に係わる収支として，同じ業務キャッシュ・フロー内で対応することとなります。

また，運営費交付金等に依存せず，独立採算の業務運営を行い，国庫納付の性格が民間企業の配当の支払と同様の性格であると認められる独立行政法人であって，国庫納付の支払を財務活動によるキャッシュ・フローに区分すべきと認められる場合には，主務省令でその旨の定めを置くことが考えられます（独法 Q&A Q70-1）。

（2） 不要財産に係る国庫納付等による支出について

通則法第 46 条の 2 または第 46 条の 3 の規定に基づく不要財産に係る国庫納付等は，独立行政法人においてその財政基盤の適正化及び国の財政への寄与を図るため，業務の見直し等により不要となった財産について国庫納付等を行うものであり，独立行政法人の業務活動に伴い生じた余剰の一部を国庫に納付するものとはその性格を異にします。

よって，不要財産に係る国庫納付等による支出については，業務活動によるキャッシュ・フローではなく財務活動によるキャッシュ・フローとして表示します（独法 Q&A Q70-3）。

なお，出資財産として現金を受入れた場合には，財務キャッシュ・フロー内で金銭出資の受入れによる収入として計上されることから，同じ財務キャッシュ・フロー内で対応することとなります。

4.　資金の範囲について

キャッシュ・フロー計算書における「資金」の定義は，現金及び要求払預金とされており，貸借対照表における「現金及び預金」の範囲と必ずしも一致しません。

要求払預金は，要求した場合に即座に引き出しが可能な預金であるため，定期預金は要求払預金には含まれません。よって，定期預金についてはキャッシュ・フロー計算書の資金の範囲から除外されることとなります。企業会計においては，キャッシュ・フロー計算書における「資金」の範囲には現金同等物が含まれ，価値変動につき僅少なリスクしか負わない短期投資が現金同等物に含まれるため，3ヵ月以内の満期の定期預金などが資金の範囲に含まれることになります（基準第24，独法Q&A Q24-1）。

独立行政法人会計基準においては，企業会計基準とこの点が相違するため，留意が必要といえます。なお，貸借対照表の「現金及び預金」とキャッシュ・フロー計算書における「資金」の範囲との関係は，キャッシュ・フロー計算書において注記開示する事項となっています（注解18）。

5.　注記事項について

キャッシュ・フロー計算書には，次の事項を注記する必要があります（基準第73，注解52）。

(1)　資金の期末残高の貸借対照表科目別の内訳

(2)　現物出資の受入れによる資産の取得

(3)　不要財産の現物による国庫納付または払戻しによる資産の減少

(4)　資産の交換

⑸　ファイナンス・リースによる資産の取得

⑹　重要な資産除去債務の計上

⑺　各表示区分の記載内容を変更した場合には，その内容

⑻　重要性のある物品の譲与（独法 Q&A Q73-1）

⑼　その他重要な非資金取引

なお，キャッシュ・フロー計算書の注記における重要な非資金取引とは，キャッシュの出入を伴わないために業務活動，投資活動及び財務活動のいずれの区分においても把握することのできない経済取引であって，独立行政法人の財務内容に大きな変更となるものを意味しています。

よって減価償却費については，費用の期間配分のために行う会計上の処理であってここでいう経済取引ではないので，注記事項とはなりません。

また，実態としては，減価償却費は業務活動によるキャッシュの流出を伴わない費用であるので，業務活動によって生じたキャッシュ・フローには，これに相当する額が含まれていることになります（独法 Q&A Q73-2）。

第9章　行政コスト計算書

第1節　行政コスト計算書とは

1．作成目的

独立行政法人の行政コスト計算書の作成目的は，「独立行政法人の運営状況を明らかにするため，1会計期間に属する独立行政法人の全ての費用とその他行政コストとを記載して行政コストを表示」し，「フルコスト情報の提供源となる」ことにあります（基準第45）。

行政コスト計算書は，企業会計ではその作成は定められておらず，独立行政法人に固有の財務諸表となっています。以下では，独立行政法人会計基準が行政コスト計算書を財務諸表として加えている理由について解説します。

独立行政法人の損益計算書の作成目的は，法人の運営状況を明らかにするために損益の状況を表すとともに，損益計算を通じて通則法第44条における利益又は損失の額を確定することが目的とされ（基準第46），原則として企業会計原則によって作成されることとされています。しかしながら，利益の獲得を目的とする株式会社等の営利企業とは異なり，利益の獲得を本来の目的とせず，公共的な性格を有し，独立採算制を前提としない等の特殊性を有する独立行政法人においては，中期計画等に沿って通常の業務運営を行った場合，運営費交付金及び補助金等の財源措置との関係においては損益が均衡（損益がゼロ）となるように損益計算書を構築することが必要とされています。このため，独立行政法人の損益計算に含まれる収益ないし費用の範囲は，企業会計原則のそれと一部異なるものとされています。例えば，特定の資産に係る減価償却相当額（基準第87第1項）や除売却差額相当額（独法Q&A Q31-5）など損益計算の役割に照らして費用として扱うべきではない資源消費額（これを基準では「その他行政コスト」と定義しています）については損益計算書に計上しない取扱いとされています。

しかしながら，これらの損益計算書に計上されないその他行政コストについても，その財源を国が負担している以上，広い意味で最終的に国民の負担に帰すべきコストであることに他なりません。このため，損益計算書のほかに独立行政法人の運営に関してフルコスト情報を提供するための財務諸表として，行政コスト計算書が作成されることとされました（基準第45）。行政コスト計算書は，利益を主体とした財務情報だけでは法人の成果情報が提供されないという独立行政法人の特性（公共的な行政サービスの提供を主目的とすること）を踏まえ，行政サービスの内容（アウトプット情報）とこれらのアウトプットのために費消した資源，すなわちフルコスト情報たる行政コスト（インプット情報）とを対比して独立行政法人の業績を適正に評価するための基礎となる財務諸表と位置付けています。

以上の損益計算書と行政コスト計算書の財務諸表の作成目的等を対比すると，**図表9-1**の通りになります。

図表9-1　損益計算書と行政コスト計算書との対比

	損益計算書	行政コスト計算書
財務諸表の作成目的	法人の運営状況を明らかにする財務諸表 損益の状況を表すとともに，通則法第44条の利益処分の対象となる利益又は損失の額を算定し，財務面の経営努力の算定基礎を提供すること	法人の運営状況を明らかにする財務諸表 行政コストの状況を表すとともに，独立行政法人が提供したサービス（アウトプット情報）を産み出すために費消した資源（フルコスト）の情報を提供すること
最終的に表示されるもの	当期総利益又は当期総損失	行政コスト

2.　行政コスト及び独立行政法人の運営に関して国民の負担に帰せられるコストの定義

行政コストとは，「サービスの提供，財貨の引渡又は生産その他の独立行政法人の業務に関連し，資産の減少又は負債の増加をもたらすものであり，独立行政法人の拠出者への返還により生じる会計上の財産的基礎が減少する取引を除いたもの」であり，「費用及びその他行政コストに分類される」と定義されています（基準第20）。その他行政コストとは，「行政コストに含まれるものであって，独立行政法人の会計上の財産的基礎が減少する取引に相当するものであるが，独立行政法人の拠出者への返還により生じる会計上の財産的基礎が減少する取引には相当しないもの」と定義されています（注解15）。上記の定義から，行政コストの範囲は，①損益計算書上の費用及び②その他行政コストの合計額であることが分かります（基準第20第2項）。

また，「独立行政法人の業務運営に関して国民の負担に帰せられるコスト」とは，行政コストから自己収入等，法人税等及び国庫納付額を控除し，国又は地方公共団体の資源を利用することから生ずる機会費用を加算したもの（基準第62第2項）と定義されています。例えば，国の財産である庁舎を独立行政法人が無償使用許可を受けて使用している場合，当該国有財産の使用にかかる使用料相当額をコストとして認識しなければ，国民の負担に帰せられるコストの総額が適切に認識されないこととなるため，無償使用や低廉な借料による利用については通常の使用料相当額との差額を機会費用とし，国民の負担に帰せられるコストとして認識することとされました。また，独立行政法人の自己収入等は，法人自らの活動により獲得している収入であるため，当該収入は，「独立行政法人の業務運営に関して国民の負担に帰せられるコスト」からは控除されます。

「独立行政法人の業務運営に関して国民の負担に帰せられるコスト」は，その名称の通り，「独立行政法人の業務運営」に関するものに限定されています。したがって，独立行政法人の業務運営に関して法人が負担するコストだけでなく，国が負担するコストも当該コストの範囲に含まれます。他方，独立行政法人の実施する行政サービスとは区分された，国における政策の企画立案にかかわるコストは，独立行政法人の業務運営には関係しないコストとなりますので，「独立行政法人の業務運営に関して国民の負担に帰せられるコスト」の範囲には含まれないことになります。したがって，国が負担するあらゆるコストが独立行政法人の業務運営に関して国民の負担に帰せられるコストに含まれる訳ではない点に，留意する必要があります。この点を明確にするために，注解43第7項において，「政府内の企画立案部門の費用等までは含まれない」ものとされています。

従来，行政サービス実施コスト計算書において開示が行われていた行政サービス実施コストは，行政コスト（フルコスト）と区別するために，その名称を「独立行政法人の業務運営に関して国民の負担に帰せられるコスト」と変更したうえで，財務諸表の注記事項として引き続き開示されることとなりました(基準第62第1項)。

行政コスト，費用，独立行政法人の業務運営に関して国民の負担に帰せられるコストの関係を整理すると，**図表9-2**の通りになります。

図表9-2　行政コスト，費用，独立行政法人の業務運営に関して国民の負担に帰せられるコストの関係

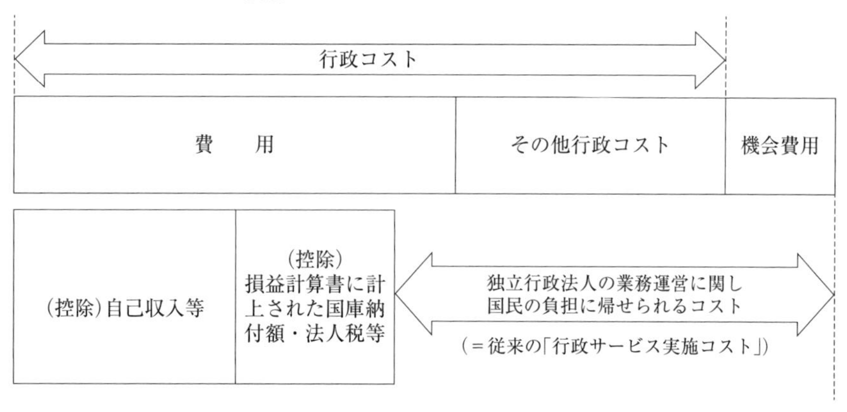

3. 行政コスト計算書の作成方法

行政コストは，基準第60で定められている通り，損益計算書上の費用にその他行政コストを加算して行政コストを表示します。その他行政コストは，減

図表9-3　行政コストの範囲

<table>
<tr><th colspan="2">区　　分</th><th>行政コスト計算書の記載項目</th></tr>
<tr><td colspan="2">(1) 損益計算書上の費用</td><td>独立行政法人の損益計算書の費用をコストの発生要因ごとにそのまま記載します。</td></tr>
<tr><td rowspan="5">(2) その他行政コスト</td><td>①減価償却相当額</td><td>基準「第87　特定の資産に係る費用相当額の会計処理」を行うこととされた償却資産の減価償却相当額</td></tr>
<tr><td>②減損損失相当額</td><td>基準「第87　特定の資産に係る費用相当額の会計処理」を行うこととされた償却資産及び非償却資産について，固定資産の減損に係る独立行政法人会計基準の規定により，独立行政法人が中期計画等又は年度計画で想定した業務運営を行ったにもかかわらず生じた減損額</td></tr>
<tr><td>③利息費用相当額</td><td>基準「第91　資産除去債務に係る特定の除去費用等の会計処理」を行うこととされた除去費用等に係る減価償却相当額及び利息費用相当額</td></tr>
<tr><td>④承継資産にかかる費用相当額</td><td>基準「第87　特定の資産に係る費用相当額の会計処理」を行うこととされた有形固定資産及び無形固定資産を除く承継資産（個別法の権利義務承継の根拠規定に基づく資産をいう。以下同じ。）に係る費用相当額</td></tr>
<tr><td>⑤除売却差額相当額</td><td>▶独立行政法人の会計上の財産的基礎が減少する取引に関連する，基準「第87　特定の資産に係る費用相当額の会計処理」を行うこととされた償却資産及び非償却資産の売却，交換又は除却等に直接起因する資産又は負債の増減額（又は両者の組合せ）
▶基準「第99　不要財産に係る国庫納付等に伴う譲渡取引に係る会計処理」を行うことによる資本剰余金の減額又は増額</td></tr>
</table>

価償却相当額，減損損失相当額，利息費用相当額，承継資産に係る費用相当額及び除売却差額相当額にそれぞれ区分して表示することが求められています(基準第60第2項)。

(1) 損益計算書上の費用

損益計算書上の費用は，独立行政法人において生じたコストであることから，行政コストに含まれ，原則として損益計算書の費用をそのまま集計した額を行政コスト計算書に記載します。

(2) その他行政コスト

その他行政コストは，損益計算書上の費用に計上せず，資本剰余金の減額として処理を行う会計上の財産的基礎が減少する取引のうち，国等の出資者への返還による減少取引を除いたものとされています。

独立行政法人の毎年の運営のために交付される運営費交付金財源の使用状況に関係しない資産，例えば設立時の政府出資財産の減価などについては，基準87第1項において，当該資産の減価償却相当額は，損益計算書上の費用には計上せず資本剰余金を減額するものとされています。

しかしながら，政府出資財産等に生じた減価であっても，独立行政法人の業務運営に関して発生したコストであることに変わりないため，行政コスト計算書においては，減価償却相当額を行政コストとして認識することとしています。これは，政府出資財産の減価に伴い，当該資産の修繕費用や建て替えコストが将来生じた場合にはこれらのコストは国又は独法が負担し，最終的には国民が負担すべきコストになることに他ならないためです。なお，減損損失相当額，利息費用相当額，承継資産にかかる費用相当額，除売却差額相当額についても同様の理由により行政コスト計算書に記載するものとされています。

4. 独立行政法人の業務運営に関して国民の負担に帰せられるコストの範囲及び作成方法

独立行政法人の業務運営に関して国民の負担に帰せられるコストは，行政コスト計算書に注記開示されます。独立行政法人の業務運営に関して国民の負担に帰せられるコストの算定方法は基準第62第2項の通りであり，その内容は注解43で定められています。その範囲を示すと**図表9-4**の通りになります。

図表9-4　独立行政法人の業務運営に関して国民の負担に帰せられるコストの範囲

区　分	独立行政法人の業務運営に関して 国民の負担に帰せられるコストとなる項目
(1) 行政コスト	①行政コスト計算書で算定された行政コスト
(2) (控除) 自己収入等	①運営費交付金及び国又は地方公共団体からの補助金等に基づく収益以外の収益
(3) (控除) 国庫納付額及び法人税等	①損益計算書に計上された国庫納付額 ②損益計算書に計上された法人税等及び法人税等調整額
(4) 国又は地方公共団体の資産を使用することから生ずる機会費用	①国又は地方公共団体の財産の無償又は減額された使用料による貸借取引から生ずる機会費用 ②政府出資又は地方公共団体出資等から生ずる機会費用 ③国又は地方公共団体からの無利子又は通常よりも有利な条件による融資取引から生ずる機会費用 ④国又は地方公共団体との人事交流による出向職員から生ずる機会費用

次に，上記（2）から（4）の各項目が独立行政法人の業務運営に関して国民の負担に帰せられるコストに加減する各調整項目について，説明します。

（1） 自己収入等

自己収入等には，運営費交付金及び国又は地方公共団体からの補助金等に基づく収益以外の収益（自己収入）が含まれます（注解43第1項)。行政コストから控除する収益は損益計算書上の収益のうち，独立行政法人の自己収入等に限定され，運営費交付金収益等の国から交付された財源等は控除する収益の範囲から除外されます。これは，国から交付された財源は，独立行政法人においては収益であっても，当該財源を交付した国においては負担が生じていることから，最終的に国民の負担することとなるコストであることに変わりないためです。換言すれば，運営費交付金及び国又は地方公共団体からの補助金等を使用した額を独立行政法人において収益に計上したとすれば，同額だけ国又は地方公共団体において財源を交付することによるコストが発生しているため，トータルでみると，独立行政法人において収益を計上した額は国民の負担に帰せられるコストの減少にはつながっていないと判断されるためといえます。

（2） 国庫納付額及び法人税等

独立行政法人が納付する国庫納付金又は法人税等の納付は，独立行政法人と国等との間での資金移動に過ぎないことから，実質的に国民の負担に帰せられるコストとはいえず，独立行政法人の業務運営に関して国民の負担に帰せられるコストには該当しません。したがって，損益計算書上の費用に計上された国庫納付額及び法人税等については行政コストの控除項目とする必要があります。

（3） 機会費用

独立行政法人は，国から国有財産の無償使用許可を受けてこれらの財産を使用している場合や通常よりも低廉な価格で賃借を受けている場合があります。当該国有財産の使用に係る使用料相当額を独立行政法人の業務運営に関して国民の負担に帰せられるコストとして認識しなければ，実質的に国民の負担となるコストの総額が適切に認識されないこととなるため，無償使用や低廉な賃借料による利用については通常の使用料相当額との差額を機会費用とし，独立行政法人の業務運営に関して国民の負担に帰せられるコストとして認識することとしています。また，政府出資財産や国からの施設費の措置により整備が行われた施設費財産などの投下資本に対する資本コストについても機会費用とし，独立行政法人の業務運営に関して国民の負担に帰せられるコストとして認識することとされています。これらの独立行政法人の財産的基礎を構成する財産の拠出についても，国債費などの利払い負担が国の側で生じていることから投下資本に対する資本コストを機会費用として認識することとされたものであります。特に，類似の業務を行う民間法人が存在する場合，これらの無償使用資産や政府出資財産等に係る資本コスト等をコストとして開示しなければ民間法人との財務諸表の比較可能性や業務運営の効率性を対比する観点からは，ディスクロージャーとしての妥当性を欠くものと考えられたことがその理由とされています。

また，国又は地方公共団体との人事交流による出向職員から生じる機会費用を含める必要があります。国又は地方公共団体との人事交流による出向職員であり国又は地方公共団体に復帰することが予定される職員であって，独立行政法人での勤務に係る退職給与は支給しない条件で採用している場合は，独立行政法人における退職給付に係る将来の費用は発生しないことから，退職給付引当金の計上は要しないこととなりますが，このような出向職員退職給与は，当

図表9-5　損益計算書と行政コスト計算書及び独立行政法人の業務運営に関して国民の負担に帰せられるコストとの対応関係

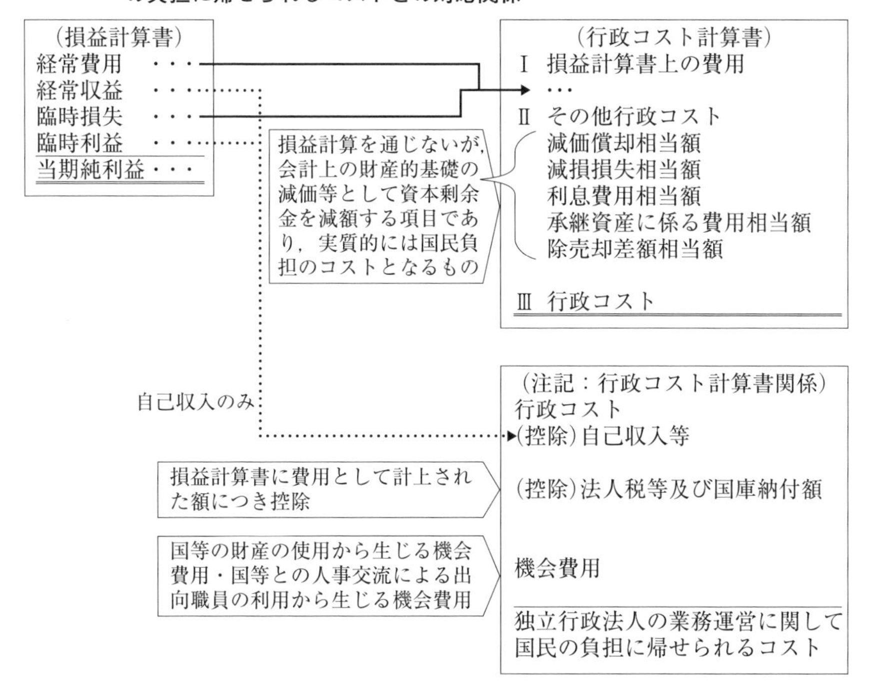

該職員が復帰後退職する際に独立行政法人での勤務期間分を含め，国又は地方公共団体において支払われることとなるため，国又は地方公共団体の資源を利用することから生ずる機会費用に該当するものとされています（独法 Q&A Q62-5）。

なお，他の独立行政法人や国立大学法人との人事交流による出向職員に係る退職給与は，出向元において国からの財源で負担される場合には，「国又は地方公共団体との人事交流による出向職員から生ずる機会費用」に含めるべきとも考えられますが，独立行政法人間の比較可能性の観点などから，会計基準において機会費用の範囲を限定している趣旨を踏まえ，含めないこととなっています（独法 Q&A Q62-5）。

行政コストに加減する独立行政法人の業務運営に関して国民の負担に帰せられるコストの調整項目と損益計算書及び行政コスト計算書との関係を図示すると，前ページの**図表 9-5** の通りになります。

第2節　様　　式

行政コスト計算書の様式は，以下の通りに定められています（基準第 61）。

行政コスト計算書
（○○年 4 月 1 日～○○年 3 月 31 日）

Ⅰ　損益計算書上の費用		
（何）業務費	×××	
一般管理費	×××	
財務費用	×××	
雑損	×××	
臨時損失	×××	
法人税，住民税及び事業税等	×××	
法人税等調整額	×××	
損益計算書上の費用合計		×××

Ⅱ　その他行政コスト		
減価償却相当額	×××	
減損損失相当額	×××	
利息費用相当額	×××	
承継資産に係る費用相当額	×××	
除売却差額相当額	×××	
その他行政コスト合計		×××
Ⅲ　行政コスト		×××

行政コスト計算書は，損益計算書上の費用にその他行政コストを加えることにより行政コストを算出する記載方式となっています。このような記載方法は，損益計算書と行政コストとの対応関係が明瞭に示され，行政コストの計算過程が開示されることにより，行政コストに対する理解可能性が高まるという利点があげられます。

また，注記事項である「独立行政法人の業務運営に関して国民の負担に帰せられるコスト」に関する標準的な記載例は，以下の通りになります（独法Q&A Q62-1）。

行政コスト計算書関係

１．独立行政法人の業務運営に関して国民の負担に帰せられるコスト

行政コスト	×××円
自己収入等	△×××円
法人税等及び国庫納付額	△×××円
機会費用	×××円
独立行政法人の業務運営に関して国民の負担に帰せられるコスト	×××円

当該注記事項は，行政コスト計算書上の行政コストに，必要な項目（自己収入及び損益計算書に計上された国庫納付金・法人税等を控除し，無償使用資産

などの機会費用を加算）を加減する調整を加えることにより，独立行政法人の業務運営に関して国民の負担に帰せられるコストを算出する記載方式となっています。このような記載方法は，行政コスト計算書と独立行政法人の業務運営に関して国民の負担に帰せられるコストとの対応関係が明瞭に示され，独立行政法人の業務運営に関して国民の負担に帰せられるコストの計算過程が開示されることにより，独立行政法人の業務運営に関して国民の負担に帰せられるコストに対する理解可能性が高まるという利点があげられます。

第３節　各項目の詳細説明

以下では，行政コスト計算書に記載される各項目及び注記事項である独立行政法人の業務運営に関して国民の負担に帰せられるコストの各項目の詳細について説明します。

1．行政コスト計算書

（1）　損益計算書上の費用

損益計算書上の費用の区分には，損益計算書上の業務費，一般管理費，財務費用，雑損，臨時損失，法人税等，国庫納付額が記載されます。

（2）　その他行政コスト

その他行政コストの区分には，損益計算の範囲には含まれないものの，独立行政法人の業務運営に関して法人が負担するコストとして，減価償却相当額，減損損失相当額，利息費用相当額，承継資産に係る費用相当額，除売却差額相当額が記載されます。

①　減損損失相当額

基準第87「特定の資産に係る費用相当額の会計処理」が適用される償却資産及び非償却資産について，独立行政法人が中期計画等で想定した業務運営を行ったにもかかわらず生じた減損額は，法人の損益計算の範囲外の減損として，「減損損失相当累計額」の科目をもって資本剰余金から控除する処理を行います。しかしながら，独立行政法人における費用ではないとした場合であっても，政府出資財産などの独立行政法人が保有する資産に生じた減損であることに他ならないため，当該損失は法人が負担するコストとして行政コスト計算書のその他行政コストに記載されます（注解15第2項(2)，減損基準第8）。

なお，従来，資産見返負債を計上している固定資産について，独立行政法人が中期計画等で想定した業務運営を行ったにもかかわらず減損が生じた場合には，当該減損損失を独立行政法人の損益責任の範囲外とし，資産見返負債と固定資産とを直接相殺する処理が定められていた（改訂前減損基準第7）ことから，当該損益計算書に計上されない減損損失を行政サービス実施コスト計算書上，「損益外減損損失相当額」として記載することが求められていました。平成30年9月の独法会計基準改訂により，上記の場合，減損損失を臨時損失に計上するとともに，資産見返負債を臨時利益に振り替える処理に改訂された（減損基準第7(2)）ことから，損益計算書に減損損失が計上済みとなるため，（損益外）減損損失相当額として行政コスト計算書に記載する必要はなくなりました。

以下，具体的な事例で処理を確認します。

事例 9-1

法人が所有する電話加入権300について，中期計画で想定した業務運営を行ったものの，市場価格の下落によりその市場価格100まで減損することとなった。

〈上記事例における会計処理及び行政コスト計算書における記載〉（単位：千円）

1）　会計処理

(借)	減損損失相当累計額（資本剰余金） （減損損失相当額（その他行政コスト））	200	(貸)　電話加入権	200

非償却資産である固定資産について，中期計画で想定した範囲の業務運営を行ったにもかかわらず減損が生じた場合には，独立行政法人の損益責任の範囲外に

おける減損が生じたものとして資本剰余金の控除項目として損益外減損損失累計額を計上するものとされています（減損基準第6）。

当該処理を行うと貸借対照表上の電話加入権と資本剰余金が直接減額されるため，損益計算書には減損損失（費用）が計上されません。しかしながら，独立行政法人の保有する資産に減損が生じていることに他ならないことから，行政コスト計算書には，減損損失相当額として電話加入権の減損額200を記載します。

2） 行政コスト計算書における記載

行政コスト計算書
（X1年4月1日～X2年3月31日）

Ⅰ	損益計算書上の費用	×××
	・・・	
Ⅱ	その他行政コスト	
	減価償却相当額	×××
	減損損失相当額	200
	・・・	
Ⅲ	行政コスト	×××

事例 9-2

中期計画で想定した業務運営を行ったものの，外部環境の変化等により運営費交付金財源で取得したソフトウェア800について著しい陳腐化によりその全額を減損することとなった。なお，当該ソフトウェアについては800の資産見返運営費交付金が計上されているものとする。

〈上記事例における会計処理及び行政コスト計算書における記載〉（単位：千円）

1） 会計処理

㈹	減損損失（臨時損失）	800	㈮	ソフトウェア	800
㈹	資産見返運営費交付金	800	㈮	資産見返運営費交付金戻入（臨時利益）	800

資産見返負債が計上されている固定資産について，中期計画で想定した範囲の業務運営を行ったにもかかわらず減損が生じた場合には，その減損に対応する収益が計上されるため，独立行政法人の損益計算の範囲における減損が生じたものとして，減損額を減損損失の科目により臨時損失として計上するとともに，資産見返負債を臨時利益に振り替えるものとされています（減損基準第7）。

当該処理を行うと損益計算書には減損損失（臨時費用）と資産見返負債戻入（臨時利益）が同額計上されます。このため，行政コスト計算書には，臨時損失としてソフトウェアの減損額800が計上済みとなり，その他行政コストの区分に減損損失相当額としての記載は行いません。

2）行政コスト計算書における記載

行政コスト計算書
（X1年4月1日～X2年3月31日）

Ⅰ	損益計算書上の費用	×××
	・・・	
	臨時損失	800
	・・・	
Ⅱ	その他行政コスト	
	減価償却相当額	×××
	減損損失相当額	×××
	・・・	
Ⅲ	行政コスト	×××

②　承継資産に係る費用相当額

独立行政法人が取得した有形固定資産及び無形固定資産を除く承継資産のうち，その費用相当額に対応すべき収益の獲得が予定されないものとして特定された資産については，当該資産の費用相当額は，損益計算書上の費用には計上せず，資本剰余金（承継資産に係る費用相当累計額）を減額するものとされています（基準第87第2項）。

承継資産とは，個別法の権利義務承継の根拠規定に基づいて，独立行政法人が国等から取得した資産をいいます。特定された承継資産のうち，棚卸資産や長期前払費用等の流動資産や投資その他の資産に含まれている承継資産に係る費用相当部分については，通常，運営費交付金の予算算定対象とはならず，また，運営費交付金に基づく収益以外の収益によって充当されることも必ずしも予定されていないため，その費用相当額に対応する収益の計上が想定されていません。そのため，このような承継資産に係る費用に相当する額は，むしろ実質的には会計上の財産的基礎の減少と考えるべきであることから，損益計算の範囲には含めず，資本剰余金を直接減額することとされています。しかしながら，このような費用相当額は独立行政法人の業務運営に関して生じたコストであることに他ならないため，行政コスト計算書のその他行政コストに記載されます（基準第60第2項）。なお，特定された承継資産のうち，有形固定資産及び無形固定資産に係る費用相当額については，基準第87第1項に基づく会計処理に含まれ，減価償却相当額等で処理されることから，承継資産に係る費用相当額からは除かれます。

また，承継資産に係る費用相当額の取扱いについては，平成30年9月の独法会計基準の改訂により新たに設けられたものであるため，過年度に既に費用処理された承継資産を主務省令改正等により，特定する場合には，過年度に計上された費用の合計額を「承継資産の特定に伴う利益」として損益計算書の臨時利益に振り替えるとともに，行政コスト計算書にその他行政コストとして計上すると同時に貸借対照表においてその他行政コスト累計額として資本剰余金を減額することとされています。この取り扱いは主務省令改正により，例外的に承継資産の取得前から損益計算書の費用に計上せず，資本剰余金の減額として取り扱うことを特定していたものとみなされる処理であるため，過年度の費用処理額の累積額に金額的重要性がある場合には，損益計算書及び行政コスト計算書にその内容を注記することが求められています（独法Q&A Q87-8）。

特定された承継資産に係る費用相当額の会計処理を，**事例9-3** で確認します。

事例9-3

特定された承継資産である貯蔵品100について，当期において80を費消した。

〈上記事例における会計処理及び行政コスト計算書における記載〉（単位：千円）

1） 会計処理

㈶	承継資産に係る費用相当累計額（資本剰余金） （承継資産に係る費用相当額（その他行政コスト））	80	㈭	貯 蔵 品	80

2)　行政コスト計算書における記載

行政コスト計算書
(X1年4月1日～X2年3月31日)

Ⅰ	損益計算書上の費用	×××
	・・・	
Ⅱ	その他行政コスト	
	・・・	
	承継資産に係る費用相当額	80
	・・・	
Ⅲ	行政コスト	×××

過年度に費用計上された承継資産が新たに特定された場合の会計処理を，**事例9-4** で確認します。

事例9-4

承継資産である棚卸資産100について，当期において主務省令で取得前に特定されたものとみなされた。なお，過年度に計上した当該資産に係る費用は60である。

〈上記事例における会計処理及び行政コスト計算書における記載（単位：千万円)〉

1)　会計処理

(借)	承継資産に係る費用相当累計額（資本剰余金） (承継資産に係る費用相当額（その他行政コスト))	60	(貸)	承継資産の特定に伴う利益（臨時利益）	60

2)　行政コスト計算書における記載

行政コスト計算書
(X1年4月1日～X2年3月31日)

Ⅰ	損益計算書上の費用	×××
	・・・	
Ⅱ	その他行政コスト	
	・・・	
	承継資産に係る費用相当額	60
Ⅲ	行政コスト	×××

なお，上記の金額に重要性がある場合には，行政コスト計算書及び損益計算書にその内容を次のように注記します。

（行政コスト計算書関係）
承継資産に係る費用相当額のうち，60は過年度に計上した費用分であります。
（損益計算書関係）
臨時利益に計上した承継資産の特定に伴う利益60は，過年度に計上した費用に見合う収益であります。

② 除売却差額相当額

独立行政法人会計基準第87第1項で定める特定の償却資産（以下，「特定償却資産」とする）を除却又は売却した場合，除売却差額相当累計額の科目をもって資本剰余金に加減します（除売却損相当額が生じる場合は資本剰余金からの減額となりますが，売却益相当額が生じる場合は資本剰余金に加算します）。

しかしながら，独立行政法人の損益計算の範囲外ではあっても政府出資財産・施設費財産に生じた除売却差額であることに他ならないため，当該除売却差額は独立行政法人の業務運営に関して生じたコストとして行政コスト計算書のその他行政コストの区分に除売却差額相当額として記載します。

この際，行政コストに記載する除売却差額相当額の算定に際しては，特定償却資産の除売却時点までに既計上となっている減価償却相当額，減損損失相当額との重複計上がないように留意する必要があります。また，貸借対照表においては，除売却によって当該資産が既に存在しないこととなるため，継続して減価償却相当累計額及び減損損失相当累計額を計上することは適切ではなく，除売却時点まで計上していた減価償却相当累計額及び減損損失相当累計額を，除売却差額相当累計額に振り替える必要があります。

特定償却資産を除却した場合の行政コスト計算書の会計処理を，**事例 9-5** で確認します（独法 Q&A Q20-2）。

事例 9-5　特定償却資産を除却した場合のその他行政コスト

X1年3月期において，特定償却資産（取得価額100）について，減価償却相当累計額15，減損損失相当累計額80を計上した。

X2年3月期の期首において，上記の特定償却資産を除却した。

〈上記事例における会計処理及び行政コスト計算書における記載〉（単位：千万円）

1）X1年3月期における会計処理

	借方	金額		貸方	金額
(借)	減価償却相当累計額（資本剰余金） （減価償却相当額（その他行政コスト））	15	(貸)	減価償却累計額	15
	減損損失相当累計額（資本剰余金） （減損損失相当額（その他行政コスト））	80		減損損失累計額	80

2）X1年3月期における行政コスト計算書の記載

行政コスト計算書
（X0年4月1日～X1年3月31日）

Ⅰ	損益計算書上の費用	×××
	・・・	
Ⅱ	その他行政コスト	
	減価償却相当額	15
	減損損失相当額	80
	・・・	
Ⅲ	行政コスト	×××

3）X2年3月期における会計処理

	借方	金額		貸方	金額
(借)	減価償却累計額	15	(貸)	固定資産	100
	減損損失累計額	80			
	除売却差額相当累計額（資本剰余金） （除売却差額相当額（その他行政コスト））	5			
(借)	除売却差額相当累計額 （資本剰余金）	95	(貸)	減価償却相当累計額 （資本剰余金）	15
				減損損失相当累計額 （資本剰余金）	80

4）X2年3月期における行政コスト計算書の記載

行政コスト計算書
（X1 年 4 月 1 日～X2 年 3 月 31 日）

Ⅰ	損益計算書上の費用	×××
	・・・	
Ⅱ	その他行政コスト	
	減価償却相当額	×××
	減損損失相当額	×××
	除売却差額相当額	5
	・・・	
Ⅲ	行政コスト	×××

行政コスト計算書に記載される除売却差額相当額は，除却時の固定資産簿価5（固定資産 100－減価償却累計額 15－減損損失累計額 80＝5）となります。資本剰余金（除売却差額相当累計額）100 から減価償却相当累計額 15 及び減損損失相当累計額 80 を控除して除売却差額相当額を計算するのは，これはX1 年 3 月期の過年度の行政コストに計上済みであるため，行政コストの二重計上を回避するためにこのような計算を行います。

特定償却資産を売却した場合の行政コスト計算書の会計処理を，**事例 9-6** で確認します（独法 Q&A Q31-5）。

事例 9-6　特定償却資産を売却した場合の行政コスト（売却益の場合）

独立行政法人会計基準第 87 第 1 項の適用を受ける特定の償却資産（取得価額100）について X1 年 3 月期に減価償却相当額 20 を計上した。

X2 年 3 月期の期首において，上記の特定償却資産を 120 で売却した。

〈上記事例における X1 年 3 月期及び X2 年 3 月期の会計処理及び行政コスト計算書の記載〉（単位：千万円）

1）　X1 年 3 月期における会計処理

㈱	減価償却相当累計額（資本剰余金） （減価償却相当額（その他行政コスト））	20	㈹	減価償却累計額	20

2）　X1 年 3 月期における行政コスト計算書の記載

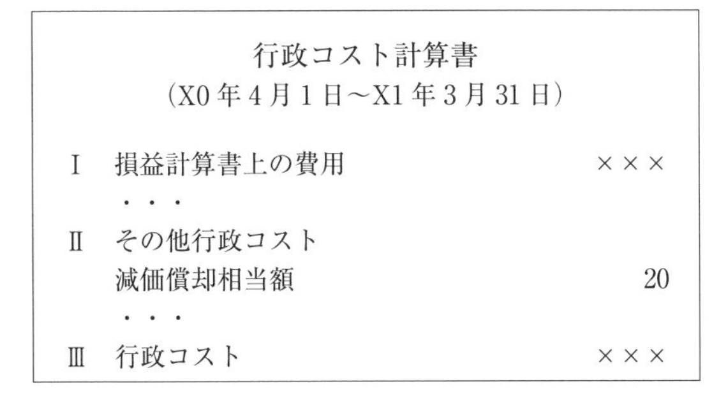

行政コスト計算書
（X0年4月1日～X1年3月31日）

Ⅰ	損益計算書上の費用	×××
	・・・	
Ⅱ	その他行政コスト	
	減価償却相当額	20
	・・・	
Ⅲ	行政コスト	×××

3）X2年3月期における会計処理

(借)	現金	120	(貸)	資産	100
	減価償却累計額	20		除売却差額相当累計額（資本剰余金） （除売却差額相当額（その他行政コスト））	40
(借)	除売却差額相当累計額 （資本剰余金）	20	(貸)	減価償却相当累計額 （資本剰余金）	20

4）X2年3月期における行政コスト計算書の記載

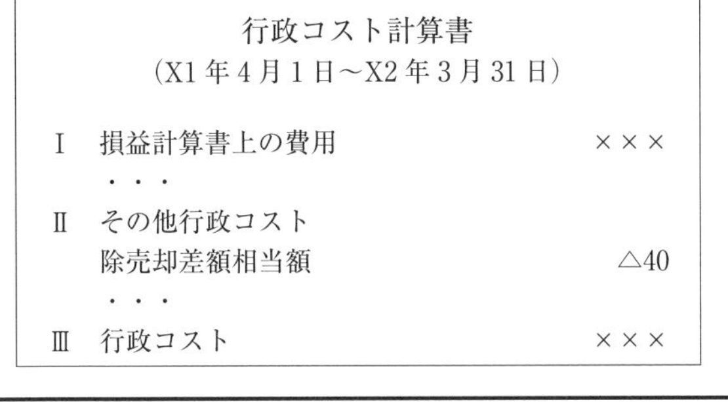

行政コスト計算書
（X1年4月1日～X2年3月31日）

Ⅰ	損益計算書上の費用	×××
	・・・	
Ⅱ	その他行政コスト	
	除売却差額相当額	△40
	・・・	
Ⅲ	行政コスト	×××

行政コスト計算書に記載される除売却差額相当額は，売却価額120と売却時の固定資産簿価80（固定資産100－減価償却累計額20＝80）の差額である△40（マイナスのその他行政コスト）となります。これは，貸借対照表に計上される除売却差額相当累計額△20に過年度に行政コストに計上済みとなっている減価償却相当累計額20を控除して△40と計算することもできます。

[事例 9-7] 特定償却資産を売却した場合の行政コスト（売却損の場合）

〈[事例 9-6] において，X2 年 3 月期の特定償却資産売却額を 60 に変更した場合における X2 年 3 月期の会計処理及び行政コスト計算書の記載〉（単位：千万円）

1） X2 年 3 月期の会計処理

(借)	現　　金	60	(貸)	固定資産	100
	減価償却累計額	20			
	除売却差額相当累計額（資本剰余金） （除売却差額相当額（その他行政コスト）	20			
(借)	除売却差額相当累計額 （資本剰余金）	20	(貸)	減価償却相当累計額 （資本剰余金）	20

2） X2 年 3 月期における行政コスト計算書の記載

行政コスト計算書
（X1 年 4 月 1 日～X2 年 3 月 31 日）

Ⅰ	損益計算書上の費用	×××
	・・・	
Ⅱ	その他行政コスト	
	除売却差額相当額	20
	・・・	
Ⅲ	行政コスト	×××

行政コスト計算書に記載される除売却差額相当額は，[事例 9-6] と同様に計算し，売却価額 60 と売却時の固定資産簿価 80（固定資産 100－減価償却累計額 20＝80）の差額である 20 となります。

これは，貸借対照表に計上される除売却差額相当累計額 40 から過年度に行政コストに計上済みとなっている減価償却相当累計額 20 を控除して 20 と計算することもできます。

2. 独立行政法人の業務運営に関して国民の負担に帰せられるコスト

(1) 損益計算書上の費用及びその他行政コスト

独立行政法人の業務運営に関して国民の負担に帰せられるコストは，原則として損益計算書上の費用にその他行政コストを加算した「行政コスト」の額を起点として計算を行います。ただし，法令に基づく引当金等の繰入にかかる費用は，「独立行政法人における収入と当該収入が充てられるべき支出が異なる事業年度となるため，当該収入と支出を対応させるための会計処理であることから，当該引当金等への繰入に係る費用は行政コストには含まれない」（注解40第6項）とされていますので，基準「第92 法令に基づく引当金等」にかかる繰入額は，独立行政法人の業務運営に関して国民の負担に帰せられるコストの計算上，費用から除外する調整が必要となります。

(2) 自己収入等

自己収入等には，いわゆる自己収入，運営費交付金及び国又は地方公共団体からの補助金等に基づく収益以外の収益が記載されます。これらは国又は地方公共団体から交付を受けた業務運営の財源であることから，最終的に国民の負担となる独立行政法人の業務運営に関して国民の負担に帰せられるコストに含めることとされています。

ただし，国又は地方公共団体からの受託収入は，国等から受領する収益ではあるものの，独立行政法人が役務提供を行ったことへの対価として交付を受けるものであり，対価性が認められることから例外的に自己収入として取り扱っています。独立行政法人の業務運営に関して国民の負担に帰せられるコストの算定上，行政コストから控除すべき収益に含めるものの範囲に関する独立行政法人会計基準での取扱いをまとめると，**図表9-6**の通りになります。

図表 9-6　独立行政法人の業務運営に関して国民の負担に帰せられるコストの算定上，控除すべき自己収入等に含まれるものの範囲

	収益の種類	控除すべき収益に含まれるか	理　由
注解 43	特殊法人又は他の独法等から交付される補助金又は助成金等に係る収益のうち，当該交付法人が国又は地方公共団体から交付された補助金等を財源とするもの	× 含まれない	収益の原資が，実質的に国等の措置した財源によるものであり，国民の負担に帰せられない自己収入とはいえないため。
	国からの現物出資が，消費税の課税仕入とみなされることによって生じた還付消費税に係る収益	× 含まれない	収益の原資が，国の現物出資という国の措置した財源によるものであり，国民の負担に帰せられない自己収入とはいえないため。 但し，通常の業務運営や施設整備等によって生じた還付消費税は控除すべき収益に含まれる（独法 Q&A Q62-6）。
	法令に基づく引当金等の戻入益	× 含まれない	収益の内容が，法令の規定により強制的に計上された引当金・準備金の戻入であり，将来の危険負担に備えた法令上の要請に基づく利益の積み立て又は取り崩しであり，その利益調整項目としての性質から実際の業務活動に基づく自己収入には該当しないため。 なお，法令に基づく引当金の繰入に係る費用も独立行政法人の業務運営に関して国民の負担に帰せられるコストに含まれない（注解 43 第 6 項）。
	財源措置予定額収益	× 含まれない	収益の原資が，国からの将来の財源措置であり，当該財源措置が行われることは最終的に国民の負担に帰せられるコストとなるものであるため，自己収入には含まれない。
	資産見返運営費交付金戻入	× 含まれない	運営費交付金による固定資産の取得原資は税金であり，国民の負担に帰せられない自己収入には該当しない。
	資産見返補助金等戻入	× 含まれない	補助金等による固定資産の取得原資は税金であり，国民の負担に帰せられない自己収入には該当しない。

	収益の種類	控除すべき収益に含まれるか	理　　由
独法Q&A Q62-7	資産見返寄附金戻入	○ 含まれる	寄付金の取得原資は税金ではなく，民間から受領した寄附金を財源としているため，自己収入に含まれる。
	資産見返物品受贈額戻入	× 含まれない	物品受贈は国からの譲与のため，その取得原資は税金であり，国民の負担に帰せられない自己収入には該当しない。
	国からの物品受贈益	× 含まれない	物品受贈は国からの譲与のため，その原資は税金であり，国民の負担に帰せられない自己収入には該当しない。
	国からの受託収入	○ 含まれる	受託収入は独立行政法人が実際に受託業務を実施したことにより得た対価性ある収益であることから，国に対する反対給付を伴わず使用できる運営費交付金などの財源として交付されたものとは区別し，自己収入に含めるものとされている。
	引当見返に係る収益	× 含まれない	引当見返に係る収益は，客観的に運営費交付金等により財源措置されることが明らかに見込まれる引当金に見合う将来の収入について計上するものであり，当該原資は最終的に税金であり，国民の負担に帰せられない自己収入には該当しない。
	科学研究費補助金その他の補助金に係る間接経費相当額	× 含まれない	科学研究費補助金その他の補助金に係る間接経費相当額は，補助金などの交付元が国ではない法人によって行われるものの，実質的には国等が財源措置した補助金等を当該法人が交付しているに過ぎないため，国民の負担に帰せられない自己収入とはいえないため。
独法Q&A Q62-6	通常の業務運営や施設整備等によって生じた還付消費税	○ 含まれる	消費税について税込処理を採用している場合，消費税込みで費用計上された額に対して還付消費税を収益計上することにより，両者が相殺されて消費税抜きの費用を独立行政法人の業務運営に関して国民の負担に帰せられるコストとして認識する結果となることから，この点の整合性を勘案すれば正しい処理といえる。

(3) 国庫納付額及び法人税等

国庫納付額及び法人税等は，本来，国及び地方公共団体と独立行政法人との間での国庫納付金又は税額の収受であり，これらの法人間での資金移動に過ぎないため，実質的に国民が負担するコストとはいえず，独立行政法人の業務運営に関して国民の負担に帰せられるコストには該当しません。したがって，損益計算書上の費用に計上された国庫納付額及び法人税等については行政コスト計算書において行政コストに含まれるものの，独立行政法人の業務運営に関して国民の負担に帰せられるコストからは控除するため，控除項目として記載します。反対に，損益計算書に費用として計上されていない国庫納付額は，行政コスト計算書の損益計算書上の費用にも計上されていませんので，本項目で控除する必要はありません。

なお，独立行政法人の業務運営に関して国民の負担に帰せられるコストの算定上，行政コストの控除項目として記載される国庫納付額及び法人税等の金額は，税効果会計を適用した場合に生じる法人税等調整額を加味した金額になります（独法 Q&A Q62-9）。

(4) 機会費用

一般に，機会費用とは，ある行動を選択することで失われる，他の選択肢を選んでいたら得られたであろう最大利益をいいます。実際の会計上の費用や金銭支出がなくとも，仮定計算によって算出される逸失利益（コスト）と捉えることができます。

行政コスト計算書の注記情報として記載する独立行政法人の業務運営に関して国民の負担に帰せられるコストに含まれる機会費用は，次の通りとされています。

〈注 43〉 自己収入等，法人税等及び国庫納付額，国又は地方公共団体の資源を利用することから生ずる機会費用について

1～2 （省略）

3 国又は地方公共団体の資源を利用することから生ずる機会費用は，次の項目とする。

⑴　国又は地方公共団体の財産の無償又は減額された使用料による貸借取引から生ずる機会費用
⑵　政府出資又は地方公共団体出資等から生ずる機会費用
⑶　国又は地方公共団体からの無利子又は通常よりも有利な条件による融資取引から生ずる機会費用
⑷　国又は地方公共団体との人事交流による出向職員から生ずる機会費用

4　国又は地方公共団体の財産の減額された使用料による貸借とは，貸主である国又は地方公共団体が法令の規定に従い減額して貸し付けている場合の当該貸借であり，また国又は地方公共団体からの有利な条件による融資とは，貸主である国又は地方公共団体が政策的に低利融資を行っている場合の当該融資をいう。

機会費用は独立行政法人会計基準において，「国又は地方公共団体の財産の無償又は減額された使用料による貸借取引」，「政府出資又は地方公共団体出資等の機会費用」，「無利子又は通常よりも有利な条件による融資取引の機会費用」，「国又は地方公共団体との人事交流による出向職員から生ずる機会費用」の４種類に限定されています。これは，機会費用は一般に広い概念となりますが，会計帳簿に基づくものではなく，通常は財務会計上認識されることはないものの，独立行政法人においてはその制度趣旨に鑑み，独立行政法人間の比較可能性の観点などから，会計基準において制度的に範囲を限定しているためです。したがって，独立行政法人会計基準において列挙されている以外の機会費用を独立行政法人の業務運営に関して国民の負担に帰せられるコストに計上する必要はありません（独法 Q&A Q62-8）。

①　国又は地方公共団体の財産の無償又は減額された使用料による貸借取引から生ずる機会費用について

減額された使用料による貸借取引とは，国有財産法，物品の無償貸付及び譲与等に関する法律において，国有財産及び国の物品を国以外の者に対して当該者が公共性を有する法人である場合などの特定の場合において，時価よりも低い対価で貸し付けることができる場合が規定されており，これらの法律を根拠として減額された使用料による貸借取引が行われることを想定した場合における通常の営利法人に対する貸付料との差額として計算されるものとなります。また，国又は地方公共団体の財産の無償又は減額された使用料による貸借取引の機会費用とは，当該資源が市場によって提供されたとしたら支払うべきであろうコストと実際の支払額との差額を意味し，例えば，近隣の地代や賃貸料などを参考にして何らかの合理的な仮定計算を行うことが必要とされ，仮定計算の方法は行政コスト計算書に注記することとされています（独法 Q&A Q62-10）。

このほか，「国又は地方公共団体の財産の無償又は減額された使用料による貸借取引から生ずる機会費用」には，国民がコストを負担する限りにおいて，狭義の国有財産（国有財産法の対象となる財産）のみならず，物品管理法等が対象とする動産等も含む広義の国有財産及び同様の地方公共団体の財産に関する無償又は減額使用コストが含まれることになります。ただし，金額的側面及び質的側面の両面からの重要性を勘案して，重要性の乏しいものについては機会費用の計算対象に含めない処理も認められるものとされています（独法 Q&A Q62-4）。

なお，無償使用資産については，リース会計基準の適用はなく，無償使用資産の合理的な市場賃料相当額をリース資産，リース負債として貸借対照表に計上する会計処理は採用されません（独法 Q&A Q62-2）。

②　「政府出資又は地方公共団体出資等から生ずる機会費用」について

政府出資又は地方公共団体出資等から生ずる機会費用の計算に用いる「一定利率」は，決算日における 10 年物国債（新発債）の利回りで，日本相互証券が公表しているものとなります（独法 Q&A Q62-11）。また，政府出資等の額は，期首（前期末）と期末の平均値として算出するものとされています（独法 Q&A Q62-13）。

以下，具体的な事例に基づいて政府出資等に係る機会費用の計算方法を確認します（独法 Q&A Q62-14）。

事例 9-8　政府出資等に係る機会費用

▶期首から期末まで資本金は，200億円（全額現物出資）であった。

▶現物出資財産（独立行政法人会計基準第87第1項の適用を受ける特定の償却資産に該当するものとする）に係る減価償却により，当年度に減価償却相当累計額10億円を計上した。

▶当期中に施設費により建物を50億円取得し，業務上の使用を開始している（独立行政法人会計基準第87第1項の適用を受ける特定の償却資産に該当するものとする）。これにより，当年度に減価償却相当累計額2億円を計上した。

▶機会費用計算上の利率は，2%であるものとする。

〈上記事例における当年度の政府出資等に係る機会費用の額〉（単位：億円）

1）　政府出資等に係る額の計算

	前年度末	当年度末	平均値
政府出資金	200	200	200
資本剰余金	0	50	25
減価償却相当累計額	0	△12	△6
資本金及び資本剰余金合計	200	238	219

2）　政府出資等に係る機会費用の額

政府出資等に係る機会費用の額は，政府出資等219億円×機会費用計算上の利率2%＝4.38億円となります。なお，行政コストとしては，減価償却相当額12億円が別途発生しています。

政府出資等に係る機会費用の算定の基礎となる「政府出資等」の範囲については，注解43第5項（2）において，以下の通りに規定されています。

> 注解43
> 5　（省略）
> ⑵　政府出資又は地方公共団体出資等の機会費用は，資本金のうち政府出資金及び地方公共団体出資金の合計額に「第81　運営費交付金の会計処理」，「第82　施設費の会計処理」及び「第83　補助金等の会計処理」による会計処理

を行った結果資本剰余金に計上された額＊を加算し，次の額を控除した政府出資及び地方公共団体出資等の純額に一定の利率を乗じて計算する。一定利率については，国債の利回り等を参考にしつつ，簡明な数値を用いることとする。

ア 「第 87　特定の資産に係る費用相当額の会計処理」による減価償却相当累計額（目的積立金を財源として取得した償却資産に係る減価償却相当累計額を除く。＊＊）及び承継資産に係る費用相当累計額

イ　減損損失相当累計額（目的積立金を財源として生じた資本剰余金に対応する額を除く。＊＊＊）

ウ　除売却差額相当累計額（目的積立金を財源として生じた資本剰余金に対応する額を除く。＊＊＊＊）

上記の通り，政府出資等に係る機会費用は，期首（政府出資金＋資本剰余金△減価償却相当累計額△減損損失相当累計額△利息費用相当累計額△承継資産に係る費用相当額△除売却差額相当累計額）＋期末（政府出資金＋資本剰余金△減価償却相当累計額△減損損失相当累計額△利息費用相当額△承継資産に係る費用相当額△除売却差額相当累計額）の平均値に 10 年もの新発国債期末利率を乗じて，機会費用を計算します。

ただし，資本剰余金の範囲に留意が必要です。上記注解 43 は，『「第 81 運営費交付金の会計処理」，「第 82 施設費の会計処理」及び「第 83 補助金等の会計処理」による会計処理を行った結果資本剰余金に計上された額』（＊部分）と定義しており，「資本剰余金全額」とは規定していません。換言すれば，目的積立金を財源として固定資産を取得した際に「目的積立金を資本剰余金に振り替えた額」については，「目的積立金は経営努力認定を受けた積立金であり，法人の費用削減または収益の増加という自己努力によって生じた利益を源泉としているものと考えられるため，政府出資等に係る機会費用の算定に含めることは適切ではない」（独法 Q&A Q62-16）との考えにより，政府出資等に係る機会費用の算定の基礎となる資本剰余金の集計範囲から除外されています。

また，目的積立金を財源として固定資産を取得した際に「目的積立金を資本剰余金に振り替えた額」が政府出資等の範囲から除外されるのと同様の理由により，目的積立金を財源として取得した償却資産に係る減価償却相当累計額

(＊＊部分), 目的積立金を財源として生じた資本剰余金に対応する除売却差額相当累計額（＊＊＊＊部分),「目的積立金を財源として生じた資本剰余金に対応する減損損失相当累計額」(＊＊＊部分）並びに「第91 資産除去債務に係る特定の除去費用等の会計処理」による減価償却相当累計額及び利息費用相当累計額（独法 Q&A Q62-16）も，政府出資等に係る機会費用の算定の基礎となる資本剰余金の集計範囲から除外されています。これは，目的積立金は経営努力認定を受けた積立金であり，法人の費用削減又は収益の増加という自己努力によって生じた利益を源泉としているものと考えられるため」(独法 Q&A Q62-16 A1), 目的積立金を財源として生じた資本剰余金は機会費用算定の基礎となる政府出資等に含まれていません。このため，その他行政コスト累計額のうち目的積立金を財源として生じた資本剰余金に対応する額については，同様に機会費用算定の基礎となる政府出資等から控除する額から除外することが適切とされています。また,「第91　資産除去債務に係る特定の除去費用等の会計処理」による減価償却相当累計額及び利息費用相当累計額は，資産除去債務に対応する除去費用等のうち，当該費用に対応すべき収益の獲得が予定されていないものとして特定された場合に計上されるものであり，国又は地方公共団体の資源の利用とは関係なく計上されるものであることから，機会費用算定の基礎となる政府出資等から控除する額から除外することが適切であるためです。

このほか，預り施設費又は建設仮勘定見返施設費も，政府出資等に係る機会費用の算定の基礎となる「政府出資等」の範囲に含めるものとされています(独法 Q&A Q62-12)。

以上をまとめると，政府出資等に係る機会費用の計算対象となる範囲は，次ページの**図表 9-7** のとおりとなります。

③「国又は地方公共団体からの無利子又は通常よりも有利な条件による融資取引から生ずる機会費用」について

通常の調達利率とは，債券発行や借入金により資金調達を行っている独立行政法人にあっては，当該債券及び借入金の調達金利の年平均利率によることとし，無利子又は低利融資以外に資金調達を行っていない独立行政法人にあって

図表 9-7　政府出資等に係る機会費用の計算対象

貸借対照表科目・区分			独立行政法人の業務運営に関して国民の負担に帰せられるコストに含める政府出資等に係る機会費用の計算対象
負債の部	預り施設費		計算対象に含まれる。
	建設仮勘定見返施設費		計算対象に含まれる。
純資産の部	資本金	政府出資金	計算対象に含まれる。
		地方公共団体出資	計算対象に含まれる。
	資本剰余金	運営費交付金	計算対象に含まれる。
		施設費	計算対象に含まれる。
		補助金	計算対象に含まれる。
		目的積立金	**計算対象に含まれない。**
		民間出えん金	**計算対象に含まれない。**
		減価償却相当累計額	計算対象に含まれる（ただし，目的積立金を財源として取得した償却資産に係る減価償却累計額は除外する）。
		減損損失相当累計額	計算対象に含まれる（ただし，目的積立金を財源として生じた資本剰余金に対応する減損損失累計額は除外する）。
		利息費用相当累計額	計算対象に含まれる（ただし，目的積立金を財源として生じた資本剰余金に対応する利息費用相当累計額は除外する）。
		承継資産に係る費用相当累計額	計算対象に含まれる。
		除売却差額相当累計額	計算対象に含まれる（ただし，目的積立金を財源として生じた資本剰余金に対応する除売却差額相当累計額は除外する）（独法 Q&A Q62-16）。
	利益積立金	目的積立金	計算対象に含まれない。
		前中期目標期間繰越積立金	計算対象に含まれない。
		積立金	計算対象に含まれない。
		当期未処分利益	計算対象に含まれない。

は，決算日における10年もの国債（新発債）の利回りであり，日本相互証券が公表しているものによるものとされています（独法Q&A Q62-15）。

④　国又は地方公共団体との人事交流による出向職員から生ずる機会費用について

国又は地方公共団体からの人事交流による出向職員であり，国又は地方公共団体に復帰することが予定されている職員であって，独立行政法人での勤務に係る退職給与は支給しない条件で採用している場合は，当該職員が復帰後退職する際に独立行政法人での勤務期間分も含めて，国又は地方公共団体において退職給与が支払われることになるため，独立行政法人では退職給付に係る将来の費用は発生しません。そのため，このような出向職員退職給与は，退職給付引当金を計上する対象範囲から除外される一方，独立行政法人での勤務期間分の退職給与は，独立行政法人に費用負担がなくとも，最終的には国民が負担するコストであることに変わりはなく，国又は地方公共団体の人的資源を独立行政法人が利用することで生ずる機会費用と考えられるため，国又は地方公共団体の資源を利用することから生ずる機会費用に該当します。なお，他の独立行政法人や国立大学法人との人事交流による出向職員に係る退職給与は，出向元において国からの財源で負担される場合には，「国又は地方公共団体との人事交流による出向職員から生ずる機会費用」に含めるべきとも考えられますが，独立行政法人間の比較可能性の観点などから，会計基準において機会費用の範囲を限定している趣旨を踏まえ，含めないこととなっています（独法Q&A Q62-5）。

当該機会費用の計算方法については，以下の通り計算します（独法Q&A Q62-5 A3）。

1)　期末に在職する出向者

当期末の退職給付見積額から前期末の退職給付見積額（前期末に当該出向者が在籍していない場合には，着任時の退職給付見積額）を控除して計算することが原則とされています。

2)　期中に国又は地方公共団体に帰任した出向者又は期中に着任した出向者

帰任時の退職給付見積額から前期末の退職給付見積額を控除して計算するこ

とが原則とされています。

3) 期中に国又は地方公共団体に帰任した出向者又は期中に着任した出向者の特例

上記1)，2）とは別に，期中に着任した出向者については着任時の前後いずれか近い方の期末日に着任したものとみなして，期中に帰任した出向者については，帰任時の前後いずれか近い方の期末日に帰任したものとみなして，それぞれ機会費用を算定することが認められています。ただし，9月末に帰任した出向者の交替要員として10月以降に別の出向者が着任した場合には，9月末に帰任した出向者は期首（前期末）に帰任し，10月以降に着任した出向者も期首（前期末）に着任したものとみなして機会費用を算定する必要がある点に留意が必要です。

3. その他注記事項

行政コスト計算書には，独立行政法人の業務運営に関して国民の負担に帰せられるコストを注記しなければなりません（基準第62）。

具体的な記載方法は各法人の判断に委ねられていますが，標準的な記載例は，独法Q&A Q62-1で以下の通りに定められています。なお，「1. 独立行政法人の業務運営に関して国民の負担に帰せられるコスト」については，前述の「第2節 様式」を参照ください。

行政コスト計算書関係

1. （省略）
2. 機会費用の計上方法
   (1) 国又は地方公共団体財産の無償又は減額された使用料による貸借取引の機会費用の計算方法
   近隣の地代や賃貸料等を参考に計算しております。
   (2) 政府出資又は地方公共団体出資等の機会費用の計算に使用した利率
   10年利付国債の平成××年3月末利回りを参考に，××%で計算しております。

⑶　政府又は地方公共団体からの無利子又は通常よりも有利な条件による融資取引の機会費用の計算に使用した利率
10年利付政府保証債の平成××年3月末利回りを参考に，××%で計算しております。

⑷　国又は地方公共団体との人事交流による出向職員から生ずる機会費用の計算方法
当該職員が国又は地方公共団体に復帰後退職する際に支払われる退職金のうち，独立行政法人での勤務期間に対応する部分について，給与規則に定める退職給付支給基準等を参考に計算しております。

上記注記における機会費用の計算方法，機会費用の計算利率については，前述の「⑶ 機会費用」を参照下さい。

4. 事例による解説

以下，具体的な事例で行政コスト計算書及び注記事項の作成方法を確認します。

事例 9-9

○損益計算書

（X1年4月1日～X2年3月31日）（単位：千円）

損益計算書

（X1年4月1日～X2年3月31日）

（単位：千円）

科目	金額
経常費用	441,500
XX業務費	300,000
一般管理費	140,000
財務費用	1,000
雑損	500
経常収益	450,000
受託収入・手数料収入	10,000
運営費交付金収益	440,000
臨時損失	250
当期総利益	8,250

○貸借対照表（単位：千円）

貸借対照表

	（X1年3月31日）	（X2年3月31日） （単位：千円）
＜資産の部＞		
Ⅰ　流動資産		
・・・		
Ⅱ　固定資産		
建物	100,000	100,000
建物減価償却累計額	△20,000	△30,000
・・・		
＜負債の部＞		
・・・		
Ⅱ　固定負債		
長期借入金	500,000	500,000
＜純資産の部＞		
Ⅰ　資本金		
政府出資金	1,000,000	1,100,000
Ⅱ　資本剰余金		
資本剰余金	500,000	500,000
その他行政コスト累計額	△20,000	△30,000
減価償却相当累計額	△20,000	△30,000

[前提条件]

▶法令に基づく引当金等は含まれていないものとする。

▶損益計算書に費用として計上された国庫納付額及び法人税等はない。

▶建物は全て独立行政法人会計基準第87第1項の適用を受ける特定の償却資産に該当するものとする。

▶支所の1つにつき，国有財産である土地（100坪）を無償で使用している。近隣の地代は1坪30千円であった。

▶政府出資等の機会費用の計算に使用する利率は，10年利付国債の期末利率2%である。

▶資本剰余金は，全て施設費を財源とするものである。

▶長期借入金は，全額が国からの無利子借入であり，無利子による融資取引の機会費用の計算に使用する利率は2%とする。

▶各年度末の国からの人事交流による出向者に係る退職給付見積額は，X1年3月末：100千円，X2年3月末：120千円とする。

〈上記事例における行政コスト計算書及び関連する注記の記載〉（単位：千円）

行政コスト計算書

（X1年4月1日～X2年3月31日）

Ⅰ　損益計算書上の費用		
XX業務費	300,000	
一般管理費	140,000	
財務費用	1,000	
雑損	500	
臨時損失	250	
損益計算上の費用合計		441,750
Ⅱ　その他行政コスト		
減価償却相当額	10,000	（注1）
その他行政コスト合計		10,000
Ⅲ　行政コスト		451,750

（注1）　X2年3月末減価償却相当累計額30,000－X1年3月末減価償却相当累計額20,000＝10,000

＜注記事項＞

行政コスト関係

1.　独立行政法人の業務運営に関して国民の負担に帰せられるコスト

行政コスト		451,750	
自己収入等		△10,000	（注2）
機会費用			
国又は地方公共団体の財産の無償又は減額された使用料による貸借取引から生ずる機会費用	3,000	（注3）	
政府出資又は地方公共団体出資等から生ずる機会費用	30,500	（注4）	
国又は地方公共団体からの無利子又は通常よりも有利な条件による融資取引から生ずる機会費用	10,000	（注5）	
国又は地方公共団体からの人事交流による出向者から生ずる機会費用	20	（注6）	
機会費用合計		43,520	
独立行政法人の業務運営に関して国民の負担に帰せられるコスト		485,270	

(注2)　受託収入・手数料収入 10,000

(注3)　国又は地方公共団体の財産の無償又は減額された使用料による貸借取引から生ずる機会費用：100 坪×30 千円/坪＝3,000

(注4)　政府出資又は地方公共団体出資等から生ずる機会費用：
{(X2 年 3 月末政府出資金 1,100,000＋資本剰余金 500,000－減価償却相当累計額 30,000)＋(X1 年 3 月末政府出資金 1,000,000＋資本剰余金 500,000－減価償却相当累計額 20,000)}÷2×10 年利付国債 X2 年 3 月末利回り 2.0%＝30,500

(注5)　国又は地方公共団体からの無利子又は通常よりも有利な条件による融資取引から生ずる機会費用：無利子の長期借入金 500,000×利率 2.0%(前提条件より)＝10,000

(注6)　国又は地方公共団体からの人事交流による出向者から生ずる機会費用：X2 年 3 月末退職給付見込額 120－X1 年 3 月末退職給付見込額 100＝20

2. 機会費用の計上方法

(1) 国又は地方公共団体財産の無償又は減額された使用料による貸借取引の機会費用の計算方法

近隣の地代や賃貸料等を参考に計算しております。

(2) 政府出資又は地方公共団体出資等の機会費用の計算に使用した利率

10 年利付国債の X2 年 3 月末利回りを参考に 2.0% で計算しております。

(3) 政府又は地方公共団体からの無利子又は通常よりも有利な条件による融資取引の機会費用の計算に使用した利率

年利付政府保証債の X2 年 3 月末利回りを参考に 2.0% で計算しております。

(4) 国又は地方公共団体との人事交流による出向職員から生ずる機会費用の計算方法

当該職員が国又は地方公共団体に復帰後退職する際に支払われる退職金のうち，独立行政法人での勤務期間に対応する部分について，給与規則に定める退職給付支給基準等を参考に計算しております。

コラム④　独立行政法人の業務運営に関して国民の負担に帰せられるコストに含まれる機会費用

独立行政法人会計基準注解43第3項（2）において，政府出資又は地方公共団体出資等から生じる機会費用は独立行政法人の業務運営に関して国民の負担に帰せられるコストに属するものとされている。

その具体的な計算方法は，注解43第5項（2）において，以下のように規定されている。

（政府出資金＋地方公共団体出資金＋資本剰余金のうち基準第81運営費交付金の会計処理，第82施設費の会計処理，第83補助金等の会計処理によって会計処理を行った結果資本剰余金に計上された額－減価償却相当累計額（目的積立金を財源として取得した償却資産に係る減価償却相当累計額を除く）－減損損失相当累計額－利息費用相当累計額）×利率（実際に使用するのは10年もの新発国債利率）

また，独法Q&A Q62-12において，決算日現在に負債として整理される預り施設費又は建設仮勘定見返施設費も独立行政法人の業務運営に関して国民の負担に帰せられるコストの計算対象となる政府出資又は地方公共団体出資等から生ずる機会費用の計算対象に含めることが適当とされている。

これは中々に複雑である。政府出資等に係る機会費用の計算というのであるから，政府及び地方公共団体の出資金に資本剰余金（出資金に準じたもの）を加えた額を「資本金等」とし，当該「資本金等」が独立行政法人に資金投下され，拘束されていることから生ずる機会費用（具体的には，仮に国債の償還に充てたならば，得られる利払い負担の軽減コスト）を計算するかというとそうでもない。

政府出資等に加算する「資本剰余金」は，資本剰余金の全額ではなく，資本剰余金のうち「第81　運営費交付金の会計処理，第82施設費の会計処理及び第83　補助金等の会計処理による会計処理を行った結果資本剰余金に計上された額」に限定されている。反対にいえば，資本剰余金に計上されるものの，独立行政法人の業務運営に関して国民の負担に帰せられるコストにおける機会費用の計算対象となる政府出資等の範囲から除外されているものとして利益積立金を財源とし中期計画期間終了時に目的積立金として繰越承認を取り，当該目的積立金を財源として固定資産を取得した場合に目的積立金から振り替えて計上される資本剰余金は除外されている。

この考え方の背景には，独立行政法人の業務運営に関して国民の負担に帰せられるコストにおける機会費用の計算対象となる政府出資等の範囲には，いわゆる払込資本となる政府出資金や資本金に準じて独立行政法人の財産的基礎を成す固定資産の取得に充てられた施設費等の財源部分から政府出資等に係る機会費用を計算し，独立行政法人が毎年の運営で生じた利益を源泉とする獲得資本（利益積立金部分）は機会費用の計算対象から除外するという考え方が根底にあるように思われる。

ところが，独立行政法人会計基準 Q&A Q62-12 では，資本剰余金に計上される前の預り施設費や建設仮勘定見返施設費も政府出資等に係る機会費用の計算対象に入れることが適当とされている。この考え方には，払込資本部分だけを政府出資等に係る機会費用の計算基礎とする考え方よりも，実体として独立行政法人の固定資産の取得に充てられる又は充てられる予定である財源部分（実体資本）の額を政府出資等に係る機会費用の計算対象としようとの理念が根底にあるように思われる。

であれば，利益積立金源泉の目的積立金を財源として固定資産の取得に充てられたことにより独立行政法人の財産的基礎として維持され，結果，資本剰余金に振替計上された額についても政府出資等に係る機会費用の計算対象の範囲に含めても良いと思われるのだが，そうはなっていない。

どうも機会費用の計算対象となる政府出資等の範囲については，独立行政法人の業務運営に関して国民の負担に帰せられるコストが「国民の負担となる税金コスト」部分を集計するものとの考え方との整合性を取り，目的積立金として繰越承認を得た額（すなわち，独立行政法人の運営成果として経営努力認定を受けた額）については，自己努力によるものとして自己収入に準じて独立行政法人の業務運営に関して国民の負担に帰せられるコストの計算対象から除外するという考えが根底にあるように思われる（ただし，自己収入部分か国民の税負担となる政府からの拠出部分かによる区分基準によって，機会費用算定の対象となる政府出資等の範囲を決めるとするのであれば，運営費交付金債務や資産見返運営費交付金についても機会費用の計算対象に入れるべきとなるがそのような計算にはなっていない)。

政府出資等の機会費用の算定基礎となる資本等の範囲とは何なのか，1）払込資本と獲得資本とを区分する考え方，2）実体資本として独立行政法人に現に固定資産としての財産的基礎が形成されている部分を資本とみる考え方，3）国民の負担となる税コスト部分を政府出資等に係る機会費用の計算対象とし，経営努力認定を受けた目的積立金部分については，自己収入に準じて独立行政法人の業務運営に関して国民の負担に帰せられるコストの計算対象から除外するという考え方，これら３つの考え方が融合して形成されているようであり，どれか１つの考え方だけで整理できるものとはなっていないように思われる。

第10章 会計方針・注記・附属明細書

第1節　会計方針

1.　重要な会計方針の記載事項

重要な会計方針の記載事項は，注解56で以下の通りに定められています。

<注56>重要な会計方針等の開示について

1　重要な会計方針，表示方法または会計上の見積りの変更を行った場合には，重要な会計方針の次に，次の各号に掲げる事項を記載しなければならない。

⑴　会計処理の原則または手続を変更した場合には，その旨，変更の理由及び当該変更が財務諸表に与えている影響の内容

⑵　表示方法を変更した場合には，その内容

⑶　会計上の見積りの変更を行った場合には，その旨，変更の内容，及び当該変更が財務諸表に与えている影響の内容

2　会計方針とは，独立行政法人が財務諸表の作成に当たって，その会計情報を正しく示すために採用した会計処理の原則及び手続をいう。

会計方針の例としては，次のようなものがある。なお，消費税等の会計処理は，税込方式又は税抜方式によるものとする。

⑴　運営費交付金収益の計上基準

⑵　減価償却の会計処理方法

⑶　賞与引当金の計上基準

⑷　退職給付に係る引当金の計上基準

⑸　法令に基づく引当金等の計上根拠及び計上基準
⑹　有価証券の評価基準及び評価方法
⑺　棚卸資産の評価基準及び評価方法
⑻　収益及び費用の計上基準
⑼　債券発行差額の償却方法
⑽　外貨建資産及び負債の本邦通貨への換算基準
⑾　未収財源措置予定額の計上基準
⑿　消費税等の会計処理

3　表示方法とは，独立行政法人が財務諸表の作成に当たって，その会計情報を正しく示すために採用した表示の方法（注記による開示も含む）をいい，財務諸表の科目分類，科目配列及び報告様式が含まれる。

4　会計上の見積りとは，資産及び負債や収益及び費用等の額に不確実性がある場合において，財務諸表作成時に入手可能な情報に基づいて，その合理的な金額を算出することをいう。当該事業年度の財務諸表に計上した金額が会計上の見積りによるもののうち，翌事業年度の財務諸表に重要な影響を及ぼすリスク（有利となる場合及び不利となる場合の双方が含まれる。）がある項目における会計上の見積りの内容について，国民その他の利害関係者の理解に資する情報を開示する。

財務諸表に注記すべき会計方針は注解56第2項に例示されていますが，それ以外にもリース取引などを重要な会計方針として注記することになります。会計方針の具体的な記載方法は各法人の判断に基づくことが原則となりますが，独立行政法人会計基準Q&A Q80-3で具体的な記載例が示されています。標準的な例を示すと次のようになります。なお，注記については明瞭性の原則の観点から，独立行政法人が採用した固有の会計処理についても記載することが必要です。

重要な会計方針

1.　運営費交付金収益の計上基準
業務達成基準を採用しております。
管理部門の活動については，期間進行基準を採用しております。
期中に震災対応のために突発的に発生した××業務については，当該業務の予算，期間等を見積もることができず，業務と運営費交付金との対応関係を示すことができないため，費用進行基準を採用しております。

2. 減価償却の会計処理方法

(1) 有形固定資産（リース資産を除く）

定額法を採用しております。

なお，主な資産の耐用年数は以下の通りであります。

建物　　　　○○～○○年

機械装置　　○○～○○年

…………

また，特定の償却資産（基準第87第1項）及び資産除去債務に対応する特定の除去費用等（基準第91）に係る減価償却に相当する額については，減価償却相当累計額として資本剰余金から控除して表示しております。

(2) 無形固定資産（リース資産を除く）

定額法を採用しております。

なお，法人内利用のソフトウェアについては，法人内における利用可能期間（○年）に基づいております。

(3) リース資産

リース期間を耐用年数とし，残存価額を零とする定額法によっております。

3. 特定の承継資産（基準第87第2項）の会計処理

個別法に基づく承継資産のうち，○○に係わる費用相当額については，承継資産に係る費用相当累計額として資本剰余金から控除して表示しております。

4. 賞与引当金の計上基準

役職員の賞与の支給に備えるため，賞与支給見込額のうち，当事業年度に負担すべき金額を計上しております。なお，役職員の賞与については，運営費交付金により財源措置がなされる見込みであるため，賞与引当金と同額を賞与引当金見返として計上しております。

5. 退職給付に係る引当金の計上基準及び退職給付費用の処理方法

(1) 原則法で処理している場合

職員の退職給付に備えるため，当該事業年度末における退職給付債務及び年金資産の見込額に基づき計上しております。

退職給付債務の算定にあたり，退職給付見込額を当事業年度末までの期間に帰属させる方法については期間定額基準によっております。

過去勤務費用は，その発生時の職員の平均残存勤務期間以内の一定の年数（○年）による定額法により費用処理しております。

数理計算上の差異は，各事業年度の発生時における職員の平均残存勤務期間以内の一定の年数（○年）による定額法により按分した額をそれぞれ発生の翌事業年度から費用処理することとしております。なお，運営費交付金により財源措置がなされる見込みである退職一時金については，期末自己都合要支給額を退職給付債務とする方法を用いた簡便法を採用しており，退職給付引当金と同額を退職給付引当金見返として計上しております。

また，運営費交付金により，掛金及び年金積立不足額に対して財源措置がなされる見込みである確定給付企業年金等については，退職給付引当金と同額を退職給付引当金見返として計上しております。

⑵　退職一時金について簡便法を採用している場合

確定給付企業年金等から支給される年金給付については，職員の退職給付に備えるため，当該事業年度末における退職給付債務及び年金資産の見込額に基づき計上しております。

退職給付債務の算定にあたり，退職給付見込額を当事業年度末までの期間に帰属させる方法については期間定額基準によっております。

過去勤務費用は，その発生時の職員の平均残存勤務期間以内の一定の年数（○年）による定額法により費用処理しております。

数理計算上の差異は，各事業年度の発生時における職員の平均残存勤務期間以内の一定の年数（○年）による定額法により按分した額をそれぞれ発生の翌事業年度から費用処理することとしております。

退職一時金については，期末自己都合要支給額を退職給付債務とする方法を用いた簡便法を適用しております。このうち，運営費交付金により財源措置がなされる見込みである退職一時金については，退職給付引当金と同額を退職給付引当金見返として計上しております。

また，運営費交付金により，掛金及び年金積立不足額に対して財源措置がなされる見込みである確定給付企業年金等については，退職給付引当金と同額を退職給付引当金見返として計上しております。

6.　法令に基づく引当金等の計上根拠及び計上基準

○○準備金

○○○○○の費用に充てる（損失に備える）ため，○○法第○○条に定める基準に基づき計上しております。

7.　有価証券の評価基準及び評価方法

⑴　売買目的有価証券

時価法（売却原価は移動平均法により算定）

(2)　満期保有目的債券

償却原価法（利息法）

(3)　関係会社株式

出資先持分額による評価（移動平均法による取得原価との評価差額は部分純資産直入法により処理）

(4)　その他有価証券

期末日の市場価格等に基づく時価法

（評価差額は純資産直入法により処理し，売却原価は移動平均法により算定）

8.　棚卸資産の評価基準及び評価方法

(1)　原材料

移動平均法による低価法

(2)　貯蔵品

移動平均法による低価法

(3)　未成受託研究支出金

個別法による低価法

9.　収益及び費用の計上基準

(1)　受託研究に係る収益

受託研究に係る収益は，主に国又は地方公共団体から支出された委託費であり，委託契約等に基づいてサービス等を引き渡す義務を負っております。当該履行義務は，サービス等を引き渡す一時点において，顧客が当該サービス等に対する支配を獲得して充足されると判断し，引渡時点で収益を認識しております。

(2)　○○のサービスに係る収益

○○のサービスに係る収益は，主に○○事業に係る収益であり，顧客との契約に基づいて○○サービスを提供する履行義務を負っております。当該履行義務は，当法人が顧客との契約における義務を履行するにつれて，顧客が便益を享受することで充足されると判断し，履行義務の充足に係る進捗度を見積もり，当該進捗度に基づき収益を一定の期間にわたり認識しております。

(3)　製品の販売に係る収益

製品の販売に係る収益は，主に製造による販売収益であり，顧客との販売契約に基づいて製品を引き渡す履行義務を負っております。当該履行義務は，製品を引き渡す一時点において，顧客が当該製品に対する支配を獲得して充足されると判断し，引渡時点で収益を認識しております。

10.　債券発行差額の償却方法

債券発行差額は，債券の償還期間にわたって償却しております。

11.　外貨建資産及び負債の本邦通貨への換算基準

外貨建金銭債権債務は，期末日の直物為替相場により円貨に換算し，換算差額は損益として処理しております。

12.　消費税等の会計処理

消費税の会計処理は，税込方式によっております。

2.　会計方針の開示，会計方針変更，見積りの変更，表示方法の変更，過去の誤謬の取扱い

独立行政法人会計における会計方針の開示，会計方針の変更，表示方法の変更，会計上の見積りの変更及び過去の誤謬は，以下の取扱いとされています（独法 Q&A Q80-8）。

（1）　会計方針の開示

重要な会計方針に関する注記の開示目的は，財務諸表を作成するための基礎となる事項を国民その他の利害関係者が理解するために，採用した会計処理の原則及び手続の概要を示すことにあります。この開示目的は，会計処理の対象となる会計事象等に関連する会計基準等の定めが明らかでない場合に，会計処理の原則及び手続を採用するときも同じです。なお，関連する会計基準等の定めが明らかでない場合とは，特定の会計事象等に対して適用し得る具体的な会計基準等の定めが存在しない場合をいいます。

（2）　会計方針の変更

新たな会計方針を過去の期間の全てに遡及適用する処理は行わず，その変更の影響は，当事業年度以降の財務諸表において認識します。なお，会計方針の変更の具体的な範囲は，次の通りとなります。

①　有形固定資産の減価償却方法の変更

会計方針の変更に該当し，その変更に当たっては，注解56第1項(1)の注記を行う。

②　会計処理の変更に伴う表示方法の変更

会計方針の変更に該当する。

③　会計処理の対象となる会計事象等の重要性が増したことに伴う本来の会計処理の原則及び手続への変更

従来，会計処理の対象となる会計事象等の重要性が乏しかったため，本来の会計処理によらずに簡便な会計処理を採用していたが，当該会計事象等の重要性が増したことにより，本来の会計処理に変更する場合，当該変更は，会計方針の変更に該当しない。

④　会計処理の対象となる新たな事実の発生に伴う新たな会計処理の原則及び手続の採用

会計方針の変更に該当せず，追加情報として取り扱う。

⑤　連結または持分法の適用の範囲に関する変動

財務諸表の作成に当たって採用した会計処理の原則及び手続に該当しないため，会計方針の変更に該当しない。

（3）　表示方法の変更

過去の財務諸表について，新たな表示方法に従い組替えする処理は行わず，当事業年度以降の財務諸表において，新たな表示方法での開示を行います。

なお，流動資産から固定資産への区分変更や，経常損益から臨時損益への区分変更等，財務諸表の表示区分を越える変更は，表示方法の変更として取り扱います。また，キャッシュ・フローの表示の内訳の変更についても表示方法の変更として取り扱います。例えば，ある特定のキャッシュ・フロー項目について，キャッシュ・フロー計算書における表示区分を変更した場合や，連結キャッシュ・フロー計算書について，業務活動によるキャッシュ・フローに関する表示方法（直接法または間接法）を変更した場合が，表示方法の変更に該当します。

（4） 会計上の見積りの変更

会計上の見積りの変更は，当該変更が変更期間のみに影響する場合には，当該変更期間に会計処理を行い，当該変更が将来の期間にも影響する場合には，将来にわたり会計処理を行います。

なお，過去の財務諸表作成時において入手可能な情報に基づき最善の見積りを行った場合には，当事業年度中における状況の変化により会計上の見積りの変更を行ったときの差額または実績が確定したときの見積り額との差額は，その変更のあった事業年度または実績が確定した事業年度に，その性質により，経常費用または経常収益として認識します。

（5） 過去の誤謬

独法 Q&A Q66-2 によることとなり，過去の財務諸表における誤謬が発見された場合には，過去の財務諸表の遡及修正は行わず，過年度の損益修正額を原則として臨時損益の区分に表示します。

第2節　注　　記

貸借対照表，損益計算書，キャッシュ・フロー計算書，行政コスト計算書，純資産変動計算書に関する注記事項がそれぞれありますが，これらの財務諸表に関連する注記事項については，各章にて解説していますので，それぞれの章（第2章から第9章）をご覧ください。

1． その他の注記事項

各財務諸表に関する注記事項のほかに，その他の注記すべき事項は，独立行政法人会計基準で以下のように定められています。

＜注57＞重要な後発事象の開示について

1　財務諸表には，その作成日までに発生した重要な後発事象を注記しなければならない。後発事象とは，貸借対照表日後に発生した事象で，次期以降の財政状態及び運営状況に影響を及ぼすものをいう。重要な後発事象を注記事項として開示することは，当該独立行政法人の将来の財政状態や運営状況を理解するための補足情報として有用である。

2　重要な後発事象の例としては，次のようなものがある。

⑴　独立行政法人の主要な業務の改廃

⑵　中期計画等の変更

⑶　国または地方公共団体からの財源措置の重大な変更

⑷　火災，出水等による重大な損害の発生

このほかに独法Q&Aで定める注記事項に関する主な規定をまとめると，次の通りになります。

① 重要な債務負担行為

債務負担行為とは，独立行政法人が金銭の納付を内容とする債務を負担する行為であって，当該会計年度内に契約は結ぶが，実際の支出の全部または一部が翌期以降になるものをいいます。債務負担行為は建物あるいは施設の工事請負契約あるいは重要な物品購入契約のような将来確実に支出がなされるものと，損失補償及び保証契約のように偶発債務であるものと2つに分類されます。重要な債務負担行為とはこれらの債務負担行為のうち独立行政法人の事業に照らし，内容的または金額的に重要なものをさしています（独法Q&A Q80-1）。

なお，独立行政法人の財務諸表に重要な債務負担行為を注記するのは，貸借対照表に債務としては計上されていないが，独立行政法人が将来負担することとなる（あるいはその可能性のある）ものを明らかにするためと考えられることから，例えば，重要な債務負担行為のうち，上記の建物あるいは施設の工事請負契約あるいは重要な物品購入契約のような将来確実に支出がなされるものについて財務諸表に注記する金額は，契約総額のうち次年度以降に支出が予定される金額（未払計上されている金額を除く。）とすることとなります（独法Q&AQ 80-1）。

② 会計基準第80に規定されている「その他独立行政法人の状況を適切に開示するために必要な会計情報」の注記に含まれるもの

独立行政法人または独立行政法人の主要な業務の廃止，民営化または他の法人との統合等を行う旨の閣議決定，法律の成立または法案の国会提出若しくは各独立行政法人の個別法の附則で規定された経過的な業務の終了または経過措置期間の終了に伴う勘定の廃止などが該当します（独法 Q&A Q80-5-3）。

2. 金融商品の時価注記

企業会計においては，国際財務報告基準とのコンバージェンスを図ることに加え，金融取引を巡る環境が変化する中で，投資者に対する情報提供等の観点から，金融商品の時価情報に対するニーズが拡大していること等を踏まえ，金融商品の時価等について開示を行うこととされています。

他方，独立行政法人においては，その会計が「原則として企業会計原則による」とされていること，及び独立行政法人が保有している金融商品は国民共通の財産であり，その有効活用を図る観点等から，国民その他の利害関係者に対して時価情報を提供することに一定の意義があると認められることから，独立行政法人会計基準においても金融商品の時価等について開示を求めることとされました。

独立行政法人会計基準では注解59第1項において，金融商品の時価等を注記する旨を定めていますが，金融商品に関する具体的な注記内容は定められていません。独立行政法人会計基準に定めのない事項については，原則として企業会計の基準に従うこととされているため，企業会計基準適用指針第19号「金融商品の時価等の開示に関する適用指針」（最終改正令和2年3月31日 企業会計基準委員会）を参考とし，重要性の乏しいものを除き，次の事項を注記するものとされています（独法 Q&A Q80-6-6）。

(1) 金融商品の状況に関する事項

(2)　金融商品の時価等に関する事項

(3)　金融商品の時価のレベルごとの内訳等に関する事項

なお，「(2)金融商品の時価等に関する事項」のうち，現金及び短期間で決済されるため時価が帳簿価額に近似するものについては，注記を省略することができます。また，市場価格のない株式等については，時価を注記しません。この場合，当該金融商品の概要及び貸借対照表計上額を注記します。

金融商品の時価等の注記については，各独立行政法人の保有する金融商品の重要度なども勘案して国民等の利害関係者に適切な情報開示がなされることが期待されます。このため，主たる業務の内容を研究業務や特定の事務事業の執行としている独立行政法人と主たる業務を金融業務としている独立行政法人とでは法人の保有する金融商品の重要度に相違が生じ，特に後者においては，その重要度を勘案すると一層充実した開示が求められます。

金融業務を主たる業務とする独立行政法人とそうではない独立行政法人のそれぞれについて，一般的な金融商品時価注記の記載例を以下に示します（独法Q&A Q80-6-5）。

【記載例 1】一般的な独立行政法人の場合

1.　金融商品の状況に関する事項

当法人は，資金運用については短期的な預金及び公社債等に限定し，財政融資資金及び金融機関からの借入及び財投機関債の発行により資金を調達しております。

未収債権等に係る顧客の信用リスクは，債権管理規程等に沿ってリスク低減を図っております。また，投資有価証券は，独立行政法人通則法第47条の規定等に基づき，公債及び△△△格以上の社債のみを保有しており株式等は保有しておりません。

借入金等の使途は運転資金（主として短期）および事業投資資金（長期）であり，主務大臣により認可された資金計画に従って，資金調達を行っております。

2.　金融商品の時価等に関する事項

期末日における貸借対照表計上額，時価及びこれらの差額については，次の通りであります。なお，市場価格のない株式等は，次表には含めておりません。また，現金は注記を省略しており，預金，未収金，未払金及び短期借入金は短期間で決済されるため時価が帳簿価額に近似することから，注記を省略しております。

（単位：百万円）

	貸借対照表計上額（＊）	時価（＊）	差額
(1) 有価証券及び投資有価証券			
①満期保有目的の債券	×××	×××	×××
②その他有価証券	×××	×××	—
(2) 財投機関債	(×××)	(×××)	×××
(3) 長期借入金	(×××)	(×××)	×××

（＊） 負債に計上されているものは，（　）で示しております。

（注1） 市場価格のない株式等は次のとおりです。

（単位：百万円）

区分	貸借対照表計上額
非上場株式	×××

（注2） 時価の算定に用いた評価技法及びインプットの説明

金融商品の時価を，時価の算定に用いたインプットの観察可能性及び重要性に応じて，以下の三つのレベルに分類しております。

レベル1の時価：同一の資産又は負債の活発な市場における（無調整の）相場価格により算定した時価

レベル2の時価：レベル1のインプット以外の直接又は間接的に観察可能なインプットを用いて算定した時価

レベル3の時価：重要な観察できないインプットを使用して算定した時価

時価の算定に重要な影響を与えるインプットを複数使用している場合には，それらのインプットがそれぞれ属するレベルのうち，時価の算定における優先順位が最も低いレベルに時価を分類しております。

有価証券及び投資有価証券

国債，地方債及び社債は相場価格を用いて評価しております。これらは活発な市場で取引されているため，その時価をレベル1の時価に分類しております。

財投機関債

当法人の発行する財投機関債は，活発な市場における無調整の相場価格を利用できるため，レベル1の時価に分類しております。

長期借入金

長期借入金の時価は，元利金の合計額と，当該債務の残存期間及び信用リスクを加味した利率を基に，割引現在価値法により算定しており，レベル2の時価に分類しております。

【記載例2】貸付等の資金供給を主な業務としている独立行政法人の場合

1.　金融商品の状況に関する事項

⑴　金融商品に対する取組方針

当法人は，貸付事業及び出資事業などの資金供給業務を実施しております。これらの業務を実施するため，財政融資資金及び金融機関からの借入及び財投機関債の発行により資金を調達しております。

⑵　金融商品の内容及びそのリスク

当法人が保有する金融資産は，主として国内の法人ないし個人に対する貸付金であり，貸付先の契約不履行によってもたらされる信用リスクに晒されております。また，有価証券及び投資有価証券は，主に債券，株式であり，満期保有目的及び政策推進目的で保有しております。これらは，それぞれ，発行体の信用リスク及び金利の変動リスク，市場価格の変動リスクに晒されております。

借入金及び財投機関債は，一定の環境の下で当法人が市場を利用できなくなる場合など，支払期日にその支払いを実行できなくなる流動性リスクに晒されております。

⑶　金融商品に係るリスク管理体制

①　信用リスクの管理

当法人は，当法人の債権管理規程及び信用リスクに関する管理諸規程に従い，貸付金について，個別案件ごとの与信審査，与信限度額，信用情報管理，内部格付，保証や担保の設定，問題債権への対応など与信管理に関する体制を整備し運用しております。これらの与信管理は，各事業部のほか審査部により行われ，また，定期的に投融資委員会や理事会を開催し，審議・報告を行っております。更に，与信管理の状況については，監査部がチェックしております。

有価証券の発行体の信用リスクに関しては，リスク管理部において，信用情報や時価の把握を定期的に行うことで管理しております。

②　市場リスクの管理

（ⅰ） 金利リスクの管理

あらかじめ法令または業務方法書等により定められた方法により利率を決定しております。

（ⅱ） 価格変動リスクの管理

各事業で保有している株式は，政策目的で保有しているものであり，出資先の市場環境や財務状況などをモニタリングしております。これらの情報は，リスク管理部を通じ，理事会において定期的に報告されております。

③ 資金調達に係る流動性リスクの管理

当法人は，主務大臣により認可された資金計画に従って，資金調達を行っております。

2. 金融商品の時価等に関する事項

期末日における貸借対照表計上額，時価及びこれらの差額については，次の通りであります。なお，市場価格のない株式等は，次表には含めておりません。また，現金は注記を省略しており，預金，未払金及び短期借入金は短期間で決済されるため時価が帳簿価額に近似することから，注記を省略しております。

（単位：百万円）

	貸借対照表計上額（＊）	時価（＊）	差額
(1) 貸付金	×××		
貸倒引当金	△×××		
	×××	×××	×××
(2) 有価証券及び投資有価証券			
①満期保有目的の債券	×××	×××	×××
②その他有価証券	×××	×××	—
(3) 破産更生債権等	×××	×××	×××
(4) 財投機関債	(×××)	(×××)	×××
(5) 長期借入金	(×××)	(×××)	×××
(6) デリバティブ取引	—	—	—

（＊）負債に計上されているものは，（ ）で示しております。

(注) 市場価格のない株式等は次のとおりです

（単位：百万円）

区分	貸借対照表計上額
非上場株式	×××

3. 金融商品の時価のレベルごとの内訳等に関する事項

金融商品の時価を，時価の算定に用いたインプットの観察可能性及び重要性に応じて，以下の三つのレベルに分類しております。

レベル 1 の時価：同一の資産又は負債の活発な市場における（無調整の）相場価格により算定した時価

レベル 2 の時価：レベル 1 のインプット以外の直接又は間接的に観察可能なインプットを用いて算定した時価

レベル 3 の時価：重要な観察できないインプットを使用して算定した時価

時価の算定に重要な影響を与えるインプットを複数使用している場合には，それらのインプットがそれぞれ属するレベルのうち，時価の算定における優先順位が最も低いレベルに時価を分類しております。

(1)　時価をもって貸借対照表計上額とする金融資産及び金融負債

（単位：百万円）

区分	時価			
	レベル 1	レベル 2	レベル 3	合計
有価証券及び投資有価証券 その他有価証券 国債・地方債等	×××	×××	—	×××

(2)　時価をもって貸借対照表計上額としない金融資産及び金融負債

（単位：百万円）

区分	時価			
	レベル 1	レベル 2	レベル 3	合計
貸付金	—	×××	×××	×××
有価証券及び投資有価証券				
満期保有目的の債券				
国債・地方債等	×××	×××	—	×××
破産更生債権等	—	×××	×××	×××
財投機関債	×××	×××	—	×××
長期借入金	—	×××	—	×××

（注）時価の算定に用いた評価技法及びインプットの説明

貸付金

貸付金については，貸付金の種類及び内部格付，期間に基づく区分ごとに，元利金の合計額を政策金利に信用リスク等を反映させた割引率で割り引いて時価を算定しております。このうち変動金利によるものは，短期間で政策金利を反映するため，貸付先の信用状態が実行後大きく異なっていない場合は時価と帳簿価額が近似していることから，帳簿価額を時価としております。また，貸倒懸念債権については，見積将来キャッシュ・フローの割引現在価値又は担保及び保証による回収見込額を用いた割引現座価値により時価を算定しています。時価に対して観察できないインプットによる影響額が重要な場合はレベル３の時価，そうでない場合はレベル２の時価に分類しております。

有価証券及び投資有価証券

国債，地方債及び社債は相場価格を用いて評価しております。国債は活発な市場で取引されているため，その時価をレベル１の時価に分類しております。一方で，当法人が保有している地方債及び社債は，市場での取引頻度が低く，活発な市場における相場価格とは認められないため，その時価をレベル２の時価に分類しております。

破産更生債権等

破産更生債権等については，担保及び保証による回収見込額等を用いた割引現在価値法により時価を算定しております。時価に対して観察できないインプットによる影響額が重要な場合はレベル３の時価，そうでない場合はレベル２の時価に分類しております。

財投機関債

当法人の発行する財投機関債は，活発な市場における無調整の相場価格を利用できるものはレベル１の時価に分類しております。相場価格を利用できないものについては，元利金の合計額と，当該財投機関債の残存期間及び信用リスクを加味した利率を基に割引現在価値法により時価を算定しており，レベル２の時価に分類しております。

長期借入金

長期借入金の時価は，元利金の合計額と，当該債務の残存期間及び信用リスクを加味した利率を基に，割引現在価値法により算定しており，レベル２の時価に分類しております。なお，変動金利による長期借入金は金利スワップの特例処理の対象とされており（下記「デリバティブ取引」参照），当該金利スワップと一体として処理された元利金の合計額を用いて算定しております。

デリバティブ取引

金利スワップの特例処理によるものは，ヘッジ対象とされている長期借入金と一体として処理されているため，その時価は，当該長期借入金の時価に含めて記載しております（上記「長期借入金」参照）。

3. 賃貸等不動産の時価注記

企業会計においては，国際財務報告基準とのコンバージェンスを図ることに加え，投資情報として一定の意義があることから，賃貸等不動産の時価等について開示を行うこととされています。

他方，独立行政法人においては，その会計が原則として「企業会計原則による」とされていること，及び独立行政法人が保有している賃貸等不動産は国民共通の財産であり，その有効活用を図る観点等から，国民その他の利害関係者に対して時価情報を提供することに一定の意義があると認められることから，独立行政法人会計基準においても賃貸等不動産の時価等について開示を求めることとされました。

注解59第2項では，賃貸等不動産の時価注記が求められていますが，賃貸不動産等の定義，範囲等は示されていません。独立行政法人会計基準に定めのない事項については，原則として企業会計の基準に従うこととされているため，企業会計基準第20号「賃貸等不動産の時価等の開示に関する会計基準」（改正平成23年3月25日 企業会計基準委員会）を参考とし，重要性が乏しい場合を除き，次の事項を注記するものとされています（独法Q&A Q80-7-6）。

独法Q&A Q80-7-6

1　注解59第2項においては，賃貸等不動産に関する具体的な注記内容を定めていない。このため，企業会計基準第20号「賃貸等不動産の時価等の開示に関する会計基準」（改正平成23年3月25日 企業会計基準委員会）を参考とし，重要性が乏しい場合を除き，次の事項を注記する。

また，管理状況等に応じて，注記事項を用途別，地域別等に区分して開示することができる。

(1) 賃貸等不動産の概要

(2) 賃貸等不動産の貸借対照表計上額及び期中における主な変動

(3) 賃貸等不動産の当期末における時価及びその算定方法

(4) 賃貸等不動産に関する収益及び費用等の状況

2 時価を把握することが極めて困難な場合は，時価を注記せず，重要性の乏しいものを除き，その事由，当該賃貸等不動産の概要及び貸借対照表計上額を他の賃貸等不動産とは別に記載する。

3 賃貸等不動産の当期末における時価は，当期末における取得原価から減価償却累計額及び減損損失累計額を控除した金額と比較できるように記載する。

4 なお，注記は，全ての財務諸表にそれぞれ記載することが必要である。

賃貸不動産等の時価注記の記載例を示すと以下の通りとなります。

【記載例】

当法人は，理事長が認めた者の住宅等を確保するため，全国に△△住宅（土地を含む）を有しております。これらの賃貸等不動産の貸借対照表計上額，当期増減額及び時価は次の通りであります。

（単位：百万円）

貸借対照表計上額			当期末の時価
前期末残高	当期増減額	当期末残高	
×××	×××	×××	×××

（注1） 貸借対照表計上額は，取得原価から減価償却累計額及び減損損失累計額を控除した金額であります。

（注2） 当期増減額のうち，主な増減額は次の通りであります。
取得等による増加（○○住宅ほか○箇所） ××百万円
譲渡等による減少（○○住宅ほか○箇所） ××百万円

（注3） 当期末の時価は，主として「不動産鑑定評価基準」に基づいて当法人で算定した金額（指標等を用いて調整を行ったものを含む。）であります。

また，賃貸等不動産に関する平成××年3月期における収益及び費用等の状況は，次の通りであります。

（単位：百万円）

賃貸収益	賃貸費用	その他 （売却損益等）
×××	×××	×××

＊実務上把握することが困難なため，賃貸費用に計上していない費用がある場合には，その旨明記します。

以上のほかに，賃貸等不動産の時価注記に関して独法Q&Aで定める主な論点をまとめると，次の通りになります。

① 賃貸等不動産の定義，範囲

「賃貸等不動産」とは，「棚卸資産に分類されている不動産以外のものであって，賃貸収益またはキャピタル・ゲインの獲得を目的として保有されている不動産（ファイナンス・リース取引の貸手における不動産を除く）をいう」と定義され，第5項において，賃貸等不動産には，(1)貸借対照表において投資不動産（投資の目的で所有する土地，建物その他の不動産）として区分されている不動産，(2)将来の使用が見込まれていない遊休不動産及び(3)上記以外で賃貸されている不動産が含まれると規定されていることから，独立行政法人が保有する不動産のうちこれらの不動産に該当するものは，賃貸等不動産の範囲に含まれることとなる。なお，独立行政法人が保有し，賃貸している不動産の中には，一定の政策目的を遂行するために保有しているものがあり，当該不動産については，賃貸料が近隣の類似不動産と比較して廉価に設定されているものがある。このような政策目的により独立行政法人が賃貸する不動産については，必ずしも賃貸収益またはキャピタル・ゲインの獲得自体を目的として保有されているとは言い難いものの，独立行政法人の資産の有効活用の観点等から，賃貸収益を得ている不動産については，原則として企業会計と同様に時価等の開示を行うことが適当と考えられる（独法Q&A Q80-7-2）。

② 賃貸等不動産の重要性の判断基準

賃貸等不動産についても，その総額に重要性が乏しい場合には，当該賃貸等不動産について法令等に基づき処分等を行うことが予定されている場合等，独立行政法人の公共的性格に基づく質的側面からの重要性が認められる場合を除き，注記を省略することができる。当該賃貸等不動産の総額に重要性が乏しいかどうかは，賃貸等不動産の貸借対照表日における時価を基礎とした金額と当該時価を基礎とした総資産の金額との比較をもって判断することとなる。重要性の判断を行う際に用いる時価を基礎とした金額の把握に当たっては，実勢価格や査定価格などの容易に入手できる評価額や適切に市場価格を反映していると考えられる指標（公示価格，固定資産税評価額，都道府県基準地価格，路線価による相続税評価額）に基づく価額等を用いることができる。また，建物等の償却資産については，適正な帳簿価額をもって時価とみなすことが認められる。

また，帳簿価額の基礎となった価額（独立行政法人設立時の時価評価額または購入価額等）と時価の乖離が，評価時（購入時）からの当該不動産に類似する近隣の不動産価格の推移に鑑みて大きくないと合理的に判断される場合には，重要性の判断に用いる時価を基礎とした金額を帳簿価額と同額とみなすことが可能な場合もあると考えられる（独法 Q&A Q80-7-3）。

③「賃貸等不動産の時価等の開示に関する会計基準の適用指針」において賃貸等不動産の時価を把握することが極めて困難な場合

政策目的を遂行するために独立行政法人が保有している賃貸等不動産の中には，規模，構造，使用方法等の多くの側面において，民間企業には全くみられない特異性を有する資産が存在する。このような賃貸等不動産については，時価を把握することが極めて困難な場合も想定される（独法 Q&A Q80-7-5）。

4．収益認識に関する注記

収益認識に関する注記事項は，重要な会計方針の注記と収益認識に関する注記に区分されます。収益認識に関する注記における開示目的は，顧客との契約から生じる収益及びキャッシュ・フローの性質，金額，時期及び不確実性を国民その他の利害関係者が理解できるようにするための十分な情報を独立行政法人が開示することです。

独法会計基準においては，収益認識に関する具体的な注記内容を定めていません。このため，企業会計基準第29号「収益認識に関する会計基準」（改正令和2年3月31日　企業会計基準委員会）及び企業会計基準適用指針第30号「収益認識に関する会計基準の適用指針」（最終改正令和3年3月26日　企業会計基準委員会）を参考にします。収益認識に関する注記は，次の事項を注記し，全ての財務諸表にそれぞれ記載することが必要です（独法Q&AQ 80-10）。

⑴　収益の分解情報

⑵　収益を理解するための基礎となる情報

⑶　当該事業年度及び翌事業年度以降の収益の金額を理解するための情報

ただし，重要な会計方針として注記している内容は，収益認識に関する注記として記載しないことができます。また，収益認識に関する注記として記載する内容について，財務諸表における他の注記事項に含めて記載している場合には，当該他の注記事項を参照することができます。なお，基準第86における収益に重要性が乏しい場合には，重要な会計方針の注記及び収益認識に関する注記を省略することができます。

収益認識に関する注記を記載するに当たり，どの注記事項にどの程度の重点を置くべきか，また，どの程度詳細に記載するのかを上記の開示目的に照らして判断することになりますが，参考として以下に記載例を示します（独法Q&AQ 80-10）。

【記載例】

当法人は，以下に記載する内容を除き，会計基準第86における収益に重要性が乏しいため，注記を省略しております。

⑴　収益の分解情報

当法人の一定の事業等のまとまりごとの区分は，A事業，B事業及びC事業であり，各事業の主なサービス等の種類は○○委託に係るサービス成果，○○サービス，○○製品であります。上記に係る一定の事業等のまとまりごとの区分における収益は，○○百万円，○○百万円及び○○百万円であります。

⑵　収益を理解するための基礎となる情報
「重要な会計方針に係る事項に関する注記」の「収益及び費用の計上基準」に記載のとおりであります。
⑶　当該事業年度及び翌事業年度以降の収益の金額を理解するための情報
当該事業年度末における残存履行義務に配分された取引価格の総額は，○○百万円であり，当法人は，当該残存履行義務について，履行義務の充足につれて○年から○年までの間で収益を認識することを見込んでいます。

5.　会計上の見積りに関する注記

会計上の見積りに関する注記における開示目的は，当該事業年度の財務諸表に計上した金額が会計上の見積りによるもののうち，翌事業年度の財務諸表に重要な影響を及ぼすリスク（有利となる場合及び不利となる場合の双方が含まれる。）がある項目における会計上の見積りの内容について，国民その他の利害関係者が理解できるようにするための十分な情報を独立行政法人が開示することです。

独法会計基準においては，会計上の見積りの開示に関する具体的な注記内容を定めていません。このため，企業会計基準第31号「会計上の見積りの開示に関する会計基準」（令和2年3月31日　企業会計基準委員会）を参考にします。会計上の見積りに関する注記は，次の事項を注記し，全ての財務諸表にそれぞれ記載することが必要です（独法Q&A Q80-11）。

⑴　会計基準に基づき識別した会計上の見積りの内容を表す項目名
⑵　⑴に掲げる項目に係る当該事業年度の財務諸表に計上した金額
⑶　⑴に掲げる項目に係る会計上の見積りの内容について国民その他の利害関係者の理解に資するその他の情報

なお，上記⑶にある「その他の情報」は，例えば，次のようなものが考えられます。

①　当該事業年度の財務諸表に計上した金額の算出方法

② 当該事業年度の財務諸表に計上した金額の算出に用いた主要な仮定
③ 翌事業年度の財務諸表に与える影響

会計上の見積りの開示を行うに当たり，まずは当該事業年度の財務諸表に計上した金額が会計上の見積りによるもののうち，翌事業年度の財務諸表に重要な影響を及ぼすリスクがある項目を識別します。識別する項目は，通常，当該事業年度の財務諸表に計上した資産及び負債です。なお，翌事業年度の財務諸表に重要な影響を及ぼすリスクがある場合には，当該事業年度の財務諸表に計上した行政コスト，収益及び費用，並びに会計上の見積りの結果，当該事業年度の財務諸表に計上しないこととした負債を識別することを妨げません。また，注記において開示する金額を算出するに当たって見積りを行ったものについても，翌事業年度の財務諸表に重要な影響を及ぼすリスクがある場合には，これを識別することを妨げません。

翌事業年度の財務諸表に与える影響を検討するに当たっては，影響の金額的大きさ及びその発生可能性を総合的に勘案して判断します。なお，直近の市場価格により時価評価する資産及び負債の市場価格の変動は，項目を識別する際に考慮しません。

上記(2)及び(3)の事項の具体的な内容や記載方法（定量的情報若しくは定性的情報又はこれらの組合せ）については，上記の開示目的に照らして判断します。また，上記(2)及び(3)の事項について，会計上の見積りの開示以外の注記に含めて財務諸表に記載している場合には，会計上の見積りに関する注記を記載するに当たり，当該他の注記事項を参照することにより当該事項の記載に代えることができます。なお，企業会計基準第31号「会計上の見積りの開示に関する会計基準」（令和2年3月31日　企業会計基準委員会）第8項において具体的に例示された事項であったとしても，会計上の見積りの開示に関する注記事項が，独立行政法人等の保有する情報の公開に関する法律（平成13年法律第140号）における不開示情報に相当する場合等，各法人の実情を踏まえ，財務諸表において当該事項の注記を要しないと合理的に判断される場合には，注記しないことも認められます。

6. セグメント情報注記

注解39第1項において,「独立行政法人は,業績評価のための情報提供等による国民,主務大臣その他の利害関係者に対する説明責任を果たす観点から,中期目標等における一定の事業等のまとまりごとの区分に基づくセグメントに係る財務情報を開示することが求められる。」とされています。また,独立行政法人の財務報告は,その利用者による法人の業務の遂行状況に関する適確な把握を可能にするとともに,法人の業績に関する適正な評価に資するものでなければならない(「独立行政法人会計基準の設定について」参照)とされており,そこに盛り込まれた財務情報を一つの重要な判断材料として,主務大臣は各事業年度及び中期目標・中長期目標の期間における法人の業務の実績を評価し,中期目標期間・中長期目標期間の終了時に組織及び業務の全般にわたる検討が行われることになるものと考えられます(通則法第32条,第35条,第35条の6。第35条の7及び第35条の11参照)。

このような観点にたって,各法人は「当該法人の中期目標等における一定の事業等のまとまりごとの区分に基づくセグメント情報」(基準第43第1項)を開示しなければなりません。基準第43で定めるセグメント情報注記に関する規定は以下の通りになります。

第43　セグメント情報の開示

1　独立行政法人における開示すべきセグメント情報は,当該法人の中期目標等における一定の事業等のまとまりごとの区分に基づくセグメント情報とする。
2　開示すべき情報は,行政コスト,「第62注記事項」の独立行政法人の業務運営に関して国民の負担に帰せられるコスト,事業収益,事業損益,総損益及び当該セグメントに属する総資産額とする。(注39)

<注39>セグメント情報の開示について
1　独立行政法人は,業績評価のための情報提供等による国民,主務大臣その他の利害関係者に対する説明責任を果たす観点から,中期目標等における一定の事業等のまとまりごとの区分に基づくセグメントに係る財務情報を開示するこ

とが求められる。

なお，中期目標等における一定の事業等のまとまりは，「独立行政法人の目標の策定に関する指針」（平成26年9月2日　総務大臣決定）において，「法人の内部管理の観点や財務会計との整合性を確保した上で，少なくとも，目標及び評価において一貫した管理責任を徹底し得る単位」とされている。具体的には，主要な事業ごとの単位，施設単位，事業部単位，目標に対応したプログラム単位等で設定される。

2　このため，開示すべき情報についても，主要な資産項目，主要な費用及び収益（国又は地方公共団体による財源措置等を含む。）の内訳を積極的に開示する必要がある。

3　セグメント情報について，中期目標等における一定の事業等のまとまりごとの情報のほか，施設の機能別セグメント情報，研究分野別セグメント情報など，各法人において適切と考えられるセグメント情報を追加で開示することを妨げない。

セグメント情報として，主要な資産項目，主要な事業費用，主要な事業収益（国または地方公共団体による財源措置等を含む）の内訳を積極開示することが少なくとも求められています。

セグメント情報の作成にあたっては，以上の点を踏まえつつ各独立行政法人の判断により必要と認められる情報を開示することになります。独法Q&A Q79-2では，以下の記載例及び記載上の留意事項が示されています。

【記載例】

	A事業	B事業	…	計	法人共通	合計
Ⅰ　行政コスト						
損益計算書上の費用合計	××	××	××	××	××	××
その他行政コスト						
減価償却相当額	××	××	××	××	××	××
減損損失相当額	××	××	××	××	××	××
利息費用相当額	××	××	××	××	××	××
承継資産に係る費用相当額	××	××	××	××	××	××
除売却差額相当額	××	××	××	××	××	××
その他行政コスト合計	××	××	××	××	××	××

	行政コスト	××	××	××	××	××	××
Ⅱ	独立行政法人の業務運営に関して国民の負担に帰せられるコスト	××	××	××	××	××	××
Ⅲ	事業費用，事業収益及び事業損益						
	事業費用	××	××	××	××	—	××
	××業務費	××	××	××	××	—	××
	△△業務費	××	××	××	××	—	××
	…	××	××	××	××	—	××
	…	××	××	××	××	—	××
	その他	××	××	××	××	—	××
	一般管理費	××	××	××	××	××	××
	財務費用	××	××	××	××	××	××
	雑損	××	××	××	××	××	××
	計	××	××	××	××	××	××
	事業収益						
	運営費交付金収益	××	××	××	××	××	××
	△△収入	××	××	××	××	××	××
	…	××	××	××	××	××	××
	…	××	××	××	××	××	××
	その他	××	××	××	××	××	××
	計	××	××	××	××	××	××
	事業損益	××	××	××	××	××	××
Ⅳ	臨時損益等						
	臨時損失						
	…	××	××	××	××	××	××
	計	××	××	××	××	××	××
	臨時利益						
	…	××	××	××	××	××	××
	計	××	××	××	××	××	××
	税引前当期純損益	××	××	××	××	××	××
	法人税等	××	××	××	××	××	××
	当期純損益	××	××	××	××	××	××
	目的積立金取崩額	××	××	××	××	××	××
	当期総損益	××	××	××	××	××	××

Ⅴ　総資産						
土地	××	××	××	××	××	××
建物	××	××	××	××	××	××
構築物	××	××	××	××	××	××
…	××	××	××	××	××	××
その他	××	××	××	××	××	××
計	××	××	××	××	××	××

（記載上の留意事項）

① 事業費用は各セグメントの事業実施により発生した事業費用合計とし，主要な事業費用の内訳を開示する。

② 事業収益は各セグメントの事業実施により発生した事業収益合計とし，主要な事業収益（国又は地方公共団体による財源措置等を含む。）の内訳を開示する。

③ 事業損益は事業収益と事業費用の差額を記載するものとする。事業損益の合計は損益計算書の経常損益と一致する。

④ 事業の種類の区分方法及び事業の内容を脚注する。

⑤ 総資産は各セグメントの事業実施に必要となる資産の額を記載し，主要な資産項目の内訳を開示する。

⑥ 費用及び収益等のうち各セグメントに配賦しなかったものは，配賦不能費用及び配賦不能収益等として法人共通の欄に記載し，その金額及び主な内容を脚注する。

⑦ 総資産のうち各セグメントに配賦しなかったものは，法人共通の欄に記載し，その金額及び主な内容を脚注する。

⑧ 目的積立金を財源とする事業費用が含まれている場合は，その旨，金額を脚注する。

⑨ セグメント情報の記載に当たっては，記載対象セグメント，事業費用等の配分方法，資産の配分方法等について継続性が維持されるよう配慮する。

なお，記載対象セグメント，事業費用等の配分方法，資産の配分方法等を変更した場合には，その旨，変更の理由及び当該変更がセグメント情報に与えている影響を記載する。ただし，セグメント情報に与える影響が軽微な場合には，これを省略することができる。

なお，注解39第3項に基づき，追加的セグメント情報を開示する場合，当該セグメント情報は，会計基準第43第1項にいう一定の事業等のまとまりごとの区分に基づくセグメント情報とは異なる。そのため，開示する情報は会計基準第43第2項によらないことから，会計基準第43第2項を参考にしつつ，各法人が判断することになる。ただし，国民その他の利害関係者に対して，より有用な情報を提供する観点から，行政コスト，事業費用，事業収益，事業損益，総損益及び総資産は少なくとも開示する必要がある。

このほかに，セグメント情報注記に関する独法Q&Aで定める主な規定をまとめると次の通りになります。

①　一定の事業等のまとまりごとの区分の考え方

会計基準は，目標設定・評価における参考情報としての財務情報の有用性を担保する観点から，中期目標，中長期目標及び年度目標における事業等のまとまりごとの区分に基づくセグメント情報と一体として，目標・評価単位と整合したセグメント情報を開示させることを求めています。そのため，開示するセグメント情報は，事業等のまとまりごとの区分に基づく情報であり，目標の単位を集約した単位に基づく情報とすることは認められません。

なお，法人が，国民等への情報提供に資するとの判断から，事業等のまとまりをさらに細分化したセグメント情報を追加的に開示することは妨げられません（独法 Q&A Q43-1）。

会計基準第 43 第 1 項に規定されている通り，独立行政法人が開示すべきセグメント情報は，一定の事業等のまとまりごとの区分に基づく情報となります。

一定の事業等のまとまりごとの区分と，主務省令等により区分経理が要請されている単位は，一般的に整合するものと考えられるが，一致しない場合の各経理単位の情報は，注解 39 第 3 項に規定されている追加的セグメント情報として整理します（独法 Q&A Q43-2）。

②　セグメント情報における一般管理費及び機会費用の取扱い

セグメント情報作成にあたっては，損益計算書における経常費用を合理的な基準により各セグメントへ配賦することが求められます。しかし，経常費用のうち一般管理費については，管理部門における費用を主たる内容とすることが想定されることから，一般管理費に区分される全ての費用を各セグメントへ配賦することが困難な状況が考えられます。このような場合には，各セグメントへ配賦不能な一般管理費は配賦不能費用として法人共通の欄に記載します。

また，同様に，独立行政法人の業務運営に関して国民の負担に帰せられるコストのうち機会費用についても各セグメントに配賦することが原則となりますが，機会費用のうち，政府出資又は地方公共団体出資等の機会費用については，各セグメントへの出資額等不明確な場合も多いと考えられます。このような場合には，配賦不能なコストとして法人共通の欄に記載することとなります（独法 Q&A Q79-3）。

第3節　附属明細書

附属明細書の様式は，独法 Q&A Q79-1 及び Q105-3 で以下の通りに定められています。

1．固定資産の取得，処分，減価償却費（「第87 特定の資産に係る費用相当額の会計処理」及び「第91 資産除去債務に係る特定の除去費用等の会計処理」による減価償却相当額も含む。）及び減損損失累計額の明細

資産の種類		期首残高	当期増加額	当期減少額	期末残高	減価償却累計額		減損損失累計額		差引当期末残高	摘要
							当期償却額		当期減損額		
有形固定資産（減価償却費）	建　物										
	構築物										
	…										
	計										
有形固定資産（減価償却相当額）	建　物										
	構築物										
	…										
	計										
非償却資産	土　地										
有形固定資産合計	建　物										
	構築物										
	…										
	計										
	特許権										

<table>
<tr><td rowspan="3">無形
固定資産</td><td>借地権</td><td></td><td></td><td></td><td></td><td></td><td></td><td></td><td></td><td></td><td></td><td></td></tr>
<tr><td>…</td><td></td><td></td><td></td><td></td><td></td><td></td><td></td><td></td><td></td><td></td><td></td></tr>
<tr><td>計</td><td></td><td></td><td></td><td></td><td></td><td></td><td></td><td></td><td></td><td></td><td></td></tr>
<tr><td rowspan="3">投資その
他の資産</td><td>…</td><td></td><td></td><td></td><td></td><td></td><td></td><td></td><td></td><td></td><td></td><td></td></tr>
<tr><td>…</td><td></td><td></td><td></td><td></td><td></td><td></td><td></td><td></td><td></td><td></td><td></td></tr>
<tr><td>計</td><td></td><td></td><td></td><td></td><td></td><td></td><td></td><td></td><td></td><td></td><td></td></tr>
</table>

（記載上の注意）

① 有形固定資産（基準第11に掲げられている資産），無形固定資産（基準第12に掲げられている資産），投資その他の資産（基準第13に掲げられている資産）について記載すること。

② 減価償却費が費用に計上される有形固定資産と，基準第87第1項及び第91の規定により減価償却相当額がその他行政コストに計上される有形固定資産各々について記載すること。

③ 「無形固定資産」，「投資その他の資産」についても，基準第87第1項及び第2項の規定により減価償却相当額及び費用相当額がその他行政コストに計上されるものがある場合には，「有形固定資産」に準じた様式により記載すること。

④ 「有形固定資産」，「無形固定資産」，「投資その他の資産」の欄は，貸借対照表に掲げられている科目の区別により記載すること。

⑤ 「期首残高」，「当期増加額」，「当期減少額」，及び「期末残高」の欄は，当該資産の取得原価によって記載すること。

⑥ 「減価償却累計額」の欄には，減価償却費を損益計算書に計上する有形固定資産にあっては減価償却費の累計額を，基準第87第1項に定める特定の償却資産及び第91に定める特定の除去費用等に係る償却資産にあっては減価償却に相当する額の累計額を，無形固定資産及び投資その他の資産にあっては償却累計額を記載すること。

⑦ 期末残高から減価償却累計額及び減損損失累計額を控除した残高を，「差引当期末残高」の欄に記載すること。

⑧ 災害による廃棄，滅失等の特殊な理由による増減があった場合，または同一の種類のものについて貸借対照表の総資産の1%を超える額の増加若しくは減少があった場合（ただし，建設仮勘定の減少のうち各資産科目への振替によるものは除く。）は，その理由及び設備等の具体的な金額を脚注する。

2. 棚卸資産の明細

<table>
<tr><td rowspan="2">種　類</td><td rowspan="2">期首残高</td><td colspan="2">当期増加額</td><td colspan="2">当期減少額</td><td rowspan="2">期末残高</td><td rowspan="2">摘　要</td></tr>
<tr><td>当期購入・
製造・振替</td><td>その他</td><td>払出・振替</td><td>その他</td></tr>
<tr><td></td><td></td><td></td><td></td><td></td><td></td><td></td><td></td></tr>
<tr><td></td><td></td><td></td><td></td><td></td><td></td><td></td><td></td></tr>
<tr><td></td><td></td><td></td><td></td><td></td><td></td><td></td><td></td></tr>
<tr><td></td><td></td><td></td><td></td><td></td><td></td><td></td><td></td></tr>
</table>

計							

(記載上の注意)

① 基準第9(5)から(10)に掲げられている棚卸資産を対象として，棚卸資産の種類ごとに記載する。

② 「当期増加額」の欄のうち，「その他」の欄には，当期購入・製造または他勘定からの振替以外の理由による棚卸資産の増加額を記載し，増加の理由を注記すること。

③ 「当期減少額」の欄のうち，「その他」の欄には，棚卸資産の売却・利用による払出または他勘定への振替以外の理由による棚卸資産の減少額を記載し，減少の理由を注記すること。

④ 販売用不動産については，別表として記載すること。

3. 有価証券の明細

(1) 流動資産として計上された有価証券

<table>
<tr><td rowspan="3">売買目的
有価証券</td><td>銘　柄</td><td>取得価額</td><td>時　価</td><td>貸借対照
表計上額</td><td>当期損益に
含まれた
評価損益</td><td>摘　　要</td></tr>
<tr><td></td><td></td><td></td><td></td><td></td><td></td></tr>
<tr><td>計</td><td></td><td></td><td></td><td></td><td></td></tr>
<tr><td rowspan="3">満期保有
目的債券</td><td>種類及び
銘　柄</td><td>取得価額</td><td>券面総額</td><td>貸借対照
表計上額</td><td>当期費用に
含まれた
評価差額</td><td>摘　　要</td></tr>
<tr><td></td><td></td><td></td><td></td><td></td><td></td></tr>
<tr><td>計</td><td></td><td></td><td></td><td></td><td></td></tr>
<tr><td>貸借対照表
計上額合計</td><td></td><td></td><td></td><td></td><td></td><td></td></tr>
</table>

(2) 投資その他の資産として計上された有価証券

<table>
<tr><td rowspan="3">満期保有
目的債券</td><td>種類及び
銘　柄</td><td>取得価額</td><td>券面総額</td><td>貸借対照
表計上額</td><td>当期費用に
含まれた
評価差額</td><td colspan="2">摘　　要</td></tr>
<tr><td></td><td></td><td></td><td></td><td></td><td colspan="2"></td></tr>
<tr><td>計</td><td></td><td></td><td></td><td></td><td colspan="2"></td></tr>
<tr><td rowspan="3">関係会社
株式</td><td>銘　柄</td><td>取得価額</td><td>出資先持分額</td><td>貸借対照
表計上額</td><td>当期損益に
含まれた
評価差額</td><td>関係会社
株式評価
差額金</td><td>摘要</td></tr>
<tr><td></td><td></td><td></td><td></td><td></td><td colspan="2"></td></tr>
<tr><td>計</td><td></td><td></td><td></td><td></td><td colspan="2"></td></tr>
<tr><td rowspan="3">その他
有価証券</td><td>種類及び
銘　柄</td><td>取得価額</td><td>時価</td><td>貸借対照
表計上額</td><td>当期費用に
含まれた
評価差額</td><td>その他
有価証券
評価差額</td><td>摘要</td></tr>
<tr><td></td><td></td><td></td><td></td><td></td><td></td><td></td></tr>
<tr><td>計</td><td></td><td></td><td></td><td></td><td></td><td></td></tr>
<tr><td>貸借対照表
計上額合計</td><td></td><td></td><td></td><td></td><td></td><td colspan="2"></td></tr>
</table>

（記載上の注意）

① 基準第27に定める有価証券で貸借対照表に計上されているものについて記載すること。

② 流動資産に計上した有価証券と投資その他の資産に計上した有価証券を区分し，売買目的有価証券，満期保有目的債券，関係会社株式及びその他有価証券に区分して記載すること。

③ 為替差損益については，当期費用に含まれた評価差額の欄に（　）内書で記載すること。

④ その他有価証券の「当期費用に含まれた評価差額」の欄には，基準第27第3項により評価減を行った場合の評価差額を記載すること。

4.　長期貸付金の明細

区　　分	期首残高	当期増加額	当期減少額		期末残高	摘　要
			回収額	償却額		
関係会社長期貸付金						
その他の長期貸付金						
○○貸付金						
××貸付金						
計						

（記載上の注意）

① 長期貸付金の「区分」欄は，関係会社長期貸付金とその他の貸付金に区分し，さらに，その他の長期貸付金については，適切な種別等に区分して記載すること。

② 長期貸付金について当期減少額がある場合には，その原因の概要を「摘要」欄に記載すること。

5.　長期借入金の明細

区　分	期首残高	当期増加	当期減少	期末残高	平均利率（%）	返済期限	摘　要
計							

（記載上の注意）

① 基準第16(5)に定める長期借入金について記載すること。

②「平均利率」の欄は，加重平均利率を記載すること。

6.　（何）債券の明細

銘　柄	期首残高	当期増加	当期減少	期末残高	利率(%)	償還期限	摘　要
計							

（記載上の注意）

当該独立行政法人の発行している債券（当該事業年度中に償還済となったものを含む）について記載すること。

7. 引当金の明細

区　分	期首残高	当期増加額	当期減少額		期末残高	摘　要
			目的使用	その他		
計						

（記載上の注意）

① 前期末及び当期末貸借対照表に計上されている引当金（貸倒引当金，退職給付引当金及び法令に基づく引当金等を除く。）について，各引当金の設定目的ごとの科目区分により記載すること。

②「当期減少額」の欄のうち「目的使用」の欄には，各引当金の設定目的である支出または事実の発生があったことによる取崩額を記載すること。

③「当期減少額」のうち「その他」の欄には，目的使用以外の理由による減少額を記載し，減少の理由を「摘要」欄に記載すること。

8. 貸付金等に対する貸倒引当金の明細

区　分	貸付金等の残高			貸倒引当金の残高			摘要
	期首残高	当期増減額	期末残高	期首残高	当期増減額	期末残高	
○○貸付金							
一般債権							
貸倒懸念債権							
破産更生債権等							
○○割賦元金							
一般債権							
貸倒懸念債権							
破産更生債権等							
……							
計							

（記載上の注意）

①「区分」欄は，貸借対照表に計上した資産の科目ごとに区分し，更に，当該科目ごとに，基準第29に定める「一般債権」，「貸倒懸念債権」及び「破産更生債権等」の3つに区分して記載すること。

② 各々の貸倒見積高の算定方法を「摘要」欄に記載すること。

9.　退職給付引当金の明細

区　分		期首残高	当期増加額	当期減少額	期末残高	摘要
退職給付債務合計額						
	退職一時金に係る債務					
	確定給付企業年金等に係る債務					
	整理資源負担金に係る債務					
	恩給負担金に係る債務					
未認識過去勤務費用及び未認識数理計算上の差異						
年金資産						
退職給付引当金						

（記載上の注意）

①　基準第16(7)定める退職給付に係る引当金について記載すること。

②　退職給付債務については，基準第38に定める「退職一時金に係る部分」，「確定給付企業年金等に係る部分」，「整理資源負担金に係る部分」及び「恩給負担金に係る部分」の4つに区分して記載すること。

10.　資産除去債務の明細

区　　分	期首残高	当期増加額	当期減少額	期末残高	摘　　要
計					

（記載上の注意）

①　貸借対照表に計上されている資産除去債務について，当該資産除去債務に係る法的規制等の種類ごとの区分により記載すること。

②　資産除去債務に対応する除去費用等について基準第91特定の有無を「摘要」欄に記載すること。

11．法令に基づく引当金等の明細

区　分	期首残高	当期増加額	当期減少額	期末残高	摘　要
計					

（記載上の注意）

① 前期末及び当期末貸借対照表に計上されている各引当金等の科目の区分により記載すること。

② 根拠となった法令並びに引当金等の引当て及び取崩しの基準を「摘要」欄に記載すること。

12．保証債務の明細

12-1　保証債務の明細

区　分	期首残高		当期増加		当期減少		期末残高		保証料収益
	件数	金額	件数	金額	件数	金額	件数	金額	金額

（記載上の注意）

本表は，債務の保証業務を行う全ての独立行政法人が記載すること。

12-2　保証債務と保証債務損失引当金との関係の明細

区　分	保証債務の残高			保証債務損失引当金の残高			摘　要
	期首残高	当期増減額	期末残高	期首残高	当期増減額	期末残高	
計							

（記載上の注意）

① 本表は，債務の保証業務を主たる業務として行う独立行政法人であって，基準第93により，保証債務見返の科目を計上する法人において作成すること。なお，これ以外の法人にあっては，保証債務損失引当金の明細は，「8 引当金の明細」に記載すること。

② 本表は，「9 貸付金等に対する貸倒引当金の明細」に準じて作成すること。

13. 資本金及び資本剰余金の明細

区　分	期首残高	当期増加額	当期減少額	期末残高	摘　要
施設費					
運営費交付金					
補助金等					
寄附金等					
目的積立金					
減資差益					
国庫納付差額					
計					

（記載上の注意）
① 発生源泉の区分に分けて記載すること。
② 当期増加額又は当期減少額がある場合には，その発生の原因の概要を「摘要」欄に記載すること。

14. 運営費交付金債務及び当期振替額等の明細

(1) 運営費交付金債務及び運営費交付金収益は多くの独立行政法人において金額的に非常に重要な項目と言えるばかりでなく，国から受領することから判断して質的にも重要な項目と考えられる。

(2) 運営費交付金は補助金とは異なり，国が事前に使途を特定しないという意味でのいわば渡し切りの交付金であることから，独立行政法人は，運営費交付金をどのように使用したかを説明する責任を有しており，通則法では，独立行政法人は，運営費交付金について，国民から徴収された税金その他の貴重な財源で賄われることに留意し，中期計画に従って適切かつ効率的に使用しなければならない，とされている（通則法第46条第2項）。

(3) 運営費交付金は受入時に全て負債として認識されるが，その後の振替処理は運営費交付金収益のみならず，固定資産取得原資とされた場合の他の負債等への振替処理もあるように，複数の項目への振替処理が行われることになる。

(4) また，運営費交付金収益への振替処理は「業務の進行に応じて収益化」

されるため，運営費交付金が収受された年度に必ずしも収益化されるわけではなく，複数年度にわたることも考えられる。

(5) さらに，法令等，中間計画等又は年度計画に照らして客観的に財源が措置されていると明らかに見込まれる引当金に見合う将来の収入について計上された引当金見返については，引当金の取崩時に当該引当金見返とそれに見合う運営費交付金を相殺することになる。

(6) 運営費交付金債務及び当期振替額等の明細は，以上のような項目の重要性とその処理の多様性から要請されている訳であるが，このため明細書の作成に当たっては多様な処理の内容について記述することが要請されることとなる。

(7) 具体的には次の内容が明細書に開示されることが必要と考える。

・運営費交付金債務の期首残高
・運営費交付金の当期交付額
・運営費交付金債務の当期振替額
・引当金見返との相殺額及びその内訳
・運営費交付金収益への振替額及びその内訳
・資産見返運営費交付金への振替額及びその内訳
・資本剰余金への振替額及びその内訳
・運営費交付金の主な使途
・運営費交付金債務の期末残高及び使用見込み

(8) なお，運営費交付金が交付されない独立行政法人においては，当該明細の作成は必要ない。

《運営費交付金債務及び当期振替額等の明細（様式及び記載例）》

(1) 運営費交付金債務の増減の明細

期首残高	当期交付額	当期振替額				引当金見返との相殺額	期末残高
		運営費交付金収益	資産見返運営費交付金	資本剰余金	小計		
5,000	10,000	5,950	550	0	6,500	1,000	7,500

(2) 運営費交付金債務の当期振替額及び主な使途の明細

①　運営費交付金収益への振替額及び主な使途の明細

<table>
<tr><th colspan="2" rowspan="2">区　　分</th><th rowspan="2">運営費
交付金収益</th><th colspan="2">運営費交付金の主な使途</th></tr>
<tr><th>費用</th><th>主な使途</th></tr>
<tr><td rowspan="3">業務達成基準による振替額</td><td>A 事業</td><td>2,600</td><td>2,500</td><td>人件費：500，○○費：300，
△△費：200，その他：1,500</td></tr>
<tr><td>B 事業</td><td>1,100</td><td>1,000</td><td>人件費：200，○○費：100，
△△費：50，その他：650</td></tr>
<tr><td>C 事業</td><td>550</td><td>500</td><td>人件費：100，○○費：100，
△△費：70，その他：230</td></tr>
<tr><td colspan="2">期間進行基準による振替額</td><td>1,150</td><td>990</td><td>人件費：400，○○費：300，
△△費：100，その他：190</td></tr>
<tr><td colspan="2">費用進行基準による振替額</td><td>550</td><td>550</td><td>人件費：50，○○費：200，
△△費：200，その他：100</td></tr>
<tr><td colspan="2">会計基準第 81 第 4 項による振替額</td><td>0</td><td>—</td><td></td></tr>
<tr><td colspan="2">合計</td><td>5,950</td><td>5,540</td><td></td></tr>
</table>

（記載上の注意）

①「業務達成基準による振替額」の区分は，セグメントごとに記載すること。ただし，それよりも細かい，例えば収益化単位の業務を記載することを妨げるものではない。

②「主な使途」には，人件費が含まれている場合には，人件費は金額の多寡によらず記載すること。人件費以外の使途については，法人の判断で記載すること。ただし，「人件費」と「その他」のみの記載は許容されない。開示した「主な使途」の合計額は，「費用」欄の金額と整合させること。

③　会計基準第 81 第 4 項による振替額の欄は，中期目標期間の最終年度以外は設けないことができる。

④　Q81-11 に基づくリース取引に係る運営費交付金の収益化額のうち，管理部門に係るリース取引については「期間進行基準による振替額」欄に記載し，管理部門に係るリース取引以外のリース取引については「業務達成基準による振替額」欄に記載する。

⑤　運営費交付金の主な使途には，引当金見返に係る収益に見合う費用は含めない。

② 資産見返運営費交付金及び資本剰余金への振替額並びに主な使途の明細

セグメント	資産見返運営費交付金への振替		資本剰余金への振替	
	振替額	主な使途	振替額	主な使途
A 事業	130	業務用器具備品：80 ○○建物間仕切り工事：30 その他：20	0	
B 事業	0		0	
C 事業	0		0	
共通	420	△△建物：420	0	
合計	550		0	

(3) 引当金見返との相殺額の明細

セグメント	引当金見返との相殺	
	相殺額	主な相殺額の内訳
A 事業	700	賞与引当金見返 400 退職給付引当金見返 200 △△引当金見返 100
B 事業	0	
C 事業	0	
共通	300	賞与引当金見返 100 退職給付引当金見返 200
合計	1,000	

(4) 運営費交付金債務残高の明細

運営費交付金債務残高		使用見込み
業務達成基準を採用した業務に係る分	6,500	・翌事業年度に繰り越した運営費交付金債務残高と使用見込みは以下の通りである。 A事業のXプロジェクトが，プロジェクトの見直しのため，翌事業年度以降に再度実施することとされたことから，翌事業年度に3,500収益化予定。 B事業のY計画が，…翌事業年度に2,000収益化予定。 C事業のZ計画が，…翌事業年度に1,000収益化予定。 いずれも翌事業年度に使用する見込みである。
費用進行基準を採用した業務に係る分	500	・費用進行基準を採用した業務は，期中に震災対応のために突発的に発生した○○業務である。 ・繰り越した運営費交付金債務残高については，翌事業年度において収益化する予定である。
配分留保額	500	・法人運営上の不測の事態に備えるため留保している額：300 ・単年度で業務完了するとみなした上で会計処理を行っている△△業務の一部について，資材調達業者の倒産により当事業年度に実施できなかったため，新たな業者を選定した上で翌事業年度に実施するため留保している額：150 ・運営費交付金配分額を超過して配分留保額から支出した額：50 当該超過支出額については，資金的裏付けがないため，会計基準第81第4項により，中期目標期間の最後の事業年度において収益化する予定である。
計	7,500	

(記載上の注意)

「使用見込み」には，債務残高の今後の使用見込みを具体的に記載するとともに，繰越事由を具体的に記載すること。

また，Q81-33で配分留保額は，「配分留保額」の欄に，債務残高の今後の使用見込みについて，Q81-33A3，5及び8で示した繰越事由ごとに金額とその必要性を具体的に記載すること。

15. 運営費交付金以外の国等からの財源措置の明細

15-1 施設費の明細

区　分	当期交付額	左の会計処理内訳			摘　要
		建設仮勘定見返施設費	資本剰余金	その他	
計					

（記載上の注意）

① 当期交付額は，補助金等の額の確定が行われた額を記載すること（精算による国庫へ返還する金額を含まず，出納整理期間に精算交付される予定の額を含む。）。

② 「区分」欄は，補助金等の交付決定の区分ごとにその名称を記載すること。

15-2 補助金等の明細

区　分	当期交付額	左の会計処理内訳					摘　要
		建設仮勘定補助金等	資産見返補助金等	資本剰余金	長期預り補助金等	収益計上	
計							

（記載上の注意）

① 当期交付額は，補助金等の額の確定が行われた額を記載すること（精算による国庫へ返還する金額を含まず，出納整理期間に精算交付される予定の額を含む。）。

② 「区分」欄は，補助金等の交付決定の区分ごとにその名称を記載すること。

③ 引当金見返との相殺については，「運営費交付金債務及び当期振替額等の明細」を参考に記載すること。

15-3 長期預り補助金等の明細

区　分	期首残高	当期増加額	当期減少額	期末残高	摘　要
計					

（記載上の注意）

① 当期増加額は，「18-2 補助金等の明細」の長期預り補助金等の額と一致する。
② 「区分」欄は，補助金等の交付決定の区分ごとにその名称を記載すること。
③ 「摘要」欄には，当期減少額の内訳（長期預り補助金等を使用した経費の内訳）を記載すること。

16. 役員及び職員の給与の明細

(1) 独立行政法人においては，通則法第30条第2項第3号，第35条の5第2項第3号又は第35条の10第3項第3号において人件費の見積りを定めることが求められるとともに，同第50条の2，第50条の10，第50条の11，第52条又は第57条においてそれぞれ役員等の報酬及び職員の給与に関する規定が設けられている。

(2) したがって，具体的には次の内容が明細書に開示されることが必要と考える。

・法人の長，個別法に定める通則法第18条第2項の役員及び監事に対する支給報酬額（退職手当が支給されている場合には退職手当も含む）及び支給人員数

・職員に対する支給給与額（退職手当が支給されている場合には退職手当も含む）及び支給人員数

・通則法第50条の2，第50条の11又は第52条により主務大臣に届け出られている役員に対する報酬等の支給の基準についての概要

・通則法第57条により主務大臣に届け出られている職員に対する給与の支給の基準または第63条により主務大臣に届け出られている職員に対する給与及び退職手当の支給の基準についての概要

(3) 独立行政法人の役員の報酬等及び職員の給与の水準について，主務大臣が総務大臣の定める様式に則って公表する事項についても，明細書に併せて公表することとする。

役員及び職員の給与の明細書

（単位：千円，人）

区分	報酬または給与		退職手当	
	支給額	支給人員	支給額	支給人員
役員	（　）	（　）	（　）	（　）
職員	（　）	（　）	（　）	（　）
合計	（　）	（　）	（　）	（　）

（記載上の注意）

① 役員に対する報酬等の支給の基準の概要（例：役員の報酬月額，退職手当の計算方法）並びに職員に対する給与及び退職手当の支給の基準の概要（例：一般職国家公務員に準拠，退職手当の計算方法）を脚注すること（行政執行法人にあっては職員に対する退職手当の支給の基準についての概要の記載は要しない)。

② 役員について期末現在の人数と上表の支給人員とが相違する場合には，その旨を脚注すること。

③ 支給人員数は，年間平均支給人員数によることとし，その旨を脚注すること。

④ 非常勤の役員または職員がいる場合は，外数として（　）で記載することとし，その旨を脚注すること。

⑤ 支給額，支給人員の単位は千円，人とすること。

⑥ 中期計画において損益計算書と異なる範囲で予算上の人件費が定められている場合は，その旨及び差異の内容を脚注すること。

17．科学研究費補助金の明細

種目	当期受入れ	件数	摘要
	（　）		
	（　）		
	（　）		
合計	（　）		

（記載上の注意）

① 本明細は，文部科学省又は独立行政法人日本学術振興会から交付される科学研究費補助金及び以下の条件を満たすもの及びこれと同等のもの（以下「科学研究費補助金等」という。）を記載対象とする。

（ア）「補助金等に係る予算の執行の適正化に関する法律」が適用されること。

（イ） 補助事業者が個人又はグループであること。

（ウ） 補助事業者が公募により決定されること。

（エ）　補助事業者の属する機関等により経理を行うことが義務付けられていること。
②　当該年度において受け入れた科学研究費補助金等の明細を記載すること。
③　種目は，科学研究費補助金等の研究種目等に従い記載すること。
④　間接経費相当額を記載し，直接経費相当額については，外数として（　）内に記載すること。

18.　特定関連会社，関連会社及び関連公益法人等の情報

一般正味財産増減の部										指定正味財産増減の部							正味財産期末残高
収益	収益の内訳		費用	費用の内訳			当期増減額	一般正味財産期首残高	一般正味財産期末残高	収益	収益の内訳		費用等	当期増減額	指定正味財産期首残高	指定正味財産期末残高	
	受取補助金等	その他の収益		事業費	管理費	その他の費用					受取補助金等	その他の収益					
A			B				C=A−B	D	E=C+D	F			G	H=F−G	I	J=H+I	K=E+J

19.　上記以外の主な資産，負債，費用及び収益の明細

⑴　会計基準では，附属明細書により開示することが適当と判断される事項のうち，各独立行政法人において共通して質的または金額的に重要な事項を基準第79⑴から⒂に示しているが，独立行政法人の様態のみならず，特定時点のその独立行政法人の置かれている状況如何によっては，⑴から⒂に示した事項以外の事項についても附属明細書として開示することが適当と判断される場合が考えられる。

⑵　このような場合に備えて基準に盛り込まれたのが⒃の「上記以外の主な資産，負債，費用及び収益の明細」である。したがって，必ずしもこの⒃の明細書を作成しなければならないというわけではないが，各独立行政法人においては各年度ごとに記載の必要性を慎重に吟味することが求められる。

⑶　記載の必要性の判断に当たっては

①　金額的に重要な事項であるか，あるいは質的に重要な事項（金額が僅少な事項は多くの場合に除かれる）であるか否か。

②　貸借対照表等の諸表における表示のみでは，財務報告の利用者の「独立行政法人の業務の遂行状況についての的確な把握」あるいは「独立行

政法人の業績の適正な評価」に資するといえず，このため補足的な情報開示が必要と判断されるか否か。

③　明細書の形式による開示が適当と判断されるか否か

という観点について吟味されるべきであり，以上の観点全てから必要と判断される事項が，附属明細書として開示されることとなる。

なお，上記の①及び②の観点から必要とされた事項であって，③の観点から不要となる場合には，注記として開示されることとなる。

第４節　特定関連会社，関連会社及び関連公益法人等の情報

１．関連公益法人等の範囲

従来連結附属明細書で作成が求められていた特定関連会社，関連会社及び関連後継法人等の情報開示については，連結財務諸表の作成の有無にかかわらず開示することが望ましいことから，令和２年３月26日改訂の独法会計基準より，個別財務諸表の附属明細書で作成する必要があります。

ここで，関連公益法人等とは，独立行政法人が出えん，人事，資金，技術，取引等の関係を通じて，財務及び事業運営の方針決定に対して重要な影響を与えることができるか又は独立行政法人との取引を通じて公的な資金が供給されており，独立行政法人の財務情報として，重要な関係を有する当該公益法人等をいいます（基準第106）。独立行政法人と関連公益法人等との間には資本関係が存在しないものの，独立行政法人を通じて公的な資金が供給されている場合も多いことから，公的な会計主体である独立行政法人は関連公益法人等との関係を開示し説明する責任が求められています（基準注解82）。

次の場合には，公益法人等の財務及び事業運営の方針決定に重要な影響を与えることができないことが明らかに示されない限り，当該公益法人等は関連公益法人等に該当するものとされています。

⑴　理事等のうち，独立行政法人の役職員経験者の占める割合が3分の1以上である公益法人等

⑵　事業収入に占める独立行政法人との取引に係る額が3分の1以上である公益法人等

⑶　基本財産の5分の1以上を独立行政法人が出えんしている財団法人

⑷　会費，寄附等の負担額の5分の1以上を独立行政法人が負担している公益法人等

ただし，独立行政法人が交付する助成金等の収入が事業収入の3分の1を占めることにより，上記⑵に該当することとなるものの，上記⑴，⑶及び⑷に該当しない公益法人等であって，当該助成金等が，独立行政法人の審査に付された上で，継続的，恒常的でない形態で交付される場合は，関連公益法人等に該当しないものと取り扱うことが容認されています（基準第106第3項）。

なお，特定関連会社及び関連会社の定義については，「第13章　連結財務諸表　第2節　1. 連結対象会社の範囲及び第3節　連結財務諸表の作成方法　9. 関連会社等に対する持分法の適用」を参照ください。

2.　特定関連会社，関連会社及び関連公益法人等の情報

附属明細書において開示することが求められる特定関連会社，関連会社及び関連公益法人等に関する開示事項をまとめると，次の通りになります（基準第105）。

⑴　特定関連会社，関連会社及び関連公益法人等の概要

①　名称，業務の概要，独立行政法人との関係及び役員の氏名（独立行政法人（独立行政法人設立等に際し，権利義務を承継した特殊法人等を含む。以下同じ。）の役職員経験者については，独立行政法人での最終職名を含む。）

②　特定関連会社，関連会社及び関連公益法人等と独立行政法人の取引の関連図

⑵　特定関連会社，関連会社及び関連公益法人等の財務状況

① 特定関連会社及び関連会社の当該事業年度の，資産，負債，資本金及び剰余金の額，並びに営業収入，経常損益，当期損益及び当期未処分利益または当期未処理損失の額

② 関連公益法人等の当該事業年度の，貸借対照表に計上されている資産，負債及び正味財産の額，正味財産増減計算書に計上されている当期正味財産増減額，正味財産期首残高及び正味財産期末残高（一般正味財産増減の部，指定正味財産増減の部に区分したうえ，各々収益と費用に区分し，収益には内訳で受取補助金等（国，独立行政法人，特殊法人及び地方公共団体の補助金等）とその他の収益の金額を記載する。）並びに収支計算書に計上されている当期収入合計額，当期支出合計額及び当期収支差額

⑶ 特定関連会社及び関連会社株式並びに関連公益法人等の基本財産等の状況

① 独立行政法人が保有する特定関連会社及び関連会社の株式について，所有株式数，取得価額及び貸借対照表計上額（前事業年度末からの増加額及び減少額を含む。）

② 関連公益法人等の基本財産に対する出えん，拠出，寄附等の明細並びに関連公益法人等の運営費，事業費等に充てるため当該事業年度において負担した会費，負担金等の明細

⑷ 特定関連会社，関連会社及び関連公益法人等との取引の状況

① 特定関連会社，関連会社及び関連公益法人等に対する債権債務の明細

② 独立行政法人が行っている関連会社及び関連公益法人等に対する債務保証の明細

③ 特定関連会社及び関連会社の総売上高並びに関連公益法人等の事業収入の金額とこれらのうち独立行政法人の発注等に係る金額及びその割合（内訳で，競争契約，企画競争・公募及び競争性のない随意契約の金額及び割合を記載する。ただし，内訳には，予定価格が国の基準（予算決算及び会計令（昭和22年勅第165号）第99条に定める基準）を超えないものは含めない。）

第11章　決算報告書

第1節　決算報告書とは

決算報告書とは，独立行政法人の長が定めた予算区分に対する実績としての決算額を示す書類をいい，通則法第38条第2項において予算の区分に従い作成した決算報告書を作成することが定められています。予算との対比による予算の執行状況を明らかにするため，官庁会計方式での決算額の記載が行われます。

このため，決算額には「出納整理期間」における収入額・支出額が含まれるため，キャッシュ・フロー計算書におけるキャッシュ・フロー（資金の収支）とは合致しません。

ここで，出納整理とは，会計年度内に現金の出納が行われていないものの，当該会計年度の予算を執行したことによる決算額として整理するものをいいます。会計年度末から1ヵ月以内に支払われるものについては，当該会計年度の支出（予算消化）が行われたものとみなして決算額とする方法をいいます。国の決算では，予算決算及び会計令第3条から第6条において，歳入・歳出の出納整理期間を翌年度の4月30日までとしています。

事例 11-1　出納整理の判定

独立行政法人Aは，X2会計年度の予算として，運営費交付金2,000百万円，施設整備費補助金500百万円を計上している。独立行政法人AのX2会計年度の期間はX2年4月1日～X3年3月31日までの1年間である。

X3年4月の取引として，以下の取引が生じた。

1）X3年3月31日までに施設整備が完了し，施設整備に要した額4億2千万円を精算請求し，X3年4月15日に入金を受けた。

2）X3年4月分の運営費交付金として50百万円をX3年3月末に請求し，X3年4月5日に入金を受けた。

3）X3年3月分の人件費（超過勤務手当）8百万円をX3年4月15日に支給した。

4）X3年4月1日にX3年4月1日～X4年3月31日を保険期間とした火災保険料12百万円を納付した。

上記のうち，X2会計年度の決算額として反映すべき出納整理期間内における取引に該当するか否かの判別を行うと，次の通りになる。

1）X2会計年度の決算額に反映すべき出納整理期間内取引に該当する。

X3年3月31日までに施設整備が完了していることから，当該施設整備費に対応する施設費予算はX2会計年度の予算に対応する実績としての施設整備費の支出額（決算額）として認識する必要がある。

施設整備費補助金は，施設整備完了後に精算請求するため，X3年3月末に完成した場合の入金時期がX3年4月となる場合も生じるが，予算の執行状況を開示するという決算報告書の趣旨を勘案すると，4月中の出納整理期間における施設費の精算交付取引は，X2会計年度の決算額として認識する必要がある。

2）X2会計年度の決算額に反映すべき出納整理期間内取引に該当しない。

X3年3月31日までに請求しているものの，これは運営費交付金が前受請求を前提としたものによるためであり，請求している運営費交付金は，X3年4月分であることから，当該運営費交付金はX3会計年度の運営費交付金に該当する。

このため，X3年4月に入金を受けているものの，X2会計年度の予算に対応した決算額ではないため，X2会計年度の決算額に反映すべき出納整理期間内取引としては認識されない。

3）X2会計年度の決算額に反映すべき出納整理期間内取引に該当する。

独立行政法人においては，自己収入財源だけに依拠して運営がなされる独立採算型の独立行政法人などの一部の例外を除いては，人件費については運営費交付金で財源措置がなされる。

したがって，X3年3月分の人件費（超過勤務手当）は，X2会計年度の運営費交付金予算に対応する執行額（決算額）であることから，超勤手当の計算事務手続上，その支給が X3 年 4 月になされる場合であっても，予算の執行状況を開示するという決算報告書の趣旨を勘案すると，4 月中の出納整理期間における人件費（超過勤務手当）の支給取引は，X2 会計年度の決算額として認識する必要がある。

4）**X2 会計年度の決算額に反映すべき出納整理期間内取引に該当しない。**

X3 年 4 月に支払いがなされているものの，支払い内容が X3 会計年度にかかる火災保険料の支払いであるため，X2 会計年度の決算額として認識することは認められない。

このため，X2 会計年度の決算額に反映すべき出納整理期間内取引に該当しない。

第2節　決算報告書の様式

決算報告書の開示様式は独法 Q&A Q79-4 において，以下の通りに定められています。

区分	A事業				B事業				共　通				合　計			
	予算額	決算額	差額	備考	予算額	決算額	差額	備考	予算額	決算額	差額	備考	予算額	決算額	差額	備考
収入																
運営費交付金																
○○補助金等																
施設整備費補助金																
受託収入																
計																
支出																
業務経費																
○○補助金等事業費																
施設整備費																
受託経費																
一般管理費																
人件費																
計																

（記載上の留意事項）

①　決算報告書における区分は，年度計画に記載されている予算に従う。

②　予算額は当該年度の年度計画に記載されている予算金額とする。

③　年度計画の変更により予算額に変更があった場合は，変更後の金額を予算額とする。

④　決算額は，収入については現金預金の収入額に期首期末の未収金額等を加減算したものを記載し，支出については，現金預金の支出額に期首期末の未払金額等を加減算したものを記載する。

⑤　予算額と決算額の差額を記載し，著しい乖離が生じた場合には「備考」欄に差額の生じた理由を簡潔に記載する。

⑥　損益計算書の計上額と決算額の集計区分に差がある場合には，その相違の概要を「備考」欄に記載する。

なお，記載上の留意事項④「決算額は，収入については現金預金の収入額に期首期末の未収金額等を加減算したものを記載し，支出については，現金預金の支出額に期首期末の未払金額等を加減算したものを記載する。」とは，前述の出納整理期間における入出金取引を決算額として反映するように加減すべきことを意味し，当該会計年度の予算に対応した決算額を開示することの要請を意味するものであります。

また，記載上の留意事項⑤で予算額と決算額の差額が「著しい乖離」かどうかは決算報告書の科目区分ごとに決算額が予算額に対して10% 増減したかどうかで判断します。増減率が10% に満たない場合であっても，差額が生じた理由等の質的側面を重視し，差額の生じた理由を記載することも考えられます（独法 Q&A Q79-5）。

事例 11-2　決算報告書の作成

独立行政法人 A は，X2 会計年度の予算として，運営費交付金 2,000 百万円（うち人件費予算 970 百万円，業務費予算 730 百万円，一般管理費予算 300 百万円），施設整備費補助金 500 百万円を計上している。独立行政法人 A の X2 会計年度の期間は X2 年 4 月 1 日～X3 年 3 月 31 日までの 1 年間である。独立行政法人 A の X2 会計年度におけるキャッシュ・フロー計算書は，以下の通りであった。

Ⅰ．業務活動によるキャッシュ・フロー	
業務費の支出	△720
人件費支出	△960
一般管理費の支出	△300
運営費交付金収入	2,000
業務活動によるキャッシュ・フロー	20
Ⅱ．投資活動によるキャッシュ・フロー	
有形固定資産の取得による支出	△480
施設費による収入	400
投資活動によるキャッシュ・フロー	△80
Ⅲ．財務活動によるキャッシュ・フロー	—
Ⅳ．資金増減額	△60
Ⅴ．資金期首残高	720
Ⅵ．資金期末残高	660

▶ X2 年 4 月の取引として，以下の取引が生じた。

1）　X2 年 4 月に X1 会計年度の施設整備費補助金の精算請求に伴う入金額 400 百万円が生じている。

2）　X2 年 3 月分の人件費（超過勤務手当）5 百万円を X2 年 4 月 15 日に支給した。

3）　X2 年 3 月分の業務費未払金 15 百万円を X2 年 4 月に支払った。

▶ X3年4月の取引として，以下の取引が生じた。

1) X3年4月にX2会計年度の施設整備費補助金の精算請求に伴う入金額480百万円が生じている。

2) X3年3月分の人件費（超過勤務手当）8百万円をX3年4月15日に支給した。

3) X3年3月分の業務費未払金20百万円をX2年4月に支払った。

なお，運営費交付金による有形固定資産の取得はないものとする。

上記事例における決算報告書を作成すると以下のようになる。

区分	予算額	決算額	差額	備考
収入				
運営費交付金	2,000	2,000	—	
施設整備費補助金	500	480	20	＊1
計	2,500	2,480	20	
支出				
業務経費	730	725	5	＊2
施設整備費	500	480	20	＊3
一般管理費	300	300	—	
人件費	970	963	7	＊4
計	2,500	2,468	32	

＊1) X2会計年度の施設整備費補助金の入金は精算交付され，X3年4月に入金を受けているため，X3年4月の入金額480百万円を決算額に記載する。なお，X2会計年度のキャッシュ・フロー計算書に記載されている施設費による収入400百万円は，X1会計年度の出納整理期間内における施設費の入金であるため，X2会計年度の決算報告書には記載されない。

＊2) X2会計年度のキャッシュ・フロー計算書上の業務費支出720百万円－X1会計年度の出納整理期間（X2年4月）における未払業務経費の支出15百万円＋X2会計年度の出納整理期間（X3年4月）における未払業務経費の支出20百万円＝725百万円

＊3) X2会計年度のキャッシュ・フロー計算書上の有形固定資産取得支出480百万円

＊4) X2会計年度のキャッシュ・フロー計算書上の人件費支出960百万円－X1会計年度の出納整理期間（X2年4月）における未払人件費（超過勤務手当）の支出5百万円＋X2会計年度の出納整理期間（X3年4月）における未払人件費（超過勤務手当）の支出8百万円＝963百万円

上記事例におけるキャッシュ・フロー計算書上のキャッシュ・フローと決算報告書上の収支との対応関係をまとめると，次の表の通りとなり，X2会計年度の期首及び期末における出納整理期間内の調整取引にかかる収支額分だけキャッシュ・フローと決算報告書上の決算額とが相違することが理解できる。

項　目	キャッシュ・フロー計算書上の収支	X1会計年度の出納整理期間(X2年4月)の取引	X2会計年度の出納整理期間(X3年4月)の取引	決算報告書上の決算額
Ⅰ．業務活動によるキャッシュ・フロー				
業務費支出	△720	−(△15)	+(△20)	△725
人件費支出	△960	−(△5)	+(△8)	△963
一般管理費支出	△300			△300
運営費交付金収入	2,000			2,000
Ⅱ．投資活動によるキャッシュ・フロー				
有形固定資産の取得による支出	△480			△480
施設費による収入	400	−400	+480	480

このほかに，決算報告書に関する独法Q&Aで定める主な規定をまとめると，以下のようになります。

① 決算報告書に記載する予算の額

独立行政法人においては，通則法第31条第1項の規定に基づく年度計画の一項目として，予算が公表されている。決算報告書は当該予算の執行状況を表すものであると想定されることから，決算報告書に記載される予算は年度計画に記載されている予算と同一のものである（独法Q&A Q79-5）。

② 年度計画上の予算を変更せずに，予算執行の段階で予算を変更した場合における決算報告書上に記載する予算の額

年度計画自体を変更せずに，例えば，一般管理費として割り当てられた予算を合理的な理由に基づき業務経費として執行した場合，決算報告書の予算区分は変更せず，決算額を業務経費として処理する。この処理により生じる差額の発生理由は備考欄において簡潔に記載することとなる（独法Q&A Q79-5）。

③ 決算報告書における決算額に前年度からの繰越予算額の執行額を区分表示することの要否

決算報告書における決算額において前事業年度からの繰越に係る決算額と当期分に係る決算額とを区分することは特に必要なく，予算との重要な差があれば，注記等で明らかにすることで足りる（独法Q&A Q79-7）。

④　区分経理のある独立行政法人における勘定別決算報告書及び法人単位決算報告書を作成することの要否

決算報告書は割当予算に対する執行状況を報告する準拠性報告書であると位置付けられることから，予算を区分経理毎に割り当てられている法人においては勘定別決算報告書の作成は当然に必要である。収支予算書はコントロールのためのものであり規範性が求められるが，勘定別収支予算書と法人単位収支予算書とを作成した結果，何らかの事由で相互に矛盾した場合に，勘定別と法人単位のどちらに規範性が与えられるか不明確となるおそれがある。したがって，勘定区分のある独立行政法人については，一般的には法人単位収支予算を作成する必要はないが，勘定区分のある独立行政法人でも法人単位収支予算を作成することは可能であるため，法人単位収支予算を作成している場合には法人単位の収支決算書も作成する必要がある（独法 Q&A Q79-8）。

コラム⑤　国からの出向者？？　出向と転籍について

独立行政法人会計基準において，独立行政法人の業務運営に関して国民の負担に帰せられるコストの算定に際しては，独立行政法人に在籍せず，人事交流により国からの出向者が含まれる場合には，当該国からの出向者に係る退職給与のうち独法での勤務に係る退職給与は，国との人事交流による出向職員から生ずる機会費用として計算するものとされている。

ところで，一般に出向と転籍については，以下のような雇用関係をいうものとされている。

出向：出向元法人に在籍したまま，出向先法人と出向元法人とが出向契約を締結し，出向元法人に在籍している従業員が出向先法人で勤務するため，出向先法人が出向元法人に当該出向従業員の給与を出向者分担金として支払う形態。

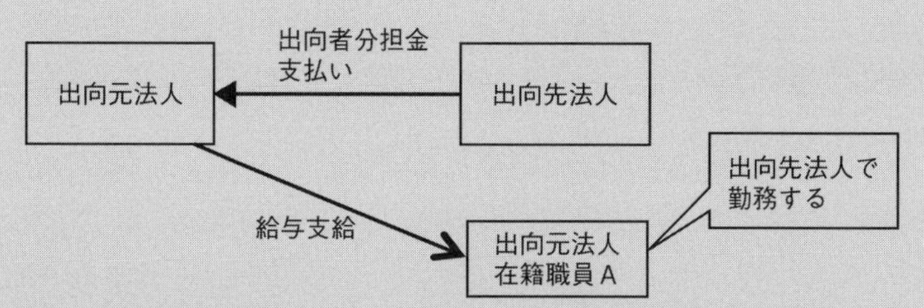

転籍：在籍元法人を退職して，転出先法人に勤務する関係，転出先法人の従業員としての地位を有するため，転出先法人が当該転入従業員に対する給与を支給する形態。

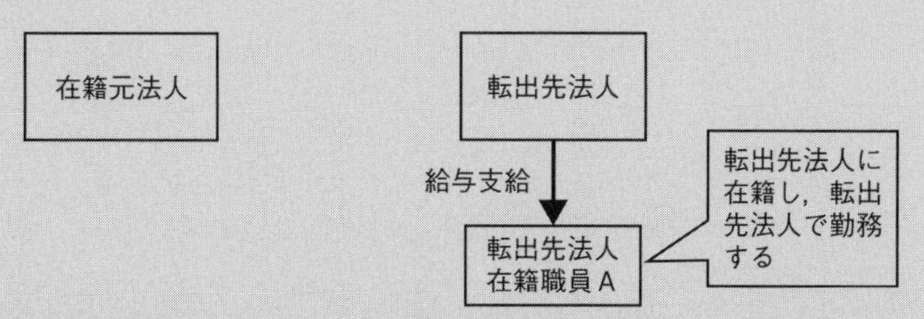

実際に国（主務省）と各独立行政法人との間の人事交流は上記で言うところの出向契約を締結して人事交流を行う場合は恐らくほとんどの場合なく，人事異動の発令により「転出」・「転入」によって主務省から独立行政法人への異動，

独立行政法人から国（主務省）への異動が生じるものと考えられる。

とすれば，これは「出向」ではなく，「転籍」だと思われる。「転籍」の場合，民間企業では転籍した時点で転籍前の勤務企業において退職金を一旦支給することが通常であり，このため，企業側の都合でグループ企業（子会社など）に配属する場合には転籍ではなく，「出向」の形態を取る。

国と独立行政法人の間を人事交流する職員については，転入・転出という「転籍」の形態を取るが，主務省・独立行政法人間を転入・転出して異動しても国家公務員退職手当法，各独立行政法人の個別法及び退職手当規程において，当該勤務期間は別個に計算して退職手当を計算せず，主務省の勤務期間と独立行政法人における勤務期間とを通算して退職手当を計算するとされており，職員の所属先は「転籍」しているものの，退職金の計算は「出向」の場合と同様に通算して計算する，「出向」的に計算するとなっている。この点を捉えて国と独立行政法人間の人事交流は，いわゆる「出向」的なものと捉えているのかもしれない。

はたして「出向」とは何を意味するのか，改めてこの点を考えてみる必要があるように思われる。

第12章　区分経理

第1節　区分経理の種類

独立行政法人は,「法律」すなわち個別法によって区分経理が求められる場合があります。この場合，独法会計基準では，法人全体の財務諸表に加えて，個別法の規定によって区分した経理単位，すなわち勘定ごとの勘定別財務諸表を作成することが求められます（基準第100第1項)。

他方，個別法とは別に，主務省令等によって当該法人の事業内容等に応じた適切な区分経理が求められる場合があります。この場合，独法会計基準では，主務省令等による各経理単位の財務諸表はセグメント情報として整理し，附属明細書においてセグメント情報として開示することが求められます（基準第43，注解39)。なお，この場合の主務省令等に基づくセグメント区分が中期目標等における一定の事業等のまとまりごとのセグメント区分と一致しない場合には，注解39第3項における追加的に開示されるセグメント情報と位置づけて開示します。

このように，勘定別財務諸表とセグメント別情報とでは，その法的根拠が異なります。したがって，法定の勘定区分はあるがセグメント区分は行わない場合や，法定の勘定区分はないがセグメント区分を行う場合，また法定勘定区分とセグメント区分があるがそれぞれの区分の数が一致しない場合などが生じます。

以上の点をまとめると，次ページの**図表12-1**の通りになります。

なお，本章では勘定別財務諸表の説明が中心になります。セグメント情報に

図表 12-1　勘定別財務諸表とセグメント情報

	根拠	目的	基準等	記載
勘定別財務諸表	個別法	区分経理の観点	基準第 100 第 1 項	法人単位財務諸表とともに財務諸表として記載
セグメント情報	主務省令等	説明責任の観点	注解 77	附属明細書の一部として記載

ついての詳細は第 10 章第 2 節 6. セグメント情報注記をご覧ください。

第 2 節　勘定別財務諸表

1.　法人単位財務諸表との違い

個別法で区分経理が要請される場合，独法会計基準において勘定別財務諸表の他に，法人単位財務諸表の作成が求められます（基準第 100 第 1 項）。

法人単位財務諸表及び勘定別財務諸表の体系を示すと，**図表 12-2** の通りになります。

なお，連結対象となる関係法人がある場合は，法人単位財務諸表及び勘定別財務諸表のそれぞれについて連結財務諸表を作成することになります。

図表 12-2　法人単位財務諸表及び勘定別財務諸表の体系

	法人単位財務諸表	勘定別財務諸表
貸借対照表	あり	あり
行政コスト計算書	あり	あり
損益計算書	あり	あり
純資産変動計算書	あり	あり
キャッシュ・フロー計算書	あり	あり
利益の処分又は損失の処理に関する書類	**なし**	あり
附属明細書	あり	あり

図表12-2から分かるように，両者の違いは利益の処分又は損失の処理に関する書類の有無にあります。このような違いが生じる理由は，区分経理が要請されている独立行政法人においては個別法で定められた勘定ごとに利益の処分又は損失の処理を行う必要があり，法人単位での当期総利益を基にした利益の処分又は損失の処理は行われません（注解78）。

同様の理由により，貸借対照表の純資産の部及び純資産変動計算書の表示にも違いが生じます。すなわち，法人単位の場合は利益剰余金（又は繰越欠損金）の合計額のみを貸借対照表に表示し純資産変動計算書には利益剰余金の当期変動額（純額）のみを表示します。勘定別の場合は利益剰余金の内訳項目（前中期目標期間繰越積立金，積立金，当期未処分利益など）ごとに表示します（基準第101第2項）。

2. 法人単位財務諸表の作成方法

勘定別財務諸表から法人単位財務諸表作成までの大まかな流れは，以下の通りです。

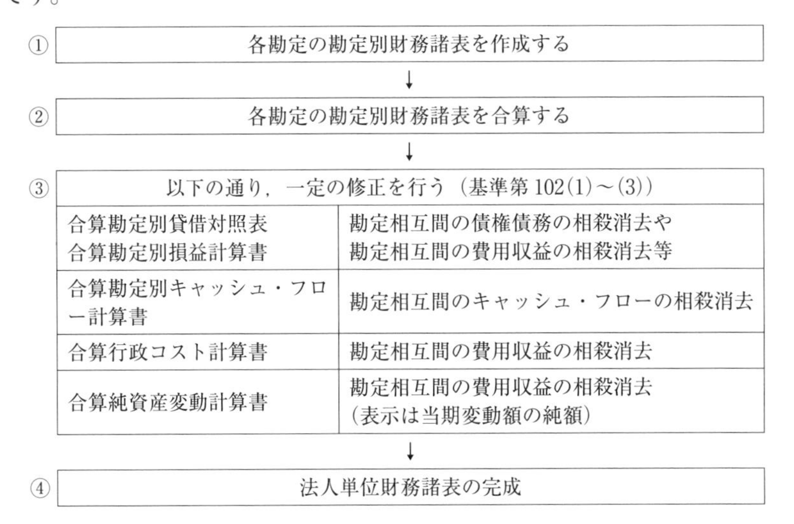

区分経理が要請されている独立行政法人において，勘定別財務諸表を作成す

る際に特に注意すべき点が，(1)会計処理方法の統一及び(2)共通経費等の配賦になります。

（1） 会計処理方法の統一

同一環境下で行われた同一の性質の取引等に係る会計処理方法（例えば，収益の計上基準，貸倒引当金の計上基準など）は，原則として独立行政法人単位で統一するものとされています（基準第100第2項）。ただし，例外として，合理的な理由があれば，勘定ごとに異なる会計処理方法を採用してもよいとされています。

合理的な理由の具体例としては，以下のようなものがあげられます（独法Q&A Q100-1）。

▶独立採算で製造等の業務を行うA勘定とその他のB勘定とに区分経理を行っている独立行政法人が所有する機械の減価償却方法について，A勘定所属の機械については定率法をB勘定所属の機械については定額法を適用する場合

（2） 共通経費の配賦

勘定別財務諸表の作成において，各勘定に帰属する資産負債，収益費用等を合理的に帰属させなければなりません。この点，法人が受け取る収益については，各勘定に対応する業務が決まっているため，各勘定に直接帰属させることが比較的容易と思われます。しかし，法人全体に関連する共通経費は，各勘定に直接紐付かないため，各勘定に直接賦課することが難しいケースが発生します。

法人全体に関連する共通経費の例として，以下のようなものがあげられます（注解80）。

▶理事長，理事等の人件費
▶総務部門や経理部門等の人件費
▶消費税等

このような共通経費については，独立行政法人会計基準は，合理的な基準にし

たがって配賦すべきことを規定している（基準第103第2項）。
　合理的な配賦基準の例として，以下のようなものが挙げられる（注解80）。
▶共通部門の給与費について，各勘定に属する職員に支給する給与総額の割合により配賦する方法
▶事務所借料について，各勘定に属する部門の占有面積の割合により配賦する方法
▶納付消費税について，勘定別に算定した納付消費税額の割合により配賦する方法

　配賦基準は，毎期継続して適用する必要があります。配賦基準を変更した場合は，その内容，変更の理由及び当該変更が財務諸表に与えている影響の内容を注記しなければなりません（基準第103第2項）。

　なお，独立行政法人が共通経費の配賦基準を自由に定めることができるかというと，そうではありません。基準上，配賦基準は主務省令等で定められる必要があるとされており（注解80），主務省令において共通経費の配賦基準の基本的な考え方を示し，具体的な配賦基準は独立行政法人が作成の上，主務大臣の承認を得るという方法も認められています（独法Q&A Q103-1）。例えば，主務省令において以下のような定めが置かれている場合があります。

独立行政法人○○の財務及び会計に関する省令

（共通経費の配賦基準）
第□条
　法人は，法第○条の規定により区分して経理する場合において，経理すべき事項が当該区分に係る勘定以外の勘定において経理すべき事項と共通の事項であるため，当該勘定に係る部分を区分して経理することが困難なときは，当該事項については，○○大臣の承認を受けて定める基準に従って，事業年度の期間中一括して経理し，当該事業年度の末日現在において各勘定に配分することにより経理することができる。

3. 表示方法

区分経理が要請されている独立行政法人は，**図表 12-3** のように，法人単位財務諸表の後に勘定別財務諸表（複数）を作成し，これらを一体のものとして開示します（基準第 104 第 1 項）。

（1） セグメント情報について

区分経理が要請されている独立行政法人においては，各勘定をセグメントとして区分している場合と，各勘定区分とは別にセグメント区分を設ける場合とが考えられます。前者の場合であれば，セグメント情報は勘定別財務諸表の附属明細書として開示しますが，後者の場合は，セグメント情報は各勘定をまたがった情報となる場合も生じるため，法人単位財務諸表の附属明細書の中で開

図表 12-3　区分経理が要請される独立行政法人における財務諸表の開示

法人単位財務諸表

貸借対照表
行政コスト計算書
損益計算書
純資産変動計算書
キャッシュ・フロー計算書
注記
附属明細書
法人単位財務諸表と各勘定別財務諸表との関係を示す書類
（基準第 104 第 4 項(1)～(5)に規定されている書類）

勘定別財務諸表

貸借対照表
行政コスト計算書
損益計算書
純資産変動計算書
キャッシュ・フロー計算書
利益の処分または損失の処理に関する書類
注記
附属明細書

示することになります。なお，セグメント情報は当該法人の中期目標等における一定の事業等のまとまりごとの区分に基づくとされており，法人の内部管理等の観点や財務会計との整合性を確保した上で，少なくとも目標及び評価において一貫した管理責任を徹底しうる単位とされています。したがって，セグメント情報が複数の勘定をまたいで設定されることは通常想定されません（独Q&A Q104-2）。

（2）　法人単位財務諸表と各勘定別財務諸表との関係を示す書類

基準第104第4項において，以下の通り作成すべき具体的な書類の内容が定められています。

> 基準第104　財務諸表の開示方法等
>
> 4　法人単位財務諸表には，「第79附属明細書」に定めるもののほか，次の事項を明らかにした法人単位附属明細書を添付しなければならない。
> (1)　各勘定の経理の対象と勘定相互間の関係を明らかにする書類
> (2)　貸借対照表，行政コスト計算書，損益計算書及びキャッシュ・フロー計算書のそれぞれについて，勘定ごとの金額を表示する欄，勘定相互間の取引を相殺消去するための調整欄及び法人単位の額を示す欄を設け，法人単位財務諸表と各勘定別財務諸表の関係を明らかにする書類
> (3)　勘定別の利益の処分又は損失の処理に関する書類について，勘定ごとの金額を示す欄及び合計額を示す欄を設け，勘定ごとの利益の処分又は損失の処理の状況と全ての勘定を合算した額を並列的に示す書類
> (4)　法人単位貸借対照表及び法人単位損益計算書において，相殺消去された勘定相互間の債権と債務及び勘定相互間の損益取引に係る費用と収益並びに消去された勘定相互間の取引に係る未実現損益の内訳
> (5)　法人単位キャッシュ・フロー計算書において相殺消去された，勘定相互間のキャッシュ・フローの内訳

①　各勘定の経理の対象と勘定相互間の関係を明らかにする書類

各勘定の経理の対象と勘定相互間の関係を明らかにする書類（基準第104第4項(1)）は，個々の独立行政法人において，各勘定が経理する業務の内容，勘

図表 12-4　各勘定の経理の対象と勘定相互間の関係を明らかにする書類の開示例

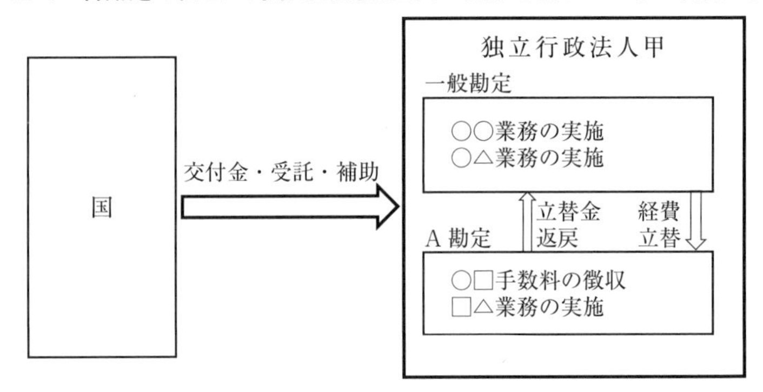

定相互間の資金の流れを踏まえて作成します。例えば，勘定相互間の資金の流れをフローチャート形式で示したものが考えられます（独法 Q&A Q104-1）。文章のみで開示しているケースも見られますが，**図表 12-4** のようなフローチャートによる開示をしている事例も見受けられます。

② 勘定ごとの金額を表示する欄，勘定相互間の取引を相殺消去するための調整欄及び法人単位の額を示す欄を設け，法人単位財務諸表と各勘定別財務諸表の関係を明らかにする書類

勘定ごとの金額を表示する欄，勘定相互間の取引を相殺消去するための調整欄及び法人単位の額を示す欄を設け，法人単位財務諸表と各勘定別財務諸表の関係を明らかにする書類（基準第 104 第 4 項⑵）の様式は，独法 Q&A Q104-3 において，**図表 12-5** の通りに定められています。

なお，**図表 12-5** では貸借対照表のみ例示していますが，行政コスト計算書，損益計算書，キャッシュ・フロー計算書も同様の様式であるため，記載を省略します。

「法人単位」の欄は，法人単位財務諸表の数値と一致させるように記載します。また，「調整」の欄には，債権債務相殺消去や未実現利益の消去等（基準第 102⑴～⑶）の数値を記載します。

③ 勘定別の利益の処分又は損失の処理に関する書類について，勘定ごとの金額を示す欄及び合計額を示す欄を設け，勘定ごとの利益の処分又は損失

図表12-5　法人単位財務諸表と各勘定別財務諸表の関係を明らかにする書類

貸借対照表　（単位：円）

科　目	A勘定	B勘定	C勘定	調整	法人単位
資産の部					
Ⅰ　流動資産					
…	×××	×××	×××	100	×××
Ⅱ　固定資産					
1　有形固定資産					
…	×××	×××	×××		×××
2　無形固定資産					
…	×××	×××	×××		×××
3　投資その他の資産					
…	×××	×××	×××		×××
資産合計	×××	×××	×××		×××
負債の部					
Ⅰ　流動負債					
…	×××	×××	×××	△100	×××
（以下，記載省略）					

図表12-6　勘定ごとの利益の処分又は損失の処理の状況と全ての勘定を合算した額を並列的に示す書類

（単位：円）

科目	A勘定	B勘定	C勘定	合計
Ⅰ　当期未処分利益	××	××	××	××
当期総利益	××	××	××	××
前期繰越利益	××	××	××	××
Ⅱ　利益処分額	××	××	××	××
積立金	××	××	××	××

の処理の状況と全ての勘定を合算した額を並列的に示す書類

勘定別の利益の処分又は損失の処理に関する書類について，勘定ごとの金額を示す欄及び合計額を示す欄を設け，勘定ごとの利益の処分又は損失の処理の状況と全ての勘定を合算した額を並列的に示す書類（基準第104第4項(3)）の様式を示すと，**図表12-6**の通りになります。

④　法人単位貸借対照表及び法人単位損益計算書において，相殺消去された勘定相互間の債権と債務及び勘定相互間の損益取引に係る費用と収益並びに消去された勘定相互間の取引に係る未実現損益の内訳

法人単位貸借対照表及び法人単位損益計算書において，相殺消去された勘定

相互間の債権と債務及び勘定相互間の損益取引に係る費用と収益並びに消去された勘定相互間の取引に係る未実現損益の内訳（基準第104第4項(4)）の様式を示すと，**図表12-7**の通りになります。

図表12-7　法人単位貸借対照表及び法人単位損益計算書において，相殺消去された勘定相互間の債権と債務及び勘定相互間の損益取引に係る費用と収益並びに消去された勘定相互間の取引に係る未実現損益の内訳

（単位：円）

債権の相殺額			債務の相殺額		
勘定	科目	金額	勘定	科目	金額
A勘定	B勘定未収金	3,000,000	B勘定	A勘定未払金	3,000,000
C勘定	D勘定未収金	2,500,000	D勘定	C勘定未払金	2,500,000
合計		5,500,000	合計		5,500,000

図表12-7は，貸借対照表の相殺消去科目の例ですが，損益計算書やキャッシュ・フロー計算書（基準第104第4項(5)）についても同様ですので，記載を省略します。

第13章　連結財務諸表

第1節　連結財務諸表とは

1．連結財務諸表の全体像

独立行政法人によっては民間企業等に対する出資を業務として実施している場合があります。出資先の会社等の議決権の50％以上を所有している場合など一定の要件を満たす場合，独立行政法人は連結財務諸表を作成する必要があります。連結財務諸表とは独立行政法人とその特定関連会社からなる集団（以下，「法人集団」という）を独立行政法人の業務を一体となって行う１つの会計主体として捉え，独立行政法人が法人集団の財政状態及び運営状況を総合的に報告するために作成する財務諸表となります。連結財務諸表は，連結の範囲に含まれる独立行政法人及び特定関連会社の財務諸表を合算した上で，法人集団内で行われた取引及び債権債務の相殺消去等を行って作成されます。以上をまとめると，次ページの**図表13-1**の通りになります。

2．作成目的

企業会計基準では，ある法人が他の会社等の議決権の50％以上を所有している場合など他の会社等を支配していると認められる一定の要件に該当する場合には連結財務諸表を作成することが義務付けられています。ある法人が行う

図表 13-1 連結財務諸表の全体像

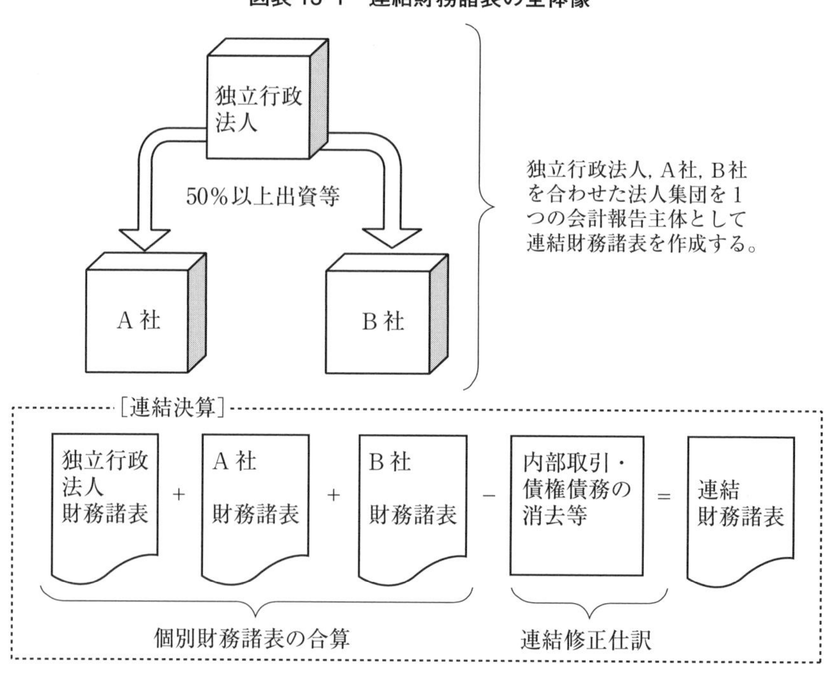

他の会社等への出資は，当該他の会社等を支配し企業グループとして事業を行うことで，事業規模の拡大や事業の多角化，シナジー効果による事業の効率化等を図ることが主な目的となります。このような場合，法人単体を報告単位とした個別財務諸表よりも支配従属関係にある他の会社等を含む企業集団全体を1つの報告単位とした連結財務諸表の方が，企業グループとしての活動実態を反映した財政状態の把握及び業績評価が可能となるため，企業における経営管理目的，企業にかかわる投資家の意思決定に資する情報提供目的のいずれの点からも有用であり，企業会計基準においては連結情報が中心とされています。

一方，独立行政法人が行う民間企業等への出資は法人の設立目的を達成するために業務として行われるものであり，主として政策目的の資金供給となります。また，研究開発法人の研究開発の成果をより多く社会・経済に還元することを目的に，平成30年に「科学技術・イノベーション創出の活性化に関する法律」が改正されたことで，出資先及び出資可能な研究開発法人の範囲が拡大しました。このため，独立行政法人が出資先の法人の議決権の50%以上を所有していたとしても両者の間には必ずしも支配従属関係が認められない場合があり，また，仮に支配従属関係が認められたとしても，独立行政法人の個別法に規定されている業務を一体となって実施していない場合もあり得ます。そこで，独立行政法人が意思決定機関を支配し，かつ，独立行政法人の業務を一体となって実施している法人に連結対象を限定することで，独立行政法人の業務を一体となって実施する法人集団において公的な資金がどのように使用しているかを総合的に報告する観点から，連結財務諸表の作成が求められています(基準第107)。なお，独立行政法人の連結情報は法人集団の業績評価にも有用と考えられますが，独立行政法人の評価は従来通り個別財務諸表で行われています。

3. 連結財務諸表の体系

独立行政法人が作成すべき連結財務諸表は，下記の通りとなります(基準第112)。

▶連結貸借対照表

▶連結損益計算書

▶連結純資産変動計算書

▶連結キャッシュ・フロー計算書

▶連結附属明細書

個別財務諸表では，平成30年9月3日改訂の独法会計基準により，純資産変動計算書が新設されましたが，連結財務諸表でも令和2年3月26日改訂の独法会計基準より，連結純資産変動計算書が新設されることになりました。連結純資産変動計算書は，法人集団の財政状態と運営状況との関係を表すため，1連結会計期間に属する法人集団の全ての純資産の変動を示す財務諸表となります(基準第126)。独法会計基準改訂前まで作成が求められていた連結剰余金計算書の内容を包含するものであるため，連結剰余金計算書の作成は不要となりました。

なお，個別財務諸表で求められている行政コスト計算書については，記載対象となる情報を他の財務諸表（連結損益計算書及び個別行政コスト計算書）で把握できること等に鑑み，連結財務諸表の体系には含めないとされています。

第２節　連結財務諸表の作成にかかる個別論点

１．連結対象会社の範囲

（1）　特定関連会社

独立行政法人は，原則として全ての特定関連会社を連結の範囲に含める必要があります。

特定関連会社とは，財務及び営業又は事業の方針を決定する機関（以下，「意思決定機関」という）を独立行政法人に支配されており，かつ，当該独立行政法人と業務一体性を有する会社をいいます（基準第109第２項）。

意思決定機関を独立行政法人に支配されている場合とは，独立行政法人が出資する会社であって，出資先企業の議決権の過半数を所有している場合の当該会社及び議決権の所有割合が50％以下であっても，高い比率の議決権を保有している場合であって，下記のような事実が認められる場合を指します（基準第109第３項）。

①　議決権を行使しない株主が存在することにより，株主総会において議決権の過半数を継続的に占めることができると認められる場合

②　役員，関連会社等の協力的な株主の存在により，株主総会において議決権の過半数を継続的に占めることができると認められる場合

③　役員若しくは職員である者またはこれらであった者が，取締役会の構成員の過半数を継続的に占めている場合

④　重要な財務及び営業の方針決定に関し独立行政法人の承認を要する契約等が存在する場合

業務一体性とは，独立行政法人との業務委託契約，協定又はこれに類するものに基づき当該独立行政法人の個別法に規定されている業務を実施していることをいいます（基準第109第2項）。

また，再委託により独立行政法人の個別法に規定されている業務を行っている会社は，業務一体性を有する会社とみなされます（独法Q&A Q109-6）。

なお，「業務を実施していること」については，過去の事業年度において業務を実施していた場合であっても，独立行政法人の個別法に規定されている業務を行う根拠である「業務委託契約，協定又はこれに類するもの」における

図表13-2　出資先企業が特定関連会社に該当するかどうかの判定表

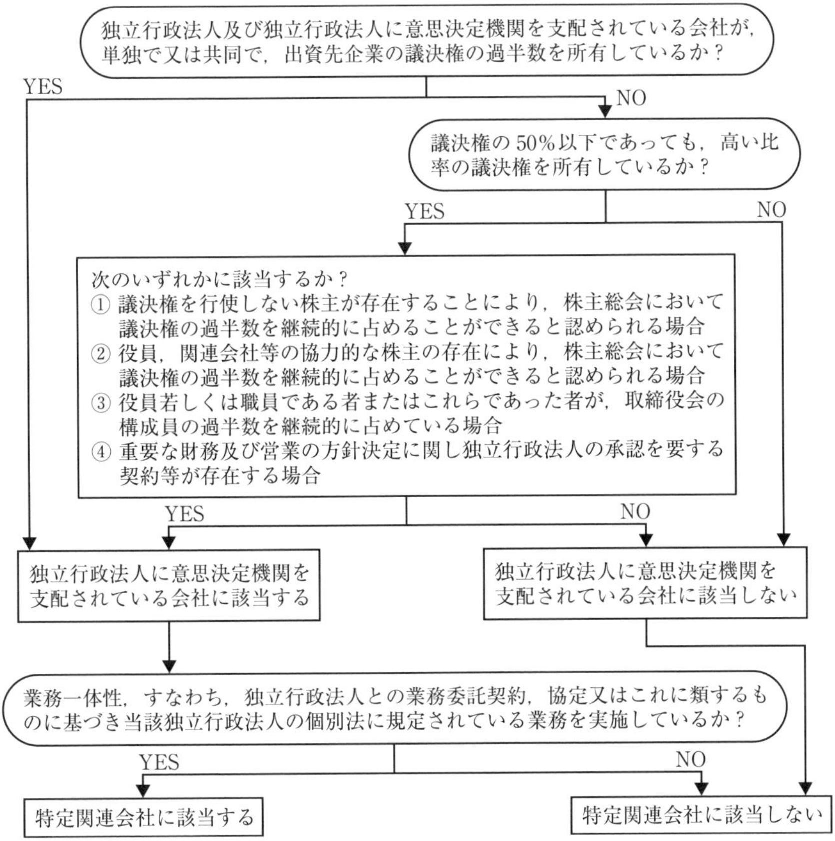

独立行政法人及び独立行政法人に意思決定機関を支配されている会社が，単独で又は共同で，出資先企業の議決権の過半数を所有しているか？

YES

NO

議決権の50%以下であっても，高い比率の議決権を所有しているか？

YES

NO

次のいずれかに該当するか？
① 議決権を行使しない株主が存在することにより，株主総会において議決権の過半数を継続的に占めることができると認められる場合
② 役員，関連会社等の協力的な株主の存在により，株主総会において議決権の過半数を継続的に占めることができると認められる場合
③ 役員若しくは職員である者またはこれらであった者が，取締役会の構成員の過半数を継続的に占めている場合
④ 重要な財務及び営業の方針決定に関し独立行政法人の承認を要する契約等が存在する場合

YES

NO

独立行政法人に意思決定機関を支配されている会社に該当する

独立行政法人に意思決定機関を支配されている会社に該当しない

業務一体性，すなわち，独立行政法人との業務委託契約，協定又はこれに類するものに基づき当該独立行政法人の個別法に規定されている業務を実施しているか？

YES

NO

特定関連会社に該当する

特定関連会社に該当しない

「業務の実施期間」が，当事業年度に含まれる場合には，「業務を実施していること」に該当します（独法 Q&A Q109-5）。

以上の特定関連会社の定義をまとめると，**図表 13-2** の通りになります。

（2） 間接的な出資がある場合

独立行政法人が単独では他の会社の意思決定機関を支配していない場合でも，意思決定機関を独立行政法人に支配されている会社が，単独で又は当該独立行政法人と共同で当該他の会社の意思決定機関を支配している場合には，当該他の会社は意思決定機関を独立行政法人に支配されているとみなされます（基準第 109 第 4 項）。

例えば，独立行政法人甲が単独で他の会社（B 社とする）の議決権の 45% を所有し，独立行政法人が議決権の 100% を所有する会社（A 社とする）を有する場合（独立行政法人甲に意思決定機関を支配されている場合）であって，A 社が B 社の議決権の 10% を所有している場合における B 社は独立行政法人に意思決定機関を支配されていると判断します。加えて，A 社，B 社が独立行政法人甲とそれぞれ業務一体性を有する場合には，それぞれ特定関連会社に該当することになります。

（3） 例外的に特定関連会社を連結の範囲に含めない場合

独立行政法人が，出資先企業の議決権の過半数を所有する場合であっても，当該議決権が，独立行政法人（独立行政法人の設立等に際し，特殊法人等からその権利義務を承継した場合の特殊法人等を含む）の出資によるものでなく，かつ，特定の債務の償還財源に充てるため計画的に売却することが明らかである場合には，業務一体性の有無にかかわらず，連結の範囲に含めません（基準第 107 第 5 項）。このような場合に独立行政法人は出資先に対する経営権を持たないと想定されるためです。また，持分法の適用及び附属明細書における特定関連会社，関連会社及び関連公益法人等の情報開示も対象外となります。

なお，このような売却目的で保有することにより特定関連会社の範囲に含めない会社の例示として，独立行政法人鉄道建設・運輸施設整備支援機構が旧日本国有鉄道の債務の償還財源に充てられる目的で保有するJR会社株式が例示されています（独法Q&A Q109-4）。

（4）　重要性が乏しい特定関連会社の取扱い

特定関連会社に該当する場合であっても，その資産，収益等を考慮して，連結の範囲から除いても法人集団の財政状態，運営状況及び公的な資金の使用状況等に関する合理的な判断を妨げない程度に重要性が乏しいものは，連結の範囲に含めないことができます（注解86）。

企業会計では，監査・保証実務委員会実務指針第52号「連結の範囲及び持分法の適用範囲に関する重要性の原則の適用等に係る監査上の取扱い」（最終

図表13-3　連結の範囲に関する重要性の判定指標（監査・保証実務委員会実務指針第52号）

下記の算式により算定される比率が十分に小さいかどうかを考慮して重要性の有無を判定します。ただし，連結の範囲から除いても企業集団の財政状態，経営成績及びキャッシュ・フローの状況に関する合理的な判断を妨げない程度に重要性が乏しいか否かは，必ずしも量的要件だけで判断できるわけではなく，企業集団の財政状態，経営成績及びキャッシュ・フローの状況を適正に表示する観点から量的側面と質的側面の両面で並行的に判断されるべきとされています。なお，分母の値は債権債務の相殺消去，取引高の相殺消去，未実現利益の消去等の連結修正仕訳反映後の金額を用います。

◆資産基準

$$\frac{\text{非連結子会社の総資産額の合計額}}{\text{連結財務諸表提出会社の総資産額及び連結子会社の総資産額の合計額}}$$

◆売上高基準

$$\frac{\text{非連結子会社の売上高の合計額}}{\text{連結財務諸表提出会社の売上高及び連結子会社の売上高の合計額}}$$

◆利益基準

$$\frac{\text{非連結子会社の当期純損益の額のうち持分に見合う額の合計額}}{\text{連結財務諸表提出会社の当期純損益の額及び連結子会社の当期純損益の額のうち持分に見合う額の合計額}}$$

◆利益剰余金基準

$$\frac{\text{非連結子会社の利益剰余金のうち持分に見合う額の合計額}}{\text{連結財務諸表提出会社の利益剰余金の額及び連結子会社の利益剰余金の額のうち持分に見合う額の合計額}}$$

改正平成26年1月14日　日本公認会計士協会）において，資産基準，売上高基準，利益基準及び剰余金基準によって連結の範囲及び持分法の適用範囲を判断することが規定されているため，独立行政法人においても同規定を勘案することが合理的であると考えられます。監査・保証実務委員会実務指針第52号における連結の範囲に関する重要性の判断指標をまとめると，前ページの**図表13-3**の通りになります。

（5） 特定関連会社が存在せず関連会社だけが存在する場合

関連会社とは，①意思決定機関を独立行政法人に支配されている会社であって，当該独立行政法人と業務一体性を有しない会社，又は，②独立行政法人及び当該独立行政法人に意思決定機関を支配されている会社が，それぞれ単独又は共同で，出資，人事，資金，技術，取引等の関係を通じて，特定関連会社以外の会社の財務及び営業の方針決定に対して重要な影響を与えることができる場合における当該特定関連会社以外の会社をいいます（基準第120第2項）。

特定関連会社が存在せず関連会社だけが存在する場合に連結財務諸表を作成する必要はありません。また，企業会計においては子会社がなく関連会社だけが存在する場合には連結財務諸表を作成しないものの，持分法損益等の注記を行うこととされています（財務諸表等規則第8条の9）。が，独立行政法人の場合には同様の持分法損益等の注記は必要ありません。これは，独立行政法人の場合，当該関連会社に対する出資については個別財務諸表において出資先持分額による評価がなされるためです。

2. 連結決算日

独立行政法人の決算日は通常3月31日（廃止法などの個別法に基づき期中の特定の日で独立行政法人が解散する場合などの例外的な場合を除く）であるため，同日を連結決算日として連結財務諸表を作成します（基準第110第1項）。

（1）　連結特定関連会社の決算日が独立行政法人と異なる場合

特定関連会社の決算日が3月31日以外である場合には同日を基準として仮決算を行った上で連結決算を行う必要がありますが，独立行政法人と特定関連会社の決算日の差異が3ヵ月を超えない場合には，特定関連会社の正規の決算を基礎として連結決算を行うことができます。ただし，特定関連会社の決算日から連結決算日までの間に生じた重要な取引は連結上必要な調整を行う必要があります（基準第110第2項）。決算日の差異に関する具体的な把握方法を示すと，**図表13-4**の通りになります。

図表13-4　決算日の差異の数え方

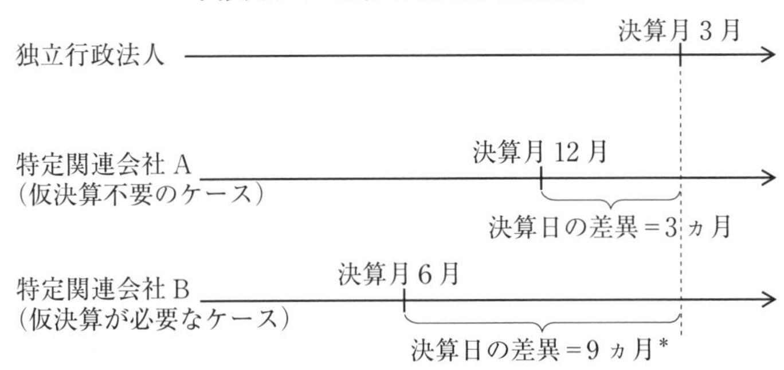

＊独立行政法人の決算月は3月，特定関連会社Bの決算月は6月ですが，決算日の差異は3ヵ月と計算しないことに注意して下さい。独立行政法人から見て特定関連会社の決算月は何ヵ月前かという数え方をします。
また，仮決算の要否にかかわらず，いずれの場合も決算日の差異期間内における独立行政法人と特定関連会社間で生じた重要な取引については連結上必要な調整を行います。

（2）　独立行政法人の決算が変則決算である場合

独立行政法人の設立時期が10月1日である場合など最初の決算は12ヵ月ではない変則決算となる場合がありますが，特定関連会社も対応する期間の仮決算を行った上で連結決算を行う必要があります（独法Q&A Q110-1）。

（3） 特定関連会社の株式を取得した日が同社の決算日以外の日である場合

株式の取得等により他の会社が特定関連会社に該当することとなった日が同社の決算日以外の日である場合には，原則として当該日に仮決算を行った上で当該日から連結決算日までの損益を連結財務諸表に反映させる必要があります。

ただし，特定関連会社株式の取得日の前後いずれか近い決算日に株式の取得が行われたものとみなして連結財務諸表の作成を行うこともできます（注解89）。

以下，具体的な事例で特定関連会社の決算を取り込む期間を確認します。まず，特定関連会社の事業年度の期末に近い日に株式を取得した事例を，確認します。

事例 13-1

A 独立行政法人は 3 月決算の B 社（A 独立行政法人と業務一体性を有する会社）の株式の 60% を X2 年 1 月 1 日に取得したことにより，B 社は A 独立行政法人の特定関連会社に該当した。

＜上記事例における X2 年 3 月決算において連結すべき B 社財務諸表の対象期間＞

原則的な方法：X2 年 3 月 31 日現在の貸借対照表及び X2 年 1 月 1 日～3 月 31 日の期間の損益計算書を連結する。

この場合，X2 年 1 月 1 日から 3 月 31 日の期間の損益計算書を作成するためには，B 社において X1 年 12 月 31 日現在における仮決算が必要となります。

容認される方法：X2 年 3 月 31 日に株式を取得したとみなして，X2 年 3 月 31 日現在の貸借対照表のみを連結する。

この場合，B 社において X1 年 12 月 31 日現在における仮決算を行う必要は生じません。

次に，特定関連会社の事業年度の期首に近い日に株式を取得した事例を，確認します。

事例 13-2

A独立行政法人は3月決算のB社（A独立行政法人と業務一体性を有する会社）の株式の60%をX1年7月1日に取得したことにより，B社はA独立行政法人の特定関連会社に該当した。

<上記事例におけるX2年3月決算において連結すべきB社財務諸表の対象期間>

原則的な方法：X2年3月31日現在の貸借対照表及びX1年7月1日～X2年3月31日の期間の損益計算書を連結する。

この場合，X1年7月1日からX2年3月31日の期間の損益計算書を作成するためには，B社においてX1年6月30日現在における仮決算が必要となります。

容認される方法：X1年4月1日に株式を取得したとみなして，X2年3月31日現在の貸借対照表及びX1年4月1日～X2年3月31日の期間の損益計算書を連結する。

この場合，B社においてX1年6月30日現在における仮決算を行う必要は生じません。

3. 会計方針の統一

同一環境下で行われた同一の性質の取引等について，独立行政法人及び関係会社が採用する会計方針は，独法会計基準第12章「独立行政法人固有の会計処理」に定めるものを除き，原則として独立行政法人の会計方針に統一する必要があります（基準第110）。独法会計基準第12章「独立行政法人固有の処理」で定める内容をまとめると，**図表13-5**の通りになります。

ただし，「独立行政法人固有の会計処理」に定める以外の事項についても，次のような場合には，会計方針の統一を行わないことが容認されています。

（1） 資産の評価方法及び固定資産の減価償却の方法の統一が困難な場合

資産の評価方法及び固定資産の減価償却の方法は本来統一することが望ましいものとなりますが，実務上の負担が大きく統一が困難な場合には統一をしな

図表 13-5　独法会計基準第 12 章で定める「独立行政法人固有の会計処理」

▶運営費交付金の会計処理（基準第 81）
▶施設費の会計処理（基準第 82）
▶補助金等の会計処理（基準第 83）
▶事後に財源措置が行われる特定の費用に係る会計処理（基準第 84）
▶寄附金の会計処理（基準第 85）
▶サービスの提供等による収益の会計処理（基準第 86）
▶特定の資産に係る費用相当額の会計処理（基準第 87）
▶賞与引当金に係る会計処理（基準第 88）
▶退職給付に係る会計処理（基準第 89）
▶債券発行差額の会計処理（基準第 90）
▶資産除去債務に係る特定の除去費用等の会計処理（基準第 91）
▶法令に基づく引当金等（基準第 92）
▶信用の供与を主たる業務としている独立行政法人における債務保証の会計処理（基準第 93）
▶退職等年金給付及び退職共済年金等に係る共済組合への負担金の会計処理（基準第 94）
▶毎事業年度の利益処分（基準第 95）
▶中期目標及び中長期目標の期間の最後の事業年度（行政執行法人は毎事業年度）の利益処分（基準第 96）
▶目的積立金を取り崩す場合の会計処理（基準第 97）
▶不要財産に係る国庫納付等に伴う資本金等の減少に係る会計処理（基準第 98）
▶不要財産に係る国庫納付等に伴う譲渡取引に係る会計処理（基準第 99）

いことが容認されます。ただし，その場合にはその概要を注記により開示する必要があります。

（2）　合理的な理由によりその他の会計方針の統一が困難な場合

合理的理由がある場合には，財政状態及び運営状況に関する国民その他の利害関係者の判断を誤らせない限りにおいて，会計方針の統一を行わないことが容認されます。ただし，その場合には会計方針の統一を行わない理由，統一されていない会計方針の概要を注記により開示する必要があります。

注解 88 では合理的理由がある場合の例として，「関係会社に対する独立行政法人の出資が，当該関係会社が行う研究開発事業等に要する資金の供給として他の民間会社と共同して実施される場合であって，当該関係会社が，当該他の民間会社の持分法適用会社に該当するため，当該関係会社の会計処理が当該他の民間会社の会計処理に統一されており，独立行政法人の会計処理に統一することが困難な場合等」をあげています。

（3）特定関連会社の貸借対照表に繰延資産が計上されている場合

独立行政法人は繰延資産を計上してはならないとされている（基準第8第3項）一方で，企業会計基準においては繰延資産を計上することが容認されており，両者の会計処理は異なります。繰延資産の会計処理については，連結決算における会計方針統一の対象とはなりません。

既に対価の支払が完了しまたは支払義務が確定し，これに対応する役務の提供を受けたにもかかわらず，その効果が将来にわたって発現するものと期待される費用（株式交付費，社債発行費等，創立費，開業費，開発費）を繰延資産といい，資産計上した上で毎期償却を行い将来発生する収益と対応させることが容認されています。独立行政法人においては，負託された業務に係る支出額に対応する形で国から財源が措置されるため，既に役務提供の受領が終わった費用を将来に繰り延べる必要がありません。このため，繰延資産に関する会計処理が独立行政法人と民間企業とで異なる要因は，組織形態の違いによるものであり，同一環境下で行われた取引に該当しないため会計方針統一の対象となりません。

（4）過年度遡及修正にかかる会計処理

独立行政法人においては，会計方針の変更及び過去の誤謬の訂正に伴う過年度の財務諸表の遡及修正は行わないこととされています。連結あるいは持分法の対象となる関係会社の決算において，過年度の財務諸表の遡及修正が行われている場合，過年度の財務諸表の遡及修正を行わないとする取扱いは，独立行政法人固有の会計処理に該当するため，連結あるいは持分法の対象となる当該関係会社において独立行政法人と会計処理を統一する必要はなく，当該関係会社の決算数値をそのまま利用して，連結財務諸表を作成することとなります。ただし，連結純資産変動計算書における連結剰余金の表示については，以下の取扱いとすることが適当とされています（独法 Q&A Q110-1）。

> ①　当期首残高
> 　前年度の連結剰余金期末残高と同額を記載する。
> ②　関係会社における過年度財務諸表の遡及修正による影響額
> 　会計方針の変更による前年度以前の遡及適用の累積的影響額及び過去の誤謬による前年度以前の修正再表示による累積的影響額を合計し，純額を「関係会社における過年度財務諸表の遡及修正による影響額」として，上記①の次に区分記載する。
> ③　上記影響額を反映した当期首残高
> 　上記①に上記②の影響額を反映した金額を「上記影響額を反映した当期首残高」として上記②の次に記載する。

このような規定が置かれるのは，関係会社の財務諸表だけが過年度に遡及修正されると，独立行政法人の期首連結剰余金の数値が前年度の期末連結剰余金数値と不一致となり，連結財務諸表の連続性が確認できなくなることから，関係会社において過年度に遡及して修正が行われた場合であっても当該修正による影響額を連結純資産変動計算書上では連結剰余金の当期増加額または当期減少額に「関係会社における過年度財務諸表の遡及修正による影響額」として記載することにより，連結財務諸表における連結剰余金の連続性を確保するためのものと言えます。

第3節　連結財務諸表の作成方法

連結財務諸表は連結の範囲に含まれる独立行政法人及び特定関連会社の財務諸表を合算した上で，連結対象となる法人集団内において行われた取引及び債権債務の相殺消去等を行うことにより作成します。このため，連結財務諸表を作成するためには独立行政法人及び特定関連会社の財務諸表を合算する作業と，取引高及び債権債務の相殺消去等を行う作業が必要となります。

1.　連結精算表の作成

連結財務諸表を作成するには，まず連結の範囲に含まれる独立行政法人及び特定関連会社の財務諸表を合算する必要があります。財務諸表を合算するために連結精算表と呼ばれるワークシートを通常作成します。連結の範囲に含まれる特定関連会社の数が比較的少なく，かつ連結の範囲内における取引も少ない場合には表計算ソフト等を用いて作成することが一般的です。特定関連会社の数が多い場合や，連結の範囲内における取引が多い場合には表計算ソフト等での対応には一定の限界があり，連結会計システムを導入することが望ましいと言えます。

連結精算表の例を示すと**図表 13-6** の通りになります。A の欄が独立行政法人及び特定関連会社の財務諸表を入力する欄となります。まず，各法人ごとに貸借対照表及び損益計算書を入力します。各法人ごとのデータを入力した後は一旦合計（単純合算）を出します。次に B の欄に出資と資本の相殺消去，取引高及び債権債務の相殺消去，未実現利益消去等の仕訳（連結修正仕訳）を入力します。全ての連結修正仕訳を入力した後は各法人ごとの単純合算と連結修正仕訳の合計を算出すると連結財務諸表の数値となります（C の欄）。

図表 13-6　連結精算表（例示）

科目名	Ⓐ 個別財務諸表の合算			Ⓑ 連結修正仕訳						Ⓒ 連結財務諸表
	A 独法	B 社	小計	出資と資本の相殺	純損益の振替	債権と債務の相殺	取引高の相殺	持分法	小計	
【貸借対照表】										
現金及び預金	38,200	2,000	40,200						0	40,200
売掛金	0	2,000	2,000			△500			△500	1,500
関係会社株式	3,000	0	3,000	△2,000				200	△1,800	1,200
資産合計	41,200	4,000	45,200	△2,000	0	△500	0	200	△2,300	42,900
運営費交付金債務	8,000	0	8,000						0	8,000
未払金	2,000	500	2,500			△500			△500	2,000
負債合計	10,000	500	10,500	0	0	△500	0	0	△500	10,000
資本金	30,000	2,000	32,000	△2,000					△2,000	30,000
連結剰余金	1,200	1,500	2,700	△1,200	△200	0	0	200	△1,200	1,500
非支配株主持分	0	0	0	1,200	200				1,400	1,400
純資産合計	31,200	3,500	34,700	△2,000	0	0	0	200	△1,800	32,900
負債・純資産合計	41,200	4,000	45,200	△2,000	0	△500	0	200	△2,300	42,900
【損益計算書】			0						0	
業務委託費	16,000	5,200	21,200				△2,000		△2,000	19,200
経常費用合計	16,000	5,200	21,200	0	0	0	△2,000	0	△2,000	19,200
運営費交付金収益	15,800	0	15,800						0	15,800
売上高	0	6,000	6,000				△2,000		△2,000	4,000
持分法投資利益	0	0	0					300	300	300
経常収益合計	15,800	6,000	21,800	0	0	0	△2,000	300	△1,700	20,100
経常利益	△200	800	600	0	0	0	0	300	300	900
税金等調整前当期純利益	△200	800	600	0	0	0	0	300	300	900
法人税，住民税及び事業税	0	300	300						0	300
非支配株主損益調整前当期純利益	△200	500	300	0	0	0	0	300	300	600
非支配株主損益	0	0	0		200				200	200
当期純利益	△200	500	300	0	△200	0	0	300	100	400
目的積立金取崩額	200		200							200
当期総利益	0	500	500	0	△200	0	0	300	100	600

2. 連結対象となる特定関連会社の財務諸表

（1） 特定関連会社の株式を取得した日が同社の決算日以外の日である場合

事業年度の途中で株式の取得等を行い他の会社等が特定関連会社に該当することとなった場合，特定関連会社は株式取得等の日から連結の範囲に含まれます。このため，株式取得等の日を基準日として仮決算を行い，当該日以降の期間を対象とした損益計算書を作成した上で連結することが原則となります。

ただし，実務上の配慮から，特定関連会社に該当することとなった日の前後いずれか近い決算日に株式の取得が行われたものとみなすことも容認されています。特定関連会社の事業年度の期首に取得したとみなす場合には当該事業年度の貸借対照表及び損益計算書を連結し，期末に取得したとみなす場合には損益計算書は連結せず，当該事業年度の貸借対照表だけを連結します。このような株式取得があったとみなす日をみなし取得日といいます。

（2） 特定関連会社の資産及び負債の時価評価

特定関連会社に該当することとなった日において，連結決算上，特定関連会社の資産及び負債を時価評価し，時価評価差額を特定関連会社の純資産に計上した上で連結を行います（基準第 115）。この場合，連結精算表の作成上は特定関連会社の個別財務諸表をそのまま連結精算表に入力するのではなく，個別財務諸表の時価評価替えのためのワークシートを作成して時価評価後の個別財務諸表の数値を算定した上で当該数値を連結精算表に入力します。当該ワークシートを例示すると，図表 13-7 の通りとなります。

3. 出資と資本の相殺消去

独立行政法人の特定関連会社に対する出資とこれに対応する特定関連会社の資本は，連結対象となる法人集団内における内部的な取引であるため相殺消去

図表 13-7　個別財務諸表修正ワークシート（例示）

科目名	修正前財務諸表	個別財務諸表の修正仕訳			修正後財務諸表
		土地再評価	その他	小計	
【貸借対照表】					
現金及び預金	300			0	300
売掛金	500			0	500
土地	2,000	1,000		1,000	3,000
資産合計	2,800	1,000	0	1,000	3,800
未払金	1,000			0	1,000
負債合計	1,000	0	0	0	1,000
資本金	1,000			0	1,000
利益剰余金	800			0	800
評価差額金	0	1,000		1,000	1,000
純資産合計	1,800	1,000	0	1,000	2,800
負債・純資産合計	2,800	1,000	0	1,000	3,800
【損益計算書】					
業務委託費	2,500			0	2,500
経常費用合計	2,500	0	0	0	2,500
売上高	3,000			0	3,000
経常収益合計	3,000	0	0	0	3,000
経常利益	500	0	0	0	500
税金等調整前当期純利益	500	0	0	0	500
法人税，住民税及び事業税	200			0	200
当期純利益	300	0	0	0	300

する必要があります。ただし，設立出資の場合を除き両者の金額は必ずしも一致しません。特定関連会社の株価を適切に評価して出資した場合でも，貸借対照表上の資産及び負債の簿価と時価に乖離がある場合や，資産及び負債の価値以外にも識別できない無形の経済価値（のれん）が存在する場合があるためです。

特定関連会社に対する出資とこれに対応する特定関連会社の資本を相殺した場合に生ずる差額はのれんに該当するものと考えられますが，独法会計基準では当該差額は発生した事業年度の損益として処理することとされています（基準第116)。なお，前述の通り，特定関連会社の株式の取得日において特定関連会社の資産及び負債を時価評価するため，特定関連会社に対する出資とこれに対応する特定関連会社の資本との相殺は，特定関連会社の資産及び負債の時価評価を行った後の特定関連会社の資本の額を基に行います。時価評価前の特定関連会社の資本を相殺消去すると，資産及び負債の時価評価差額が特定関連会社の株式取得の事業年度に一時に損益として処理されてしまいます。このため，特定関連会社に該当することとなった日において，特定関連会社の資産及び負債の簿価と時価に差が生じている場合には時価評価して評価差額を純資産に計上し，相殺消去の対象となる特定関連会社の資本に反映させる必要があります。

次に，出資と資本の相殺消去を行う際の相殺消去対象となる特定関連会社の資本の範囲について説明します。独立行政法人が特定関連会社を設立出資した場合には，出資と対応する特定関連会社の資本は，貸借対照表上の資本金及び資本剰余金となりますが，設立後に出資を行って特定関連会社に該当することとなった場合には，相殺消去対象となる特定関連会社の資本の範囲は資本金及び資本剰余金だけでなく，当該特定関連会社の設立後独立行政法人による出資日までに生じた利益剰余金を含む純資産全体となります。これは，独立行政法人の特定関連会社に対する出資額はその時点における特定関連会社の純資産額を基準に出資価額が決定されることが通常であり，出資時点までの特定関連会社における利益剰余金が相殺されることにより出資日以降の特定関連会社の利益剰余金の変動だけが連結財務諸表に反映されることから，法人集団の運営状況を正しく示すうえで必要となるためです。

連結精算表に出資と資本の相殺消去の仕訳を入力する際には，独立行政法人が保有している特定関連会社の株式と特定関連会社の純資産の部を相殺する仕訳を連結修正仕訳欄に入力します。特定関連会社の純資産は前述の通り資産・負債の時価評価差額を反映させた純資産とすることに留意下さい。相殺消去の対象となる特定関連会社の純資産は特定関連会社に該当することとなった日またはみなし取得日の純資産となります。当該日以降に生じた純資産，すなわち当該会社が特定関連会社として連結の範囲に含まれた日以降に獲得された損益により生じた利益剰余金は相殺消去の対象とはならず，連結貸借対照表の純資産の一部を構成することとなります。

（1） 特定関連会社に対する出資比率が100%ではない場合

特定関連会社に対する出資比率が100%ではない場合，独立行政法人以外にも特定関連会社の株主が存在することとなります。当該他の株主を非支配株主と言います。この場合，特定関連会社の純資産の部の一部は非支配株主の持分であるため，出資と資本の相殺消去を行う場合に特定関連会社の資本のうち非支配株主の持分は独立行政法人が保有する特定関連会社株式と相殺せず，非支配株主持分と称する科目に振替えます。

（2） 特定関連会社相互間の出資がある場合

独立行政法人の特定関連会社が複数存在する場合に，特定関連会社が他の特定関連会社に対して出資を行っている場合があります。この場合も，連結の範囲における内部的な取引であるため，独立行政法人から特定関連会社に対する出資の場合に準じて特定関連会社相互間の出資と資本を相殺消去します。

（3） 特定関連会社に欠損がある場合

特定関連会社に生じた欠損が拡大し，総資産額を総負債額が上回ることがあります。負債のうち総資産額を上回る部分を債務超過額と言います。債務超過額は会社の資産により弁済できないこととなるため会社が経営破綻した場合に，債務超過額を誰が負担するのかが問題となります。

独立行政法人が特定関連会社の債務保証を行っている等，契約等による義務を負っている場合には債務超過額は独立行政法人が負担することとなり，そのような契約がない場合には独立行政法人及び非支配株主がそれぞれ負担することとなります（注解90）。

連結決算上，特定関連会社に欠損が生じた場合には出資比率に応じて非支配株主損失を計上し，欠損を非支配株主持分に負担させます。欠損金が拡大すると非支配株主持分の残高が減少し，債務超過に達すると非支配株主持分はマイナス残高となります。ただし，前述の通り独立行政法人が特定関連会社の債務保証を行っている等の場合には非支配株主持分はゼロまでとし，マイナス残高にせず，非支配株主持分残高を超過する損失は債務保証契約等に基づき独立行政法人の負担する損失として処理します。その後特定関連会社に利益が生じた場合には，独立行政法人が負担した欠損が回収されるまで，非支配株主利益は計上せず独立行政法人の利益として処理します。

以下では，具体的な事例を用いて出資と資本の相殺消去にかかる会計処理を確認します。

事例 13-3

X1 年 3 月 31 日に A 独立行政法人は B 株式会社（A 独立行政法人と業務一体性を有する 3 月決算会社）の発行済株式総数の 60% を 2,000 千円で取得し，B 株式会社は A 独立行政法人の特定関連会社に該当することとなった。B 社の X1 年 3 月末，X 年 3 月末の貸借対照表及び X1 年 3 月期の損益計算書は次の通り。

特定関連会社に該当した時点における貸借対照表を基準として出資と資本の相殺消去を行います。

B 社 貸借対照表 (X1 年 3 月 31 日現在)			
現金預金 未収入金	1,000 2,200	未払金	200
		資本金 利益剰余金	2,000 1,000
合計	3,200	合計	3,200

① B社純資産のうちA独法持分(2,000＋1,000)×60％＝1,800は保有株式2,000と相殺し，差額は損益に計上します。
② 非支配株主持分(2,000＋1,000)×40%=1,200は非支配株主持分に振替えます。

B 社 貸借対照表 (X2 年 3 月 31 日現在)			
現金預金 未収入金	2,000 2,000	未払金	500
		資本金 利益剰余金	2,000 1,500
合計	4,000	合計	4,000

B 社 損益計算書 (自 X1 年 4 月 1 日 至 X2 年 3 月 31 日)	
売上高	6,000
(中略)	
当期純利益	500

<上記事例における X1 年 3 月期及び X2 年 3 月期連結決算における出資と資本の相殺消去に係る連結修正仕訳>

1)　X1 年 3 月期連結決算における連結修正仕訳

(借)	資本金	2,000	(貸)	関係会社株式	2,000
	連結剰余金 *1	1,000		非支配株主持分	1,200
	株式取得に係る投資消去差額 *2 （損益計算書科目）	200			

*1) 連結財務諸表において利益剰余金は連結剰余金と表示されるため，連結剰余金の科目をもって消去します。

*2) 基準上，具体的な科目名は明示されていませんが，損益計算書で一時に費用処理します。

2) X2年3月期連結決算における連結修正仕訳

(借)	資本金	2,000	(貸)	関係会社株式	2,000
	連結剰余金期首残高	1,200 *		非支配株主持分	1,200

* X1年3月期の連結修正仕訳　連結剰余金1,000＋株式取得にかかる投資消去差額200＝1,200

前期の連結決算における連結修正仕訳が当期も必要となる場合には，当期の連結決算においても当該連結修正仕訳を引き続き計上する必要があります。これを開始仕訳と言います。連結決算は連結財務諸表用の会計帳簿を持たないため，前期に計上した連結修正仕訳を当期に引継ぐためには，当期においても前期の連結修正仕訳を計上し，累積的に連結修正仕訳を蓄積する必要があります。

連結決算において，前期に発生した損益は当期の連結純資産変動計算書における連結剰余金の当期首残高に集約され，当期に引継がれます。このため，過年度の損益項目にかかる連結修正仕訳は累積的に連結修正仕訳として蓄積し，当期の連結修正仕訳においては全て「連結剰余金期首残高」の科目で計上します。

4. 純損益の非支配株主持分への振替

特定関連会社に非支配株主が存在する場合，特定関連会社の当期純利益（または当期純損失）に当該特定関連会社に対する非支配株主の株式持分割合を乗じた額は非支配株主に帰属するため，非支配株主持分に振替えます。具体的には特定関連会社の当期純利益（または当期純損失）に非支配株主の持分比率を乗じた金額を非支配株主損益として計上するとともに，非支配株主持分に振替えます。

上記の会計処理を具体的な事例で確認します。

事例 13-4

X2年3月31日現在，A独立行政法人はB株式会社（A独立行政法人と業務一体性を有する3月決算会社）の発行済株式総数の60%を保有しており，B株式会社は特定関連会社に該当している。

B社のX2年3月期，X3年3月期における損益計算書は，次の通りであった。

B社　損益計算書 （自　X1年4月　1日 至　X2年3月31日）	
売上高 （中略）	6,000
当期純利益	500

B社　損益計算書 （自　X2年4月　1日 至　X3年3月31日）	
売上高 （中略）	8,000
当期純利益	1,000

<上記事例におけるX2年3月期及び×3年3月期連結決算における特定関連会社B社の当期純利益の非支配株主への振替にかかる連結仕訳>

1）　X2年3月期にかかる連結仕訳

(借)　非支配株主損益	200*	(貸)　非支配株主持分	200

＊特定関連会社B社当期純利益500×非支配株主持分割合40%＝200

2）　X3年3月期にかかる連結仕訳

(借)　連結剰余金期首残高*1	200	(貸)　非支配株主持分	200
非支配株主損益	400*2	非支配株主持分	400

＊1）　X2年3月期の連結仕訳のうち損益項目にかかる科目を連結剰余金期首残高に置き換えて連結仕訳を計上する。

＊2）　特定関連会社B社当期純利益1,000×非支配株主持分割合40%＝400

5.　債権と債務の相殺消去

連結の範囲に含まれる独立行政法人及び特定関連会社相互間の債権と債務は，連結対象となる法人集団の内部的な取引により生じた項目であるため，連結決算上，相殺消去する必要があります（基準第118）。

合わせて，独立行政法人及び特定関連会社相互間の債権・債務に関して，貸倒引当金が計上されている場合には，当該貸倒引当金も連結対象となる法人集団の内部的な取引に係るものであるため，連結決算上，貸倒引当金の計上額を消去する必要があります。

また，連結の範囲に含まれる独立行政法人及び特定関連会社相互間で債務保証を行い，これに対応して保証債務損失引当金を計上している場合も同様に，連結対象となる法人集団の内部的な取引に係るものであるため，保証債務損失引当金を消去する必要があります。なお，民間企業等に対して信用の供与を行うことを主たる業務としている独立行政法人において，特定関連会社に対する債務保証を行っている場合に保証債務と保証債務見返が計上されますが，これらも消去する必要があります。

以下，具体的な事例を用いて会計処理を確認します。

事例 13-5

X2 年 3 月 31 日現在，A 独立行政法人は B 株式会社（A 独立行政法人と業務一体性を有する 3 月決算会社）の発行済株式総数の 60% を保有しており，B 株式会社は特定関連会社に該当する。A 独立行政法人は B 社に業務委託をしており，決算日現在，当該業務委託契約に係る債権債務が存在する。

X2 年 3 月 31 日現在の A 独立行政法人，特定関連会社 B の債権・債務の内訳書はそれぞれ次の通りであった。

A 独立行政法人　未払金　科目内訳書 （X2 年 3 月 31 日　現在）	
B 社 甲社 （中略）	500 1,000
合計	2,000

B 社　売掛金　科目内訳書 （X2 年 3 月 31 日　現在）	
A 独立行政法人 乙社 （中略）	500 300
合計	2,000

各社の科目内訳書に基づき X2 年 3 月期連結決算における債権と債務の相殺消去仕訳を作成する。

1）X2 年 3 月期連結決算における連結修正仕訳

㈴	未　払　金	500	㈶	売　掛　金	500

6. 取引高の相殺消去

連結の範囲に含まれる独立行政法人及び特定関連会社相互間の取引により生じた収益及び費用は，連結対象となる法人集団内の取引により生じた項目であるため，法人集団を1つの会計単位とする連結決算上は当該取引高を相殺消去する必要があります（基準第123）。

取引高の相殺消去を行うためには，連結対象となる法人集団内の独立行政法人及び特定関連会社において取引高の相手先別管理を行い，連結決算に際して特定関連会社から独立行政法人に対する取引高の集計額の提出を受け，当該資料に基づき独立行政法人側の把握する特定関連会社に対する取引高と照合のうえ，相殺消去を行う必要があります。

取引高の照合に際し，両者に差異がある場合にはその原因を確かめ，原則として連結決算上，必要な調整を行い，両者を一致させた上で相殺消去する必要があります。例えば，独立行政法人Aが特定関連会社B社に対して期末に出版物の販売が行われた場合に，各法人の個別財務諸表上，独立行政法人A社は決算日までに出荷して出版物販売収入及び未収金を計上したものの，特定関連会社Bは決算日までに出版物の配送が到着しなかったために図書費及び未払金を計上していないようなケースが考えられます（未達取引のケース）。この場合，連結決算上は特定関連会社Bの図書費及び未払金を計上して両者の取引高並びに債権債務を一致させた上で相殺消去することとなります。

以上の内容を具体的な事例を用いて確認します。

事例 13-6

X2年3月31日現在，A独立行政法人はB株式会社（A独立行政法人と業務一体性を有する3月決算会社）の発行済株式総数の60%を保有しており，B株式会社は特定関連会社に該当しています。A独立行政法人と特定関連会社Bとの間の取引高の集計結果は，以下の通りであった。なお，A独立行政法人は特定関連会社Bに対して期末に出版物の販売を行っているものの，配送の関係で特定関連会社Bは決算日までに出版物が到着していなかったために図書費を計上していない。当該取引は連結決算上，未達取引として必要な調整を行う。

A独立行政法人 業務委託費相手先別一覧	
B社 （中略）	2,000
合計	16,000

B社 売上高　相手先別一覧	
A独立行政法人 （中略）	2,000
合計	6,000

A独立行政法人 出版物販売収入　相手先別一覧	
B社 （中略）	300
合計	1,000

B社 図書費　相手先別一覧	
A独立行政法人 （中略）	0
合計	200

＜上記事例における取引高の相殺消去にかかる連結修正仕訳＞

1）　売上高と業務委託費との相殺消去仕訳

(借)	売上高	2,000	(貸)	業務委託費	2,000

2）　特定関連会社Bにおける未達取引（図書費）の連結修正仕訳

(借)	図書費	300	(貸)	未払金	300

3）　出版物販売収入と図書費との相殺消去仕訳

(借)	出版物販売収入	300	(貸)	図書費	300

7.　未実現損益の消去

連結の範囲に含まれる独立行政法人及び特定関連会社，持分法適用会社相互間で棚卸資産，固定資産等を売買して決算日時点で買主が当該資産を保有している場合があります。この場合，買主が保有している資産には売主が付加した利益が含まれていることとなりますが，当該利益は法人集団の内部取引により生じたものであり連結上は未実現利益であるため消去する必要があります。ただし，未実現損益の金額的重要性が乏しい場合は消去しないことができます。

なお，売手側の特定関連会社に非支配株主が存在する場合には，未実現利益は独立行政法人と非支配株主の持分比率に応じて，独立行政法人の持分と非支配株主持分に配分します。具体的には消去する未実現利益に非支配株主持分比率を乗じた金額について非支配株主持分を減少させ，同額の非支配株主損益を計上します（基準第124)。他方，売手側が独立行政法人の場合は未実現利益の非支配株主への配分は行いません。

8. 法人税等の期間配分に係る会計処理

税効果会計の適用により個別決算上の利益と法人税等の金額は対応するよう調整がなされますが，連結決算における連結修正仕訳の計上によって個別決算上の利益と連結決算上の利益とに差異が生じる結果，利益と法人税等が期間対応しなくなることがあります。このような場合には，連結上の利益と法人税等の計上額を期間対応させるよう，税効果会計を適用します。連結特有の税効果会計の処理が必要となるケースは，連結修正仕訳により連結上の利益と連結対象となる各法人の単純合算利益の額から乖離が生じる場合となります。具体的には，連結法人間の貸倒引当金，保証債務損失引当金の消去による利益の増減，未実現利益の消去，債権債務・取引高の相殺消去に際しての未達取引の調整にかかる連結法人の個別財務諸表の修正による利益の増減等によって個別決算上の利益と連結決算上の利益が乖離する場合が該当します。

9. 関連会社等に対する持分法の適用

独立行政法人は原則として全ての特定関連会社を連結の範囲に含める必要がありますが，特定関連会社の財務諸表の連結財務諸表に対する重要性が乏しい場合には連結の範囲に含めないことが容認されています。連結の範囲に含めない特定関連会社及び関連会社に対する出資については，原則として持分法を適用しなければなりません（基準第120)。持分法とは出資先企業の純資産額の変動のうち持分相当額を保有株式の簿価に加減して反映する会計処理方法であり，出資先企業の損益のうち持分相当額が連結財務諸表で持分法投資損益として計上されます。

また，特定関連会社の要件は満たさないものの，独立行政法人及び特定関連会社が財務及び営業の方針決定について重要な影響を与えることができる会社は関連会社に該当するものとし，持分法を適用します。重要な影響を与えているかどうかは，出資，人事，資金，技術，取引等の関係を勘案して，**図表 13-8** に従って判定します。

なお，持分法の適用範囲から除外しても連結財務諸表に重要な影響を与えない特定関連会社及び関連会社には，持分法を適用しないことができます。重要性の有無は当該会社の連結財務諸表上の純損益及び連結剰余金に与える影響を勘案して判断する必要があり，連結の範囲決定における重要性の判断基準と同様の基準により判定することが通常となります。

図表 13-8　出資先企業が関連会社に該当するか否かの判定表

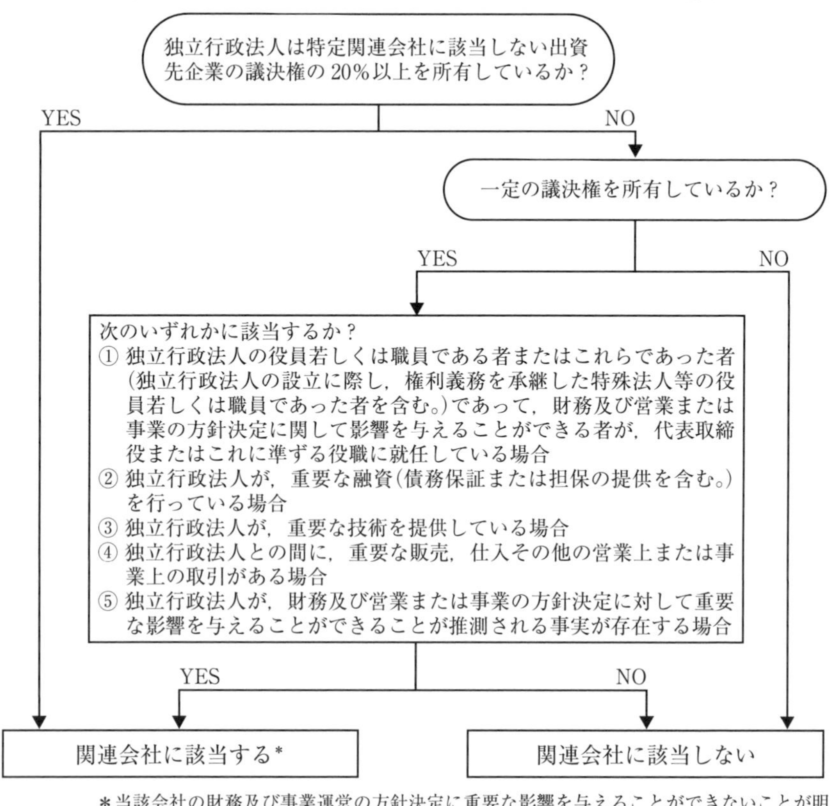

＊当該会社の財務及び事業運営の方針決定に重要な影響を与えることができないことが明らかに示されない限り，当該会社は関連会社に該当するものとする。

以上の内容を具体的な事例を用いて確認します。

事例 13-7

X1 年 3 月 31 日に A 独立行政法人は C 株式会社（3 月決算会社）の発行済株式総数の 30% を 1,000 千円で取得し，C 株式会社は A 独立行政法人の関連会社に該当した。関連会社 C の X1 年 3 月期，X2 年 3 月期における財務諸表は以下の通り。

C 社 貸借対照表（X1 年 3 月 31 日現在）			
現金預金 未収入金	2,000 2,000	未払金	1,000
		資本金 利益剰余金	2,000 1,000
合計	4,000	合計	4,000

C 社純資産のうち A 独法持分 (2,000 + 1,000) × 30% = 900 と保有株式 1,000 との差額 100 は投資消去差額であり，独立行政法人会計基準において発生年度に一時の損益で処理される。

C 社 貸借対照表（X2 年 3 月 31 日現在）			
現金預金 未収入金	3,000 1,000	未払金	2,000
		資本金 利益剰余金	2,000 2,000
合計	4,000	合計	4,000

C 社 損益計算書（自 X1 年 4 月 1 日 至 X2 年 3 月 31 日）	
売上高 （中略）	5,000
当期純利益	1,000

<上記事例における X1 年 3 月期及び X2 年 3 月期連結決算それぞれの持分法適用にかかる連結仕訳とその前提となる個別財務諸表の関係会社株式に係る決算整理仕訳>

1-1）X1 年 3 月期連結決算における個別財務諸表の決算整理仕訳

(借)	関係会社株式評価損	*1 100	(貸)	関係会社株式	100

1-2）X1 年 3 月期連結決算における連結修正仕訳

(借)	持分法投資損益	100	(貸)	関係会社株式評価損	*1 100

2-1）X2 年 3 月期連結決算における個別財務諸表の期首洗替及び決算整理仕訳

(借)	関係会社株式	100	(貸)	関係会社株式評価損戻入益	*2 100
(借)	関係会社株式	200	(貸)	関係会社株式評価差額金	*3 300
	関係会社株式評価損戻入益	100			

2-2）X2 年 3 月期連結決算における連結修正仕訳

			*4
(借) 関係会社株式評価差額金	300	(貸) 持分法投資損益	300

＊1) 個別財務諸表で関係会社株式評価損を計上しているが，連結財務諸表では投資消去差額として，持分法投資損益に表示科目を修正

＊2) X1年3月期末に計上した評価損の洗替

＊3) C社損益計算書の当期純利益 1,000×30%＝300

＊4) 個別財務諸表で関係会社株式評価差額金を計上しているが，連結財務諸表では持分法投資損益に表示科目を修正

10. 区分経理が要請される独立行政法人の連結財務諸表

法律の規定により，特定の業務・事業等に係る経理をその他の経理と区分して経理し，区分した経理単位（「勘定」といいます）ごとに財務諸表の作成が要請されている独立行政法人にあっては，それぞれの勘定ごとの連結財務諸表（「勘定別連結財務諸表」といいます）を作成し，勘定別の連結財務諸表を合算して法人単位の連結財務諸表を作成することが求められています（基準第113)。

法人単位連結財務諸表は，個別財務諸表において区分経理が求められる法人における法人単位財務諸表の作成（基準第102）に準じて作成しますが，下記の点について留意が必要です。

勘定別連結財務諸表を作成する際に，特定関連会社に対する出資を行っている勘定と特定関連会社の間の取引高及び債権債務は相殺消去する必要があります。また，当該勘定以外の勘定と特定関連会社との間に取引高及び債権債務がある場合には，法人単位の連結財務諸表を作成する際に相殺消去する必要があります。

同様の取引によって取得した棚卸資産，固定資産その他の資産に含まれる未実現損益も消去する必要があります（ただし，未実現損失については売手側の勘定の帳簿価額のうち回収不能と認められる部分は保守主義の観点から消去しません)。

以上の留意点をまとめると，**図表13-9**の通りになります。

図表 13-9　勘定別・法人単位連結財務諸表それぞれにおける相殺消去対象範囲の相違

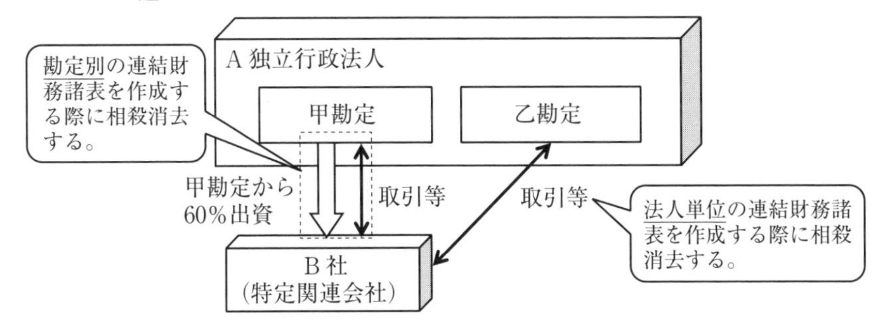

第 4 節　連結財務諸表の表示方法

1.　連結貸借対照表の表示方法

連結貸借対照表の表示方法は基本的に独立行政法人の個別貸借対照表に準じますが，下記の点が相違しています。

（1）　繰延資産

独立行政法人会計基準において繰延資産は計上してはならないとされていますが，特定関連会社の個別貸借対照表に繰延資産が計上されている場合には，連結貸借対照表においても繰延資産が計上されます。

なお，このような会計処理の相違が生じるのは，独立行政法人制度では，通常，負託された業務に係る支出額に対応する形で財源措置がなされること等から，企業会計において繰延資産に計上される取引が想定されないのに対して，企業会計基準においては，費用収益の期間対応を図る観点から将来の収益獲得に対応する費用のうち一定のものに限定して繰延資産として資産計上することが容認されています。これらは，独立行政法人と特定関連会社（民間営利企

図表 13-10　個別貸借対照表及び連結貸借対照表の相違点

個別財務諸表				連結財務諸表		
純資産の部				純資産の部		
Ⅰ　資本金				Ⅰ　資本金	×××	
政府出資金	×××					
地方公共団体出資金	×××			Ⅱ　資本剰余金	×××	
（何）出資金	×××					
資本金合計		×××		Ⅲ　連結剰余金（又は連結欠損金）	×××	
Ⅱ　資本剰余金						
資本剰余金	×××			Ⅳ　評価・換算差額等	×××	
その他行政コスト累計額	△×××					
減価償却相当累計額	△×××			Ⅴ　非支配株主持分	×××	
……………	△×××					
除売却差額相当累計額	△×××			純資産合計		×××
民間出えん金	×××			負債純資産合計		×××
資本剰余金合計		×××				
Ⅲ　利益剰余金（又は繰越欠損金）						
前中期目標期間繰越積立金	×××					
（何）積立金	×××					
積立金	×××					
当期未処分利益	×××					
（又は当期未処理損失）	×××					
（うち当期総利益（又は当期総損失）	×××）					
利益剰余金（又は繰越欠損金）合計		×××				
Ⅳ　評価・換算差額等		×××				
純資産合計			×××			
負債純資産合計			×××			

業）との組織形態の違いによるものであり，会計処理の統一上の問題とはならないためとされています（独法Q&A Q121-1)。

(2) 純　資　産

純資産の部は，資本金，資本剰余金，連結剰余金，非支配株主持分に区分して記載します。個別貸借対照表における利益剰余金は連結貸借対照表では連結剰余金として表示されます。また，個別貸借対照表のように純資産の部の各項目の内訳までは開示が求められていません。

個別貸借対照表，連結貸借対照表のそれぞれの純資産の部における相違点をまとめると，前ページの**図表13-10**の通りになります。

2. 連結損益計算書の表示方法

連結損益計算書の表示方法は基本的に独立行政法人の個別損益計算書に準じますが，税金等調整前当期純損益以下の区分が**図表13-11**のように相違します。

図表13-11　個別損益計算書及び連結損益計算書の相違点

個別財務諸表		連結財務諸表	
税引前当期純利益	×××	税金等調整前当期純利益	×××
法人税，住民税及び事業税	×××	法人税，住民税及び事業税	×××
法人税等調整額	×××	法人税等調整額	×××
		非支配株主損益調整前当期純利益	×××
		非支配株主利益	×××
当期純利益	×××	当期純利益	×××
目的積立金取崩額	×××	目的積立金取崩額	×××
当期総利益	×××	当期総利益	×××

3. 連結純資産変動計算書の表示方法

連結純資産変動計算書には，連結貸借対照表の純資産の部における資本金，資本剰余金，連結剰余金及び評価・換算差額等の分類及びその内訳である表示項目に係る当期首残高，当期変動額及び当期末残高を表示することが求められています（基準第127第1項）。また，当期変動額は，資本金の当期変動額，資本剰余金の当期変動額，連結剰余金の当期変動額及び評価・換算差額等の当期変動額に分類することが求められています（基準第127第2項）。

個別財務諸表における純資産変動計算書では，資本金，資本剰余金，利益剰余金の当期変動額について変動事由ごとの内訳を記載することが求められていますが，連結純資産変動計算書には該当する基準がないため，変動事由ごとの内訳の記載までは求められていないとも考えられます。しかしながら，従来の連結剰余金計算書が，連結純資産変動計算書を作成することでその情報を包含できるため作成不要となった経緯や，企業会計基準第6号「株主資本等変動計

図表 13-12　連結純資産変動計算書（例示）

	Ⅰ 資本金	Ⅱ 資本剰余金	Ⅲ 連結剰余金（又は連結欠損金）	Ⅳ 評価・換算差額等	Ⅴ 非支配株主持分	純資産合計
当期首残高	1,000	200	400	30	150	1,780
当期変動額						
Ⅰ　資本金の当期変動額						
出資金の受入	110					110
不要財産国庫納付金等による減資	△15					△15
・・・						
Ⅱ　資本金の当期変動額						
固定資産の取得		50				50
減価償却		△40				△40
・・・						
Ⅲ　連結剰余金の当期変動額						
当期純利益（又は当期純損失）			50			50
・・・						
Ⅳ　評価・換算差額等の当期変動額(純額)				5		5
Ⅴ　非支配株主持分の当期変動額（純額）					20	20
当期変動額合計	95	10	50	5	20	180
当期末残高	1,095	210	450	35	170	1,960

算書に関する会計基準」では，株主資本の項目である資本金，資本剰余金，利益剰余金の当期変動額は変動事由ごとに内訳を記載することが求められている一方，株主資本以外の項目の当期変動額は純額で表示することが原則となっていることを鑑みると，連結純資産変動計算書でも資本金，資本剰余金，利益剰余金の当期変動額について変動事由ごとの内訳を記載することが適切と考えられます。

なお，「1．連結貸借対照表の表示方法」で記載した通り，連結貸借対照表には純資産の部の各項目の内訳までは開示が求められていないため，連結貸借対照表で純資産の部の各項目の内訳を開示していない場合には，連結純資産変動計算書でもその内訳の開示は不要であると考えられます。

以上より，連結純資産変動計算書を例示すると**図表 13-12** の通りとなります。

第 5 節　連結キャッシュ・フロー計算書

1．連結キャッシュ・フロー計算書とは

連結キャッシュ・フロー計算書は，独立行政法人及び特定関連会社の個別キャッシュ・フロー計算書を合算し，連結対象となる法人相互間のキャッシュ・フローの相殺消去の処理を行って作成します。連結対象となる法人相互間のキャッシュ・フローを相殺消去するためには，連結の範囲に含まれる法人との間のキャッシュ・フローをあらかじめ把握しておく必要があり，独立行政法人は特定関連会社から個別キャッシュ・フロー計算書及び連結の範囲に含まれる法人との間のキャッシュ・フローの報告を受ける必要があります。

また，連結キャッシュ・フロー計算書の資金の範囲，表示区分及び表示方法は個別キャッシュ・フロー計算書に準じるものとされています。独立行政法人

のキャッシュ・フロー計算書における業務活動によるキャッシュ・フローの表示方法はいわゆる直接法（収入・支出などのキャッシュ・フローの総額を記載する方法）によるものとされていますが，特定関連会社のキャッシュ・フロー計算書における営業活動（業務活動に相当）によるキャッシュ・フローは間接法（損益計算書上の税引前当期純利益の額に減価償却費などの非資金項目・資産負債の増減額を加減してキャッシュ・フローの額を算出する方法）によって作成されることが一般的となります。連結キャッシュ・フロー計算書の表示方法は直接法によって作成することが原則となりますが，特定関連会社が間接法によってキャッシュ・フロー計算書を作成している場合には，事務負担を考慮して間接法による開示も認められています（独法 Q&A Q129-1）。直接法によるキャッシュ・フロー計算書と間接法によるキャッシュ・フロー計算書との相違点は，業務活動（営業活動）によるキャッシュ・フローの表示区分に現れ，その相違点を示すと，**図表 13-13** の通りになります。

図表 13-13　独立行政法人及び民間企業のキャッシュ・フロー計算書の相違点

独立行政法人のキャッシュ・フロー計算書（直接法による表示）		民間企業のキャッシュ・フロー計算書（間接法による表示*）	
Ⅰ．業務活動によるキャッシュ・フロー		Ⅰ．営業活動によるキャッシュ・フロー	
原材料，商品またはサービスの購入による支出	△×××	税引前当期純利益	×××
		減価償却費	×××
人件費支出	△×××	売上債権の増減額	△×××
その他の業務支出	△×××	棚卸資産の増減額	×××
運営費交付金収入	×××	・	・
・	・	・	・
・	・	・	・
・	・		
小計	×××	小計	×××
利息及び配当金の受取額	×××	利息及び配当金の受取額	×××
利息の支払額	△×××	利息の支払額	△×××
法人税等の支払額	△×××	法人税等の支払額	△×××
業務活動によるキャッシュ・フロー	×××	営業活動によるキャッシュ・フロー	×××

＊民間企業のキャッシュ・フロー計算書の様式は，間接法による表示が一般的ですが，直接法による開示を行っている場合もあります。

2. 作成方法

直接法による表示を行うことを前提とすると，個別キャッシュ・フロー計算書の作成方法は下記の2通りが考えられます。

(1) 資金科目の分析による方法

キャッシュ・フロー計算書の資金の範囲は現金及び要求払い預金（当座預金・普通預金・通知預金等が該当します。定期預金は含まれません。）です。これらの科目の会計帳簿上の借方及び貸方記入額をキャッシュ・フロー計算書上の表示科目ごとに分類・集計することにより，キャッシュ・フロー計算書を作成します。実務上，手作業による集計は困難と考えられますので，あらかじめ会計システム上の勘定科目にキャッシュ・フロー計算書上の表示科目に分類するための補助科目等（**図表13-14**網掛部分参照）を設定しておき，決算時には当該補助科目の借方及び貸方の集計結果を利用してキャッシュ・フロー計算書を作成することが考えられます。

また，連結決算を行う観点からは，補助科目等の設定の際に相手先も判別できるようにしておく必要があります。ただし，当該方法は入出金の取引ごとにキャッシュ・フロー科目，相手先区分を入力処理するため，会計処理が取引の都度煩雑になるデメリットがあります。

図表13-14　直接法によるキャッシュ・フロー計算書の集計に対応した補助科目設定（例示）

A独立行政法人は特定関連会社B社に対して業務委託費1,000の支払を実施した。

貸借	勘定科目	補助科目1	補助科目2 （キャッシュ・フロー区分）	補助科目3 （入出金先）	金額
借方	未払金	B社	―	―	1,000
貸方	普通預金	○○銀行××支店	原材料，商品またはサービスの購入による支出	B社	1,000

（2） キャッシュ・フロー精算表を用いて作成する方法

損益計算書上の収益・費用と収入・支出の差異は，当該収入・支出に関連する貸借対照表項目の期首残高と期末残高との増減差額を加減した結果に一致します。このため，損益計算書上の収益・費用に貸借対照表項目の期首残高と期末残高との増減差額を加減することにより，収入・支出を算出することができます。これは現金主義会計では現金の増減（収支）だけを記録するのに対して，発生主義会計では現金以外の債権・債務などの貸借対照表科目を取引の都度網羅的に複式簿記により記録しているという相違点に着目し，貸借対照表上の１会計年度の現金以外の全ての科目の増減額を調整することによって，現金だけの増減額（収支）に引き戻すことができる点に着目した方法といえます。

また，有形固定資産の取得取引や借入・返済等のように，損益計算書上の収益・費用に関連しない項目については，貸借対照表項目の期首残高と期末残高との純増減額を調整しただけでは，収入・支出を計算することができません（例えば，期中に借入及び返済を同額ずつ実施した場合には，収入・支出が生じているものの，貸借対照表の借入金残高の増減額はゼロとなります）。このような場合には会計帳簿から当該科目の増加額・減少額の総額を別途集計して収入・支出を算定します。

これらの集計過程を図示すると，**図表 13-15** 及び**図表 13-16** の通りになります。

図表 13-15　業務活動によるキャッシュ・フローの集計方法

運営費交付金債務 勘定

相手勘定科目	借方金額	相手勘定科目	貸方金額
運営費交付金収益 （＝損益計算書上の収益）	3,000	前期末残高	800
		普通預金 （＝運営費交付金収入）	2,700
当期末残高	500		

運営費交付金収益 2,700 と収入金額 3,000 との差 300 は，当期末残高 500 と前期末残高 800 との差 300 と一致する。

図表13-16　投資活動・財務活動によるキャッシュ・フローの集計方法

長期借入金 勘定

相手勘定科目	借方金額	相手勘定科目	貸方金額
普通預金 （＝長期借入金の返済による支出）	20,000	前期末残高	100,000
		普通預金 （＝長期借入による収入）	20,000
当期末残高	100,000		

長期借入金勘定は借入の実行により20,000増加し，返済により20,000減少している。当期末残高と前期末残高の純増減額はゼロであり，長期借入金残高の純増減額を把握しただけでは収入・支出の金額は把握できない。このため，長期借入金勘定の仕訳を集計することにより，長期借入金の増加20,000，減少20,000を把握し，当該金額により収入20,000，支出20,000を算定する。

以上のような計算結果を一覧表形式で集約し，キャッシュ・フロー計算書を作成するワークシートをキャッシュ・フロー精算表といいます。キャッシュ・フロー精算表を例示すると，次ページの**図表13-18**の通りになります。

また，連結決算を行う観点からは，連結対象となる法人とのキャッシュ・フローを区分して把握しておく必要があります。そのためには債権・債務の科目に相手先別の補助科目を設定しておき，連結決算時は連結対象となる法人との損益に相手先別補助科目により集計した債権債務の増減額を調整することにより，相殺消去対象となる連結対象法人とのキャッシュ・フローを把握する方法があげられます。以上の方法を図示すると，**図表13-17**の通りになります。

図表13-17　連結の範囲に含まれる法人とのキャッシュ・フローの把握方法

貸借対照表　未払金（補助科目：特定関連会社B社）勘定

相手勘定科目	借方金額	相手勘定科目	貸方金額
普通預金 （＝原材料，商品またはサービスの購入による支出）	650	前期末残高	200
		業務委託費 （＝損益計算書上の費用）	500
当期末残高	50		

特定関連会社B社に対する支出は相殺消去対象のキャッシュ・フローとしてリストアップする。

図表 13-18　キャッシュ・フロー精算表（例示）

科目名	前期末	当期末	増減額	キャッシュ・フロー仕訳			合計
				原材料等購入支出	運営費交付金収入	減価償却費	
【貸借対照表】							
現金及び預金	300	500	200				200
建物	2,200	2,200	0				0
減価償却累計額	△200	△400	△200			200	0
資産合計(A)	2,300	2,300	0	0	0	200	200
運営費交付金債務	800	1,100	300		△300		0
未払金	400	100	△300	300			0
負債合計	1,200	1,200	0	300	△300	0	0
資本金	1,000	1,000	0				0
利益剰余金							0
【内訳：損益計算書より】							0
経常費用			0				0
業務費		△2,500	△2,500	2,500			0
減価償却費		△200	△200			200	0
経常収益			0				0
運営費交付金収益		2,700	2,700		△2,700		0
経常利益		0	0	2,500	△2,700	200	0
当期純利益		0	0	2,500	△2,700	200	0
利益剰余金期首残高		100					0
利益剰余金期末残高	100	100	0	2,500	△2,700	200	0
純資産合計	1,100	1,100	0	2,500	△2,700	200	0
負債・純資産合計(B)	2,300	2,300	0	2,800	△3,000	200	0
貸借差額	0	0	0	△2,800	3,000	0	200

【キャッシュ・フロー計算書】							
Ⅰ．業務活動によるキャッシュ・フロー							
原材料，商品又はサービスの購入による支出				△2,800			△2,800
運営費交付金収入					3,000		3,000
小計							200
（略）							0
計							200
Ⅱ．投資活動によるキャッシュ・フロー							
（略）							
計							0
Ⅲ．財務活動によるキャッシュ・フロー							
（略）							
計							0
Ⅳ．資金に係る換算差額							0
Ⅴ．資金増加額（又は減少額）							200
Ⅵ．資金期首残高							300
Ⅶ．資金期末残高							500

⑤貸借対照表の現金及び預金（定期預金を除く）とキャッシュ・フローの資金の額の整合性を確認する。

一致

一致

④貸借差額の金額と同額をキャッシュ・フロー計算書の欄に転記する。

（3） 連結キャッシュ・フロー精算表の作成方法

連結キャッシュ・フロー計算書は連結貸借対照表や連結損益計算書を作成する場合と同様に，精算表を用いて作成します。まず，連結対象の法人の個別キャッシュ・フロー計算書の単純合算値を算定し，その上で連結対象となる法人間のキャッシュ・フローの相殺額を記入のうえ，単純合算額から消去することにより，連結キャッシュ・フロー計算書が完成します。

精算表による連結キャッシュ・フロー計算書の作成過程を図示すると，**図表13-19**の通りになります。

図表 13-19　連結キャッシュ・フロー精算表

連結決算に際してA独立行政法人は連結の範囲に含まれる法人間のキャッシュ・フローを集計したところ，下記の通りであった。

A独立行政法人における調査結果
相手先…B社
内容……原材料，商品またはサービスの購入による支出650

B社における調査結果
相手先…A独立行政法人
内容……その他の収入650

①各法人の個別キャッシュ・フロー計算書から転記する。
②相殺消去仕訳を入力する。

科目名	個別キャッシュ・フローの合算			相殺消去仕訳		合計
	A独法	B社	小計	原材料等購入支出	……	
【キャッシュ・フロー計算書】						
Ⅰ．業務活動によるキャッシュ・フロー						
原材料，商品又はサービスの購入による支出	△2,800	△1,200	△4,000	650		△3,350
運営費交付金収入	3,000		3,000			3,000
その他		1,500	1,500	△650		850
小計	200	300	500			500
（略）	0	0	0			0
計	200	300	500			500
Ⅱ．投資活動によるキャッシュ・フロー			0			0
（略）			0			0
計	0	0	0			0
Ⅲ．財務活動によるキャッシュ・フロー			0			0
（略）			0			0
計	0	0	0			0
Ⅳ．資金に係る換算差額	0	0	0			0
Ⅴ．資金増加額（又は減少額）	200	300	500			500
Ⅵ．資金期首残高	300	100	400			400
Ⅶ．資金期末残高	500	400	900			900

③連結キャッシュ・フロー計算書が算定される。

3. 個別論点

（1） 特定関連会社株式を取得した場合のキャッシュ・フロー計算書の表示方法

特定関連会社株式を外部の第三者から取得すると支出が生じます。一方で，特定関連会社が保有している資金が連結の範囲に含まれる結果，連結上の資金が増加（＝収入）することとなります。連結キャッシュ・フロー計算書上は，当該支出と収入は純額で投資活動によるキャッシュ・フローの区分に独立の項目で「連結範囲の変更を伴う特定関連会社株式の取得による支出」などの科目をもって記載します（基準第 129 第 2 項）。

（2） 特定関連会社株式を売却した場合のキャッシュ・フロー計算書の表示方法

特定関連会社株式を売却したことにより当該会社が連結対象から外れる場合には，第三者からの特定関連会社株式売却収入が得られる一方で特定関連会社の保有する資金が連結の範囲から除外されることにより資金が減少します。これらは，純額で投資活動によるキャッシュ・フローの区分に独立の項目で「連結範囲の変更を伴う特定関連会社株式の売却による収入」などの科目をもって記載します（基準第 129 第 2 項）。

（3） 独立行政法人会計基準と企業会計基準における資金の範囲の違い

企業会計基準におけるキャッシュ・フロー計算書の資金の範囲は，独立行政法人会計基準における資金の範囲よりも広くなっています。連結キャッシュ・フロー計算書を作成する際には特定関連会社のキャッシュ・フロー計算書における資金の範囲を確認し，相違がある場合には連結決算上，修正した上で連結する必要があります。

例えば，特定関連会社の個別キャッシュ・フロー計算書上において 3ヵ月満期の定期預金が資金の範囲に含まれていた場合には，当該定期預金を資金の範囲から除外した上で定期預金の預入，払戻が生じている場合には当該定期預金のキャッシュ・フローを別途集計したうえで，キャッシュ・フロー計算書を作成する必要があります。特定関連会社における定期預金の１会計年度における預入・払戻しのキャッシュ・フローの総額把握は定期預金に関する会計帳簿が手許になければ集計実施が通常困難であるため，資金の範囲を修正する作業は特定関連会社側において実施することが効率的であるものと考えられます。

	資金の範囲		
	手元現金	要求払預金[*1]	現金同等物[*2]
独立行政法人	○	○	×
民間企業	○	○	○

＊1） 要求払預金：当座預金，普通預金，通知預金等が該当する（定期預金は含まれない）。

＊2） 現金同等物：容易に換金可能でありかつ価値の変動について僅少なリスクしか負わない短期投資が該当する。具体的には取得日から満期日までの期間が3ヵ月以内の定期預金，譲渡性預金，コマーシャルペーパー，公社債投信等。

第６節　連結財務諸表の附属明細書，連結セグメント情報及び注記

1．連結附属明細書

独立行政法人は，連結貸借対照表及び連結損益計算書等の内容を補足するため，連結附属明細書を作成する必要があります。連結附属明細書は，個別の附属明細書に準じて次の⑴～⒁の事項を記載して作成しますが，個別財務諸表の附属明細書において同一の内容が記載される場合には，その旨を記載することで，当該事項の記載を省略することができます（基準第130）。また，個別財務諸表の附属明細書で記載が求められている「法令に基づく引当金等の明細」及び「運営費交付金債務及び運営費交付金収益の明細」については，独立行政法

人固有の会計処理に基づき発生する科目に係る事項であることから，「特定関連会社，関連会社及び関連公益法人等の情報」については，連結附属明細書で記載する場合の内容と個別財務諸表の附属明細書で開示される内容と同一の内容になることが明らかであることから，それぞれ連結附属明細書における作成は不要とされています。

(1)　固定資産の取得及び処分並びに減価償却費（「第87　特定の資産に係る費用相当額の会計処理」及び「第91　資産除去債務に係る特定の除去費用等の会計処理」による減価償却相当額も含む。）の明細並びに減損損失累計額
(2)　棚卸資産の明細
(3)　有価証券の明細
(4)　長期貸付金の明細
(5)　長期借入金及び（何）債券の明細
(6)　引当金の明細
(7)　資産除去債務の明細
(8)　保証債務の明細
(9)　資本剰余金の明細
(10)　国等からの財源措置の明細
(11)　役員及び職員の給与の明細
(12)　開示すべきセグメント情報
(13)　科学研究費補助金の明細
(14)　上記以外の主な資産，負債，費用及び収益の明細

2.　連結セグメント情報の開示

法人集団における開示すべきセグメント情報は，連結法人が異なる事業を運営している場合には，その事業内容等に応じた適切な区分に基づくセグメント情報を開示します。開示すべき情報は，法人集団の事業収益，事業損益，総損益及び当該セグメントに属する総資産額となります（基準第131）。なお，連結財務諸表におけるセグメント情報の開示は，重要性にかかわらず事業等のまとまりごとに従ったセグメント区分の情報を開示すべきと考えられます（独法

Q&A Q131-1)。

3. 連結財務諸表の注記

連結財務諸表には，次の事項を注記する必要があります（基準第132）。

⑴ 連結の範囲等
連結の範囲に含めた特定関連会社，関連会社に関する事項その他連結の方針に関する重要事項及びこれらに重要な変更があったときは，その旨及び変更の理由

⑵ 決算日の差異
特定関連会社の決算日が連結決算日と異なるときは，当該決算日及び連結のため当該特定関連会社について特に行った決算手続の概要

⑶ 会計処理の原則及び手続等
① 重要な資産の評価基準及び減価償却の方法並びにこれらについて変更があったときは，その旨，変更の理由及び当該変更が連結財務諸表に与えている影響の内容
② 関係会社の採用する会計処理の原則及び手続で独立行政法人及び関係会社との間で特に異なるものがあるときは，その概要
③ 特定関連会社の資産及び負債の評価方法

⑷ その他の重要な事項
法人集団の財政状態及び運営状況を判断するために重要なその他の事項

＜付録＞

独立行政法人の事業報告に関するガイドライン

（前文「独立行政法人の事業報告に関するガイドラインの設定について」のみ抜粋）

平成30年9月3日

独立行政法人評価制度委員会　会計基準等部会

財政制度等審議会　財政制度分科会　法制・公会計部会

独立行政法人の事業報告に関するガイドラインの設定について

設定の趣旨と経緯

1　独立行政法人評価制度委員会会計基準等部会と財政制度等審議会財政制度分科会法制・公会計部会は，「独立行政法人の財務報告に関する基本的な指針」（以下「基本的な指針」という。）を取りまとめ，平成29年9月1日に公表した。

2　PDCAサイクルの強化，自律的なマネジメントといった「独立行政法人改革等に関する基本的な方針」（平成25年12月24日閣議決定）の改革の成果を十分に発揮するためには，国民その他の利害関係者が独立行政法人の財務報告をより一層活用することが求められていることから，独立行政法人の会計制度を取り巻く環境の変化に伴う課題も踏まえ，「基本的な指針」の策定に当たって，独立行政法人制度の根幹に立ち返った理論的・体系的な整理を行い，財務情報のみならず，非財務情報も含めた独立行政法人の「財務報告」の在り方を示した。したがって，「基本的な指針」は，独立行政法人の財務報告の基礎にある前提や概念を体系化したものであることから，今後の独立行政法人会計基準及び関係通知の改訂等に当たって参照されるものとした。

3　独立行政法人通則法（平成11年法律第103号。以下「通則法」という。）第38条第2項に基づき作成される事業報告書は，主務大臣に提出される財務諸表に添付される。また，通則法第38条第3項に基づき，財務諸表及び事業報告書は，各事務所に備えて置き，主務省令で定める期間，一般の閲覧に供される。

4　今般，事業報告書を「基本的な指針」における一般目的財務報告の重要な要素と位置付けて，その在り方について，独立行政法人評価制度委員会会計基準等部会と財政制度等審議会財政制度分科会法制・公会計部会の下に設置された共同ワーキング・チームにおいて，平成29年11月17日から平成30年6月22日までの合計4回の会合を開催し検討を重ね，「独立行政法人の事業報告に関するガイドライン」（以下「本ガイドライン」という。）として取りまとめ，独立行政法人評価制度委員会会計基準等部会において平成30年8月31日に，財政制度等審議会財政制度分科会法制・公会計部会において平成30年9月3日にそれぞれ了承を得た。

5　共同ワーキング・チームでは，「基本的な指針」を踏まえて，現在の事業報告書を見直したところ，以下のような課題を認識するに至ったことから，これらの課題も踏まえて，法人の長のリーダーシップに基づく，独立行政法人の業務運営の状況の全体像を簡潔に説明する事業報告書の実現を目指し，本ガイドラインを取りまとめることとしたところであり，本ガイドラインに基づく事業報告書の作成・公表を通じて，独立行政法人の持続的な業務運営や業務改善の取組みにつながっていくことを期待している。

・独立行政法人の業務運営を総括し，法人の最終的な責任を有する法人の長が，事業報告書の作成・公表に当たっても特に重要な役割を果たすべきであるが，現在の事業報告書の作成・公表に関する関係通知等では，当該役割が明確に位置付けられていなかったことから，本ガイドラインにおいて，当該役割を明確に位置付けて記載すべきこと
・独立行政法人は，財務情報だけでは成果情報が提供されないといった特性を有しているが，現在の事業報告書では，財務情報及び過去情報の提供が多い一方で，相対的に，非財務情報及び将来情報の提供が少ないことから，これらの情報のバランス及び繋がりを踏まえて，事業報告書で提供される情報を整理すべきこと
・現在，独立行政法人には，通則法に定めるもののほか，他法令等に基づき，多くの情報公開が求められているが，現行の事業報告書の作成・公表に関する関係通知等では，その関連性を念頭においた整理が行われていないことから，事業報告書を，独立行政法人の業務運営の状況の全体像を簡潔に説明するものと位置付けるべきこと

適用時期

6　本ガイドラインは，別途，定められる独立行政法人の事業報告書に関する標準的な様式と合わせて，平成31事業年度に係る事業報告書の作成から適用することが適切である。

今後の課題について

7　本ガイドラインを参照して，各独立行政法人において作成される事業報告書は，国民その他の利害関係者に有用な情報を提供する観点から，継続的な見直しを行っていく必要がある。

このため，今後の事業報告書の作成・公表の実務を踏まえて，独立行政法人の実態を踏まえた情報の例示及び記載例等について，必要な検討を行っていくこととする。

第19回　独立行政法人評価制度委員会 会計基準等部会（令和5年12月8日）

配付資料
・標準的な様式
・標準的な記載例

<標準的な様式>

【事業報告書の記載事項】

1．法人の長によるメッセージ
当事業年度の事業概要，法人を巡る運営環境，重要な業務運営上の出来事など

2．法人の目的，業務内容

3．政策体系における法人の位置付け及び役割（ミッション）
概要（政策体系図など）

4．中期目標
（1）概要（主務大臣が定めた中期目標について，どのような目的及び必要性の下で設定されたものかの簡潔な説明など）
（2）一定の事業等のまとまりごとの目標

5．法人の長の理念や運営上の方針・戦略等

6．中期計画及び年度計画
概要（中期目標を達成するための中期計画に関する重要度等を踏まえた簡潔な説明，優先度等を踏まえた年度計画の簡潔な説明など）

7．持続的に適正なサービスを提供するための源泉
（1）ガバナンスの状況
概要（内部統制システムの整備状況を含むガバナンス体制の全体像に関する簡潔な説明など）
（2）役員等の状況
①　役員の氏名，役職，任期，担当及び経歴

②　会計監査人の氏名または名称及び報酬

（3）職員の状況

常勤職員の数（前事業年度末からの増減を含む）及び平均年齢並びに法人への出向者数

（4）重要な施設等の整備等の状況

①　当事業年度に完成した主要な施設等

②　当事業年度継続中の主要な施設等の新設・拡充

③　当事業年度に処分した主要な施設等

（5）純資産の状況

①　資本金の額及び出資者ごとの出資額（前事業年度末からのそれぞれの増減を含む）

②　目的積立金の申請状況，取崩内容等

（6）財源の状況

①　財源の内訳（運営費交付金，施設費，補助金，自己収入など）

②　自己収入に関する説明（自己収入の概要，収入先等に関する簡潔な説明など）

（7）社会及び環境への配慮等の状況

（8）法人の強みや基盤を維持・創出していくための源泉

8．業務運営上の課題・リスク及びその対応策

（1）リスク管理の状況

リスク管理方針，リスク管理体制（又は体制図）

（2）業務運営上の課題・リスク及びその対応策の状況

概要（業務実績等報告書及び業務方法書を活用した簡潔な説明など）

9．業績の適正な評価の前提情報

一定の事業等のまとまりごとの事業構造の説明（事業スキーム図を用いた説明など）

10．業務の成果と使用した資源との対比

（1）当事業年度の主な業務成果・業務実績

（2）自己評価

「6．中期計画及び年度計画」の記載に対応するなど，業務実績等報告書を活用して当事業年度に係る項目別評定を総括し，「国民に対して提供するサービスその他の業務の質の向上に関する事項」について一定の事業等のまとまりごとに行政コストと対比した情報を含めた記載など）

（3）当中期目標期間における主務大臣による過年度の総合評定の状況

11. 予算と決算との対比
  要約した決算報告書
12. 財務諸表
  要約した財務諸表（貸借対照表，行政コスト計算書，損益計算書，純資産変動計算書，キャッシュ・フロー計算書）
13. 財政状態及び運営状況の法人の長による説明情報
  主要な財務データの簡潔な説明（資産，負債，行政コスト，経常費用，経常収益，当期総利益，キャッシュ・フローなど）
14. 内部統制の運用に関する情報
  内部統制システムの運用状況の概要（内部統制委員会の開催状況など）
15. 法人の基本情報
  （1）沿革
  （2）設立に係る根拠法
  （3）主務大臣
  （4）組織図
  （5）事務所（従たる事務所を含む）の所在地
  （6）主要な特定関連会社，関連会社及び関連公益法人等の状況
    法人の名称，その業務と当該独立行政法人等の業務の関係等
  （7）主要な財務データの経年比較
  （8）翌事業年度に係る予算，収支計画及び資金計画
16. 参考情報
  （1）要約した財務諸表の科目の説明
  （2）その他公表資料等との関係の説明

<標準的な記載例>

【記載例】

独立行政法人○○　令和○年度事業報告書

（記載上の留意事項）
・国立研究開発法人及び行政執行法人は，「標準的な様式（法人３分類）」を踏まえ，本記載例を適宜，読み替えることとする。
・「標準的な記載例」は，法人の実態に応じて修正することができる。
・単位は，百万円単位（単位未満の処理については四捨五入）とするが，法人の規模によっては，それ以下の単位（千円・円単位）とすることもできる。
・該当がない項目については，「○○項目については該当なし」と注書きし，他の箇所に記載している項目については，「当該項目については○○を参照」と注書きし，利用者に配慮した記載とする。

１．法人の長によるメッセージ

（記載上の留意事項）
・当事業年度の事業概要，法人を巡る運営環境，重要な業務運営上の出来事等を説明する。

２．法人の目的，業務内容

（１）　法人の目的

独立行政法人○○は，・・・・・を目的としています。（○○法第○条）

（２）　業務内容

当法人は，○○法第○条の目的を達成するため以下の業務を行います。

ⅰ・・・・

ⅱ・・・・

3．政策体系における法人の位置付け及び役割（ミッション）

（記載上の留意事項）
・国の政策を実現するための実施機関という独立行政法人制度の趣旨を踏まえ，国の政策・施策・事務事業の体系（以下「政策体系」という。）の中で法人の業務がどのように位置付けられるか等を説明する。
　例えば，中期目標の冒頭に記載されている「政策体系における法人の位置付け及び役割（ミッション）」といった法人全体を総括する章を参考に，国の政策体系において法人の業務がどのように位置付けられるかを明らかにした資料（政策体系図等）を添付するなど，全体像を簡潔に説明する。

4．中期目標
（1）概要

（記載上の留意事項）
・中期目標の期間を記載する。
・主務大臣が定めた中期目標について，どのような国の政策実施上の目的及び必要性の下で設定されたものかなど，簡潔に説明する。
　例えば，国民に対して提供するサービスその他の業務の質の向上に関する事項について，どのような国の政策実施上の目的及び必要性の下で設定されたものであるか，簡潔に説明する。
・詳細については，中期目標を参照すべき旨，記載する。

（2）一定の事業等のまとまりごとの目標
　当法人は，中期目標における一定の事業等のまとまりごとの区分に基づくセグメント情報を開示しています。
　具体的な区分名及び区分ごとの目標は，以下のとおりです。
　ⅰ・・・・
　（一定の事業等のまとまりごとの目標概要を記載）
　ⅱ・・・・
　（一定の事業等のまとまりごとの目標概要を記載）

（記載上の留意点）
・具体的な区分名だけでなく，一定の事業等のまとまりごとに目標の概要を説明する。
・一定の事業等のまとまりごとの区分と勘定の関係を追記してもよい。

5．法人の長の理念や運営上の方針・戦略等

当法人は，・・・・・を理念としています。

また，運営上の方針として，・・・・・を定めています。

6．中期計画及び年度計画

（記載上の留意事項）
・中期目標において設定された一定の事業等のまとまりごとの区分を踏まえて記載する。
・中期計画については中期目標の重要度等を踏まえて簡潔に説明し，年度計画については中期目標の優先度等を踏まえて簡潔に説明する。独立行政法人が業務の実績の評価にあたり，評価比率やウエイト付けを活用している場合には，これらを活用した簡潔な説明としても良い。
・詳細については，中期計画及び年度計画を参照すべき旨，記載するとともに，変更の理由を簡潔に説明する。
・計画を変更した場合には，変更後の計画に基づき記載するとともに，変更の理由を簡潔に説明する。

7．持続的に適正なサービスを提供するための源泉

（1） ガバナンスの状況

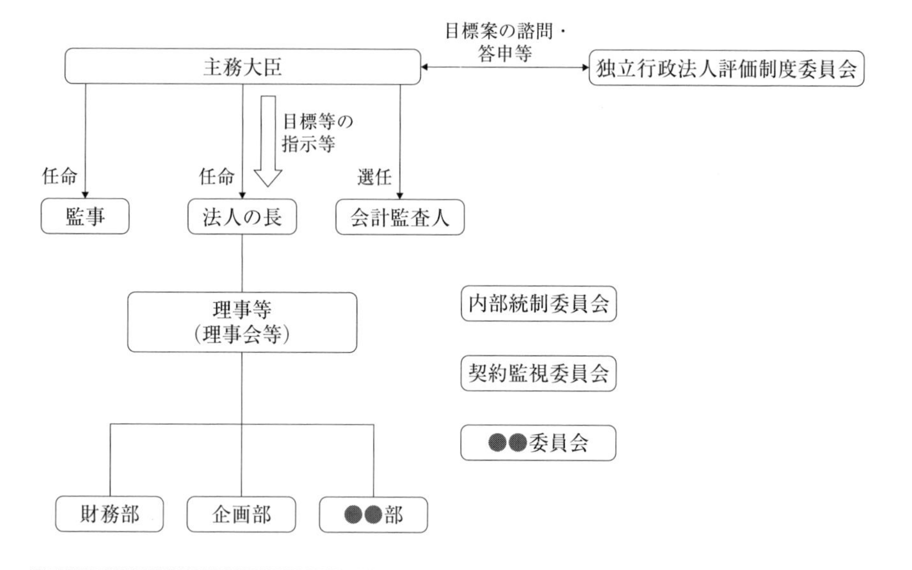

(記載上の留意事項)

・内部統制システムの整備状況を含むガバナンスの状況について，全体像を簡潔に記載する。

・内部統制システムの整備に関する事項の詳細については，業務方法書等を参照すべき旨，記載する。

（2） 役員等の状況

① 役員の状況

役職	氏名	任期	担当	経歴
理事長	○○	自　平成 27 年 4 月 1 日 至　平成 30 年 3 月 31 日		昭和○年○月　△省 ・・・・
理事 (常勤)	△△		○○部担当	
理事 (非常勤)				
監事 (常勤)	××			
監事 (非常勤)	□□			

（記載上の留意事項）
・経歴の具体的記載内容は，「独立行政法人等の役員に就いている退職公務員等の状況等の公表について」により公表されているものを参考とする。

②　会計監査人の氏名または名称及び報酬

会計監査人は○○監査法人であり，当該監査法人及び当該監査法人と同一のネットワークに属する者に対する，当事業年度の当法人及び連結対象とした特定関連会社の監査証明業務に基づく報酬及び非監査業務に基づく報酬の額は，それぞれXX百万円及びXX百万円です。

（記載上の留意事項）
・会計監査人の監査を要しない独立行政法人の場合には，その旨を記載する。
・法人及び連結の範囲に含まれる特定関連会社が，会計監査人及び当該監査法人と同一のネットワークに属する者に対して支払った，又は支払うべき監査報酬及び監査以外の業務（非監査業務）に対する報酬の額を記載する。
・報酬関連情報は，日本公認会計士協会の倫理規則において開示が求められている。当該倫理規則が求める情報を監査業務の依頼人（独立行政法人）が開示しない場合には，会計監査人が監査報告書上で開示する旨，当該倫理規則で求められている。具体的な報酬関連情報の記載内容については，事前に会計監査人と協議する事が望ましい。

（3）　職員の状況

常勤職員は令和○年度末現在△△人（前期比○人減少，○％減）であり，平均年齢は○歳（前期末△歳）となっている。このうち，国等からの出向者は△人，民間からの出向者は●人，令和○年3月31日退職者は▲人です。

（記載上の留意事項）
・女性管理職割合，男女の賃金の差異，男女別の育児休業取得率など，女性活躍推進法や育児・介護休業法に基づき公表している指標のうち，法人が重視している指標について記載する。
・ダイバーシティや働き方改革等，人的資本に関する方針と取組の概要について簡潔に記載する（「（8）法人の強みや基盤を維持していくための源泉」において資産や技術，情報等と合わせて記載してもよい）。

（4） 重要な施設等の整備等の状況

① 当事業年度中に完成した主要な施設等

○○施設（取得価額××百万円）

② 当事業年度において継続中の主要な施設等の新設・拡充

△△設備××施設

③ 当事業年度中に処分した主要な施設等

○○施設の売却（取得価額××百万円，減価償却累計額△△百万円，売却額○○百万円，売却益△△百万円）

（記載上の留意事項）

・当事業年度中に処分した施設等は，売却，除却ごとに記載する。

（5） 純資産の状況

① 資本金の額及び出資者ごとの出資額

（単位：○○百万円）

区分	期首残高	当期増加額	当期減少額	期末残高
政府出資金				
○○出資金				
資本金合計				

（記載上の留意事項）

・資本金について当期増加額又は当期減少額がある場合には，その発生の原因の概要を説明する。

② 目的積立金の申請状況，取崩内容等

当期総利益○円のうち，中期計画の剰余金の使途において定めた○○業務に充てるため，△円を目的積立金として申請しています。

○○目的積立金取崩額△円は，中期計画の剰余金の使途において定めた○○業務に充てるため，○年○月○日付けにて主務大臣から承認を受けた○円のうち△円について取り崩したものです。

（記載上の留意事項）

・前中期目標期間繰越積立金の取り崩しがある場合には，取崩内容等を簡潔に説明する。

（6）　財源の状況

①　財源の内訳

（単位：○○百万円）

区分	金額	構成比率（%）
収入		
運営費交付金		
○○補助金等		
施設整備費補助金		
受託収入		
合計		

（記載上の留意事項）
・「11．予算と決算との対比」における決算報告書との整合性を踏まえて記載する。

②　自己収入に関する説明

当法人の○○事業では，○○を提供することにより，○○円の自己収入を得ています。この自己収入は・・・。

（記載上の留意事項）
・上記「①　財源の内訳」における自己収入の概要，収入先等について簡潔に説明する。

（7）　社会及び環境への配慮等の状況

（記載上の留意事項）
・SDGsについての取組等，社会や環境の持続可能性の確保・向上への貢献についての方針，取組の概要について説明する。
・環境報告書の公表が予定されている場合には，その旨を記載する。

（8）　法人の強みや基盤を維持・創出していくための源泉

（記載上の留意事項）
・法人の強みや基盤を維持・創出する上で欠かすことのできない資産や技術，情報等について簡潔に説明する。

8．業務運営上の課題・リスク及びその対応策

（1） リスク管理の状況

（記載上の留意事項）
・リスク管理方針及びリスク管理体制（又は体制図）について，簡潔に説明する。

（2） 業務運営上の課題・リスク及びその対応策の状況

（記載上の留意事項）
・法人が識別している主要な業務運営上の課題・リスク及びその対応策について簡潔に説明する。
・情報流出などの全ての法人で共通して発生する課題・リスクだけでなく，各法人の目標の達成や，適正なサービスの持続的な提供を阻害する課題・リスク及びその対応策についても説明する。
・業務実績等報告書に業務運営上の課題（又は業務運営上のリスク）に関する情報を記載する場合（又は記載していた場合）には，これらの情報も活用して簡潔に説明する。
・詳細については，業務実績等報告書又は業務方法書等を参照すべき旨，記載する。

9．業績の適正な評価の前提情報

（記載上の留意事項）
・「6. 中期計画及び年度計画」における一定の事業等のまとまりごとに，各事業の構造について，例えば主要な事業のスキーム図を活用すること等により，全体像を簡潔に説明する。

10. 業務の成果と使用した資源との対比

（1） 当事業年度の主な業務成果・業務実績

（記載上の留意事項）
・当事業年度の業務成果や業務実績の概要を説明する。
・過去の業務の結果として当事業年度に実現したアウトカムについて記載しても

よい。

（2）　自己評価

（単位：百万円）

項目	評定（※）	行政コスト
Ⅰ　国民に対して提供するサービスその他の業務の質の向上に関する事項		
ⅰ　*一定の事業等のまとまりごとの区分名を記載する*		
①　*項目名を記載する*	S	×××
②　*項目名を記載する*	A	
ⅱ　*一定の事業等のまとまりごとの区分名を記載する*		
①　*項目名を記載する*	B	×××
Ⅱ　業務運営の効率化に関する事項		
①　*項目名を記載する*	*評語を記載する*	
Ⅲ　財務内容の改善に関する事項		
①　*項目名を記載する*	*評語を記載する*	
Ⅳ　その他業務運営に関する重要事項		
①　*項目名を記載する*	*評語を記載する*	
法人共通		×××
合計		×××

※評語の説明

S：法人の活動により，中期計画における所期の目標を量的及び質的に上回る顕著な成果が得られていると認められる。

A：法人の活動により，中期計画における所期の目標を上回る成果が得られていると認められる。

B：・・・・・

C：・・・・・

D：・・・・・

（記載上の留意事項）

・「6. 中期計画及び年度計画」における項目の評定について，業務実績等報告書における項目別評定を総括した情報に基づき記載する。

・詳細については，業務実績等報告書を参照すべき旨，記載する。

（3） 当中期目標期間における主務大臣による過年度の総合評定の状況

区分	○○年度	○○年度	××年度	××年度	××年度
評定（※）	B	B	—	—	—

※評語の説明
S：法人の活動により，全体として中期計画における所期の目標を量的及び質的に上回る顕著な成果が得られていると認められる。
A：法人の活動により，全体として中期計画における所期の目標を上回る成果が得られていると認められる。
B：・・・・・
C：・・・・・
D：・・・・・

（記載上の留意事項）
・中期目標期間の初年度は，主務大臣による総合評定の状況に「—」と記載する。

11. 予算と決算との対比

（単位：○○百万円）

区分	予算額	決算額	差額理由
収入			
運営費交付金			
○○補助金等			
施設整備費補助金			
受託収入			
計			
支出			
業務経費			
○○補助金等事業費			
施設整備費			
受託経費			
一般管理費			
人件費			
計			

（記載上の留意事項）
・法人全体の決算報告書を記載する。
・決算報告書の「備考」を参考に，差額理由を簡潔に記載する。
・事業等のまとまりごとの決算報告書は記載しなくても良い。
・法人単位の収支予算書を作成している法人では，法人単位の決算報告書を記載する。
・詳細については，決算報告書を参照すべき旨，記載する。

12. 財務諸表

（1） 貸借対照表

（単位：○○百万円）

<table>
<tr><th>資産の部</th><th>金額</th><th>負債の部</th><th>金額</th></tr>
<tr><td rowspan="5">流動資産
　　現金及び預金（＊1）
　　有価証券
　　その他
固定資産
　　有形固定資産
　　投資有価証券等
　　その他</td><td rowspan="5"></td><td>流動負債
　　運営費交付金債務
　　引当金
　　その他
固定負債
　　資産見返負債
　　債券及び借入金
　　引当金
　　その他</td><td></td></tr>
<tr><td>負債合計</td><td></td></tr>
<tr><td>純資産の部（＊2）</td><td></td></tr>
<tr><td>資本金
資本剰余金
利益剰余金
評価・換算差額等</td><td></td></tr>
<tr><td>純資産合計</td><td></td></tr>
<tr><td>資産合計</td><td></td><td>負債純資産合計</td><td></td></tr>
</table>

（2） 行政コスト計算書

（単位：○○百万円）

	金額
損益計算書上の費用	
経常費用（＊3）	
臨時損失（＊4）	
その他調整額（＊5）	
その他行政コスト（＊6）	
行政コスト合計	

（3） 損益計算書

（単位：○○百万円）

	金額
経常費用（＊3）	
業務費 　　一般管理費 　　財務費用 　　その他	
経常収益	
運営費交付金収益等 　　自己収入等 　　その他	
臨時損失（＊4）	
臨時利益	
その他調整額（＊5）	
目的積立金取崩額等	
当期総利益（＊7）	

（4） 純資産変動計算書

（単位：○○百万円）

	資本金	資本剰余金	利益剰余金	評価・ 換算差額等	純資産合計
当期首残高					
当期変動額					
その他行政コスト（＊6）					
当期総利益（＊7）					

その他					
当期末残高（＊2）					

（5）　キャッシュ・フロー計算書

（単位：○○百万円）

	金額
業務活動によるキャッシュ・フロー	
投資活動によるキャッシュ・フロー	
財務活動によるキャッシュ・フロー	
資金にかかる換算差額	
資金増加額（又は減少額）	
資金期首残高	
資金期末残高（＊8）	

（参考）資金期末残高と現金及び預金との関係

（単位：○○百万円）

	金額
資金期末残高（＊8）	
定期預金	
現金及び預金（＊1）	

（記載上の留意事項）
・要約した財務諸表を記載する。
・独立行政法人の判断により勘定科目名の修正又は重要な勘定科目を追加しても良い。
・法人単位財務諸表を作成している法人では，要約した法人単位財務諸表を記載する。
・（＊）を付すこと等により，財務諸表の体系内の情報の流れを明示する。
・詳細については，財務諸表を参照すべき旨，記載する。

13. 財政状態及び運営状況の法人の長による説明情報

（記載上の留意事項）
・事業報告書に記載した独立行政法人の業務運営の状況に関して，国民その他の利害関係者の理解が促進するように，法人の長による財政状態，運営状況及びキャッシュ・フローの状況のうち，主要な財務データに関する分析，検討内容等を簡潔に説明する。
・「12. 財務諸表」における要約した財務諸表について説明する。
・当事業年度に係る主要な財務データの分析を基本とするが，経年比較・分析をしても良い。
・一定の事業等のまとまりごとの目標を踏まえて説明しても良い。

（1） 貸借対照表

当事業年度末における資産は，・・・・・となっています。

また，・・・・・により，負債が前年度末比で○○円減少しています。

（記載上の留意事項）
・資産，負債又は純資産を構成する主要な科目について，その内容や特徴，財務分析結果等を法人の長が簡潔に説明する。

（2） 行政コスト計算書

当事業年度の行政コストは，・・・・・により，前年度比○○円増加しました。

特に，○○セグメントにおいて・・・・・となりました。

（記載上の留意事項）
・損益計算書上の費用又はその他行政コストを構成する主要な科目について，その内容や特徴，前事業年度と対比した財務分析結果等を法人の長が簡潔に説明する。

（3） 損益計算書

・・・・・

（4） 純資産変動計算書

当事業年度の純資産は，行政コストが○○円増加した結果，・・・・・となりました。

（5）　キャッシュ・フロー計算書

業務活動によるキャッシュ・フローが，前年度比○○円増加しました。これは，○○業務に係る支出が・・・・により減少したことによります。

14. 内部統制の運用に関する情報

（記載上の留意事項）

・「7. 持続的に適正なサービスを提供するための源泉」で説明した内部統制システムの整備状況を含むガバナンスの状況を踏まえ，当事業年度における内部統制委員会の開催状況など，内部統制システムの運用状況について簡潔に説明する。

15. 法人の基本情報

（1）　沿革

平成○年○月　○○法人として設立

平成△年△月　・・・・

（特殊法人等から移行した法人は，特殊法人時代の状況についても記載）

（2）　設立に係る根拠法

独立行政法人○○機構法（平成△年法律第○号）

（3）　主務大臣

○○大臣（○○省△△局××課）

（4）　組織図

（5）　事務所（従たる事務所を含む）の所在地

本部：東京都港区虎ノ門○─○─○

支部：愛知県名古屋市△△△

（6）　主要な特定関連会社，関連会社及び関連公益法人等の状況

（記載上の留意事項）

・財務諸表により情報提供している場合に記載する。

・法人の名称，当該独立行政法人との関係を簡潔に説明する。

・詳細については，附属明細書を参照すべき旨，記載する。

（7） 主要な財務データの経年比較

（単位：○○百万円）

区分	令和××年度	令和××年度	令和××年度	令和××年度	令和○○年度
資産					
負債					
純資産					
行政コスト					
経常費用					
経常収益					
当期総利益					

（記載上の留意事項）
・「12．財務諸表」における要約した財務諸表を踏まえて記載する。
・当事業年度を含む直近5事業年度に係る主要な財務データを記載する。
・業務活動によるキャッシュ・フローなど，追加の財務データを記載しても良い。

（8） 翌事業年度に係る予算，収支計画及び資金計画

① 予算

（単位：○○百万円）

区別	合計
収入	
運営費交付金	
施設整備費補助金	
受託収入	
計	
支出	
業務経費	
施設整備費	
受託経費	
一般管理費	
計	

②　収支計画

（単位：○○百万円）

区別	合計
費用の部	
経常費用	
○○業務費	
△△業務費	
一般管理費	
減価償却費	
財務費用	
臨時損失	
収益の部	
運営費交付金	
収益	
手数料収入	
受託収入	
寄付金収益	
資産見返負債戻入	
臨時利益	
純利益	
目的積立金取崩額	
総利益	

③　資金計画

（単位：○○百万円）

区別	合計
資金支出	
業務活動による支出	
投資活動による支出	
財務活動による支出	
翌年度への繰越金	
資金収入	
業務活動による収入	

運営費交付金による収入	
受託収入	
その他の収入	
投資活動による収入	
施設費による収入	
その他の収入	
財務活動による収入	
前年度よりの繰越金	

(記載上の留意事項)
・法人全体の予算，収支計画及び資金計画を記載する。
・事業等のまとまりごとの予算，収支計画及び資金計画は記載しなくても良い。
・法人単位の収支予算書を作成している法人では，法人単位の収支予算書を記載する。
・詳細については，年度計画を参照すべき旨，記載する。

16. 参考情報

（1） 要約した財務諸表の科目の説明

① 貸借対照表

現金及び預金：現金及び預金であって，貸借対照表日の翌日から起算して一年以内に期限の到来しない預金を除くもの

有　価　証　券：売買目的有価証券，一年以内に満期の到来する国債，地方債，政府保証債その他の債券

その他（流動資産)：たな卸資産，前渡金，前払費用，未収収益等

有形固定資産：土地，建物，機械装置，車両，工具など，独立行政法人が長期にわたって使用又は利用する有形の固定資産

投資有価証券等：投資目的で保有する有価証券や関係会社有価証券

その他（固定資産)：有形固定資産，投資有価証券以外の長期資産で，特許権，商標権，著作権など，具体的な形態を持たない無形固定資産等が該当

運営費交付金債務：独立行政法人の業務を実施するために国から交付された運営費交付金のうち，未実施の部分に該当する債務残高

その他（流動負債）：未払金，未払費用，預り金等
引　当　金：将来の特定の費用又は損失を当期の費用又は損失として見越し計上するもので，賞与引当金，退職給付引当金等が該当
資産見返負債：中期計画の想定の範囲内で，運営費交付金により，又は補助金等の交付の目的に従い，若しくは寄附金により寄附者の意図等に従い償却資産を取得した場合に計上される負債
債券及び借入金：事業資金等の調達のため，独立行政法人が発行する債券及び借り入れた長期借入金
その他（固定負債）：長期預り補助金等，長期預り寄附金，資産除去債務等が該当
資　本　金：政府や地方公共団体からの出資金など，独立行政法人の会計上の財産的基礎を構成するもの
資本剰余金：国から交付された施設費や寄附金等を財源として取得した資産に対応する独立行政法人の会計上の財産的基礎を構成するもの
利益剰余金：独立行政法人の業務に関連し発生した剰余金の累計額
評価・換算差額等：その他有価証券評価差額金等

② 行政コスト計算書
損益計算書上の費用：損益計算書における経常費用，臨時損失，法人税，住民税及び事業税，法人税等調整額
その他行政コスト：政府出資金や国から交付された施設費等を財源として取得した資産の減少に対応する，独立行政法人の実質的な会計上の財産的基礎の減少の程度を表すもの
行政コスト：独立行政法人のアウトプットを産み出すために使用したフルコストの性格を有するとともに，独立行政法人の業務運営に関して国民の負担に帰せられるコストの算定基礎を示す指標としての性格を有するもの

③ 損益計算書
業　務　費：独立行政法人の業務に要した費用
一般管理費：事務所の賃借料，減価償却費など，独立行政法人の管

理に要した費用

財　務　費　用：利息の支払や，債券の発行に要する経費

その他（経常費用）：雑損等

運営費交付金収益等：国からの運営費交付金等のうち，当期の収益として認識した収益

自己収入等：手数料収入，受託収入などの収益

その他（経常収益）：雑益等

臨　時　損　失：固定資産の除売却損，減損損失等

臨　時　利　益：固定資産の売却益，引当金戻入益等

その他調整額：法人税，住民税及び事業税に法人税等調整額を調整したもの

目的積立金取崩額等：目的積立金や前中期目標期間繰越積立金等の取崩額

当期総利益：独立行政法人通則法第44条の利益処分の対象となる利益であって，独立行政法人の財務面の経営努力の算定基礎を示す指標としての性格を有するもの

④　純資産変動計算書

当期末残高：貸借対照表の純資産の部に記載されている残高

⑤　キャッシュ・フロー計算書

業務活動によるキャッシュ・フロー：独立行政法人の通常の業務の実施に係る資金の状態を表し，サービスの提供等による収入，原材料，商品又はサービスの購入による支出，人件費支出等が該当

投資活動によるキャッシュ・フロー：将来に向けた運営基盤の確立のために行われる投資活動に係る資金の状態を表し，固定資産や有価証券の取得・売却等による収入・支出が該当

財務活動によるキャッシュ・フロー：増資等による資金の収入・支出，債券の発行・償還及び借入れ・返済による収入・支出等，資金の調達及び返済などが該当

資金に係る換算差額：外貨建て取引を円換算した場合の差額

（記載上の留意事項）
・「12. 財務諸表」における要約した財務諸表の科目について，内容を簡潔に説明する。

（2）　その他公表資料等との関係の説明

事業報告書に関連する報告書等として，以下の報告書等を作成しています。

ⅰ・・・・

ⅱ・・・・

以上

索　引

〔あ行〕

〔か行〕

〔さ行〕

〔た行〕

〔な行〕

〔は行〕

〔ま行〕

〔や行〕

〔ら行〕

〔わ行〕

〈執筆・監修〉
非営利統括支援室長　公認会計士　宮崎　哲
日本公認会計士協会　公会計委員会　独立行政法人等専門委員会　専門委員を務める。

〈執　筆〉
公認会計士　鶴見　　　寛
公認会計士　石倉　　毅典
公認会計士　篠田　　友彦
公認会計士　尾崎　　兼行
公認会計士　岡村　　　学
公認会計士　水野　　泰武
公認会計士　平野　慎太郎
公認会計士　中尾　圭一郎
公認会計士　佐賀　　美久
公認会計士　稲垣　　尋継
公認会計士　山本　　清寛
公認会計士　齋藤　　勇樹
公認会計士　竹内　　佑樹

〈編者紹介〉
太陽有限責任監査法人

〈沿革〉
昭和46年 9月　太陽監査法人を設立
昭和59年 5月　大阪事務所を開設
平成18年 1月　ASG監査法人と合併し太陽ASG監査法人に名称変更
平成20年 7月　有限責任監査法人に組織変更
平成20年 7月　名古屋事務所を開設
平成24年 7月　永昌監査法人と合併，北陸事務所を開設
平成25年10月　霞ヶ関監査法人と合併
平成26年10月　太陽有限責任監査法人に名称変更
平成30年 7月　優成監査法人と合併，札幌事務所，東北事務所，新潟事務所，
　　　　　　　中国・四国事務所，九州事務所を開設

〈概要（2023年9月30日現在）〉
・人員数

代表社員・社員（公認会計士）	91名
特定社員	4名
公認会計士	332名
公認会計士試験合格者等	215名
その他専門職	235名
事務職員	95名
契約職員	252名
合　計	1,224名

・Grant Thornton Internationalのメンバーファーム

〈住所〉
（本部・東京事務所）
〒107-0051　東京都港区元赤坂1-2-7　赤坂Kタワー
（大阪事務所）
〒530-0015　大阪市北区中崎西2-4-12　梅田センタービル25階
上記のほか，札幌事務所，東北事務所，新潟事務所，名古屋事務所，北陸事務所，中国・四国事務所，九州事務所，福井オフィス，富山オフィス，神戸オフィスの国内12拠点を開設

2013年7月25日　初版発行
2016年8月10日　第2版発行
2020年1月20日　第3版発行
2024年1月30日　第4版発行　　略称：独法会計ハンド(4)

独立行政法人会計詳解ハンドブック
［第4版］

編　者　©太陽有限責任監査法人

発行者　中　島　豊　彦

発行所　**同文舘出版株式会社**
東京都千代田区神田神保町1-41　〒101-0051
電話 営業（03）3294-1801　編集（03）3294-1803
振替 00100-8-42935　https://www.dobunkan.co.jp

Printed in Japan 2024　印刷・製本：三美印刷
装丁：志岐デザイン事務所

ISBN978-4-495-19894-7

本書と ともに

太陽有限責任監査法人　編
A5 判　474 頁
税込 5,940 円（本体 5,400 円）